經學研究論叢

◆第二十輯◆

林慶彰主編
馮曉庭編輯

臺灣 學生書局 印行

經學研究論叢編輯委員會

編者序

本輯稿件有需要特別提出說明的如下：

第十八輯劉德州先生的〈論段玉裁《古文尚書撰異》區分今、古文〉一文，在第十九輯又重刊了一次，所以造成這麼大的錯誤，有需要向讀者說明。本來劉德州先生的大作是要刊在第十九輯，但是在編第十八輯時，發現尚書類缺稿，編輯問我要如何處理，我說就把劉德州先生的文稿移到第十八輯，卻忘了把十九輯中的檔案刪除，所以又在十九輯中刊登了一次，在此向劉德州先生和讀者表示深深的歉意。

另外一篇汪大曼撰寫的〈崔觶甫先生評傳〉，一九九三年蔡長林學弟撰寫他的碩士論文時，因為崔適的傳記資料不足，想到湯志鈞先生是晚清經學史的巨擘，所以請蔡長林學弟寫信去請教湯先生，過不久湯先生回了信，信中說在《新東方》雜誌中有一篇崔適的傳記，文長數千字之多，可以找來參考。但因為臺灣並沒有收藏這個刊物，當時兩岸又不能來往，所以就把事情擱下來。二〇〇九年十二月中國社會科學院歷史研究所，邀請我擔任該所的訪問學人，我想到該院近代史研究所應該有《新東方》雜誌，當時該所的馬忠文先生陪我們過去，館員把各種《新東方》雜誌都找來，放在櫃台上，很得意地說：「就到此為止，不能有其他要求了。」因為文章太長，馬先生說要幫我們影印，反而被館員教訓了一頓。二〇一〇年五月臺灣的《國文天地》製作了「大陸國學熱的省思」的專輯，我在〈我看大陸的國學熱〉一文中說：國學熱如果沒有配套措施，怎麼熱得起來？對大陸圖書的典藏與流通不能取得平衡，頗有怨言。不久湖北大學的周積明副校長派他的弟子雷平先生到北京開會，順便到近代史研究所去抄這篇文章，但是並沒有抄完。後來蔡長林託他的朋友印到了整篇文章。我想這篇文章既然這樣難以得到，且為了感謝湯志鈞和周積明兩位教授的協助，我請吳怡青學弟重新點校，將全文刊在本輯「經學舊作新刊」一欄中。

本輯收稿與校對工作，全由馮曉庭學弟來統籌，他為了培養編輯人才，邀請中央大學中國文學系博士班陳洛嘉同學、中正大學中國文學系博士班謝智光同學、臺北市立教育大學中國語文學碩士陳語唐同學、嘉義大學中國文學系碩士班劉慕真、蔡宜君、陳琇芸同學一起完成本書的校對工作，並核對各篇論文的附註，工作負擔相當繁重，謹表示萬分的謝忱。

二〇一二年 **林慶彰** 誌於

中央研究院中國文哲研究所 501 研究室

經學研究論叢 第二十輯

目 次

經　學　研　究　論　叢
第　二　十　輯　　　頁1～18
臺灣學生書局　2012 年 12 月

近十年（2001－2010）臺灣的儒學研究述評

陳韋哲*

一、前言

儒家學派的創始人孔子，誕生於西元前六世紀的周王朝末年。那是一個「禮壞樂崩」的時代，諸侯恣意兼併，游士邪說橫行，於是乎社會各個階層的知識分子，紛紛提出其經世濟民、修身治國的方針，以期挽救日益動盪的社會與人們不安的心靈。儒家學說作為當時眾多的挽救方針之一，從往後的歷史發展來看，似乎是較其他學說來得幸運的，不但在漢代武帝以後獨尊為學官，更成為隋唐以來選拔人才的正途。但除了當年歷史的、政治的選擇之外，儒家學說的開放性與包容性，或許才是儒家學派得以持續發展兩千多年的主要原因。

荀子有云：「凡人之患，蔽於一曲而闇於大理。」各種理論學說，難免會因為個人或團體間所固執的成見，而產生出偏離「正道」的結論。像這樣因為思想體系或學說見解之不同而產生的分歧，同樣地也發生在儒家學派的內部。孟、荀二家對人性的討論，歷來一直是思想界爭辯的議題，此外還有今古文經學的問題、義疏與詁訓解經的問題、程朱與陸王、漢學與宋學等，都是儒家內部思想分歧的具體事例。但這些分歧所催生的，不是步向毀滅的儒家學派，而是從不斷地紛爭、討論之

*　陳韋哲，東吳大學中國文學系碩士。

戰火中重生的新儒學。

儒家學派的開放與包容，讓它能夠隨著時代與地域的不同，與時俱進、因地制宜，而表現出其因應當時代社會問題的面貌與能力。儒學在明鄭時期隨著漢人的移民傳入了臺灣，剛開始是承襲南明諸儒的實學風格，其後經歷了清領時期所提倡的朱子學，以及跟當地傳統信仰（如文昌帝君等）、原住民文化的交流、融合之後，逐步形成了具有臺灣本土特色的「臺灣儒學」，而不再僅僅只是閩學在臺的一個支派。近年來，臺灣社會本土意識的高漲，也同樣地表現在儒學的研究上。一九九五年，陳昭瑛在其發表的〈當代儒學與臺灣本土化運動〉❶當中提出了「臺灣儒學」一詞（陳氏當是第一位有意識將「臺灣儒學」視為一研究對象或領域的學者），是為一種本土化儒學研究的思考或提示。其後更在二〇〇〇年出版了《臺灣儒學：起源、發展與轉化》❷一書，論述了四百年來儒學在臺灣的發展，為臺灣的「儒學研究」開拓了一個新的論域。而在研究的文獻方面，則有林慶彰老師主編的《日據時期臺灣儒學參考文獻》❸可供學界利用。二十一世紀〇〇年代（2001－2010）的「臺灣儒學」研究，就在上個世紀末打下了深厚的基礎。

除了本土化的研究之外，全球化與現代化等議題，也成了當代儒學關心的重點。正如儒學流傳到了位於中國大陸邊陲的臺灣，早在隋唐之際（甚至於更早），儒學也經由各種的方式傳往日本、朝鮮、越南等東亞諸國。在傳播的過程當中，因為語言、文化的殊異，儒家學派的思想與典籍，往往會因時因地而被作出不同的解讀與詮釋。這樣的情況，不僅見於東亞諸國，也見於近代以來與中國交往漸密的歐美國家。因此，「東亞儒學」不是臺灣「儒學研究」關注全球化議題的終點，而是一個對異文化理解、認識的開始，也是儒家學說開放與包容特性的延續。

二〇〇八年七月，北京清華大學的校友趙偉國，捐贈了一批戰國中晚期的出土竹簡給母校，是為「清華簡」。這批戰國竹簡延續著上個世紀末上海博物館購得之

❶ 陳昭瑛：〈當代儒學與臺灣本土化運動〉，發表於中央研究院中國文哲研究所主辦「第三次當代儒學研討會」，1995 年 4 月。

❷ 陳昭瑛：《臺灣儒學：起源、發展與轉化》（臺北：正中書局，2000 年 3 月）。

❸ 林慶彰：《日據時期臺灣儒學參考文獻》（臺北：臺灣學生書局，2000 年 10 月）。

戰國楚竹書（俗稱「上博簡」，一九九四年購於香港古玩市場）的熱潮，仍舊成為近年臺灣「儒學研究」的一項特色。尤其是將出土文獻運用在經學研究上之研究成果，更是近年來值得關注的一大焦點。

另外，由於儒學的「普世性」，表現在其不同時空下對於經典的詮釋。❹而這樣的「普世性」展現在臺灣的儒學研究中，一方面是對於傳統哲學議題的重新探討與詮釋，另一方面則是當代新儒家的崛起與反思。其中，傳統的哲學議題如「氣論」、「工夫論」等，又因為新儒家學者的提倡，而發展出了更具有當代性的詮釋內涵與研究特色。

本文旨在介紹近十年來臺灣「儒學研究」的情況，藉由對已在臺灣出版之相關著作的分類，呈現出近年來研究之重點與特色。筆者收集了二〇〇一年到二〇一〇年這十年來臺灣出版的儒學相關專著，依其討論的主題分為四個大類，大類之下共繫有九個小類。分別是：「對本土化與全球化等議題的關注」，下繫有「臺灣儒學」、「朱子學」和「東亞儒學」三小類；「出土文獻與經學研究」，下繫有「出土文獻」和「經學研究」兩小類；「傳統哲學議題的重新探討與詮釋」，下繫有「傳統哲學議題的探討」和「經典詮釋」兩小類；「當代儒家學者的思想與反省」，下繫有「當代儒者思考的議題與自我的省察」和「儒學宗教化的思考」兩小類。大類與小類之分，是為了方便呈現近年來儒學研究的重點所在，實在無法完全呈現臺灣「儒學研究」的面貌。像新儒家學者對於東亞儒學的反思，便既是「新儒家思想」的問題，也是「儒學全球化」的問題。

二、對本土化與全球化等議題的關注

上個世紀末以來，臺灣社會本土意識的抬頭與國際學術交流的頻仍，促使臺灣的儒學研究，不僅開始關注到了「臺灣儒學」這一塊新的領域，對於東亞儒學的發展與傳播也變得相當地重視。以下將分別介紹臺灣近年出版有關「臺灣儒學」、「朱子學」、「東亞儒學」等方面的研究專著數種，盼能藉此呈現二十一世紀以

---

❹ 參考自陳昭瑛：《臺灣儒學：起源、發展與轉化》（臺北：國立臺灣大學出版中心，2008 年 4 月），〈初版自序：斯人千古不磨心〉，頁 iv－v。

來，臺灣學界對於儒學之本土化與全球化等議題的關注情況與研究的成果。

㈠臺灣儒學

自上個世紀末陳昭瑛與林慶彰兩位老師分別出版《臺灣儒學：起源、發展與轉化》、《日據時期臺灣儒學參考文獻》以來，「臺灣儒學」的研究逐漸受到學界的重視，其受關注的程度，明顯地反映在相關博碩士論文的數量上。

二○○一年，川路祥代（日本九州熊本人，1963－）率先以《殖民地臺灣文化統合與臺灣傳統儒學社會（1895－1919）》❺取得博士學位，其後陸續有蔡翔任《張純甫「是左」、「非墨」思想研究——以古史辨運動為背景》❻、陳琬琪《張純甫儒學思想研究》❼、尤隨終《明鄭至日治時期（1661－1945）臺灣儒學之研究》❽、李進添《日治時期臺灣儒學代表人物之研究》❾、江啟綸《日治中晚期臺灣儒學的變異與發展——以《孔教報》為分析對象（1936－1938）》❿、蘇純婉《清代台灣儒學中「氣類」意識的轉化與在地實踐——以鳳山縣為考察範圍》⓫、潘豐慶《清代台灣書院的儒學教育及其影響之研究》⓬等，共計有十多篇直接以「臺灣儒學」或「臺灣儒學人物」為題的學位論文。其中，關於臺灣儒學人物張純甫（1888－1941）的研究，最早關注到這個議題並且開始收集有關資料的，便是林

---

❺ 〔日〕川路祥代：《殖民地臺灣文化統合與臺灣傳統儒學社會（1895－1919）》（臺南：成功大學中國文學研究所博士論文，2001 年）。

❻ 蔡翔任：《張純甫「是左」、「非墨」思想研究——以古史辨運動為背景》（嘉義：中正大學中國文學研究所碩士論文，2002 年）。

❼ 陳琬琪：《張純甫儒學思想研究》（臺北：政治大學中國文學研究所碩士論文，2003 年）。

❽ 尤隨終：《明鄭至日治時期（1661－1945）臺灣儒學之研究》（臺北：華梵大學東方人文思想研究所碩士論文，2004 年）。

❾ 李進添：《日治時期臺灣儒學代表人物之研究》（臺北：臺北市立教育大學應用語言文學研究所碩士論文，2005 年）。

❿ 江啟綸：《日治中晚期臺灣儒學的變異與發展——以《孔教報》為分析對象（1936－1938）》（臺南：成功大學臺灣文學研究所碩士論文，2006 年）。

⓫ 蘇純婉：《清代台灣儒學中「氣類」意識的轉化與在地實踐——以鳳山縣為考察範圍》（臺南：成功大學中國文學研究所碩士論文，2009 年）。

⓬ 潘豐慶：《清代台灣書院的儒學教育及其影響之研究》（高雄：高雄師範大學國文研究所碩士論文，2009 年）。

慶彰老師主編的《日據時期臺灣儒學參考文獻》一書，由此也可看出「臺灣儒學」研究的承繼與發展。

在學者的研究專著方面，有陳昭瑛《臺灣儒學的當代課題：本土性與現代性》⓭，談儒學在臺灣的移植與發展、《臺灣通史》和《亞細亞的孤兒》中的儒學思想，以及探討二〇年代臺灣知識分子的文化省思等。其他像是潘朝陽的《明清臺灣儒學論》⓮、《臺灣儒學的傳統與現代》⓯等書，也是近年來研究「臺灣儒學」的重要成果。在學術刊物方面，臺北市立教育大學人文藝術學院儒學中心所出版的《儒學研究論叢》⓰，第一輯便是「日據時期臺灣儒學研究專號」，裡頭共收錄了十一篇研究「臺灣儒學」的單篇論文，值得學界重視。而在學術研討會方面，《儒學與社會實踐：第三屆臺灣儒學研究國際學術研討會論文集》⓱與《「臺灣儒學文獻」學術研討會會議論文集》⓲，是目前比較容易取得的會議論文集。由此可見得近年來「臺灣儒學」研究的盛況。

㈡朱子學

隨著「臺灣儒學」逐漸受到學界的關注，作為「臺灣儒學」來源之一的「朱子學」也成了學界討論的焦點。二〇〇〇年十一月十六日至十八日，由漢學研究中心、中央研究院中國文哲研究所，以及清華大學中國文學系共同舉辦了「朱子學與東亞文明學術研討會」，會中以「朱子學與近代東亞」、「朱子與閩臺儒學」、「朱子與經典詮釋」和「朱子學與科學論述」等四個子題為核心議程，討論了朱子學的傳播與其熔鑄了近代東亞文化的思想骨架。

⓭ 陳昭瑛：《臺灣儒學的當代課題：本土性與現代性》（北京：中國社會科學出版社，2001 年 6 月）。

⓮ 潘朝陽：《明清臺灣儒學論》（臺北：臺灣學生書局，2001 年 10 月）。

⓯ 潘朝陽：《臺灣儒學的傳統與現代》（臺北：國立臺灣大學出版中心，2008 年 9 月）。

⓰ 葉純芳、張曉生主編：《儒學研究論叢：日據時期臺灣儒學研究專號》（臺北：臺北市立教育大學人文藝術學院儒學中心，2008 年 12 月）。

⓱ 成功大學中國文學系主編：《儒學與社會實踐：第三屆臺灣儒學研究國際學術研討會論文集》（臺南：成功大學中文系，2003 年 2 月）。

⓲ 臺灣大學東亞文明研究中心主編：《「臺灣儒學文獻」學術研討會會議論文集》（臺北：國立臺灣大學東亞文明研究中心，2005 年 5 月）。

朱子學包含了經學、史學、文學等多方面的成就，更是儒家義理之學的高度發展。然而在與西方哲學思想的衝擊之下，迫使我們不得不將朱子學放在西洋學術的架構下檢視，而把朱子的思想加以概念化、體系化。⑲在這文化交流的適應期當中，中國與日本等國的學者作了很大的努力，「朱子學與東亞文明學術研討會」便是對這努力的過程與成果，進行討論與研究的學術會議。二〇〇二年，由鍾彩鈞及楊儒賓兩位先生，根據內容與題材的不同，將二〇〇〇年年底的會議論文，分別編成了《朱子學的開展——學術篇》和《朱子學的開展——東亞篇》⑳兩書。

朱子學在東亞諸國傳播的過程中，其與各國文化之調適的程度、情形亦不相同。二〇〇六年，黃俊傑、林維杰合編《東亞朱子學的同調與異趣》㉑，便收了論文十篇，分別討論了中國（4 篇）、日本（2 篇）及韓國（4 篇）朱子學的特色與發展。

㈢東亞儒學

前兩年，經濟學界由於全球的經濟不景氣，而創造了「區域經濟」一詞。「區域經濟」是「全球化經濟貿易」的前哨，由於世界各地的發展不均，貿然實施「全球化經濟貿易」，只會導致全球貿易市場的動盪，因此先讓文化、經濟發展等水平較為接近的各國所形成的「區域」內部各自發展（如「亞太」與「歐盟」），等各「區域」間的發展較為平衡了，再進行所謂的「區域整合」，以達到「全球化經濟貿易」的目的。這樣的「區域理論」在臺灣「儒學研究」的全球化歷程中，也起了同樣階段性的作用。

東亞文化圈是儒學發展與傳播的主要地區，因此，不論是海峽兩岸的學者，還是日本、韓國、越南等國的漢學家，都各有其所處環境下對儒家經典乃至儒學思想的不同詮釋。因此，對「東亞儒學」，乃至「經典詮釋」等議題的研究，正是使「儒學研究」邁向全球化的基礎。從臺大「東亞近世儒學中的經典詮釋傳統研究計

---

⑲ 參考自鍾彩鈞主編：《朱子學的開展——學術篇》（臺北：漢學研究中心，2002 年 6 月），〈導論〉，頁 i－ii。

⑳ 楊儒賓主編：《朱子學的開展——東亞篇》（臺北：漢學研究中心，2002 年 6 月）。

㉑ 黃俊傑、林維杰合編：《東亞朱子學的同調與異趣》（臺北：國立臺灣大學出版中心，2006 年 12 月）。

畫」（教育部「大學學術卓越計畫」2000－2004）的執行，到「臺大東亞文明研究中心．東亞文獻研究計畫」（教育部「推動研究型大學整合計畫」，2002－2005）的推動，便是臺灣學者近年來努力投身「東亞儒學」與「經典詮釋」研究的最好證明。

在相關的著作方面，有中央研究院中國文哲研究所出版的《儒家思想在現代東亞》與《現代儒家與東亞文明》兩個系列作品，收於《當代儒學研究叢刊》當中。而「東亞文明研究中心」歷次研討會所發表的論文裡，也有許多關於「東亞儒學」議題的討論。㉒在這些專書所收的論文當中，除了有臺灣學者對於「東亞儒學」議題的研究之外，更有香港、日本等各國學者的文章。如鄭宗義的〈大陸學者的宋明理學研究〉㉓，討論大陸學者對傳統儒學的重釋，以及分析大陸學術界研究宋明理學的三個階段所採取的態度與方法；鄭仁在的〈惠岡、崔漢綺的神氣運化論〉㉔，討論韓國近世氣論儒者崔漢綺（1803－1877，號惠岡）氣學成立的背景，和其欲融合西洋機器論與東方氣論思想的哲學企圖；以及陶德民的〈元田永孚的「君德輔導」與論語解釋：關於《經筵論語進講錄》的考察〉㉕，討論了日本儒學家元田永孚（1818－1891，號東野）的論語學，以及其為明治天皇教授「經筵之學」的特色。

三、出土文獻與經學研究

近年來，中國大陸的學術界購得了大量的出土文物資料，使得許多知名學者如李學勤、廖名春等皆投身其中。在這些出土的文獻資料裡，有著許多已經失傳的經籍舊本，在簡帛的釋文陸續出版之後，臺灣亦有不少的儒學研究者從事這方面的研

㉒ 文章多收於國立臺灣大學出版中心出版的《東亞文明研究叢書》。

㉓ 收於劉述先主編：《儒家思想在現代東亞：中國大陸與臺灣篇》（臺北：中央研究院中國文哲研究所，2004 年 12 月），頁 123－160。作者當時為香港中文大學哲學系助理教授。

㉔ 收於楊儒賓、祝平次編：《儒學的氣論與工夫論》（臺北：國立臺灣大學出版中心，2005 年 9 月），頁 279－300。作者當時為韓國西江大學校教授。

㉕ 收於黃俊傑編：《中日《四書》詮釋傳統初探》（臺北：國立臺灣大學出版中心，2004 年 8 月），上冊，頁 213－236。作者當時為日本大阪關西大學文學部教授。

究。而這些出土的經籍舊本，不僅可能改寫或修正現有的儒學史或學術史的面貌，更重要的是對於經學史上懸疑未決的公案，可以找到較為合理的說法。以下將分別從「出土文獻」和「經學研究」兩個方面，來介紹臺灣近年來研究與出版的情況。

㈠出土文獻

其實「出土文獻」之於學術研究的貢獻，早在王國維〈古史新證〉一文中便已提及：

> 吾輩生於今日，幸於紙上之材料外，更得地下之新材料。由此種材料，我輩故得據以補正紙上之材料，亦得證明古書之某部分全為實錄，即百家不雅馴之言亦不無表示一面之事實。此二重證據法，惟在今日始得為之。雖古書之未得證明者，不能加以否定，而其已得證明者，不能不加以肯定：可斷言也。㉖

今日研究者所依據的文獻資料，可分為「傳世文獻」和「出土文獻」兩類。㉗清末民初以前的經學研究，因為當時「出土文獻」的不足，加以考釋的功力不夠，故多著重在「傳世文獻」上。後來因為地下文獻材料陸續出土，再加上王氏「二重證據法」的提倡，「出土文獻」的應用遂日益為文史研究者所重視。尤其在一九七三年馬王堆出土了帛書《周易》和《易傳》之後，更是將此「出土文獻」之應用，正式納入了經學或儒學研究的範圍。

上海博物館於一九九四年從香港購得的戰國楚竹書，目前已陸續整理出版了七冊。臺灣學者季旭昇則從二〇〇四年起主編《上海博物館藏戰國楚竹書》的讀本，收錄研究生們所撰寫之相關的單篇論文，目前也已經出版四冊了。㉘而北京清華大

㉖ 見王國維：〈古史新證〉，《王觀堂先生全集》（臺北：文華出版公司，1968 年 3 月），冊 6，頁 2078。

㉗ 「傳世文獻」與「出土文獻」之說法，詳見張顯成：《簡帛文獻學通論》（北京：中華書局，2004 年 10 月），頁 1－3。

㉘ 由臺北的萬卷樓圖書公司出版，出版日期分別為 2003 年 7 月、2004 年 6 月、2005 年 10 月 2007 年 3 月。

學於二〇〇八年獲贈的「清華簡」，則仍在持續整理當中。因此關於臺灣學者利用「出土文獻」來研究儒學的情況，大部分還是以單篇論文為主，較少有以之作成學位論文或專書者（因為目前能掌握到的資料有限）。

二〇〇二年，陳福濱主編的《新出楚簡與儒家思想論文集》㉙，共收了十一篇文章，多是討論上博楚簡與郭店本、今本經籍之異同。其中有邵台新的〈戰國至漢初的儒學傳承——以楚地簡帛為中心的討論〉，涉及到儒學史的建構；王金凌的〈《禮記・緇衣》今本與郭店、上博楚簡比論〉，則是將各版本作章次的對照與文義的比論。關於郭店楚簡的〈緇衣〉，有黃麗娟作《郭店楚簡緇衣文字研究》㉚，是這個議題中相當重要的研究專著。

此外，還有郭梨華二〇〇三年八月起執行的研究計畫「子思子在戰國儒家哲學中的地位」和她二〇〇八年出版的《出土文獻與先秦儒道哲學》㉛。前者主要在研究思孟學派在先秦儒家的重要性，後者則綜合性地討論了「出土文獻」對儒道哲學思想研究的影響。

㈡經學研究

近年來的經學研究，除了傳統經學問題的討論之外，比較主要的特色有兩點。一是與出土文獻相結合的經學研究，一是對經學研究文獻資料的整理。

與出土文獻相結合的經學研究，其實一直是大陸學界研究儒學的一項重點。近幾年來，臺灣的儒學研究者也逐漸地在這方面投入了心力，除了上述郭梨華的著作之外，李嘉惠的碩士論文《戰國儒家心性情說研究——以《禮記》三篇〈性自命出〉為中心的考察》㉜和陳文豪主編的《簡帛研究彙刊》㉝等都是。

對經學研究文獻資料的整理，主要是指由林慶彰、陳恆嵩與蔣秋華等諸位學者

㉙ 陳福濱主編：《新出楚簡與儒家思想論文集》（臺北：輔仁大學文學院，2002年7月）。

㉚ 黃麗娟：《郭店楚簡緇衣文字研究》（臺北：臺灣師範大學國文研究所碩士論文，2000年），隔年出版。

㉛ 郭梨華：《出土文獻與先秦儒道哲學》（臺北：萬卷樓圖書公司，2008年8月）。

㉜ 李嘉惠：《戰國儒家心性情說研究——以《禮記》三篇〈性自命出〉為中心的考察》（臺北：東吳大學哲學研究所碩士論文，2006年）。

㉝ 陳文豪主編：《簡帛研究彙刊》（臺北：中國文化大學史學系，2003年5月）。

所編纂的工具書、論文集和叢書。二〇〇二年，林、陳兩位老師主編的《經學研究論著目錄：1993－1997》[34]出版了，與一九八九年出版的《經學研究論著目錄：1912－1987》、一九九五年出版的《經學研究論著目錄：1988－1992》，共同成為查找歷年經學研究的重要工具書。同時，林、蔣兩位老師又出版了《晚清經學研究文獻目錄（1901－2000）》，該書不但反映出二十世紀研究晚清經學的總成果，也指引了二十一世紀研究晚清經學方向。論文集的部分，則有林、蔣兩位老師主編的《啖助新春秋學派研究論集》[35]，和《通志堂經解研究論集》[36]等。叢書的部分，主要有林慶彰老師主編的《民國時期經學叢書》，目前出版四輯，每輯有六十冊，全套預計出版四百八十冊。[37]

此外，還有一系列由國立編譯館出版的「著述考」叢書，雖然因為編纂計畫的停擺而沒能編寫完整，但從這邊也可以發現到近年來經學研究興盛的情況。

四、傳統哲學議題的重新探討與詮釋

儒家思想所討論的「心性問題」與「成德工夫」等，一直是歷來儒學研究的重點所在。自徐復觀、唐君毅、牟宗三等諸位先輩儒者以來，新儒家的哲學體系逐漸成為臺灣儒學思想研究的主流。如翁志宗《自由主義者與當代新儒家政治論述之比較——以殷海光、張佛泉、牟宗三、唐君毅、徐復觀的論述為核心》[38]、陳貞蓁

---

[34] 林慶彰、陳恆嵩主編：《經學研究論著目錄：1993－1997》（臺北：漢學研究中心，2002 年 4 月）。

[35] 林慶彰、蔣秋華主編：《啖助新春秋學派研究論集》（臺北：中央研究院中國文哲研究所，2002 年 9 月）。

[36] 林慶彰、蔣秋華主編：《通志堂經解研究論集》（臺北：中央研究院中國文哲研究所，2005 年 8 月）。

[37] 由臺中的文听閣圖書公司出版，出版日期第一、二輯為 2008 年 7 月，第三、四輯 2009 年 9 月。

[38] 翁志宗：《自由主義者與當代新儒家政治論述之比較——以殷海光、張佛泉、牟宗三、唐君毅、徐復觀的論述為核心》（臺北：政治大學中山人文社會科學研究所碩士論文，2001 年）。

《徐復觀內聖與外王思想研究》[39]、黃華彥《不同的「超越性」與「內在性」：從社會學觀點論牟宗三以及郝大維和安樂哲在中西文化類型學論述上之差異》[40]、林直昇《牟宗三「良知坎陷說」與唐君毅「分途發展說」之比較研究》[41]，以及沈青廷《人性與道德實踐——荀子與亞里斯多德倫理思想之比較研究》[42]等。

新儒家學者的特色，在於引用西方的哲學與邏輯（如康德、黑格爾等），來詮釋中國傳統的儒家思想。並且在宋明理學、心性修養與成德工夫等議題上，用心尤多。而當代的儒家學者們，除了關心傳統儒學議題的重新討論與詮釋外，更經常地省思當前社會的問題與當代新儒家的轉型。這些省思，也是近年來臺灣儒學研究的特色之一。以下將分別介紹「傳統哲學議題的探討」和「經典詮釋」兩小類近年出版的專著，「新儒家的省思」部分則留待下節討論。

㈠傳統哲學議題的探討

近年來臺灣出版討論儒家哲學思想議題的專著，除了前文注中提到楊儒賓、祝平次編著的《儒學的氣論與工夫論》之外，還有鮑國順的《儒學研究集》[43]、陳德和的《儒家思想的哲學詮釋》[44]、劉錦賢的《儒家保身觀與成德之教》[45]，以及陳立驤的《宋明儒學新論》[46]等書。

《儒學的氣論與工夫論》中收了十四篇各國學者討論儒家氣論與成德工夫的文

---

[39] 陳貞蓁：《徐復觀內聖與外王思想研究》（雲林：雲林科技大學漢學資料整理研究所碩士論文，2007 年）。

[40] 黃華彥：《不同的「超越性」與「內在性」：從社會學觀點論牟宗三以及郝大維和安樂哲在中西文化類型學論述上之差異》（臺北：臺灣大學社會學研究所碩士論文，2007 年）。

[41] 林直昇：《牟宗三「良知坎陷說」與唐君毅「分途發展說」之比較研究》（嘉義：嘉義大學中國文學研究所碩士論文，2008 年）。

[42] 沈青廷：《人性與道德實踐——荀子與亞里斯多德倫理思想之比較研究》（臺南：成功大學中國文學研究所碩士論文，2010 年）。

[43] 鮑國順：《儒學研究集》（高雄：高雄復文圖書出版社，2002 年 9 月）。

[44] 陳德和：《儒家思想的哲學詮釋》（臺北：洪葉文化事業公司，2003 年 1 月）。

[45] 劉錦賢：《儒家保身觀與成德之教》（臺北：樂學書局，2003 年 1 月）。

[46] 陳立驤：《宋明儒學新論》（高雄：高雄復文圖書出版社，2005 年 7 月）。

章，除前文提到鄭仁在的〈惠岡、崔漢綺的神氣運化論〉之外，彭國翔㊼的〈儒家傳統的身心修煉及其治療意義——以古希臘羅馬哲學傳統為參照〉（頁 1－46）和藤井倫明㊽的〈日本研究理學工夫論之概況〉（頁 301－336）等，都是在檢視儒家傳統哲學議題與異文化交流後的影響。

《儒學研究集》中討論了先秦儒家的生命觀、孝道傳統，以及荀子的「儒效說」和歷史評價等問題；《儒家思想的哲學詮釋》中，除了討論孟、荀二子的思想及評價外，更對王陽明的「知行合一」、黃宗羲的「理氣同體二分論」、熊十力的「體用哲學」，以及《周易》卦爻辭之義理等，作了一番疏解與析繹；《儒家保身觀與成德之教》中，討論了衛生保健、知幾保命、定心靜氣、正德寡欲、仁民愛物，乃至和情樂志等議題；《宋明儒學新論》中則主要討論劉蕺山的哲學思想，和王船山、張載的「天道論」性格，並且對牟宗三宋明儒學從「三系說」到「兩型四系說」，作了一概括的說明。

㈡經典詮釋

前文提到二〇〇〇年起，臺灣大學推動了「東亞近世儒學中的經典詮釋傳統」研究計畫。在該計畫所舉辦的研討會上，除了討論到「東亞儒學」的發展之外，很大的一個重點在於「經典詮釋」的議題上。近年來，由於受到當代西方哲學詮釋學的影響，中文學界也開始出現有關「中國詮釋學」的討論。究竟中國過去有沒有「詮釋學」？如果有，其特色為何？如果沒有，是否可能建立一套有別於西方詮釋學的「中國詮釋學」？以上的問題，是無法脫離學術討論而憑空獲得解答的。於是乎一系列的學術研討會與研究叢書應運而生，成了近年來臺灣儒學研究當中的最大特色。

除了前文注中提到黃俊傑編著的《中日《四書》詮釋傳統初探》之外，還有李明輝編著的《儒家經典詮釋方法》㊾和《中國經典詮釋傳統（二）儒學篇》㊿，陳

㊼ 作者當時為北京清華大學哲學系副教授。

㊽ 作者當時為國立雲林科技大學漢學資料整理研究所助理教授。

㊾ 李明輝編：《儒家經典詮釋方法》（臺北：喜瑪拉雅基金會，2003 年 7 月）。

㊿ 李明輝編：《中國經典詮釋傳統（二）儒學篇》（臺北：國立臺灣大學出版中心，2004 年 6 月）。

昭瑛的《儒家美學與經典詮釋》(51)，以及劉述先、楊貞德主編的《理解、詮釋與儒家傳統：理論篇》(52)等書。

《中日《四書》詮釋傳統初探》中，將所收的文章分為「理論與背景」、「《論語》與《孟子》的詮釋」、「〈大學〉與〈中庸〉的詮釋」和「朱子與宋明《四書》詮釋」四類；《儒家經典詮釋方法》中，也不約而同地將所收的文章分為「理論與背景」、「先秦儒家與經典詮釋」和「傳統儒者解經方法及其現代轉折」三類。可見在臺灣近年「中國詮釋學」的討論上，「理論與背景」問題的重要性，實不亞於學者本身對於經典的詮釋。其中，洪漢鼎和張鼎國二位，對於「詮釋學」理論的建構與辨析討論尤多。

洪氏雖為大陸學者，但近年多在臺灣各大學兼課，而其所發表之文章如〈詮釋學與修辭學〉(53)和〈作為自成事件（Ereignis）的詮釋學理解與真理〉(54)等，皆收於臺灣出版的儒學研究專著當中，故亦可算作是臺灣近年儒學研究之成果。

五、當代儒家學者的思想與反省

此處所指的當代儒家學者，不僅指當代新儒家學者們，也包括了當代臺灣所有研究儒家學派與儒家思想文化的學者。如前所述，當代的儒家學者們，除了關心傳統儒學議題的重新討論與詮釋之外，新儒家的轉型及其與當代社會文化的關係，更是備受學界重視的議題。另外，儒學的宗教性問題也是近年來臺灣儒學研究的特色之一。以下便從這兩方面的專著簡單舉例介紹。

㈠當代儒者思考的議題與自我的省察

前文所提到的「臺灣儒學」、「東亞儒學」與「經典詮釋」等議題，一直是近年來臺灣的儒學研究中最主要討論的重點。而這些個重點，經常與當代儒家學者對

(51) 陳昭瑛：《儒家美學與經典詮釋》（臺北：國立臺灣大學出版中心，2005 年 8 月）。

(52) 劉述先、楊貞德主編：《理解、詮釋與儒家傳統：理論篇》（臺北：中央研究院中國文哲研究所，2007 年 12 月）。

(53) 收於黃俊傑編：《中日《四書》詮釋傳統初探》，頁 21－40。

(54) 收於劉述先、楊貞德主編：《理解、詮釋與儒家傳統：理論篇》，頁 13－50。

於儒學和文化的省思作結合。如龔鵬程的《儒學反思錄》[55]、劉述先與林月惠主編的《現代儒家與東亞文明：問題與展望》[56]、劉述先的《現代新儒學之省察論集》[57]，以及蔡仁厚的《新儒家與新世紀》[58]等書。

《儒學反思錄》中討論了儒家的政治學、詮釋學、心性之學，以及種種深刻的社會議題，如「儒家對法治社會的反省」、「儒家喪失歷史性的危機」、「社會主義的涉入」、「儒者的經世與異化」，乃至「生活儒學的重建」等議題；《現代儒家與東亞文明：問題與展望》是「儒家思想在現代東亞國際研討會」的論文集之一，其中金春峰的〈儒家哲學與文化之基本傳統及其現代意義——兼與李澤厚教授討論〉（頁 87－110）和景海峰[59]的〈清末經學的解體和儒學形態的現代轉換〉（頁 131－154）等文章，皆是對「儒學與現代社會」的省思；《現代新儒學之省察論集》中也討論到了「當代新儒家的轉型與展望」、「道德重建」，以及「全球倫理與臺灣本土化」等省察與問題；《新儒家與新世紀》中則較多是新儒家學者的思想闡發，如「義利之辨與義利雙成」、「儒家教育的形而下與形而上」、「宋明理學分系問題」和「二程思想之異同」等，另外對於「東亞儒學」的省察與前瞻，以及「邊緣儒學」和「非漢儒學」等議題亦有所討論。

㈡儒學宗教化的思考

儒學之於中國傳統文化之影響是無庸置疑的，正如同基督文化之於西方世界，伊斯蘭文化之於回教國家一般。然而「儒學」究竟算不算是一種宗教？這樣的問題，就同「中國有沒有哲學」、「書法算不算是一種藝術」、「元雜劇屬不屬於悲劇」和「中國是不是地理名詞」等問題一樣，是文化差異所造成的認知問題。而這樣的認知問題，對處在重建、融合狀態下的儒家文化而言，是一個必經的交流過程。

---

[55] 龔鵬程：《儒學反思錄》（臺北：臺灣學生書局，2001 年 9 月）。

[56] 劉述先、林月惠主編：《現代儒家與東亞文明：問題與展望》（臺北：中央研究院中國文哲研究所，2002 年 12 月）。

[57] 劉述先：《現代新儒學之省察論集》（臺北：中央研究院中國文哲研究所，2004 年 5 月）。

[58] 蔡仁厚：《新儒家與新世紀》（臺北：臺灣學生書局，2005 年 5 月）。

[59] 作者當時為廣州深圳大學文學院教授。

哈佛大學的杜維明教授便認為，當稱呼中國傳統的儒學為一種宗教，陳靜譯之為「儒教」[60]。杜氏將儒學的發展分為三個時期，並且客觀地認為各個時期不同立場的儒者，皆能帶給儒家一種新的價值。如第一期的漢唐儒者，重視儒學的群體與宗教性的上天層；而第二期的宋明儒者，則更偏重個人的主體面與上天的關聯。

而吳文璋老師的《巫師傳統和儒家的深層結構：以先秦到西漢的儒家為研究對象》[61]一書中，則是認為孔子以前的儒家實具有「巫師文化」的傳統，甚至於以為孔子本身便是一個「巫」。

其他相關的學位論文則有江衍郁《孔子內聖外王思想之淵源與宗教意涵》[62]、盧建潤《孔子生命教育與宗教體證》[63]和陳建男《清末日初台灣傳統文人的小說接受與創作——一個儒教視角的考察》[64]等十多篇，由此也可見得臺灣學界近年來對於「儒學宗教化」議題的關注。

六、結論

近年來，臺灣「儒學研究」的主題相當豐富多元，筆者根據出版的專書、學位論文，以及歷年舉辦的學術研討會和大型的學術研究計畫等所關注的主題，整理出了四個大類的研究特色。

第一個特色是「對本土化與全球化等議題的關注」，本文分別從「臺灣儒學」、「朱子學」和「東亞儒學」等三個方面來舉例說明。「臺灣儒學」的部分，由於有上個世紀末陳昭瑛與林慶彰兩位老師在論題與文獻上的開拓，本世紀〇〇年代研究「臺灣儒學」的學位論文逐漸多了起來，研究成果也相當的多元。「朱子

[60] 杜維明著、陳靜譯：《我們的宗教：儒教》（臺北：麥田出版公司，2002年12月）。

[61] 吳文璋：《巫師傳統和儒家的深層結構：以先秦到西漢的儒家為研究對象》（高雄：高雄復文圖書出版社，2001年6月）。

[62] 江衍郁：《孔子內聖外王思想之淵源與宗教意涵》（新竹：玄奘大學宗教學研究所碩士論文，2007年）。

[63] 盧建潤：《孔子生命教育與宗教體證》（臺中：東海大學宗教學研究所碩士論文，2007年）。

[64] 陳建男：《清末日初台灣傳統文人的小說接受與創作——一個儒教視角的考察》（臺北：臺灣師範大學臺灣文化及語言文學研究所碩士論文，2009年）。

學」的研究，一方面作為早期「臺灣儒學」的思想根源，一方面又是當前「東亞儒學」研究的重點，因此在近年來舉辦的儒學會議當中，多次成為討論的主題與焦點。而「東亞儒學」的研究，則展現出了臺灣「儒學研究」的開放性與其走向世界的企圖。

第二個特色是「出土文獻與經學研究」。在國際與兩岸三地頻繁的學術交流下，大陸近年來購得的大量出土文獻，也成了臺灣儒學研究者投入的重點。然而因為相關釋文未能及時出版等緣故，臺灣學者的研究成果多是以單篇論文的方式呈現，尚未能有較完整討論的專書。在研究的對象上，學者們多是利用出土文獻來和傳世的儒家典籍進行比對，再加上近年來經學工具書的大量出版，使得經學研究赫然成為文史哲學界的一大熱門。

第三個特色是「傳統哲學議題的重新探討與詮釋」，則分為「傳統哲學議題的探討」與「經典詮釋」兩個方面來談。傳統哲學議題的探討與詮釋，一直是儒學研究的重點所在。而近年來學者們亟欲建立利用「中國詮釋學」來詮釋中國古代經典的風氣，也逐漸地蔓延到了臺灣的學術界。從許多相關於「經典詮釋」之研討會的陸續舉辦，便可以見得「詮釋學」在臺灣近年來之儒學研究中的地位與影響了。

第四個特色是「當代儒家學者的思想與反省」。本文分別從「當代儒者思考的議題與自我的省察」和「儒學宗教化的思考」兩個角度切入，來探討近年來臺灣儒學研究者的自我省思現象，以及儒學面對新時代之際發展的趨勢與方向。

主要參考文獻

日據時期臺灣儒學參考文獻　林慶彰　臺北　臺灣學生書局　2000 年 10 月
臺灣儒學：起源、發展與轉化　陳昭瑛　臺北　國立臺灣大學出版中心　2008 年 4 月
儒學研究論叢：日據時期臺灣儒學研究專號　葉純芳、張曉生主編　臺北　臺北市立教育大學人文藝術學院儒學中心　2008 年 12 月
儒學與社會實踐：第三屆臺灣儒學研究國際學術研討會論文集　成功大學中國文學系主編　臺南　成功大學中文系　2003 年 2 月
朱子學的開展——學術篇　鍾彩鈞主編　臺北　漢學研究中心　2002 年 6 月
朱子學的開展——東亞篇　楊儒賓主編　臺北　漢學研究中心　2002 年 6 月
東亞朱子學的同調與異趣　黃俊傑、林維杰合編　臺北　國立臺灣大學出版中心　2006 年

12 月
儒家思想在現代東亞：中國大陸與臺灣篇　劉述先主編　臺北　中央研究院中國文哲研究所　2004 年 12 月
儒學的氣論與工夫論　楊儒賓、祝平次編　臺北　國立臺灣大學出版中心　2005 年 9 月
中日《四書》詮釋傳統初探　黃俊傑編　臺北　國立臺灣大學出版中心　2004 年 8 月
新出楚簡與儒家思想論文集　陳福濱主編　臺北　輔仁大學文學院　2002 年 7 月
出土文獻與先秦儒道哲學　郭梨華　臺北　萬卷樓圖書公司　2008 年 8 月
簡帛研究彙刊　陳文豪主編　臺北　中國文化大學史學系　2003 年 5 月
經學研究論著目錄：1993－1997　林慶彰、陳恆嵩主編　臺北　漢學研究中心　2002 年 4 月
儒學研究集　鮑國順　高雄　高雄復文圖書出版社　2002 年 9 月
儒家思想的哲學詮釋　陳德和　臺北　洪葉文化事業公司　2003 年 1 月
儒家保身觀與成德之教　劉錦賢　臺北　樂學書局　2003 年 1 月
宋明儒學新論　陳立驤　高雄　高雄復文圖書出版社　2005 年 7 月
儒家經典詮釋方法　李明輝編　臺北　喜瑪拉雅基金會　2003 年 7 月
中國經典詮釋傳統（二）儒學篇　李明輝編　臺北　國立臺灣大學出版中心　2004 年 6 月
儒家美學與經典詮釋　陳昭瑛　臺北　國立臺灣大學出版中心　2005 年 8 月
理解、詮釋與儒家傳統：理論篇　劉述先、楊貞德主編　臺北　中央研究院中國文哲研究所　2007 年 12 月
儒學反思錄　龔鵬程　臺北　臺灣學生書局　2001 年 9 月
現代儒家與東亞文明：問題與展望　劉述先、林月惠主編　臺北　中央研究院中國文哲研究所　2002 年 12 月
現代新儒學之省察論集　劉述先　臺北　中央研究院中國文哲研究所　2004 年 5 月
新儒家與新世紀　蔡仁厚　臺北　臺灣學生書局　2005 年 5 月
我們的宗教：儒教　杜維明著、陳靜譯　臺北　麥田出版公司　2002 年 12 月
巫師傳統和儒家的深層結構：以先秦到西漢的儒家為研究對象　吳文璋　高雄　高雄復文圖書出版社　2001 年 6 月

經學研究論叢
第二十輯　頁19～34
臺灣學生書局 2012年12月

馬克思主義對經學的影響——以范文瀾爲例

黃義傑*

一、前言

近代中國的個命運多舛。滿清王朝是當時中國惟一的合法政權，雖然土廣人眾，但是因為政策上的封閉，所以對西方世界的發展，可說是一無所知。反觀西方列強，因工業革命促進機械的運用，造成商品的大量增加，直接帶動資本主義國家興起。為了傾銷商品，這些國家必須積極尋找國外市場，以賺取國家發展所需的利潤。中國人口眾多，內陸市場廣大，便引起各國的覬覦，靠著武力的優勢，開始對古老的中國蠶食鯨吞。首先，以強力手段逼迫清廷開通商口岸，大量傾銷貨物。之後，看到滿清腐敗無能的一面，更要求半殖民式的租界區，以此作為入侵中國的根據地。從鴉片戰爭（1840）到辛亥革命（1911）的七十年之間，知識分子面對家園的巨變，無不開始思索拯救中國的方法。

當迴異的東西文化相互衝擊時，在比較之下必然引起知識分子的反思。尤其是儒家思想作為中國幾千年來的主流意識，面對著西方列強的船堅砲利，儒者卻提不出相等的應對，以抵抗外在的侵犯，更使知識分子懷疑經典的可靠性，以及經典是否真的足以救國。於是他們開始利用西方的各種思想學說來批判中國的經典，其中

* 黃義傑，東吳大學中國文學系碩士生。

影響最深的莫過於「馬克思主義」。

馬克思（1818－1883），近代世界最重要的一位社會學家，他看到工業革命所帶來的各種貧困與亂象，也就是勞工並沒有因為商品的產量增加而改善生活，反而處境越是艱苦。主要原因就是資本都集中在大資本家的控制之下。為解決這類的過度集中，馬克思用「唯物辯證法」的思考模式，提出社會階段說與階級鬥爭，其目的在喚醒勞動群眾爭取本身該得的「剩餘價值」，所有一切都應該由群體（國家）來分配，以達到均富的自由生活。

中國的經典，記載的內容大多都是統治階層的事件，注重以統治者的道德感化來治理人民，通習經典的儒生就是要盡全力來使兩者結合，以達到道德政治化、政治道德化的王道境界；反而甚少從普通大眾或社會群體的角度來探討其發展狀態。因此，當馬克思學說傳入中國之後，其鼓動人民以鬥爭爭取利益的方式，極端受到一些知識分子的歡迎而通盤接受。相反地，他們卻不去思考此種學說是否適用於中國社會，也不去深入驗證其主義內容原則的根本性錯誤。一九一七年俄國推翻沙皇的共產革命成功，則更鞏固中國知識分子對此學說的深信不移。

范文瀾是馬克思主義的堅決擁護者，因兩岸統治意識的不同，在臺灣針對其經學作討論的文章可說付之闕如，而對其《文心雕龍注》作研究，歷年來也只有一篇博士論文、一本專著與幾篇期刊而已❶。因此，本文擬從范文瀾的經學著作，來看馬克思主義對一位中國傳統知識分子的影響，即從極端擁抱經典到批評經典的思想轉變過程。

---

❶ 專著為：張立齋撰：《文心雕龍註訂》（臺北：國立政治大學出版委員會，1967 年）。
博士論文為：黃瑞陽撰：《范文瀾文心雕龍注研究》（高雄：國立高雄師範大學國文學系博士論文，2010 年 7 月）。
期刊有：徐芹庭撰：〈張著文心雕龍註訂評介〉（《東西文化》第 16 期，1968 年 10 月）；徐芹庭撰：〈文心雕龍註訂評介〉（《文風》第 14 期，1969 年 1 月）；王更生撰：〈文心雕龍註駁議〉（《中華文化復興月刊》第 13 卷第 5 期，1980 年 5 月）；陳麗明撰：〈略論范文瀾及其文心雕龍註〉（《板中學報》第 1 期，1996 年 5 月）。

二、范文瀾的生平與學術

㈠生平經歷

范文瀾（1893－1969），字芸臺，後改字仲澐，筆名武波、武陂，清光緒十九年（1893）生於浙江紹興山陰縣。祖父范城（？－？），曾任州縣幕僚；父親范壽鍾（？－1932）於科場落第之後，居家治學，然精於醫道，是時雖家道中落，范父對子女仍管教甚嚴。范氏自述小時往事曾說：

> 我生在舊社會所謂「詩書門第」的家庭裏。父親性格極嚴肅，對兒子們很少表示喜笑的和藹態度。母親當然親愛得多，但兒子們怕她，不比怕父親差多少。這樣，挨打挨罵的危機到處潛伏著，只有「小心翼翼」、「循規蹈矩」避免一切可以招致打罵的行動，才能獲得眼前的和平。❷

求學過程，在滿清的體制下，幼受私塾教育，十五歲入山陰縣學堂，十七歲時就學於上海浦東中學堂，後轉入杭州安定中學堂。

民國二年（1913）秋，考入北京大學預科，次年升入文科中文門本科（後改稱國文科），先後師事黃季剛（1886－1935）、陳漢章（1864－1938）、劉師培（1884－1919），專心研究中國古典著作，又受陳獨秀（1879－1942）、李大釗（1889－1927）的思想甚深。六年（1917）夏，北大畢業，經叔父介紹任北大校長蔡元培（1868－1940）的私人秘書，然因缺乏處理事務之經驗，且不善撰寫白話文，不久去職。七年（1918），任上海浙江興業銀行統計員。十年（1921），初任天津南開中學教員，並在南開大學講授國學課程。十四年（1925），與顧頡剛（1893－1980）組織「樸社」。十五年（1926），加入共產黨，任南開學生支部書記。十六年（1927），因參與共黨活動被通緝，連夜離津入京。此後歷任北京大學、北京師範大學、中國大學、朝陽大學、輔仁大學等多所學校教授，主講歷史與文學。十九年（1930），以共黨嫌疑被捕，經北大校長蔡元培營救，兩週後獲釋。

---

❷ 范文瀾撰：〈從煩惱到快樂〉（北京：北京圖書館出版社，2000 年 12 月收入《范文瀾學術思想評傳》），頁2。

二十一年（1932）夏，任北平大學女子文理學院國文系主任，次年擔任文理學院院長。二十三年（1934）秋，因「互濟會」公祭李大釗一案，再次被捕，囚禁五月後釋放，任中法大學教授。二十六年（1937）七月，抗戰爆發，與友人在開封創《風雨》周刊，又辦理抗戰講習班，親自授課宣傳抗日。二十八年（1939）九月，在河南竹溝鎮正式加入共產黨；次年，在延安先後擔任馬列學院歷史研究室主任、中央研究院院長兼歷史研究室主任等職。三十四年（1945）八月，抗戰勝利；冬，離開延安至晉南任晉冀魯豫邊區參議員。三十五年（1946）四月，任北方大學校長。三十七年（1948）六月，北方大學與華北聯合大學合併為華北大學，擔任副校長與研究部主任。

中共建國後，一九四九年九月，任「中華全國社會科學工作代表會籌備會」委員兼秘書長，並代表出席第一屆政治協商會議。一九五〇年，任中國近代史研究所所長；一九五一年，任中國史學會副會長，郭沫若（1892－1978）任會長。一九五四年九月，任全國人民代表大會河南省代表。一九五五年五月，任中國科學院哲學社會科學委員。一九五六年，獲選為第八屆中共中央候補委員。一九五九年四月，任第二屆人大會山東代表。一九六四年九月，當選第三屆人大會浙江省代表。一九六九年四月，當選為第九屆中共中央委員，同年七月病逝於北京。

㈡學術歷程

范文瀾是中國近代著名的歷史學家，其學術生涯約可分為三個階段：

第一階段為古典著述時期：自一九二〇年代初從事學術著述到一九三九年至延安。

第二階段為馬克思主義研究時期：一九四〇年抵達延安後至中共建國。

第三階段為史學研究時期：中共建國以後至病歿。❸

他的著作共有：《文心雕龍注》、《水經注寫景文鈔》、《諸子略義》、《正史考略》、《群經概論》、《大丈夫》、《中國通史簡編》、《中國近代史》等，後人所編的有《范文瀾歷史論文選集》、《范文瀾全集》。其中關於經學的著作，

---

❸ 蔡美彪撰：〈范文瀾治學錄〉（石家莊：河北教育出版社，2002 年 11 月，收入《范文瀾全集》），頁 1。

除了《群經概論》外，尚有〈中國經學史的演變〉與〈經學史講演錄〉等，二篇長篇論文。以下就從這三種著作，來探討其經學過程。

1.《群經概論》

此書乃是范氏於北京、天津各大學，先後講述經學課程所累積而成的研究成果，可說是范氏早年研究經學的總結。他在北大求學時期，以黃、陳、劉等先生為師，分治文、史、經學領域，並篤守師法，由此奠定其深厚的國學基礎。他說：

> 我在大學裏，被「當代大師」們謬獎，認為頗堪傳授「衣鉢」，鼓舞我「好自為之，勉求成立」……「追踪乾嘉老輩」成為全部生活的惟一目標。❹

經學自漢代分為今、古文兩派，歷代解經著作之多，不可計數，且眾說紛紜。因此，本書以漢學家注釋經書的體例，旁徵博引，解釋群經。范氏對諸經的相關問題，條分縷析，設論精詳，又摘引前人精闢觀點，相互貫通。俾使讀者對諸經概況、前人研究結果及問題所在能夠一目了然。而書中徵引黃季剛、陳漢章、劉師培等師長之語，則必稱師、先生，甚而獨立為一節，注明出自某先生，對於師法的尊敬由此可見一斑。

2.〈中國經學史的演變〉與〈經學史講演錄〉

一九三九年范文瀾經劉少奇（1898－1969）的指示到延安去見毛澤東（1893－1976），其後著作風格起了很大的轉變。當時范氏以研究經學與《文心雕龍》顯名於世，一九四〇年即受邀至延安大禮堂作經學演講。〈中國經學史的演變〉就是演講的提綱，毛澤東看過演講與提綱後，寫信給范文瀾說：

> 提綱讀了，十分高興，倘能寫出來，必有大益，因為用馬克思主義清算經學這是頭一次，因為目前大地主大資產階級的復古反動十分猖獗，目前思想鬥爭的第一任務就是反對這種反動。你的歷史學工作繼續下去，對這一鬥爭必

---

❹ 范文瀾撰：〈從煩惱到快樂〉，頁2。

> 有大的影響。❺

演講內容，全篇不外乎就是范氏用馬克思的階級鬥爭與唯物史觀等理論，來詮釋經學的發展，其結論就是經學必須滅亡。有了毛主席的鼓舞，范文瀾一直希望應用馬克思主義的觀點，來寫一部詳盡的中國經學鬥爭史。然而，其後一直主持史書的編纂，對於毛所指示的「倘能寫出來，必有大益」，因此耽擱。直到一九六三年，他應《紅旗》雜誌的邀約，為一些從事理論工作的同志，作有關經學史的演講。演講的記錄經他審閱校訂，其後定名為〈經學史講演錄〉。這篇講演內容，鬥爭的字眼明顯減少許多，類似一般上課的講義，也沒有經學會滅亡的結論。而這是他生前所作的最後一次長篇演講。

三、馬克思主義略述

馬克思的理論是十九世紀歐洲蓬勃的社會思潮之一。在工業革命之後，西歐各國對社會經濟的反應各有不同，英、法、德等國家的學者也各自提出理論與批評，他們的社會學也儼然成為引導經濟政策、促進民主發展、建立社會新秩序的指標。馬克思主義也是以改革社會，重建幸福生活為目的，以下就其重要內容作約略的敘述。

㈠辯證唯物論

恩格斯（1820－1895）說：

> 世界的實在單位是由它的物質性所構成的。❻

也就是說唯物論者認為宇宙的構成因素為物質，而非心靈（精神），整個宇宙與人類所依賴的只是物質而已。換言之，心靈（精神）生活只是物質功能的一種反映。這樣將物質與人本主義視為同一物，其實在當時的歐洲社會相當流行，它來自於費

❺ 毛澤東撰：《毛澤東書信選集》（北京：人民出版社，1983 年 12 月），頁 163。
❻ 洪鐮德撰：《馬克思與社會學》（臺北市：遠景出版公司，1983 年 2 月），頁 27。

爾巴哈（1804－1872）的「思惟取決於存有，而非存有取決於思惟」❼。馬克思襲取這樣的思考模式，再加上自己的見解，成為獨特的辯證唯物論。

馬克思認為物質的變化是循正、反、合的規律而進行。就是每一個事物（正）在其自身之中都包含著矛盾因素（反），矛盾導向衝突，衝突導向發展，這些發展的過程（合）就是一種向較高階段的進步。新的合又成為另一種正，正反矛盾再衝突，如此呈現螺旋狀不斷向上循環發展。這種理論雖然能夠片面解釋世界的演變過程，但卻特別強調矛盾是其中的決定因素，已有挑起敵對、仇恨的嫌疑。況且，他以為所有事物非正即反，這種單純的二分法，是沒有考慮到人類社會充滿各種不定且複雜的因素所致。

㈡唯物史觀

馬克思把辯證唯物論用來解釋人類發展的歷史，成為他特殊的歷史觀念，即唯物史觀。如前所言，馬克思認為歷史是不斷衝突、發展的進步過程，只是進步並不存在人的心靈或精神之中。他以為推動歷史的動力，是潛存在人群社會中的經濟實力。經濟實力所指的是生產力與此生產力發生關係的社會結構，而歷史社會的變遷是與此種經濟實力、經濟形態相關連。因此他根據這種經濟形態，把古代社會分成五個不同的歷史典型：原始社會、奴隸社會、封建社會、資本主義社會與共產主義社會。

除了原始社會與共產主義社會之外，其餘階段的社會結構都是由上層建築與下層建築所合成。下層建築是指生產方式而言，包含生產力與生產關係；上層建築包括政治、法律、道德、學術、文化等等。而世界的進步就是下層建築的變化，即生產力、生產關係的變動，使上層建築也跟著產生變化；之後整個社會經歷著變遷，社會的變遷便是人類的進步與發展。然而，馬克思沒有考慮到，有些社會階層並不屬於這兩層之中的任何一層，也有些是既屬於上層，但是跟下層也關係密切。這樣將複雜的社會分子單純的予以二分，是很容易招致非議。

㈢階級鬥爭

要了解階級鬥爭，首先應知道階級是如何產生。恩格斯說：

---

❼ 洪鐮德撰：《馬克思與社會學》，頁6。

> 分工律成為階級分化的基礎，有時階級分化是由於統治階層藉欺騙而完成的。❽

言下之意，就是工業革命的發生是統治者的陰謀，又說：

> 無產階級一直要遲到產業革命之際才發生，而產業革命則是由種種重大發明所引起的。❾

由此可知，無產階級完全是因為工業革命之後，使各產業分工所產生的一種新的社會階級。關於無產階級的特性，他指出：

> 無產階級是完全依靠出賣勞力以維生的社會階級，而非由資本中套取利潤以維生的社會階級。❿

在馬克思的觀念中，上層建築就是有產階級（資本家）與統治階級的合體，他們盤據社會重要的地位，不惜以手中的統治工具捍衛資本家的既得利益，相對的無產階級（下層建築）只能任由其壓榨與破壞。無產階級為求改變現狀，必須訴諸暴力，使用革命手段來推翻資本家與統治階級，進一步重新建立共產的社會秩序。革命成功後的無產階級，可在過渡時期實施無產階級獨裁，即所謂的無產階級專政。

由此觀之，馬克思研究社會仍只注重階級結構的經濟基礎，而政治權力乃是經濟權力的化身，兩者合為一體。所有的衝突來源都是因為經濟利益的分配不均所引起。換言之，馬克思在分析政治權力之際，仍然強調經濟結構是一項最應特別重視的決定因素。同樣，馬克思還是犯了二分法的錯誤，他將工業革命後的社會，極端的劃分為兩大陣營，即有產階級與無產階級。然而，統治階級並不一定就是有產階

---

❽ 洪鎌德撰：《馬克思與社會學》，頁 38。
❾ 洪鎌德撰：《馬克思與社會學》，頁 38。
❿ 洪鎌德撰：《馬克思與社會學》，頁 39。

級，它有可能從無產階級中產生；而在無產階級的集體勞動力的組織上，如工商管理、技術發明與生產應用等等，是屬於何種階級？要給予明確的界定也是相當困難。二分法，當然有其特定的分析作用，但卻不能完全符合分工複雜的工業社會。

四、范文瀾的馬克思主義經學觀

范文瀾早年治學循規蹈矩，遵守師法，不敢有所逾越，與一般的漢學家無異。到了延安之後，受到毛澤東的開導，要他繼續「清算經學」；雖然沒有如願，但是他放大解釋階級仇恨來詮釋經學的特點，卻是非常明顯。以下就從二點來探討范氏受馬克思主義影響的經學觀。

㈠將經典史學化

馬克思主義最重要的辯證原則就是唯物史觀，即用物質的觀點來分析歷史中的發展；若把經看成是思想上的抽象之物，則不符合物質的原則。因此，范文瀾將經書全部視為史書或史料，其目的就是要以物質的觀點來批判經典、毀滅經典。他說：

> 古代所謂的史，就是記事和記統治者重要的話，所謂左史記言、右史記事。六經中的《書經》是重要的政治文件選集，《春秋》是大事年表，其他四經——《周易》、《詩經》、《儀禮》、《樂》（《樂》已遺失），既不記言，也不記事，只有史料價值。⓫

對於經，他更是抱持著懷疑的態度，他說：

> 什麼叫經？恐怕誰也講不通。班固的《白虎通》解釋經為常，即常道，也就是正常不可改變的道理。《說文》釋經為直線，六經講的都是直言，故稱為

⓫ 范文瀾撰：〈經學史講演錄〉（石家莊：河北教育出版社，2002 年 11 月，收入《范文瀾全集》），頁 465。

> 經，這是很牽強附會的。為什麼叫經，是無法說清楚的。⓬

由此觀之，他先把經的特質模糊化，再冠以史書、史料的定義，從抽象之物變成物質之物，如此便能配合馬克思唯物觀點。根據馬克思主義，如果要達到共產社會，必須對上階段的社會事物作鬥爭。因此，為完成這種理想，專為封建統治階級而設的經，須先予以一翻鬥爭，經才會消亡，他說：

> 經是封建社會的產物。原始封建社會產生原始的經；封建社會發展，經也跟著發展；封建社會衰弱，經也跟著衰落；封建社會滅亡，經也跟著滅亡。⓭

經如何滅亡，他說：

> 清朝後半期，外國資本主義侵入中國，社會開始分化。封建勢力與新興資產階級發生衝突，封建勢力與一部分資產階級向帝國主義妥協勾結，社會呈現混亂狀態，經學也混亂不堪而趨於衰弱。一九一九年「五四」運動以後，中國開始新民主主義革命，也就是說，中國無產階級開始領導人民大眾作反帝反封建的鬥爭。新民主主義革命一往直前地發展和深入，封建殘餘勢力必然趨於消滅。因之經學不僅不能發展，而且只能跟著封建殘餘勢力的消滅而同歸於盡。⓮

這段類似詛咒的文字，彷彿經的滅亡就在眼前，然而他在這一篇文章中的最後結論又說：

⓬ 范文瀾撰：〈經學史講演錄〉，頁 465。

⓭ 范文瀾撰：〈中國經學史的演變〉（石家莊：河北教育出版社，2002 年 11 月，收入《范文瀾全集》），頁 45。

⓮ 范文瀾撰：〈中國經學史的演變〉，頁 45。

> 經本身是古代史料（六經皆史），漢學系經學把它發展了……把封建統治工具的經學，改變成科學的古代社會史、古代哲學史的原料看，它自有很高價值存在，誰說應該「丟到茅廁坑裏」呢？⓯

又說：

> 經學裏面多少含有民主性、革命性的東西，尤其是講做人道理的格言，可採的更多，還有些封建統治階級的「嘉言懿行」，按其本質是反動的，如果移殖到無產階級文化中來，一樣可變的有用。……又如孟子所形容的大丈夫，也只有無產階級具備這種品質，能夠發揚這種精神。⓰

態度轉變之大，令人瞠目結舌，前面信誓旦旦要將經學埋葬，後面又說要發揚經學精神。如他所說，經學多有「格言」與「精神」，這不就說明經學具有不朽的常道嗎？由此可知，他的經學唯物滅亡論，不過是針對馬克思所提出的歷史階段論的盲目套用與解說，文字上根本無法說服知識分子。

㈡以鬥爭詮釋經學史

范文瀾把經學的發展，劃分成三個部分：

> 1. 漢學系——從孔子到唐人《九經正義》，其中包括孔子、孟、荀、今文學、古文學，南學、北學，兩漢是極盛時代。
> 2. 宋學系——從唐韓愈到清代理學，其中包括韓愈、濂、洛、關、閩、陸、王，兩宋是極盛時代。
> 3. 新漢學系——從清初到「五四」運動，其中包括顧炎武、黃宗羲、戴震、康有為，乾嘉是極盛時代。⓱

⓯ 范文瀾撰：〈中國經學史的演變〉，頁 75。

⓰ 范文瀾撰：〈中國經學史的演變〉，頁 75。

⓱ 范文瀾撰：〈中國經學史的演變〉，頁 46。

他強調中國經學史，就是一部經學鬥爭史，他說：

> 試看過去經學發展的史實，充分證明一部經學史，就是一部經學鬥爭史。它有內部鬥爭（漢宋鬥爭，今古文鬥爭，程朱、陸王鬥爭等等），有對外鬥爭（儒與楊、墨鬥爭，儒道鬥爭，儒佛鬥爭等等）。⓲

這樣簡單說明不同性質學術思想的衝突與調和，是否合理，首先先以馬克思的階級鬥爭理論來理解。鬥爭之所以發生的原因，是下層階級的生產關係發生變化之後，牽動上層的結構一起改變，當兩者的矛盾越來越深時，階級鬥爭於焉形成，最後新階級成立，舊階級消亡。經為學術思想、道德之物，依馬克思的分類屬於上層建築，而且范氏也明確表示經是為統治階級服務之物，他說：

> 經是封建統治階級在思想方面壓迫人民的重要工具。⓳

然而，若與理論相對，范氏所說的內、外鬥爭都與一般平民沒有牽涉，更沒有提及任何生產關係，如果說有鬥爭那也只是上層建築中的內在矛盾而已。再者，鬥爭結束，被鬥垮的物質必須滅亡，由新勝利的物質所取代；但何以鬥來鬥去，儒家以經學為主的內容，並沒有改變。如漢代今古文之爭，他說：

> 王莽、劉歆依政治力量提倡世人不常見的古文經，與久已獨尊的今文經起猛烈的鬥爭。古文經終於戰勝，與今文同立博士。⓴

這是今文經的第一次挫敗，又說：

⓲ 范文瀾撰：〈中國經學史的演變〉，頁 47。

⓳ 范文瀾撰：〈中國經學史的演變〉，頁 44。

⓴ 范文瀾撰：〈中國經學史的演變〉，頁 59。

> 東漢末鄭玄博習古文、今文、讖緯之學，採取今文長處（混合讖緯）融入古文，成立新的經學（稱為鄭學），古文學獲得極大勝利。當時公羊大師氣得這樣說：「康成入我室、操我戈，可乎！」足見今文學的慘敗。㉑

之後古文取得絕對優勢，成為中國經學的主流思想，但是今文經學並沒有消亡，到清代時今文經的研究，卻又發展起來。他說：

> 反對清代漢學最有力的是戴震的學生孔廣森，他開始研究與古文經學作對的今文經學。……與戴震同時，江蘇武進的莊存與也搞今文學。他的學問很廣博，可算是清代今文經學的開創人。莊的兩個學生劉逢祿和宋翔鳳，把今文經學更向前推進了一步。㉒

兩者不管是誰都沒有滅亡，范氏的經學鬥爭理論明顯與馬克思不搭。又宋學中的理學與心學鬥爭，他說：

> 程朱、陸王兩派所講的都是哲學化的（佛老化）經學。陸王派經學不合需要，佛教色彩太明顯，有失「聖學」的尊嚴；所以「儼然道貌」（雖然也雜有佛老）的程朱派經學，得統治階級贊許而盛行，朱注《四書》取得經的地位。㉓

由上可知，宋代儒、道、佛三者有相融的現象，這並不是他所說的鬥爭，況且心學在明代也更有斬獲，他說：

> 王守仁發展心學達到最高點，他的弟子王畿、王艮，再發展一步，完全變成

㉑ 范文瀾撰：〈中國經學史的演變〉，頁 60。

㉒ 范文瀾撰：〈經學史講演錄〉，頁 495。

㉓ 范文瀾撰：〈中國經學史的演變〉，頁 67。

佛學的禪學。㉔

可見，儒、道、佛三家在他的鬥爭之下，沒有任何一家滅亡，反而更有融合的狀況產生。這如何能夠證明階級鬥爭可以應用在經學史上，舊物質滅亡，新物質誕生的荒謬進步理論。這更可以看出經學在多次的「鬥爭」中，其兼容並蓄，歷久彌新的不朽特質。由此觀之，范氏的經學鬥爭史，是盲目遵從馬克思的階級鬥爭理論，是完全荒謬與可笑的套用與解說。

五、結論

西方工業革命之後，其社會歷經巨大的變遷，工業中利用機械所製造的商品突然大增，間接造成各種產業與商業的興起。傳統手工業的產品製造慢，資本的累積也慢，而製造者也可能零星分佈在國家的各地區之中，國家資本的特色尚不明顯。然而，機械的製造快速，工廠的興起與集中，使得城鎮的規模越來越擴大，其組成分子也以勞動工人為最多。資本因工人、機械的運作而快速累積，西方的資本主義國家於是形成。

城市的人口越多、產業越集中，這種社會巨變所帶來的負面影響，開始有西方學者對這項議題展開研究。因此，十八世紀產業革命之後，西方社會學也不斷地如雨後春筍般興起。英國的自由主義、法國的社會主義和德國的浪漫主義，各派的學者都提出自己的理論，用以解決經濟問題，並用理論來指導國家走入正確的方向。反觀中國，當時的產業結構仍舊以務農者居多，社會形態幾千年來並沒有多大的轉變。加上滿清專制的鎖國政策，排斥一切外來的文化，視其為洪水猛獸，國內的儒者在無法比較之下，也就沒有辦法發展真正屬於中國的社會學說。即認真思考從農業社會該如何進入工業社會，在促進各產業發生的同時，也須注重各種現象的平衡狀態，使中國步入一個真正的資本主義國家。

因此，在缺乏社會學的研究之下，稍微具有煽動性的外國思想就成為廣大苦難、受壓迫中國人的救國良方。更進一步被有心人士用來胡亂套用與解說，不去考

㉔ 范文瀾撰：〈中國經學史的演變〉，頁67。

慮國情是否適合與原則性問題，只為遂行政治目的。如文中所討論的范文瀾就是其中之一，由上面的討論，可以將他的錯誤歸納為三點：

其一，馬克思主義的出發點，主要是解決人民的經濟問題。因此，他的社會思想以生產力、生產關係所造成的經濟結構變化為討論重點，道德與學術思想根本不在其討論之列。再者，道德、學術，就理論而言，屬於上層建築，與下層建築的生產關係基本上無涉。

其二，范氏將經學史學化，刻意抹煞經的性質，將經學降為史學，並看成是一般的史書與史料。強使經學發展與唯物史觀作結合，要知識分子從物質的角度來重新審視經典、批判經典，進而毀滅經典。然而，最後他也不得不承認經典中具有的永恆性質，可見他的唯物經學史觀，是胡亂套用與解說。

其三，范氏將中國不同學術的衝突與融合，其過程視為是滅亡與進化的階級鬥爭。然而，經學的今古文之爭、漢宋之爭與儒、佛、道之爭，這些都沒有造成任何一方滅亡。有的若干年後再度興起，有的融合之後以全新的面貌展現，此種發展都跟馬克思的階級鬥爭相齟齬。可知他強用「鬥爭」來敘述經學的發展，也是對馬克思主義的胡亂套用與解說。

總之，中國經學發展了一、二千年，之所以不衰，其中必有不可替代的特質。想要在一夕之間消滅中國的根本文化「儒學」，有此想法的人，不是愚人就是狂人！

參考文獻

一、專書

《范文瀾全集》　范文瀾撰　石家莊　河北教育出版社　2002 年 11 月
《范文瀾學術思想評傳》　范文瀾撰　北京　北京圖書館出版社　2000 年 12 月
《馬克思社會學說之析評》　洪鎌德撰　臺北　揚智文化事業公司　1997 年 11 月
《馬克思與社會學》　洪鎌德撰　臺北　遠景出版公司　1983 年 2 月
《毛澤東書信選集》　毛澤東撰　北京　人民出版社　1983 年 12 月
《資本論》　馬克思撰　北京　人民出版社　1975 年 3 月
《范文瀾文心雕龍注研究》　黃瑞陽撰　高雄師範大學國文學系博士論文　2010 年 7 月

二、期刊論文

〈馬克思主義與教化——以儒家教化理念為視角反思馬克思主義社會教化的缺失〉 劉華撰 《思想政治教育研究》第 27 卷第 1 期 2011 年 2 月

〈何止異同——論馬克思主義與儒學比較研究的現狀及進一步推進的思路〉 劉東超撰 《河北經貿大學學報》第 10 卷第 1 期 2010 年 3 月

〈創制體式位本民族——論范文瀾在中國馬克思主義史學史上的特殊地位〉 林國華撰 《山東社會科學》 2010 年第 2 期

〈從乾嘉樸學到唯物史觀——以經學研究為例看范文瀾學術道路的轉變〉 吳海蘭撰 《高校理論戰線》 2010 年第 6 期

〈范文瀾研究綜述與展望〉 趙慶雲撰 《貴州社會科學》 2008 年第 3 期

〈論抗戰時期范文瀾的史學研究〉 洪認清撰 《淮北師院學報》第 21 卷第 3 期 2008 年 8 月

〈理論、資料、文字并重——范文瀾的治學精神〉 卞孝萱撰 《刊授黨校》 2007 年第 10 期

〈范文瀾的唯物主義歷史評價觀〉 張利撰 《河北學刊》 2007 年第 1 期

〈嚴謹務實、淡泊自甘——一代史學宗師范文瀾〉 蔡美彪撰 《中國科學管理與評論》 1999 年第 1 期

經　學　研　究　論　叢
第　二　十　輯　　頁35～74
臺灣學生書局　2012年12月

從經權論康熙的德刑思想
——以《日講書經解義》爲考察對象

簡承禾*

摘　要

「經權」，是中國學術思想上的一個重要觀念，在《古今圖書集成》甚至設有〈經權部〉，足見這一觀念的重要性。「經權」在先秦已有之，最著名的例子就是孟子「嫂溺援以手」的例子，孟子指出，男女授受不親固然是禮，但見危不救更是「豺狼也」，因此以手救嫂是基於道德上的行「權」。孟子所舉的例子，正顯現出「經權」之間的相反，但「權」終不違背「經」的特色。及至《公羊傳》可說是整合先秦「經權」的觀念，董仲舒也多方闡釋，其中更將「經權」輻射到德刑的觀念上。就大的觀點來說，治民以德是「經」，不得已而用刑是「權」。再縮小其範圍，律法是「經」，原情定罪是「權」。無論如何，都是以德教（或禮教）為經，刑罰是不得已之具。

《尚書・大禹謨》：「宥過無大，刑故無小；罪疑惟輕，功疑惟重。」其實正透露出原情定罪的理想。歷來君王與儒者都主張任德不任刑，即使用刑也盡可能尋求其可以寬赦的地方。《日講書經解義》（以下省稱為《書經解義》）是康熙十七年至十九年的《尚書》教育，但是從《南書房記注》來看，

---

*　簡承禾，成功大學中國文學系博士生。

在日講《尚書》之前，玄燁已閱讀過《尚書》，而且提出「經權」以及律法的看法。此外，玄燁在康熙十八年所頒佈的《刑部現行則例》，已修改過嚴的律法。職是之故，本文透過幾個步驟討論《書經解義》與玄燁德刑思想中的「經權」觀的關係：⑴論述「經權」經董仲舒與刑罰的結合以後，任德不任刑成為後來儒者不斷討論的重點；雖然「任德不任刑」是儒家的重要觀念，但其中輕重仍有討論的空間。尤其唐代的《尚書正義》與《唐律疏議》幾乎在同時出現，正可見當時人對於德教與刑罰的觀念。由於本文以《尚書》為中心，而宋儒對於《尚書正義》又提出許多不同的意見，隨之改變的，是德與刑的孰輕孰重的看法。⑵漢、宋兼採的《書經解義》，對前儒的論述進行吸收與調整，但更多義理的表達，必須回到《南書房記注》觀察玄燁與大臣的討論才能明瞭。其中對於「經權」，玄燁提出兩個層次的討論：一者是「天下止有一經常不易之理」，即「皇極」為天下臣民的表率，而「權」是不可與此相反。如此而言，則德佈天下是玄燁所重視的，而刑罰成為政教不得已而為之之具。二者就是律法是經，但原情定罪是權。⑶玄燁既以德教為主，因此用刑成為政教不得已之具，原情定罪也成為玄燁最後德教的實踐。此處分析康熙朝的三件案例，以觀皇帝如何法外施恩。但玄燁終究認為自己能德佈天下，感化萬民，於康熙四十五年時，其向大臣表達治天下還是以「殺人案件本來不多者為貴耳」，正回映其德化的功用。

要之，本文企圖從《書經解義》所表現的義理檢視玄燁對於德刑的思想，故前者以經義為討論，後者以實例來論證。

一、前言

「經權」這一觀念的提出，是中國思想史上非常重要的課題，《古今圖書集成》甚至闢有〈經權部〉，收錄自先秦以降有關經權的討論。❶「經」是常道，不可變更；「權」是就事實的輕重而加以衡量，是可變動的。經與權，既是相反，也

❶ 〔清〕陳夢雷編：《古今圖書集成》（臺北：鼎文書局，1985 年 4 月），第 59 冊，〈學行典〉，卷 74，總頁 717－723。

是相成，張端穗先生指出：「權強調的是變革（不依常道而行）」❷，如果過度強調行權的話，則對於維持秩序、倫理勢必帶來一定的衝擊，因此在先秦時，兩者形成相當緊張的形勢，而漢初的《公羊傳》對經權有明析的解釋，可說是整合先秦諸子有關經權的看法。❸

《公羊傳・桓公十一年》曰：「權者何？權者反於經，然後有善者也。權之所設，舍死亡無所設。行權有道：自貶損以行權，不害人以行權；殺人以自生，亡人以自存，君子不為也。」《公羊傳》就祭仲逐君存國的行為來解釋何謂「權」，並將祭仲的行為道德化，以為行權的規範。❹由此觀之，經權之辨似乎止於君臣、國家之間，但事實上，經權觀念影響各種層面，甚至在刑罰中也富有經權思想。

清康熙皇帝（玄燁，1654－1722，在位年 1661－1722），在讀完《左傳・昭公六年》子產鑄刑書故事後，曰：「子產之鑄刑書，用重典以救弊；叔向之論刑書，在修禮以勝刑。一則權時之宜，一則經久之道也。」❺禮是經，是常道，刑只是輔弼禮教，使百姓畏刑而趨禮。❻其實傳統看待刑罰，都以為是輔弼之具，不是治民的必要政策。《清史稿・刑法》即曰：「中國自書契以來，以禮教治天下。勞之來之而政出焉，匡之直之而刑生焉。政也，刑也，凡皆以維持禮教於勿替。故《尚書》曰：『明于五刑，以弼五教。』又曰：『士制百姓于刑之中，以教祗

---

❷ 張端穗撰：〈春秋公羊傳經權觀念的緣起〉，《東海中文學報》，第 10 期（1992 年 8 月），頁 71。

❸ 張端穗撰：〈春秋公羊傳經權觀念的緣起〉，頁 61－75。

❹ 有關祭仲事跡，見〔晉〕杜預注，〔唐〕孔穎達正義：《春秋左傳正義》（臺北：藝文印書館，2007 年 8 月，影印《十三經注疏》本，第 6 冊），卷 7，頁 10 下－11 上。《公羊傳》：「自貶損以行權，不害人以行權」，注曰：「身蒙逐君之惡，以存鄭是也」、「己納突，不害忽是也。」見〔漢〕何休解詁，〔唐〕徐彥疏：《春秋公羊傳注疏》（影印《十三經注疏》本，第 7 冊），卷 5，頁 9 上。

❺ 〔清〕愛新覺羅玄燁撰：《聖祖仁皇帝御製文・第三集》（海口：海南出版社，2000 年 6 月，影印清康熙五十年・雍正十年殿本），卷 26，〈鄭人鑄刑書〉，頁 19 下。

❻ 禮的內涵在於德教，因此前人論述政教中的「德」與「禮」時往往是同一意思，像是《左傳・僖公七年》，管仲曰：「招攜以禮，懷遠以德；德禮不易，無人不懷。」職是，本文用「德」、「禮」意思是一致的，且皆依文獻所載而使用。

德。』古先哲王，其制刑之精義如此。」❼刑罰的最終目的，在使百姓遵行禮教，而不是以苛察為行，入民於法。莊吉發先生（1936－）曾撰文討論清代慎刑恤命的思想，文中詳細指出有清一朝，諸帝法外開恩的情況；尤其針對玄燁欽恤讞獄的行為，進行專門討論，在在證明玄燁對於死刑案件的關心。❽

清初多承明律，至順治朝已有許多條例不合時宜，福臨積極修改，雖然終康熙之世也未能修成，而留下一部《刑部現行則例》（以下省稱為《現行則例》）；但玄燁在位長達一甲子，多次修改條例，對《現行則例》有較深的影響，其中主要貢獻是將過嚴的條例從輕議訂。❾此外，《清史稿》已明白指出，刑以輔教的觀念是來自《尚書》。《尚書》是玄燁早年所受的經學教育之一，就《南書房記注》來看，其接觸《尚書》的時間是在康熙十七年正月二十八日❿；至於日講《尚書》的時間，是在同年的二月二十日⓫，而玄燁要求刑部從輕議訂《現行則例》，是在十八年九月十四日；換句話說，玄燁要求減輕刑責，可能是受《尚書》教育的影響。⓬

---

❼ 趙爾巽等撰：《清史稿》（北京：中華書局，1977 年 8 月），第 1 冊，卷 142，〈刑法一〉，頁 4181。

❽ 莊吉發撰：〈明慎用刑——從故宮檔案論清朝政府的恤刑思想〉，《法制史研究》，第 15 期（2009 年 6 月），頁 150－156。

❾ 鄭秦撰：《清代法律制度研究》（北京：中國政法大學出版社，2000 年 5 月），〈康熙現行則例考——律例之外的條例〉，頁 30。

❿ 中國第一歷史檔案館整理：〈康熙十七年南書房記注〉，《歷史檔案》，1995 年第 3 期（總第 59 期），（1995 年 3 月），頁 3，「二十八日」條。

⓫ 《清代起居注冊・康熙朝》（北京：中華書局，2009 年 9 月，影印中國第一歷史檔案館藏本），第 6 冊，頁 2504，「二十日辛酉」條。

⓬ 玄燁諭刑部曰：「國家設立法制，原以禁暴止奸，安全良善，故律例繁簡，因時制宜，總期合於古帝王欽恤民命之意。向因人心滋偽，輕視法網，及強暴之徒，淩虐小民，故於定律之外，復嚴設條例，俾其畏而知儆，免罹刑辟。乃近來犯法者多，而奸宄見少止，人命關係重大，朕心深用惻然。其定律之外，所有條例，如罪不至死而新例議死，或情罪原輕，而新例過嚴者；應去應存，著九卿、詹事、科、道，會同詳加酌定，確議具奏。」見《大清聖祖仁皇帝實錄》（臺北：華聯出版社，1964 年 9 月），第 2 冊，卷 84，頁 11 下－12 上，「丙午」條。

中國傳統有明確的法律條文，但皇帝往往能因事制宜，臨時裁斷，這是傳統法律中經權思想的具體表現。⑬莊吉發先生就故宮檔案所呈現的歷史事實來探究玄燁關心死刑案件，屢屢法外施恩的情形，如果從就經權觀念來說，律文條例是經，法外開恩是權。因此，本文試圖從玄燁所受的《尚書》教育，尋求其對刑罰的思想，以及如何將「執經達權」落實在執法的過程中。

此處所採取材料，大致以《日講書經解義》（以下省稱為《書經解義》）、《欽訂書經傳說彙纂》（以下省稱為《傳說彙纂》）為其思想的主軸，而以《清代起居注冊・康熙朝》（以下省稱為《起居注》）、《大清聖祖仁皇帝實錄》為其行為表現的證明。由於《書經解義》與《傳說彙纂》是漢、宋兼採⑭，故將先討論歷代德刑經權觀的演變。

二、德刑經權觀在歷代的演變

「經權」觀念的提出早在先秦已有之，如：孟子曾舉「嫂溺援以手」為例子來加以說明：

> 淳于髡曰：「男女授受不親，禮與？」孟子曰：「禮也。」曰：「嫂溺，則授之以手乎？」曰：「嫂溺不援，是豺狼也。男女授受不親，禮也；嫂溺援之以手者，權也。」⑮

---

⑬ 馬作武主編：《中國傳統法律文化研究》（廣州：廣東人民出版社，2004 年 11 月），上編，第 4 章，〈執經達權：中國古代刑法的經權觀〉，頁 120－141。

⑭ 玄燁在《書經解義》的〈序〉中曰：「爰命儒臣取漢、宋以來諸家之說，薈萃折衷。」見〔清〕庫勒納等奉敕編：《日講書經解義》（海口：海南出版社，2000 年 10 月，影印康熙 19 年內府刻本），〈序〉，頁 7 下－8 上。又，錢穆先生（1895－1990）針對《書經傳說彙纂》、《詩經傳說彙纂》等書，曰：「證明順治、康熙、雍正三代那時候的人不分漢學、宋學的，並且比較上看重宋學，不過也兼採漢學。」見錢穆撰：《經學大要》（臺北：素書樓文教基金會・蘭臺網路出版商務公司，2000 年 12 月），第 31 講，頁 570。

⑮ 〔漢〕趙岐注，〔宋〕孫奭疏：《孟子注疏》（影印《十三經注疏》本，第 8 冊），卷 7 下，〈離婁上〉，頁 6 下－7 上。

禮是經常之道，是維持國家社稷、社會秩序的重要制度，為人人所共同遵守；雖然如此，在遇到特殊情況時，則應該有所變通，亦即在禮之外，必須有通融的作法。孟子認為「男女授受不親」是禮法，是常道，但面對生死存亡之際，就未必要泥於禮法，而可以有權變的作法，甚至認為若拘於常道，致使嫂溺喪命，是「豺狼也」。由此觀之，孟子是站在道德的立場而行權，也就是說，行權是不離人道範圍。因此，《公羊傳》說：「權者何？權者反於經，然後有善者也。」權雖與常道相反，然其出發點是良善的。⓰

禮固然是「經國家，定社稷，序民人，利後嗣」⓱的常道，但「權之設，所以扶危濟溺」⓲；禮與權行為雖相反，但都希望事情能得到完善的處理。董仲舒（前179－前 104）《春秋繁露》的〈竹林〉、〈玉英〉、〈王道〉諸篇有許多關於經權的討論，而且也延伸至刑罰這一層面上，其曰：

> 陽為德，陰為刑；刑反德而順於德，亦權之類也。⓳

又曰：

> 順行而逆者，陰也；是故天以陰為權，以陽為經。……經用於盛，權用於末。以此見天之顯經隱權，前德而後刑也。⓴

「陽為德，陰為刑」，董仲舒將刑德比附陰陽，認為天道以陽為常，陰是逆於陽，

⓰ 「權反於經」，有學者認為是「返」，有學者認為是「相反」，此處從林義正先生的說法。見氏著：〈春秋公羊傳思想中的經權問題〉，《國立臺灣大學文史哲學報》，第 38 期（1990年 12 月），頁 318－323。

⓱ 〔晉〕杜預注，〔唐〕孔穎達正義：《春秋左傳正義》，卷 4，頁 24 上。

⓲ 〔漢〕何休解詁，〔唐〕徐彥疏：《春秋公羊傳注疏》（影印《十三經注疏》本，第 7 冊），卷 5，頁 9 上。

⓳ 〔清〕蘇輿撰，鍾哲點校：《春秋繁露義證》（北京：中華書局，1992 年 12 月），卷 11，〈陽尊陰卑〉，頁 327。

⓴ 〔清〕蘇輿撰，鍾哲點校：《春秋繁露義證》，卷 11，〈陽尊陰卑〉，頁 327。

因此人主憲天治國，也應該以德為主，刑罰只是輔助之具。刑罰與德相反，但終歸是趨民為善，與德的目的是一致的，就如同權反於經，但是皆為「有善者也」。總之，德與刑皆以致善為目的，天既然以陽為常，人君也要以德為經，董仲舒曰：

> 是故天數右陽不右陰，務德而不務刑。刑之不可任以成世也，猶陰之不可任以成歲也。為政而任刑，謂之逆天，非王道也。㉑

如果天以陰為常道的話，則萬物無法生長，是以不能成歲；人君治民，只任刑罰，也不是成王道的作法。從表面上看，董仲舒似乎在以禮為經之外，又闢陰陽一途來解釋經權，但是在〈賢良對策〉中，其認為治國主在教化，而教化人民應以禮樂為經，刑罰為輔，其曰：

> 道者，所繇適於治之路也，仁義禮樂皆其具也。故聖王已沒，而子孫長久安寧數百歲，此皆禮樂教化之功也。㉒

又曰：

> 王者承天意以從事，故任德教而不任刑。刑者不可任以治世，猶陰之不可任以成歲也。㉓

換句話說，人君以德治國要如何落實，就要借助先哲所傳下來的禮樂，禮樂為推廣德教之具，對於防止姦邪有極好的「隄防」作用㉔，而刑罰就如同上天之陰氣，僅

㉑ 〔清〕蘇輿撰，鍾哲點校：《春秋繁露義證》，卷 11，〈陽尊陰卑〉，頁 328。

㉒ 〔漢〕班固撰，〔唐〕顏師古注：《漢書》（北京：中華書局，1962 年 6 月），卷 56，〈董仲舒〉，頁 2499。

㉓ 〔漢〕班固撰，〔唐〕顏師古注：《漢書》，卷 56，〈董仲舒〉，頁 2499。

㉔ 董仲舒曰：「夫萬民之從利也，如水之走下，不以教化隄防之，不能止也。是故教化立而姦邪皆止者，其隄防完也。」見〔漢〕班固撰，〔唐〕顏師古注：《漢書》，卷 56，〈董仲舒〉，頁 2503。

居輔弼的功用。董仲舒提出人主法天之則，即是「天人合一」。部份學者認為，所謂「天人合一」是「社會秩序」與「自然法則」相互感通，而「社會秩序」就是「禮」㉕，若進一步探究，則可以知道董仲舒以禮為經，以刑輔教的想法，應是承《尚書》而來，〈呂刑〉：「士制百姓于刑之中，以教祗德」，就是以刑輔導百姓合於禮節，培養德性，《尚書大傳》也表示以刑輔教的觀念，其曰：

> 《書》曰：「伯夷降典禮，折民以刑。」謂有禮然後有刑也。㉖

又曰：

> 天立五帝，以為相四時施生，法度明察，春、夏慶賞，秋、冬刑罰。帝者，任德設刑，以則象之，言其能行天道，舉錯審諦也。㉗

由此觀之，刑以輔教的觀念在至晚在戰國末年便已形成，而伏生更認為上天主要責任在「施生」，故人主應該順天施政，視四時的變化而有不同的作為，董仲舒蓋在伏生的基礎上進一步比附天的陰陽、《公羊傳》的經權，以為諫漢武省刑勸教的施政方針。㉘總之，禮是經，刑是權，刑以輔教是從戰國末年到漢初逐漸形成的思想。

雖然《尚書》中不乏以刑輔弼的主張，但漢承秦制，在律法的制度上與秦並無

㉕ 王伯琦撰：《近代法律思潮與中國固有文化》（臺北：法務通訊雜誌社，1985 年 5 月），〈古代德治盛行的原因〉，頁 97。又，黃源盛撰：《漢唐法制與儒家傳統》（臺北：元照出版公司，2009 年 3 月），〈春秋折獄的當代詮釋〉，頁 23。

㉖ 〔漢〕伏生傳，〔漢〕鄭玄注，〔清〕陳壽祺輯：《尚書大傳定本》，收入《四部叢刊初編》（臺北：臺灣商務印書館，1967 年 9 月，重印上海涵芬樓藏《左海文集》本），第 11 冊，經部，卷 4，〈甫刑〉，頁 58。

㉗ 〔漢〕伏生傳，〔漢〕鄭玄注，〔清〕陳壽祺輯：《尚書大傳定本》，卷 5，〈略說〉，頁 59。

㉘ 由於武帝時獄案不絕，故董仲舒強調以禮為教，以刑輔教的主張來勸諫。見劉姿君撰：〈從經權論董仲舒的德刑思想〉，《文與哲》，第 2 期（2003 年 6 月），頁 59－65。

二致，因此在漢武之世，即使儒家取得獨尊的地位，但由於任用張湯（前？－前115）、趙禹（生卒年不詳）等法家人物，以致刑獄不斷。董仲舒有鑑於此，是以提出「天人感應」，一方面限制君權，一方面也防止濫刑的發生。可知漢代律法的執行與政府主張儒家人道的精神並不相符，始終都是「陽儒陰法」的政策在實行。這樣的情況，歷魏、晉、南北朝，逐漸改變，各朝針對漢律進行修訂，使儒家的靈魂注入律法之中，到了唐代時，儒家禮法的沈澱，使律法更具有禮的精神，也就是達到禮、律合一的情況。㉙

《五經正義》與《唐律疏議》（以下省稱為《疏議》）幾乎在同時出現，橋本秀美先生（1953－）認為這兩部書籍在折衷前代諸說，意義上固然有其必要性，但卻又過於平穩，甚至找不到「更深層的哲學根據」。㉚但是如果就承襲方面來觀察，董仲舒的理念即使在漢代未能落實，但經過漢至唐各朝代儒生的努力，終究是以禮入法。易言之，董仲舒的理想，至唐代分別由《五經正義》與《唐律疏議》來解釋與落實。因為《五經正義》可說是以儒立國的精神指標，而落實層面就由《唐律疏議》去執行。就《尚書正義》而言（以下省稱為《正義》），〈呂刑〉：「士制百姓于刑之中，以教祗德」，《正義》曰：

> 此經大意，言禹、稷教民，使衣食充足；伯夷道民，使知禮節，有不從教者，乃以刑威之。……「助成道化」、「以教民為敬德」，言從伯夷之法，敬德行禮也。㉛

㉙ 事實上晉律的修纂，司馬氏就要求「峻禮教之防，准五服以制罪」，引禮入律，而這樣的特色一直傳至唐律。劉俊文撰：《唐律疏議箋解》（北京：中華書局，1996 年 6 月），上冊，〈序論〉，頁 1－11。又，蔡長林撰：〈唐代法律思想的經學背景——唐律疏議析論〉，蔡長林主編：《隋唐五代經學國際研討會論文集》（臺北：中央研究院中國文哲研究所，2009 年 6 月），上冊，頁 177－179。

㉚ 橋本秀美撰：〈經疏與律疏〉，蔡長林主編：《隋唐五代經學國際研討會論文集》，上冊，頁 169－170。

㉛ 題〔漢〕孔安國傳，〔唐〕孔穎達正義：《尚書正義》（影印《十三經注疏》本，第 1 冊），卷 19，〈呂刑〉，頁 22 下。

《疏議》曰：

> 夫三才肇位，萬象斯分。稟氣含靈，人為稱首。莫不憑黎元而樹司宰，因政教而施刑法。……德禮為政教之本，刑罰為政教之用，猶昏曉陽秋相須而成者也。㉜

《正義》與《疏議》都強調以禮節、德教化民，甚至《正義》最後言「敬德行禮」，在在強調禮教的重要性，但值得注意的是，《疏議》透露出刑罰是政教之「用」，以刑罰使庶民行為合於禮教，刑與禮交互為用，就如同天有「昏曉陽秋」一樣，如此才可以成治。雖然《四庫全書總目》對《疏議》的評價是「一準乎禮，以為出入得古今之平」㉝，指出《疏義》「以禮入法」、「援禮入法」的特色。然而，援禮入法卻造成刑罰也是教化庶民是手段之一，無形中加強法的重要性，與董仲舒抑刑任德的理念不盡相符。若以董仲舒的經權思想衡量：以禮教德化為主要，而以刑罰為次，是經重於權；《正義》與《疏議》則抬高了法的重要性，故經權是相互為用，相互平衡。《正義》與《疏議》的解釋，可謂是替「以禮入法」作了一精神的註腳。《尚書・大禹謨》「刑期于無刑，民協于中」，《正義》曰：

> 言皋陶行刑，乃是以殺止殺，為罪必將被刑，民終無犯者。要使人無犯法，是期於無所用刑。……民皆合於大中，言舉動每事得中，不犯法憲，是合大中，即〈洪範〉所謂皇極是也。㉞

要使「刑期無刑」，就必須「以殺止殺」，近乎「以暴制暴」的觀念與《疏議》所言：「刑罰為政教之用」相互呼應。儒家精神在於禮節教化，但《正義》卻反映出

㉜ 劉俊文撰：《唐律疏議箋解》，上冊，卷1，〈名例〉，頁1－3。

㉝ 〔清〕紀昀、永瑢等撰：《四庫全書總目》（臺北：臺灣商務印書館，1983 年 10 月，影印武英殿本），第2冊，史部，卷82，「唐律疏議」條，頁43上。

㉞ 題〔漢〕孔安國傳，〔唐〕孔穎達正義：《尚書正義》，卷4，〈大禹謨〉，頁8上。

以刑罰「逼迫」庶民行為合於禮的現象，而《正義》的理念，就交由《疏議》來執行，《疏議》曰：

> 故曰：「以刑止刑，以殺止殺」、「刑罰不可弛於國，笞捶不得廢於家」。……懲其未犯而防其未然，平其徽纆而存乎博愛，蓋聖王不獲已而用之。㉟

刑罰的目的固然在防患於未然，但是從《正義》和《疏議》對於刑罰的觀念來看，以禮入法的特色就是以為禮與刑的份量是相當的；「平其徽纆而存乎博愛」正說明禮在刑罰之中，執行刑罰也是禮的行為。禮教在刑罰中體現，幾乎存在《正義》之中，〈呂刑〉：「穆穆在上，明明在下」一段，《正義》曰：

> 天下之士皆勸立德，故乃能明於用刑之中正，循大道以治於民，輔成常教。美堯君臣明德，能用刑得中，以輔禮教。……刑者，所以助教而不可專用；非是身有明德，則不能用刑。以天下之大，萬方之眾，必當盡能用刑，天下乃治。……輔成常教，伯夷所典之禮，是常行之教也。㊱

這裡要留意的是，「輔成常教」不是因為道德教化之功，而是「用刑之中正」所致，所以刑罰如果使用得宜，就是展現禮的教化，自然能使百姓浸於禮教之中，所以說「伯夷所典之禮，是常行之教」。

《疏議》是中國文化法典的成熟作品，後來的宋、元、明、清都以《疏議》為制法的對象，這是就現實層面而言；但在理想層面，就要回到經學去觀察儒者的詮釋，才可以知道德禮與刑罰的經權關係。

上文從《正義》與《疏議》作為相互表裡來討論，無論在理念上或現實社會中，都是「以刑止刑，以殺止殺」來要求庶民中乎禮節。換言之，以禮入法的結

㉟ 劉俊文撰：《唐律疏議箋解》，上冊，卷1，〈名例〉，頁1。

㊱ 題〔漢〕孔安國傳，〔唐〕孔穎達正義：《尚書正義》，卷19，〈呂刑〉，頁23上。

果，導致執行刑罰就是執行禮教，將董仲舒以禮化德教為陽、為經，以刑為陰、為權的理念稍作調整，加強了刑的重要性，將「以刑輔教」的觀念轉變為執刑也是禮教的內容之一。宋儒則認為刑是不得已而用之，著重點幾乎傾向教化，《尚書・舜典》：「眚災肆赦」，林之奇（1112－1176）釋曰：

> 自「流宥五行」至「金作贖刑」，此象刑之目也；自「鞭作官刑」至於「眚災肆赦」，蓋量人情之輕重也。昔者聖人雖設為常法，然必原人情之輕重，然後用其常刑，故能「刑期于無刑」，使過誤者得罰金，而故犯者必不赦；君子不陷於無辜，小人不至於苟免。人將遷善遠罪，日趨於君子之域，此則刑期無刑之謂也。㊲

林之奇的解說，並不將刑罰視為可以教化人民的禮，無論如何，刑罰終究是懲治的手段，不能視為教化。因此，法的執行必依情節的輕重，以及犯罪者的身分來衡量，才符合聖人立法的精神，也就是使百姓畏懼刑罰，進一步能自思而遷善，最後達到「刑期無刑」的聖人之治。林之奇主要承襲董仲舒的理念㊳，人主法天，天以陽為德、為經，以陰為刑、為權。權反於經，然後「有善者也」；刑與禮是處在相反的位置，但社會人情的複雜，國家必須設有刑罰，才能趨使庶民改過遷善，禮與刑雖相反，但目標都是一樣。

宋儒視刑罰為不得已的手段，與《疏議》所言的「用」相較，刑罰成為政教之「末」，《尚書・呂刑》：「三后恤功于民，伯夷降典折民惟刑」一段，夏僎（－1178－）釋曰：

㊲ 〔宋〕林之奇撰：《尚書全解》（影印文淵閣《四庫全書》本，經部第 49 冊），卷 2，〈舜典〉，頁 36 上－36 下。

㊳ 林之奇釋〈大禹謨〉：「刑期于無刑」時，大量引用董仲舒的〈賢良對策〉：「天道之大者在陰陽，陽為德，陰為刑；刑主殺而德主生，是故陽常居大夏，而以生育養長為事；陰常居大冬，而積於空虛不用之處。以此見天之任德不任刑也。」國君若以德為教，則刑罰就會「積於空虛不用之處」。同時也可見董仲舒著重的是教化的作用，而林之奇繼承此意。見〔宋〕林之奇撰：《尚書全解》，卷 4，〈大禹謨〉，頁 24 下－25 上。

伯夷掌禮，故降其禮典以示于民；然禮有品節條目，易以強世而難于民之盡從，故伯夷既示以禮典，于是又以刑而折服其邪心，使之畏刑之威而盡趨禮。此典禮所以言刑也。然伯夷之刑非果用也，特以此懼之耳。……蓋民失常性，特以刑警之，使聳動知畏而復其常性。是堯之刑雖具，而實未嘗用也。㊴

堯之所以刑罰具備，但未嘗使用，原因在於伯夷以禮典教化，刑罰只是在使民畏懼而已。與《正義》相較，夏僎不認為伯夷典禮是「常行之教」，而是「非果用也」，是懼百姓失其本性，於是以刑警告，使復其本性。總之，宋儒對刑罰的看法誠如黃度（1138－1231）所云：「明刑弼教，要其君于治，刑不得已而用之。」㊵

宋代《尚書》學中，集大成且影響後世深遠者莫過於蔡沈（1167－1230）《書集傳》㊶，所以蔡《傳》可視為大部份宋儒意見的主流。蔡沈更強調治民在於君臣之間的合作，使德教廣布天下；《尚書．呂刑》：「穆穆在上，明明在下」一段，蔡沈釋曰：

君臣之德，昭明如是，故民皆觀感動蕩，為善而不能自已也。如是而猶有未化者，故士師明于刑之中，使無過不及之差，率乂于民，輔其常性，所謂刑罰之精華也。㊷

蔡沈承繼《正義》的說法而略作調整。《正義》以為君臣之德可以讓刑罰中正，但

㊴〔宋〕夏僎撰：《尚書詳解》（影印文淵閣《四庫全書》，經部第 50 冊），卷 25，〈呂刑〉，頁 12 上－13 下。

㊵〔宋〕黃度撰：《尚書說》（影印文淵閣《四庫全書》，經部第 51 冊），卷 1，〈舜典〉，頁 19 下。

㊶ 黃震曰：「經解惟《書》最多，至蔡九峰參合諸儒要說，嘗經朱文公訂正；其釋文義既視漢唐為精，其發指趣又視諸家為的，《書經》至是而大明如揭日月矣。」見〔宋〕黃震撰：《黃氏日抄》（影印文淵閣《四庫全書》本，子部第 13 冊），卷 5，頁 1 上。

㊷〔宋〕蔡沈撰：《書集傳》，朱傑人等編：《朱子全書外編》（上海：華東師範大學出版社，2010 年 9 月，第 1 冊），卷 6，〈呂刑〉，頁 258。

蔡沈以為君臣之德在教化人民，使民自覺，不得已時才用刑罰導正。簡單來說，《正義》的禮、律合一，至宋代時，儒者則將禮、律分別看待。因此，蔡沈又曰：

> 聖人之治以德為化民之本，而刑特以輔其所不及而已。……其始雖不免於用刑，而實所以期至於無刑之地。故民亦皆能協於中道，初無有過不及之差，則刑果無所施矣。㊸

宋儒大抵都強調聖人以德化民的重要性，而刑罰是負面的教育手段，最終希望能以教化取代刑罰，這與為後世所讚賞的《疏議》，而卻強調「以刑止刑，以殺止殺」的刑罰觀不同。

及至明代，明成祖朱棣（1360－1424，在位年 1404－1424）雖然詔修《書傳大全》，並頒為天下考試定本，但在此之前尚有修纂《書傳會選》；據研究，《書傳會選》可說是明代首次修正蔡沈《書集傳》的經書；起因是明太祖認為蔡《傳》對天文現象闡釋有問題，故而要求根據蔡《傳》加以修正。然而，事實上諸位大臣也只是因襲前人之說，敷衍了事，缺乏論斷；職是，仍然以蔡《傳》為主，及至修纂《書傳大全》，定為天下考試範本，仍宗蔡《傳》，至清不替。㊹也因此討論清代以前關於德禮、刑罰孰輕孰重的問題，大抵以《正義》以及蔡《傳》為主要兩大範疇。

綜上所述，董仲舒承襲先秦以來的刑罰觀以及經權的觀念，並比附陰陽，最後提出「經用於盛，權用於末。以此見天之顯經隱權，前德而後刑也」來勸諫漢武帝省刑興教，但是終漢之世，董仲舒的理念始終未能落實。歷至唐代，才出現禮、律合一的《唐律疏議》；然而，不管是從《正義》還是《疏議》來看，都強調法的重要性，將董仲舒以德教為主，以刑罰為輔的理念作了調整，成為執行刑罰也是禮教之一。宋代以後，儒者方強調君德教化，而刑罰是不得已而用之，這與董仲舒的理

㊸〔宋〕蔡沈撰：《書集傳》，卷 1，〈大禹謨〉，頁 25。

㊹ 蔣秋華撰：〈明人對蔡沈書集傳的批評初探〉，林慶彰、蔣秋華主編：《明代經學國際研討會論文集》（臺北：中央研究院中國文哲研究所籌備處，1996 年 6 月），頁 276－282。

念較近。簡單說，漢代董仲舒提出德刑的經權觀關係，要到宋以後，才由儒者在《尚書》中繼承與闡明。

三、玄燁對刑法經權觀的認識與實踐

上文所討論，大抵都圍繞在董仲舒所提出的理念：德教是經，刑罰是權，治國應以教化為主，以刑罰為末。但是再深入一層，在法律的實行方面，雖然據律斷案，但最後交由國君裁定時，往往會因為案情有可疑之處而發回重審，甚至因憐憫犯罪者的遭遇而赦免。換言之，律法之於人君的裁定，律法是經，而皇帝緣情定罪的裁決就是權。職是，以下將分為兩個部份討論玄燁對於德教與刑罰的認識，以及在量刑定罪的運用。

㈠刑為德教之末

前文提及，玄燁認為子產（前？－前 522）鑄刑書，叔向論刑書的差別，是「一則權時之宜，一則經久之道」，這是刑以弼教的論點。這樣的論點在玄燁的《尚書》教育中，講官也藉由日講的形式勸誡，其釋〈大禹謨〉：「帝曰：皐陶，惟茲臣庶，罔或干予正」一節，曰：

> 皐陶，刑官也，而曰「弼教」，故王者以教化為首務；刑者，不得已而後用之。後世從事于科指條教之煩，章程法令之末，而于所謂化民成俗，陶于仁壽之本計，則視為迂闊而莫舉。治莫古若，職此之故與？㊺

就現有文獻記載，玄燁首次接觸《尚書》是在南書房，由張英（1637－1708）與高士奇（1644－1703）兩人侍讀，而且君臣之間也常針對《尚書》各篇章進行討論；因此，當日講官為玄燁進講《尚書》時，應是向張英等人請教過，同時也難免有揣摩上意的論述。然而，此處講官以問句收尾，似乎有意告誡玄燁治國應該以「教化為首務」，不能因為「化民成俗」成效不彰就認為是迂闊的想法，而只從事於章程法令立竿見影的手段；如此不以教化治國，卻以刑理民，欲求三代聖人之治，就不

㊺〔清〕庫勒納等奉敕編：《日講書經解義》，卷 2，〈大禹謨〉，頁 11 下－12 上。

可能出現。事實上，玄燁一直以堯、舜之道為自我要求，並從中尋繹「道統」與「治統」的關係；最後，他將堯、舜、禹、湯等聖王之治，以及孔、孟等聖人之道相接續，以此作為持「道」「治」天下的理念，也因此玄燁視「敬」為治國的心法。㊻玄燁之所以期於堯、舜之道，大概與稍早接受的《四書》教育有關，講官釋〈大學〉：「子曰：聽訟吾猶人也」一章，曰：

> 夫無訟者，民德之新也；使民無訟者，己德之明也。必明德而後可以新民，則明德為本，新民為末。……《書經》所謂「刑期于無刑，民協于中」，即無訟之意也。然必有堯、舜之德而後成唐、虞之治。人主一身與百姓相感化者，捷於影響。有天下國家者，誠當以知本為要務也。㊼

由此觀察，講官勉勵玄燁以堯、舜之治來自我期許，因此強調欲成為聖主，國君就應該以明己身的德行為根本，如此才可以教化百姓。講官進講《四書》的課程全部完畢後，玄燁在張英等人的侍讀中，對〈大學〉旨在修養人君之德已有所體會，並且進一步關心經權的問題。康熙十六年十二月十九日，《南書房記注》：

> 辰時，上召臣英至懋勤殿。上親複誦所謂「修身」章起至右傳之九章止，複誦所謂「平天下」一章。上曰：「〈大學〉一書，言明德新民誠，修己治人之要道也。千古君道隆莫過於堯、舜。觀『克明峻德，以親九族，平章百姓，協和萬邦』，此正〈大學〉以慎德為本。」臣英對曰：「誠如聖諭。所以先儒有言〈大學〉者，治天下之律令格式也。內聖外王不出于此。……」上又問曰：「經權之義若何？」臣英對曰：「古人有言反經合道謂之權。」

㊻ 黃進興撰：〈清初政權意識形態之探討〉，《中央研究院歷史語言研究所集刊》，第 58 本第 1 分（1987 年 3 月），頁 114－116。又，鄧國光撰：〈康熙與乾隆的皇極漢、宋義的抉擇及其實踐〉，彭林編：《清代經學與文化》（北京：北京大學出版社，2005 年 11 月），頁 120－122。

㊼ 〔清〕喇沙里、陳廷敬等奉敕編：《日講四書解義》（影印文淵閣《四庫全書》本，經部第 202 冊），卷 1，〈日講大學解義〉，頁 17 下－18 上。

上曰：「此言昔人已有論其非者，天下止有一經常不易之理，權衡輕重，隨時斟酌，而不失乎經常之理，此即所謂權也。豈有反經而可以行權者乎？」㊽

玄燁認為《尚書》中的「克明俊德，以親九族，平章百姓，協合萬邦」，是〈大學〉的「慎德」；玄燁體會到《尚書》與〈大學〉的相通處，且徹底實踐人君在德性上的修為，因為天下百姓的事情全繫於國君一念之間，況且，玄燁君臣深信人君的德性，可以影響民風的善惡。換言之，玄燁不將道德修養局限在自我本身，而是期望藉由自己的德，能教化、影響庶民，以達到堯、舜的聖人之治。黃進興先生曾指出：「他將朱子作為個人修身之法的『居敬』拓展到治道的領域。」㊾從玄燁與張英的對話也可見一斑。之後，玄燁話鋒一轉，提到經權問題，此處並不能確定玄燁所謂的「經」是指什麼，究竟是指皇權的不可侵犯性？還是指以德教為主是經？都不見於君臣的任何對話。然而，觀察稍早的言行，玄燁於康熙十六年十二月八日為《日講四書解義》作序，將道統與治統作接續，則可以推知：玄燁期以自身對於聖人之道的修養，輻射到天下，使萬民乂安，並弭平戰亂。當然，並不是說玄燁迂於純用道德治理國家，但以堯、舜之治安天下，是玄燁最大的願望，也足以回應他自己所謂的「經」。㊿易言之，玄燁希望透過對經書中道德的修養，來建立起道統

㊽ 中國第一歷史檔案館整理：〈康熙十六年南書房記注〉，《歷史檔案》，2001 年第 1 期（總第 81 期），（2001 年 2 月），頁 24－25，「十九日」條。

㊾ 黃進興撰：〈清初政權意識形態之探討〉，頁 115。

㊿ 〈序〉曰：「朕惟天生聖賢，作君作師，萬世道統之傳，即萬世治統之所繫也。……歷代賢哲之君，創業守成，莫不尊崇表章，講明斯道。朕紹祖宗丕基，孳孳求治，留心學問。命儒臣撰為講義，務使闡發義理，裨益政治，同諸經史進講，經歷寒暑，罔敢間輟。茲已告竣，思與海內臣民共臻至治，特命校刊，用垂永久。」見《清代起居注冊．康熙朝》（北京所藏），第 5 冊，頁 2427－2430，「（十六年十二月）初八日庚戌」條。又，《大清聖祖仁皇帝實錄》，卷 70，頁 11 上－12 上，「（十六年十二月）庚戌」條。玄燁所謂「講明斯道」，即黃進興先生所認為，玄燁藉由《四書》來連接道統與治統的「道」；闡明《四書》的「道」，「思與海內君臣共臻至治」，正如玄燁對《尚書》「克明俊德」乃至「協和萬邦」的體認，將聖人之道推展至天下，以實現三代之治。

與治統，並以此治國安天下，這就是他對張英所說的「天下止有一經常不易之理」。

玄燁替《日講四書解義》作〈序〉時，就已透露自己自任道統與治統心理，因此講官不可能不知，故講官進講《尚書》時，既緣玄燁的喜好外，也適時勸誡玄燁治國的態度。釋〈舜典〉：「輯五瑞，既月，乃日覲四岳群牧」一節，曰：

> 蓋天子為百辟之主，必大權操之自上，而後禮樂政刑，歸于一尊；爵賞予奪，定于一統。此聖人臨御天下之要道也。[51]

又，釋「象以典刑，流宥五刑」一節，曰：

> 所謂法之權也，因罪重輕，立于常法之中；因情取舍，通于常法之外。聖人之制刑如此，然其心果何心哉？蓋其錯綜斟酌，敬之又敬，雖經權並行，而不敢遂以為當罪；慘舒並用，而不敢自以為得情。戚戚然惟以刑為民命之所關，而無所不致其憂也。[52]

又，釋〈呂刑〉：「典獄，非訖于威」一節，曰：

> 按：皋陶特理官耳，而億兆之命繫焉，況人君操生殺予奪之大柄，則元命所繫屬，又百倍於理官，其仰體天德者，正在于此。而其要亦無他，惟敬忌而已，故〈呂刑〉言皋陶之敬忌，而〈康誥〉言文王之敬忌，其義一也。[53]

玄燁從四位輔臣的手中收回權力可說是相當順利，然而在面對三藩時卻造成國內一

---

[51] 〔清〕庫勒納等奉敕編：《日講書經解義》，卷 1，〈舜典〉，頁 23 下。

[52] 〔清〕庫勒納等奉敕編：《日講書經解義》，卷 1，〈舜典〉，頁 29 上。

[53] 〔清〕庫勒納等奉敕編：《日講書經解義》，卷 13，〈呂刑〉，頁 17 下－18 上。

場重大的戰爭。[54]大概是朝中百官對玄燁集權的意識深有感受，故而在《書經解義》特別迎合玄燁，但也不忘提醒，雖然大權在握，「禮樂政刑，歸于一尊」，對於「生殺予奪」完全操之於人君一手，百官也無從過問，其中刑罰的施用就要特別謹慎。講官解釋「象以典刑，流宥五刑」時，提到的經權，可分為兩個層次來討論：⑴律法是經，因此「法之權也，因罪重輕」來衡量其刑責，務使判決不僅合律，也要合情。⑵聖人本有仁愛百姓之心，但制刑的心理該如何說呢？上文提及，「敬」是玄燁治國的心法，是以「敬而又敬」作為治國的經常之道；而「經權並行」，是指刑罰的施用，雖然依律量情來判決，但持「敬」是刑法的最高原則。總合而言，律是經，量情是權，但以「敬」來看待刑罰，才是最主要的「經」。如此，聖人治國，應該以「敬」來感化庶民，不得已而施用刑罰時，也要量情定罪，秉著仁愛子民的心治天下。刑罰終究是政教之末，而非政教之用。

如果說玄燁企圖以道統御治統來平治天下，是他所謂的「天下止有一經常不易之理」，則「不易之理」就是俱有「大中」之義的「皇極」，簡單說，玄燁是天下政事的樞紐。[55]既然身為樞紐，就必須積德深厚，才能將事情處理得合宜，尤其是刑罰方面更是如此。講官釋〈呂刑〉：「穆穆在上，明明在下」一節，曰：

> 〈呂刑〉一書，每先言德，後言刑，而刑必反覆以中為訓，誠以刑罰一有過差，則死者不可復生，斷者不可復續，為盛德之累不淺，故用刑必合於中，而後刑即所以為德也。[56]

以德教為主，以刑罰為輔是宋代以降的重要觀念，刑罰終究是不得已而用之。前文所引《正義》也曾提到「民皆合於大中，言舉動每事得中，不犯法憲，是合大中，即〈洪範〉所謂皇極是也」。但是《正義》強調的是以刑趨民的行為合乎「大

---

[54] 劉家駒撰：〈康熙皇帝的集權與激變〉，《東吳歷史學報》，第 2 期（1996 年 3 月），頁 55－88。

[55] 鄧國光撰：〈康熙與乾隆的皇極漢、宋義的抉擇及其實踐〉，頁 122－123。

[56] 〔清〕庫勒納等奉敕編：《日講書經解義》，卷 13，〈呂刑〉，頁 16 下。

中」，這是「皇極」的表現；而《書經解義》則承襲宋儒「聖人之治以德為化民之本」的觀點，認為人君修德不淺，量刑定罪才能合於「中」，如此用刑罰方可稱為德教的另一種表現。換句話說，唐人援禮入刑，因此執刑也是施行禮教的另一種方法，但玄燁遠法堯、舜之道，強調人君修德並感化天下的重要性，然而不得已而用刑時，唯有聖主才能使刑得「中」，展現出德教流行於刑罰之間。由此也反映出，玄燁以道統自任，因此施用於任何事情上，都是德布流行。同時，此處亦可見《書經解義》是兼採漢、宋。

玄燁既然效法虞廷之治，因此講官認為玄燁的德教布於刑罰之中，是迎合人君之化，稍後玄燁在《書經解義・序》也表明自己身為國君，副有「教養之責」，其曰：

> 天生民而立之君，非特予以崇高富貴之具而已，固將副教養之責，使四海九州無一夫不獲其所也。……黎民阻饑而為之教稼，五品不遜而為之明倫；為禮樂以導其中和，為兵刑以息其爭訟。事未然而預為之備，患已至而亟為之驅。57

由此可知，「為之君，為之師」的玄燁，「禮樂」、「兵刑」都是其教養的內容與方法。當然，所謂「教養之責」勢必是「盛德之累不淺」的聖主才能為之。雖然玄燁自任為道，而講官幾近於迎合的進講內容，看似君臣虛頌之語，但從《起居注》中可以看見玄燁以德教為主，以刑罰為輔的落實。康熙十八年十月七日，《起居注》：

> 象樞奏：「湖南新復，臣聞地方官有借徵糧名，虐取百姓，大負皇上軫恤至意，此不可不懲。」上曰：「所言固是，但必須得其實，不可盡以風聞為據。」上又諭曰：「朕思治天下，當以寬大為主。使人不求其備，『罪疑惟輕，功疑惟重』，古帝王用心，大抵如此，爾等以為何如？」大學士明珠等

57 〔清〕庫勒納等奉敕編：《日講書經解義》，〈序〉，頁1上－3下。

奏：「誠如聖諭。」[58]

對於魏象樞（1617－1687）所上奏的地方官「借徵糧名，虐取百姓」之事，玄燁要求查出真相才能予以懲除外，更引《尚書・大禹謨》來表達自己治國的想法，也就是不苛求百官，更不能隨意入人於罪，而是以「寬大為主」。玄燁的口諭，正是想要用德教來治理百官，而不是任刑為治。玄燁曾於康熙二十二年以前寫過〈寬嚴論〉以示自己致治在於寬仁，並體天仁愛萬物之心。玄燁在文中認為，四時的季節，春生、夏長、秋收、冬藏，是自然之序，都是使萬物各得其遂，並沒有春夏主寬，秋冬主嚴之意。玄燁的理想天下，正是「崇尚教化，而幾致刑措」，刑是政教之末。[59]此外，玄燁於康熙二十五年五月諭知三法司衙門：

> 朕惟自古帝王撫御群臣、百姓，政教修明，治化洽暢，與其繩以刑罰，使人怵惕文網，苟幸無罪，不如感以德意，裨民蒸蒸向善，不忍為非。《書》稱「協和萬邦，黎民於變時雍」，又稱「臨下以簡，御眾以寬」。唐虞感時，從欲風動，其效章章如是。……終思尚德緩刑，乃為至治之極軌。[60]

玄燁引用〈堯典〉與〈大禹謨〉來告訴三法司衙門，自己崇德教，緩刑罰，就是要以聖人之治使民自覺。此處，玄燁的理念正是宋儒強調人君以德使民自覺，誠如蔡沈所釋：「率乂于民，輔其常性」。

《傳說彙纂》是玄燁晚年所修，雖然至雍正八年才告成[61]，但雍正的心思主要

---

[58] 《清代起居注冊・康熙朝》，第 7 冊，頁 3179－3180，「初七日戊辰」條。

[59] 〔清〕愛新覺羅玄燁撰：《聖祖仁皇帝御製文・初集》，卷 17，〈寬嚴論〉，頁 13 上－15 下。《四庫全書總目》：「聖祖仁皇帝御製詩文，篇章繁富，……自康熙二十二年癸亥以前為初集。」見〔清〕紀昀、永瑢等撰：《四庫全書總目》，第 4 冊，集部，卷 173，「聖祖仁皇帝御製文集」條，頁 1 上。

[60] 〔清〕愛新覺羅玄燁撰：《聖祖仁皇帝御製文・第二集》，卷 4，〈諭三法司衙門〉，頁 1 上－2 上。

[61] 〔清〕紀昀等撰：《四庫全書總目》，第 1 冊，卷 12，頁 22 下。

花費在事務上，對於如何以儒家接續自己統治的「合法性」，並無多思考[62]，因此，《傳說彙纂》仍可視為玄燁晚年的總體驗。〈大禹謨〉：「刑期于無刑，民協于中」一句，《正義》言曰：「言皐陶行刑，乃是以殺止殺，為罪必將被刑，民終無犯者。」前文討論過，這是援禮入刑的結果，甚至在《疏議》也是以同樣的話再次重複，可見「以殺止殺」並非只是懸於高處的原則，而是真正落實的制度。玄燁畢生以虞廷之教為自己治國的理念，所以同樣「刑期于無刑」一句，《傳說彙纂》引朱熹（1130－1200）的話：

> 皐陶明刑以弼五教而期于無刑。蓋三綱五常，天理民彝之大節，而治道之本根也，故聖人之治為教以明之，為之刑以弼之。雖其所施或先或後，或緩或急，而其丁寧之深切之意，未嘗不在乎此也。[63]

與《正義》相較，少掉「以刑相逼」的味道，而是著重在「三綱五常」是普天之下的共同節操，是治國的根本要道，聖人無論是治教，還是制刑，都是要讓天下明白「三綱五常」的道理，並使遵行。所謂「教以明之，刑以弼之」就是以刑輔教，而彼此的運用，就視事情的輕重緩急而隨時調整。換言之，以刑輔教仍是最主要的理念，但教與刑如何相互為用，全取決於人主一心的權衡運用。當然，玄燁不認為權是反於經，權的運用是不能離經，而其所謂的經，是效法堯、舜，以德化民，也是早年在〈寬嚴論〉所表達的：四季無論如何變化，都是化育萬物之機；《傳說彙纂》釋「皐陶曰：帝德罔愆」時，引朱熹之語：

> 聖人之心，涵育發生，真與天地同德。……天地四時之運，寒涼肅殺常居其半，而涵育發生之心，未始不流行乎其間。此所以好生之德洽于民心而不自

---

[62] 鄧國光撰：〈康熙與乾隆的皇極漢、宋義的抉擇及其實踐〉，頁129。

[63] 〔清〕王項齡等奉敕撰：《欽定書經傳說彙纂》（影印文淵閣《四庫全書》本，經部第59冊），卷3，〈大禹謨〉，頁16下。

犯于有司，非既牴冒而復縱舍之也。[64]

以人君之德作育萬物，並影響、啟迪百姓向善之心，可說是貫徹早年在南書房誦讀〈大學〉後的理念。回顧玄燁早年詮釋的經權之意，即是綰合道統與治統，並以此安天下，也就是「天下止有一經常不易之理」；權雖然異於經，但絕不是反於經。換言之，以道治天下的玄燁，認為因事權衡仍然依於聖人之教，而此聖人就是玄燁自己。康熙五十三年六月六日：

上又曰：「朕自幼讀書聽政已久，治國之道莫要於寬舒。今天下承平無事，故凡已至七十、八十之人，每以年老為恨。」揆敘奏曰：「今生聖世者，皆有福之人也。」松柱奏曰：「先前官員等，年至五、六十率欲致仕，今逢盛時，即至七十餘歲尚不忍辭官也。」[65]

又，同年六月十三日：

傳諭刑部曰：「朕避暑口外，駐蹕山莊，此地素稱清涼，還覺煩熱，想京師更甚。朕時以民生疾苦為念，今天下承平，農商樂業，惟有罪之人拘繫囹圄，常被枷鎖；當茲盛暑，恐致疾疫，軫念及此，不勝惻然。應將在京監禁罪囚，少加寬恤，獄中多置冰水，以解鬱暑。其九門鎖禁人犯，毋論奉旨帶鎖，亦皆酌減鎖條。至一應枷號人犯，限期未滿者，暫行釋放，俟暑退後，仍照限補枷。爾部即遵旨速行，以副朕法外施仁至意。特諭！」[66]

姑不論大臣的逢迎之語，從相隔數天的諭旨來看，玄燁對於他的虞廷之教能夠讓天

[64] 〔清〕王頊齡等奉敕撰：《欽定書經傳說彙纂》，卷 3，〈大禹謨〉，頁 18 下。

[65] 《清代起居注冊．康熙朝》，第 28 冊，頁 13957－13958，「初六日丙子」條。又，《大清聖祖仁皇帝實錄》，第 6 冊，卷 259，頁 9 上，「丙子」條。

[66] 《清代起居注冊．康熙朝》，第 28 冊，頁 13964－13965，「十三日癸未」條。《大清聖祖仁皇帝實錄》，第 6 冊，卷 259，頁 10 下－11 上，「癸未」條。

下河清海晏感到非常滿意。由於玄燁認為「天下止有一經常不易之理」，就是自己所持有的聖人之道，因此他常以化育萬物為自任㊻；當然，反映在刑罰上，便要刑部善待囚犯，而不是因為犯刑就無法得到玄燁的德教。

綜合言之，玄燁在南書房與張英的討論中，雖然沒有明言經權究竟是指什麼，但從稍前為《日講四書解義》的〈序〉文中似乎可見，他所認為的「經」，是指道統與治統相結合的聖人之「道」，也是「天下止有一經常不易之理」。而且，據黃進興先生的研究，玄燁將「敬」視為古代聖王治國的心法。兩者結合，玄燁的「經」，是以德教為主，而且可以流布天下，感化百姓，化育萬物。因此，以三代聖人之治為期許的玄燁，主要以德化為主，以刑罰為輔。由於玄燁的德教流布於各層面，因此刑罰亦是德教之一，回應玄燁認為權不是反於經，而是站在相輔的角度。但刑罰成為玄燁的德教之一，並不同於《正義》與《疏議》，援禮入法，造成「以殺止殺」、「以刑止刑」的現象，而是建立起「三綱五常」，「感以德意，裨民蒸蒸向善，不忍為非」，而刑罰只是不得已而用之的輔弼之具。簡單地說，玄燁承董仲舒與宋儒以德教為主，以刑罰為輔的理念，而且強調「教」的這一部份，在經與權之間，經是遠高於權的。

㈡原情定罪

玄燁既以德教為主，則德教在刑罰中的實踐即是「原情定罪」。原情定罪，也就是董仲舒的「原心定罪」，董仲舒發揮《春秋》之義，曰：

> 《春秋》之聽獄也，必本其事而原其志。志邪者不待成，首惡者罪特重，本直者其論輕。㊼

認為以《春秋》決獄是除了依據客觀事實外，原察行為人的犯罪動機更是判刑的主要考量。大抵而言，漢代學者普遍認為《春秋》「本其事而原其志」的決獄方法，

㊻ 簡承禾撰：〈康熙對「庶徵」、「五福六極」的體認與實踐〉，《中國文學研究》，第 32 期（2011 年 7 月），頁 130－131、142－145。

㊼ 〔清〕蘇輿撰，鍾哲點校：《春秋繁露義證》，卷 3，〈精華〉，頁 92。

能達到不隨意入人於法，因為「原其志」的決獄方法，正突顯出律法緣人情而制定。[69]黃源盛先生（1955－）說：

> 「原心定罪」的實質，是強調根據行為人的動機、意圖、目的等主觀要件來論罪科刑。[70]

動機、意圖、目的是罪刑確定之前，決定刑罰輕重的重要條件。多數學者認為「原心定罪」是董仲舒《春秋》折獄提出的論點，並付諸實行，但事實上《尚書・康誥》就有這樣的觀念：

> 人有小罪，非眚，乃惟終，自作不典，式爾，有厥罪小，乃不可不殺。乃有大罪，非終，乃惟眚災，適爾，既道極厥辜，時乃不可殺。[71]

有意犯罪，其罪雖小，仍應予處罰；無心犯過，其過雖大，仍應赦免。可知以動機、意圖等為量刑的條件，是在周代之初就已形成的觀念[72]，並不是到董仲舒才提出，但董仲舒是首位付諸實行的人。更進一步說，對於罪刑的成立，雖然有法條作為客觀依據，但刑罰的輕重，則必須以行為人的犯罪動機為主觀條件；因此，以董

---

[69] 《鹽鐵論》，文學曰：「法者緣人情而制，非設罪以陷人也。故《春秋》之治獄，論心定罪，志善而違法者免，志惡而合於法者誅。」見〔漢〕桓寬撰，王利器校注，王佩諍札記：《鹽鐵論校注札記》（臺北：世界書局，1962 年 11 月），卷 10，〈刑德〉，頁 344。《鹽鐵論》是西漢討論鹽鐵政策的「會議記錄」，其中「文學」是「賢良文學」，所提出的意見多是儒家的理想。到了東漢末年，應劭對於刑案仍主張「原心定罪」，事見〔南朝宋〕范曄撰，〔唐〕李賢等注：《後漢書》（北京：中華書局，1965 年 5 月），卷 48，〈應劭〉，頁 1611。

[70] 黃源盛撰：《漢唐法制與儒家傳統》，〈春秋折獄「原心定罪」的刑法理論〉，頁 164。

[71] 題〔漢〕孔安國傳，〔唐〕孔穎達正義：《尚書正義》，卷 14，〈康誥〉，頁 6 上－6 下。

[72] 程元敏先生（1931－）以為今本〈康誥〉「乃周武王發誥封其九弟康叔於康地之命書」。見氏著：《尚書學史》（臺北：五南圖書出版公司，2008 年 6 月），第 7 章，〈虞、夏、商、周四代尚書各篇之題解規要及佚文輯考〉，頁 251。

仲舒刑罰的「經權」來說，法條的客觀依據就是「經」，行為人的犯罪動機是「權」。[73]

原情定罪，在董仲舒的推展之下，不僅是《尚書》的經文，也在現實中落實。前文已討論過，《正義》與《疏議》相互呼應的現象，雖《疏義》援禮入法，但未必符合董仲舒「務德而不務刑」的理念。如果從具體例子來觀察，更可見《正義》與《疏義》並沒有「原情定罪」的「德教」。唐人將律法載進《正義》之中，以作為疏通經義的解釋，釋〈呂刑〉：「五刑之疑有赦」一句，曰：

> 今律：合和御藥，誤不如本方；御幸舟舡，誤不牢固，罪皆死。[74]

〈呂刑〉認為五刑、五罰若有「疑」，就應從輕量刑；然而，《正義》以為凡涉及人君安全的過錯，都不應赦免，其曰：「小事易犯，人必輕之，過犯悉皆赦之，眾人不可復禁。是故不赦小過，所以整齊眾人，令其不敢犯也。」[75]由此而論，《正義》的觀念與「五刑之疑有赦，五罰之疑有赦」則稍有相背，而且還落實在刑罰之中；《疏議・名例》的「十惡」中「大不敬」：

> 合和御藥，雖憑正方，中間錯謬，誤違本法。……帝王所之，莫不慶幸，舟船既擬供御，故曰「御幸舟船」。工匠造船，備盡心力，誤不牢固，即入此條。[76]

既在「十惡」之中，自然是罪無可赦。《正義》與《疏議》的結合，說明經義的理想落實到刑罰之中，且以律法來解釋經義，彼此的相呼應，使得律法在執行上更顯得合乎聖人之意而不可易動。雖然如此，「原情」仍是考量罪刑的重要條件，《貞

[73] 關於董仲舒在決獄中，「權」的實際運用，見劉姿君撰：〈從經權論董仲舒的德刑思想〉，頁68－73。

[74] 題〔漢〕孔安國傳，〔唐〕孔穎達正義：《尚書正義》，卷19，〈呂刑〉，頁29上。

[75] 題〔漢〕孔安國傳，〔唐〕孔穎達正義：《尚書正義》，卷19，〈呂刑〉，頁29上。

[76] 劉俊文撰：《唐律疏議箋解》，上冊，卷1，〈名例〉，頁60－61。

觀政要》中就記載一件犯「大不敬」而赦罪的故事：

> 貞觀元年，吏部尚書長孫無忌嘗被召，不解佩刀入東上閤門，出後，監門校尉始覺。尚書右僕射封德彝議，以監門校尉不覺，罪當死；無忌誤帶刀入，徒二年，罰銅二十斤。太宗從之。大理少卿戴胄駁曰：「校尉不覺，與無忌帶入，同為誤耳。臣子之於尊極，不得稱誤，准律云：『供御湯藥、飲食、誤不如法者，皆死。』陛下若錄其功，非憲司所決；若當據法，罰銅未為得衷。」太宗曰：「法者非朕一人之法，乃天下之法，何得以無忌國之親戚，便欲撓法耶？」更令定議。德彝執議如初，太宗將從其議，胄又駁奏曰：「校尉緣無忌以致罪，於法當輕。若論其過誤，則為情一也，而生死頓殊，敢以固請。」太宗乃免校尉之死。[77]

因為監門校尉一時不察，長孫無忌（594－659）帶刀誤入東上閤門，如果依罪而論，是屬於「大不敬」的十惡之罪，但是戴胄（？－633）以為長孫無忌與監門校尉在動機上都是「無心誤觸」，更何況校尉是因為無忌而罹罪，就法理來說，罪刑應該輕於無忌；如果因無忌是功臣而可以法外施恩，對校尉而言並不公平，所以校尉照理也應赦免其罪。最後，皇帝果然赦免校尉的死罪。

關乎人君性命，固然難以因一時疏忽而可以赦罪，即使到《大清律例》依然有此法條。[78]然而《正義》引《疏議》疏通經文，則讓此法條幾乎沒有寬罪的空間，因為《正義》與《疏議》，前者是理想層面，後者是理想的落實，所以《疏議》在施行上賦有極高的神聖性，也就是「經」的絕對性，但是從以上的故事來看，「權」也在現實中展現。易言之，唐人盡可能地將經義與律法兩者相結合，試圖透過律法的執行實現以經義治天下的理想，但是在理念的落實之中，又有可以商榷的

---

[77] 〔唐〕吳兢撰：《貞觀政要》（北京：中華書局，2003 年 11 月），卷 5，〈公平〉，頁 280－281。

[78] 田濤、鄭秦點校：《大清律例》（北京：法律出版社，1999 年 9 月），卷 4，〈名例律上〉，頁 85，「十惡」條。

地方。雖然律法的判決代表理念，但戴胄的反駁，正是《公羊傳》所謂的「權者反於經，然後有善者也。」此外，《正義》認為「不赦小過，所以整齊眾人，令其不敢犯也」，是《疏議》中「大不敬」之罪的法原依據；然而孔子說：「道之以政，齊之以刑，民免而無恥。」（《論語・為政》）如果按《疏義》來判，就變成「齊之以刑」的具體事實，也因此更顯出戴胄出面反駁監門校尉的罪刑才是合於法理，亦得聖人之意了。[79]

原情定罪，貫串整個中國法律的執行，歷代律法的判決，都會參酌行為人犯罪的動機。玄燁雖然至康熙十八年才修改過於嚴苛的法條，並正式頒布[80]，但在南書房讀書時，便已注意到刑法施用必須謹慎，康熙十七年《南書房記注》：

> 上閱古文一卷，至〈論慎刑〉篇，上曰：「國家刑法之制，原非得已，然懲警奸慝，又不可無。朕每于刑法，必反複詳慎，期于至當，未嘗一事有所輕忽。」臣士奇奏曰：「皇上秉天地好生之心，民知慕化，年來秋決不過數人，幾致刑措，近復特命更定律例，斟酌損益，誠為萬世成憲。」上曰：

---

[79] 蔡長林先生曰：「《疏議》的律文形式，表現為以禮入律的特色，蘊涵的實乃經典的德教精神，故〈名例〉所云：『德禮為政教之本，刑罰為政教之用』，當為得實。無論用德禮或用刑罰，目的都在『政教』，以『教』的精神達到『政』的效果，體現孔子所云『不教而誅』之訓。」見氏著：〈唐代法律思想的經學背景——唐律疏議析論〉，頁 200。推先生之意，《疏議》是落實聖人之教於民的一部律法。但如果從上舉的故事來說，戴胄的反駁，與《正義》、《疏議》相較之下，顯出理念的「經」反而是有違聖人之旨，同時也印證本文所論，作為經文注疏的《正義》，其中有「以殺止殺」在於「整齊」的經義；而戴胄阻止校尉的死刑，是勸誡皇帝應於法外施恩，亦即「權」的運用，其行權雖然「反於經」，卻更貼近於聖人之意。此外，需要說明的是，本文並無意貶損《疏議》「一準乎禮」的價值，而是就《尚書》與律法所見「用『法』的動機」來討論而已。後來的律法，尤其明、清兩代都加重刑罰，清人薛允升（1820－1901）曾說：「《唐律》無凌遲及刺字之法，故不載於五刑律中。《明律》內言凌遲、刺字者指不勝屈。」見氏著，懷效鋒、李鳴點校：《唐明律合編》（北京：法律出版社，1999 年 1 月），卷 1，〈名例〉，頁 6。清代律法沿襲《明律》，薛氏之意非常明顯。本文僅從儒者詮釋《尚書》的角度出發，而歷來皇帝法外開恩也時有所見，下文所舉的三件案例，就是在玄燁的赦免之下，方免於凌遲或是死刑的案件。

[80] 鄭秦撰：《清代法律制度研究》，〈康熙現行則例考——律例之外的條例〉，頁 25－26。

「《現行律例》尚慮過嚴，全在臨時審察得宜也。」[81]

雖然玄燁在親政之初，旋即針對律法進行修改，但多半是針對律、例之間的調整；然而，從康熙十七年的《南書房記注》來看，玄燁親政後不僅修改律、例，同時也放寬律法的刑罰。此外，玄燁所謂「臨時審察得宜」，就是執行律法時能原情定罪，不使刑罰泥於法條而顯得過於嚴苛且不合理。

康熙十八年二月二十日，《南書房記注》：

上複誦「王曰：『嗚呼！封汝念哉』」二節，親講「已，汝惟小子」三節，講「敬明乃罰」節。上曰：「此所謂法中之權也。經以守常，權以達變；經以立體，權以濟用。古今斷無經外之權，故曰：『反經行權者，非也。』」[82]

上文討論玄燁對「經權」的看法，認為是對於道統御治統的「皇極」之義；但是在這裡，玄燁是針對律法的執行而言，至於具體的理念是如何，由《書經解義》可以見得。釋〈康誥〉：「王曰：嗚呼！封，敬明乃罰」一節，曰：

有所犯之罪雖小，初非過誤，乃怙終不悛，自己甘作不法之事，是用意為惡者；如是之人，其罪雖小，其情當誅，乃不可不殺；所謂「刑故無小」，殺一警百也。人之情罪俱輕者，在所當宥，又不必言矣。乃有所犯之罪雖大，初非故犯，乃是過誤，出于不幸，蓋偶然陷于罪，且能輸情服罪，略無所隱；如是之人，其罪雖大，其情實可矜，是乃不可殺；所謂「宥過無大」，先教而後誅也。一宥一辟，此以權合經，仁義兼濟之道也，所謂「敬明乃罰」者如此。[83]

---

[81] 中國第一歷史檔案館整理：〈康熙十七年南書房記注〉，頁6，「（四月）初二日」條。

[82] 中國第一歷史檔案館整理：〈康熙十八年南書房記注〉，《歷史檔案》，1996年第2期（總第62期），（1996年5月），頁6，「二十日」條。

[83] 〔清〕庫勒納等奉敕編：《日講書經解義》，卷8，〈康誥〉，頁9下－10上。

〈康誥〉除在南書房由大臣侍讀外，日講《尚書》課程中並未進講，應只是把講章進呈給玄燁而已。雖然如此，但講官在「敬明乃罰」一節，迎合帝王之心的用意非常明顯[84]，都著重於律法執行時的「經權」運用。將玄燁在南書房所發表的意見，與講章合而觀之，「經」是指律法的條文，「權」是「一宥一辟」的主觀決定；至於運用「經權」的原則，即是原「人之情罪」，也就是上文不斷討論的犯罪動機。犯的罪小，但不是過誤，亦非初犯，正表示行為人怙惡不悛，則「其情當誅」；犯的罪雖大，但只是初犯，且非故犯，即表示行為人不是有意為過，則「情實可矜，是乃不可殺」。行為人的所犯的罪行，並不是主要判決依據，「情」才是當誅與不當誅的主要理由。以下將舉三件案例，以見玄燁原情定罪的「權」的運用。

案例一（康熙二十六年二月二十日）：

> 奉旨依議：刑部議得：強盜行劫殺死三人以上之案，亦有引〈強盜正律〉題結者，亦有比照〈殺一家非死罪三人〉之律題結者。細查律內：「凡殺一家非死罪三人者，為首凌遲處死，財產斷付死者之家，妻子流二千里，為從加功者，斬」之語。又細註內謂：「同居，雖奴婢、雇工人皆是；或不同居，果係父子兄弟至親亦是」等語。又律條內：「凡強盜殺傷人，放火燒人房屋，姦污人妻女，打劫牢獄、倉庫及干系城池、衙門，並積至百人以上，不分曾否得財，俱照〈得財律〉，斬」。隨即「奏請審決梟示」等語。
>
> 其強盜原圖行劫財物，因失主緝獲，恐其被獲身死，以致情急殺人，與有意故殺、謀殺不同，凌遲處死，乃罪之極刑，即比照〈殺一家非死罪三人〉，凌遲處死，似屬太過，務必情罪相當，始副皇上慎恤刑獄之至意。

---

[84] 雖然日講《尚書》並未進講〈康誥〉，但《起居注》記載，進講〈微子之命〉是在康熙十八年十一月四日至七日之間；如果按照《尚書》篇章順序，則進呈〈康誥〉講章予玄燁閱讀，應該是在〈微子之命〉以後。而玄燁早在同年的二月已針對〈康誥〉「敬明乃罰」進行過討論，所以十一月講官撰寫講章時，必然揣摩上意。此外，從講章內容來看，更足見是應答玄燁之語，因此可視為玄燁對於律法「經權」的意見。〈微子之命〉進講時間，見《清代起居注冊・康熙朝》，第 7 冊，頁 3296，「初四日乙未」條、頁 3305「初六日丁酉」條、頁 3308－3309「初七日戊戌」條。

嗣後強盜行劫人家，殺死三人以上者，不必引〈殺死一家非死罪三人〉之律，應仍照〈強盜正條律〉完結。[85]

在分析案例之前，先作律法名詞的解釋。〈強盜正律〉，只處罰行為人的罪行，並不涉及旁人，而且依罪問斬，相較於「凌遲處死」來得輕。〈殺一家非死罪三人〉其遠源是來自於漢代，至唐代時被列入「十惡」罪之中；所謂「殺一家非死罪三人」，是指同時或先後殺一家三口以上的罪行[86]，罪行深重，所以列入「十惡」之中，並凌遲處死。可見玄燁時期的律法，依舊保留唐律的條文。

案例中，各部所議的罪刑都不相同，有引〈強盜正律〉，有引〈殺一家非死罪三人〉；然而刑部奉旨定奪後，認為行為人不是刻意殺害失主，而是竊盜失風，情急之下才誤殺，若判〈殺一家非死罪三人〉，則定罪太重，且牽連無辜，並不符皇帝恤刑的期許，因此改以〈強盜正律〉判決。這件案例可留意者有二：⑴玄燁同意的判決，是依行為人的動機，並不以行為的結果。就各部所議來看，行為人應是誤殺失主全家，按律也可引〈殺一家非死罪三人〉定讞，但是念在行為人是「情急殺人」，所以原情定為〈強盜律〉。⑵此次案例確立了「強盜行劫人家」，都只要引〈強盜律〉判處即可，不必引〈殺一家非死罪三人〉的重罪，避免傷及囚犯家人。套現代語境來說，是為後來的行為人給了最大的人權保障。[87]

案例二（康熙三十九年）：

《刑部則例》：「刑部：為子報父仇事。」三法司會議得：「劉太砍死親叔

[85] 〔清〕陳夢雷編：《古今圖書集成》，第 75 冊，〈祥刑典〉，卷 63，總頁 738－739。

[86] 劉俊文撰：《唐律疏議箋解》，卷 17，〈賊盜〉，頁 1284－1287。

[87] 清代非常重視判例，胡興東先生（1975－）曰：「清朝判例的基本功能是保證同類案件相同判決，當時稱為判決上的『畫一』。……清代司法實踐中，不僅地方、中央司法官員重視判例，就是最高權力者——皇帝在遇到疑難案件時也常從先例出發考察案件判決的選擇。」可知此案例的確定，帶給後來行為人極大的保障，至少不牽及無辜的家人。見氏著：《中國古代判例法運作機制研究——以元朝和清朝為比較的考察》（北京：北京大學出版社，2010 年 6 月），第 5 章，〈清代判例法中先例創制機制〉，頁 185。

劉延宗一案，據江撫宋審擬凌遲具題前來。查劉太因父劉廣宗于十五年三月十六日與弟劉延宗爭地角口，延宗擲磚擊破廣宗頭顱，冒風殞命。彼時劉太年僅十四，未曾控理。迨三十五年七月初十日，劉太瞷知延宗在于酒肆坐語，操斧直入，將延宗太陽、咽喉等處亂砍立斃。次早投首到官。該撫歷審，劉太堅供為父報仇；質之當年目擊拋磚之尚國楨，并劉太親伯劉太宗、劉耀宗亦供廣宗實被延宗拋磚擊死是實。劉太情雖可矜，法實難寬」等語。據此，劉太改為凡祖父母、父母為人所殺，而子孫不告官，擅殺行兇人者，杖六十。律應杖六十，但事在赦前，應免罪。劉正（案：疑是太字之誤）等審係無干，毋庸議。[88]

「例」是相對於「律」而言，「律」是一般的規定，但社會情況的複雜，則必須就各種特殊案例而存為「例」。無論古今，「判例」給審判者非常重要的參考對象，因為如果只依「律」的規範定奪，則審判結果將不盡情理。

就此案例來看，劉太殺死自己的親叔，屬於「大功服」尊長，依《現行則例》是罪無可赦的行為[89]，然而又念在為父報仇，情況較為特殊，最後不採用三法司合議的結果，並且將此案例建為標準，凡是為祖父母、父母報仇而私自行兇者，都改為杖六十。此案例可觀察者有二：⑴玄燁對這件案子的處理，主要考量是劉太為父報仇的動機。而玄燁所依據的理由其實在經書中可以尋得，《禮記・曲禮上》：「父之讎，弗與共戴天。」[90]換言之，玄燁原其情，是來自於經書中賦予為父報仇的「合理性」，因此將這條罪行從「凌遲處死」改為「杖六十」。⑵「律應杖六十」，可能是將這樣的「例」入於最高規範的「律」之中，除了給後來的行為人有所保障外，其中更是將「律」與經書暗合，形成一種絕對而不可侵犯的理念。

---

[88] 〔清〕陳夢雷編：《古今圖書集成》，第 75 冊，〈祥刑典〉，卷 68，總頁 792。

[89] 《現行則例下・鬪毆》：「凡有殺死本宗緦麻以上尊長，及外姻小功尊屬，俱不准援赦。」又，「〈凡謀殺期親尊長、已殺者，皆凌遲處死律〉，應即凌遲處死。」見〔清〕陳夢雷編：《古今圖書集成》，第 75 冊，〈祥刑典〉，卷 61，總頁 705。

[90] 〔漢〕鄭玄注，〔唐〕孔穎達正義：《禮記正義》（影印《十三經注疏》本，第 5 冊），卷 3，頁 10 下。

案例三（康熙四十五年十一月初一）：

> 大學士馬齊、張玉書、陳廷敬、李光地，學士拉都渾、黑壽、蔡升元、楊瑄、王之樞、宋大業以折本請旨：九卿朝審情真、緩決、情罪可矜三案。上曰：「三次竊賊情甚可惡，不當緩決，應改為情真，使彼知儆。」馬齊等奏曰：「伊等被獲止此三次，想未經被獲者尚有數次。」上曰：「《書》云：『罪疑惟輕』，亦因有可疑乃輕耳。如無可疑，則據理斷之為貴。」因取所審三案謂大學士等曰：「此內所折多，朕一一為爾等指明，可詳識之。」曰：「情真內，張五、董紹、孔丁大、王章、郭三、李七雉、李五、丁二、楊八郎俱改為監候，秋後處決。徐路、王三同、王應統俱改為可矜，照例減等發落。又緩決內，王關保素行兇惡，本係光棍，改為情真；常保住改為可矜，照例減等發落；黃、毛二小、俞二、程二禿子、顏三兒、住兒、劉保兒、劉二進寶、八兒丫頭、陳三黑子數人皆行竊三次，俱改為情真。」又曰：「此改為情真三次竊盜內，果有為首窩留賊夥如此極橫者否？著問提督及五城官員，如有此等人，勾決時勿宥。」又謂大學士等曰：「爾等意中猶有當酌議者否？」馬齊等奏曰：「皇上所讞決俱已詳盡，此外更無可商。」上曰：「餘皆允當，如所議完結。」又曰：「今年各省情真之案較往歲俱少，直隸、山西、浙江三省俱無多。大約情真之事不可有意使少，亦以殺人案件本來不多者為貴耳。」[91]

所謂「情真」是就發生事實定罪，不須多作考量；「緩決」與「情罪可矜」都是作多方考慮，如犯罪的動機、行為人的家庭背景等。《現行則例中・賊盜》：「凡白晝搶奪三犯者，擬絞立決。」[92]搶奪三次方判處絞刑，在立法之時已經作多次的赦免，所以在此案例中，玄燁對於部份罪犯並不寬宥。

此案例之中，可見玄燁對刑罰的想法。玄燁不認為執刑時一味寬赦，而是當疑

---

[91] 《清代起居注冊・康熙朝》，第 27 冊，頁 13569－13573，「初一日乙卯」條。

[92] 〔清〕陳夢雷編：《古今圖書集成》，第 75 冊，〈祥刑典〉，卷 60，總頁 701。

則疑，如果已經在無可考量的情況之下，就應該依法判決。同時，玄燁也告誡大臣，治天下必須真的達到河清海晏，而不是掩蓋事實，製造虛浮的表面。上文提到玄燁以道統御治統是俱有「大中」之義的「皇極」，從君臣對於案件的討論來看，即其所言「大約情真之不可有意使少，亦以殺人案件本來不多者為貴」，玄燁不願意隱瞞，而是期望真正成為導民化民的君主；換句話說，玄燁自信自己的德行足以為天下臣民的表率，不必一味依靠減刑來粉飾太平。《書經解義・康誥》：「蓋德以化導之于先，而罰以整齊之于後。〈大學〉：『明德新民』之說，實本于此。」講官所寫正合玄燁的本意。[93]所謂「明德新民」，「乃人人之所同得，而非我之所私有也，故自明其德更當推以及人，鼓舞振作，使天下之民，凡具有是德者，咸有以去其舊染之污，而臻於大同之治」。[94]進一步說，「大中」之義不僅是刑罰得「中」而已，更是德教流布天下，並使臣民都以人君為楷模，有「眾星拱之」的意味。職是，此案例的討論，玄燁認為竊盜三次，已是罪無可逭，執刑正是以儆效尤，也是刑罰得中；另一方面，玄燁的德教使「情真」案件日益減少，正是自己「大中」的體現。

綜上所述，玄燁認為刑罰是政教之末，是權宜之計；反之，教化才是政教之本，才是經久之道。其在講官進講《四書》課程畢後，對道統與治統的銜接有極大的心得，因此對「經權」的解釋是「天下止有一經常不易之理，權衡輕重，隨時斟酌，而不失乎經常之理」，並且認為道統的根本在於「居敬」，即人君修德為臣民的表率，並以此治天下，而刑罰只是治民不得已的手段。從《書經解義》來看，講官也是不斷強調以「敬忌」的心來面對刑罰，更以為君德不淺，才能使德布流行，啟迪臣民向善之心；而且有德之君，才能刑罰得中，令效尤者有所警惕。職是，玄燁屢屢告訴司法部門，刑罰既然只是輔教，就不應嚴苛，應以寬大為主，顯示「尚

[93] 〔清〕庫勒納等奉敕編：《日講書經解義》，卷 8，〈康誥〉，頁 27 下。玄燁在南書房讀〈康誥〉後，即曰：「〈康誥〉一篇，言修德保民之要，極為詳備，如『明德』、『新民』、『如保赤子』、『惟命不于常』等語，〈大學〉多引用之。」可見講官撰〈康誥〉講章，是緣君心發揮。見中國第一歷史檔案館整理：〈康熙十八年南書房記注〉，頁 5－6，「（十八年二月）十九日」條。

[94] 〔清〕喇沙里、陳廷敬等奉敕編：《日講四書解義》，卷 1，〈日講大學解義〉，頁 2 上。

德緩刑」教化的功能。

此外，從三件案例來看，玄燁的確多次考量行為人的動機，最後輕判，甚至赦免死罪，並且定為條例，保障了後來犯類似罪行的行為人。其中第二件為父報仇案例中，所考量的依據可能來自《禮記》所賦予的「合理性」，並定為「律」，使「律」與「經」形成不可移易的「絕對性」。然而，玄燁也不是每件案子都赦免，最後一件案例中，透露出玄燁更希望自己的統治能真正達到百姓乂安的盛世，而非一味以赦免來掩蓋事實，也正回應玄燁以德教為主的政治理念。

四、結論

由以上所論，整理為幾點結論：

其一，「經權」思想在先秦已有之，至《公羊傳》所說的「權者何？權者反於經，然後有善者也」，可視為對先秦「經權」思想的整合。從《古今圖書集成》立〈經權部〉來看，可知「經權」思想在中國具有相當重要的地位，甚至輻射到各個層面，包括刑罰部份。董仲舒是首位用「經權」來解釋刑罰意義的儒者，其提出「顯經隱權，前德而後刑」，主張人君治民應以德教為主，以刑罰為輔；德是「經」，法是「權」。然而漢承秦制，律法始終是「陽儒陰法」，董仲舒的理念並未被實現。歷至唐代，《五經正義》與《唐律疏議》的出現，前者是儒家的理想，後者是理想的落實，因此從表面上來說，這兩部書不僅實現董仲舒的理念，也代表著儒家社會的貫徹。

《唐律疏議》最為後人所樂道的是「援禮入法」的精神，但是無形中卻造成刑罰也是教化百姓的手段之一；易言之，禮在法之中，執法就是執行禮教。所以，不管是《尚書正義》還是《唐律疏議》，都主張「以刑止刑，以殺止殺」，致使律法成為政教之「用」。職是，《唐律疏議》雖是「一準乎禮」的律法，但與董仲舒重視德教的觀念稍有背馳。及至宋代，儒者認為刑罰是不得已之具，諸儒在《尚書》中的解經，咸認為治國安民應以教化為主，使民自覺，因此釋〈呂刑〉時說：「率乂于民，輔其常性」，並認為「堯之刑雖具，而實未嘗用」，轉變《尚書正義》與《唐律疏議》禮、律合一的觀念，認為律法畢竟是政教之「末」，不可為用。與《唐律疏議》相較，宋儒深得董仲舒「務德而不務刑」的理念。要之，德為

「經」，法為「權」的「顯經隱權」想法，宋代以降才為儒者在《尚書》之中闡發。

其二，就大的面向來說，玄燁在日講《四書》的課程全部完畢後，和大臣在南書房討論時，帶出對於「經權」的看法，玄燁不認為「權是反於經」，無論「權」如何運用，終究不能與「經」相違。雖然南書中君臣沒有明言何為「經」？何為「權」？但從《日講四書解義．序》觀察，應是指「道統」與「治統」結合的「皇極」義，即玄燁自言「天下止有一經常不易之理」。然而，「皇極」義並非只是皇權集中的代表，而是君王自我修德，以感化百姓，為天下臣民表率的意義。因此講官在緣人主之意的同時，也適時勸誡玄燁，治理國家要以德行為主，感化百姓向善，同時玄燁自身也以「尚德緩刑」為自我惕勵。《日講書經解義》在討論刑罰的施用時，認為天下民命都在人君掌握之中，故施刑時要「敬之又敬」，避免濫刑及冤案的發生。此外，玄燁所謂的「經」是「皇極」的教化，而「權」是刑罰的施用，所以玄燁對子產鑄刑書，叔向論刑書，便曰：「一則權時之宜，一則經久之道」。

「經權」再往內部討論，則「經」是律法的規範，「權」是「原情」的考量。玄燁讀到《尚書．康誥》的「敬明乃罰」時，即曰：「法中之權也。經以守常，權以達變；經以立體，權以濟用」，表示行為人定罪之後，在不違反律法的公平情況下，是可酌予減刑的。文中舉三個案例，以見玄燁在法中行權的實踐，其中也透露玄燁所原的「情」，部份是有儒家經書的依據。最後一件君臣討論的案例中，更見玄燁所期望的是自己「盛德之累不淺」，啟發百姓五教之心，令天下乂安，而幾乎措刑的盛世，也就是「大中」的「皇極」義之實現。大抵而言，儒家終是以德教為主，刑罰為輔。由於玄燁對「皇極」義的掌握，因此對於「經權」的觀念必須分為兩部份討論：一者是主張修德並推及天下，而刑罰是不得已之具；二者是實踐上，以律為「經」，而行權赦免也是德教的一部份，是故玄燁認為「以殺人案件本來不多者為貴」，正是「明德新民」的實現。

參考文獻

㈠專書

日講書經解義 〔清〕庫勒納等奉勅編
海口 海南出版社 2000年10月 影印康熙19年內府刻本
欽定書經傳說彙纂 〔清〕王頊齡等奉敕撰
臺北 臺灣商務印書館 1986年3月 影印文淵閣四庫全書本
尚書正義 題〔漢〕孔安國傳 〔唐〕孔穎達正義
臺北 藝文印書館 2007年8月 影印十三經注疏本
尚書大傳定本 〔漢〕伏生傳 〔漢〕鄭玄注 〔清〕陳壽祺輯
收入 四部叢刊初編 臺北 臺灣商務印書館 1967年9月
重印上海涵芬樓藏左海文集本
尚書全解 〔宋〕林之奇撰
臺北 臺灣商務印書館 1986年3月 影印文淵閣四庫全書本
尚書詳解 〔宋〕夏僎撰
臺北 臺灣商務印書館 1986年3月 影印文淵閣四庫全書本
尚書說 〔宋〕黃度撰
臺北 臺灣商務印書館 1986年3月 影印文淵閣四庫全書本
黃氏日抄 〔宋〕黃震撰
臺北 臺灣商務印書館 1986年3月 影印文淵閣四庫全書本
書集傳 〔宋〕蔡沈撰 嚴文儒校點
收入 朱子全書外編 朱傑人等主編
上海 華東師範大學出版社 2010年9月
尚書學史 程元敏撰
臺北 五南圖書出版公司 2008年6月
春秋左傳正義 〔晉〕杜預注 〔唐〕孔穎達正義
臺北 藝文印書館 2007年8月 影印十三經注疏本
春秋公羊傳注疏 〔漢〕何休解詁 〔唐〕徐彥疏
臺北 藝文印書館 2007年8月 影印十三經注疏本
禮記正義 〔漢〕鄭玄注 〔唐〕孔穎達正義
臺北 藝文印書館 2007年8月 影印十三經注疏本

孟子注疏 〔漢〕趙歧注 〔宋〕孫奭疏
臺北 藝文印書館 2007年8月 影印十三經注疏本
日講四書解義 〔清〕喇沙里・陳廷敬等奉敕編
臺北 臺灣商務印書館 1986年3月 影印文淵閣四庫全書本
經學大要 錢穆撰
臺北 素書樓文教基金會・蘭臺網路出版商務公司 2000年12月
漢書 〔漢〕班固撰 〔唐〕顏師古注
北京 中華書局 1962年6月
後漢書 〔南朝宋〕范曄撰 〔唐〕李賢等注
北京 中華書局 1965年5月
清史稿 趙爾巽等撰
北京 中華書局 1977年8月
康熙十六年 南書房記注
歷史檔案 2001年第1期 2001年2月
康熙十七年 南書房記注
歷史檔案 1995年第3期 1995年8月
康熙十八年 南書房記注
歷史檔案 1996年第2期 1996年5月
康熙十九年 南書房記注
歷史檔案 1997年第1期 1997年2月
清代起居注冊 康熙朝
北京 中華書局 2009年9月 影印中國第一歷史檔案館藏本
大清聖祖仁皇帝實錄
臺北 華聯出版社 1964年9月
鹽鐵論校注札記 〔漢〕桓寬撰 王利器校注 王佩諍札記
臺北 世界書局 1962年11月
大清律例 田濤・鄭秦點校
北京 法律出版社 1999年9月
大清律輯註 〔清〕沈之奇撰 懷效鋒・李俊點校
北京 法律出版社 2000年1月
大清律例與清代的社會控制 沈大明撰

上海　上海人民出版社　2007 年 3 月
清代法律制度研究　鄭秦撰
北京　中國政法大學出版社　2000 年 5 月
中國古代判例法運作機制研究——以元朝和清朝為比較的考察　胡興東撰
北京　北京大學出版社　2010 年 6 月
貞觀政要　〔唐〕吳兢撰
北京　中華書局　2003 年 11 月
唐律疏議箋解　劉俊文撰
北京　中華書局　1996 年 6 月
唐律通論　戴炎輝編著
臺北　國立編譯館　1977 年 5 月
唐明律合編　〔清〕薛允升撰　懷效鋒・李鳴點校
北京　法律出版社　1999 年 1 月
九朝律考　程樹德撰
北京　中華書局　2003 年 1 月
董仲舒的法律思想　楊鶴皋撰
北京　群眾出版社　1985 年 5 月
近代法律思潮與中國固有文化　王伯琦撰
臺北　法務通訊雜誌社　1985 年 5 月
中國傳統法律文化研究　馬作武主編
廣州　廣東人民出版社　2004 年 11 月
漢唐法制與儒家傳統　黃源盛撰
臺北　元照出版公司　2009 年 3 月
四庫全書總目　〔清〕紀昀等撰
臺北　臺灣商務印書館　1983 年 10 月　影印武英殿本
古今圖書集成　〔清〕陳夢雷編
臺北　鼎文書局　1985 年 4 月
春秋繁露義證　〔清〕蘇輿撰　鍾哲點校
北京　中華書局　1992 年 12 月
聖祖仁皇帝御製文　〔清〕愛新覺羅玄燁撰
海口　海南出版社　2000 年 6 月　影印清康熙五十年・雍正十年殿本

(二)單編論文

春秋公羊傳思想中的經權問題　林義正撰

　　國立臺灣大學文史哲學報　第38期　1990年12月

春秋公羊傳經權觀念的緣起　張端穗撰

　　東海中文學報　第10期　1992年8月

從經權論董仲舒的德刑思想　劉姿君撰

　　文與哲　第2期　2003年6月

明慎用刑——從故宮檔案論清朝政府的恤刑思想　莊吉發撰

　　法制史研究　第15期　2009年6月　中國法制史學會等編

康熙與乾隆的皇極漢、宋義的抉擇及其實踐　鄧國光撰

　　清代經學與文化　彭林編　北京　北京大學出版社　2005年11月

康熙對「庶徵」、「五福六極」的體認與實踐　簡承禾撰

　　《中國文學研究》　第32期　2011年7月

明人對蔡沈書集傳的批評初探　蔣秋華撰

　　明代經學國際研討會論文集　林慶彰・蔣秋華主編

　　臺北　中央研究院中國文哲研究所籌備處　1996年6月

經疏與律疏　橋本秀美撰

　　隋唐五代經學國際研討會論文集　蔡長林主編

　　臺北　中央研究院中國文哲研究所　2009年6月

唐代法律思想的經學背景——唐律疏議析論　蔡長林撰

　　隋唐五代經學國際研討會論文集　蔡長林主編

　　臺北　中央研究院中國文哲研究所　2009年6月

清初政權意識型態之探究：政治化的道統觀　黃進興撰

　　中央研究院歷史語言研究所集刊　第58本第1分　1987年3月

康熙皇帝的集權與激變　劉家駒撰

　　東吳歷史學報　第2期　1996年3月

經 學 研 究 論 叢
第 二 十 輯　頁75～114
臺灣學生書局 2012年12月

《詩經》愛情世界的原生態探蹤

李金坤*

摘　要

本文試圖以馬克思主義的美學思想，對中國人第一次集體歌唱的《詩經》愛情詩審美特徵進行初步探析，比較全面而深入地挖掘出《詩經》愛情詩的思想內容與藝術形式之美，努力呈現其難能可貴的美學風貌。這些愛情詩，既顯示了人們對「人」本身審美觀較為健康而清醒的認識，又閃耀著男女主人公人格美精神的燦爛光輝；既有談情說愛方式的審美情趣，又有表現各種藝術形象的審美價值，諸如風俗美、形象美、意蘊美、意境美、含蓄美、結構美等等，彰顯出美的活力，散發出美的芳香，展示出美的風采。《詩經》愛情詩藝術美內涵甚為豐富，加強對它的研究和開發，就能夠有力拓展《詩經》研究的新領域，進一步提高《詩經》在中國文學史與美學史上的重要地位。

關鍵詞：《詩經》　愛情詩　擇偶　傳情　人格　藝術

愛情，是自有人類以來男女間經久不衰的古老話題，亦是人類生活與文學藝術的永恆主題。正如恩格斯所說：「人與人之間的，特別是兩性之間的感情關係，是自從有人類以來就存在的。至於說到性愛，那麼它在最近八百年間已獲得這樣大的

*　李金坤，江蘇大學文法學院教授。

意義和這樣高的地位，以致它已成為一切詩歌都環繞它旋轉的軸心了。」❶德國偉大詩人歌德也說過：「青年男子誰個不鍾情，妙齡女子誰個不善懷春？這是我們人性中至為神聖的……。」❷這在近三千年前產生的我國第一部詩歌總集《詩經》中，就已經有許多關於男女相悅、相思、相親的戀愛與婚姻方面的詩歌。朱熹《詩集傳．序》云：「凡詩之所謂風者，多出於里巷歌謠之作，所謂男女相與詠歌、各言其情者也。」❸比較正確地指出了《詩經》《國風》民歌中愛情詩為主的特點與情詩特徵。這類詩歌，比起《詩經》中的祭祀詩、宴饗詩、農事詩、戰爭詩和怨刺詩等，其數量占絕對優勢，且頗多可觀。根據歷代《詩經》研究者的發掘與鑒別，現在學術界較為公認的愛情詩有五十餘首❹，占《國風》的三分之一，占《詩經》的六分之一。這當是較為保守的統計，倘若將那些已具情詩特徵而尚未被公認的詩也算在內，愛情詩則有八十餘首。除《小雅》中幾篇外，其餘全出自於《國風》。如果說《國風》民歌是《詩經》之精華，那麼，這些愛情詩便是《國風》之瑰寶。他們所產生的地域雖然不同，時代亦有先後，但大多是當事者率真、自然而大膽的表白，有實事求是之心，無矯揉忸怩之態，感情大都是坦誠、熱烈、明快、爽朗、素樸、健康的。人們戀愛、婚姻過程中的憂喜得失、悲歡離合等種種感情，都得到了全面而深刻的反映。內容之豐富，含蘊之深微，表現之鮮明，皆具獨特的審美價值。誦讀這一首首充滿著真情實意的愛情詩，我們深為洋溢其中的中華民族先民們那種淳樸、忠厚、善良、執著、專一的崇高精神境界和高尚的道德情操而感佩，亦深為青年男女們那種為追求自由美好幸福生活「九死不悔」的精神而震撼。徜徉於《詩經》愛情詩的王國裹，我們全身心感受到的是人們對於真、善、美的崇尚和對於假、醜、惡的憎惡之情。可以說，《詩經》愛情詩正是人們以真、善、美戰勝

---

❶〔德〕恩格斯：〈路德維希．費爾巴哈和德國古典哲學的終結〉，見《馬克思恩格斯文選》（兩卷集）（北京：人民出版社，1958 年版），頁 376。

❷〔德〕歌德：〈序言〉，侯浚吉、董問樵等譯：《少年維特之煩惱》（上海：上海譯文出版社，1996 年版）。

❸ 朱熹：《詩集傳》（上海：上海古籍出版社，1958 年版），頁 2。

❹ 參見張西堂：《詩經六論》（商務印書館，1957 年版），趙沛霖：《詩經研究反思》（天津：天津教育出版社，1989 版）。

假、醜、惡的一曲曲優美的頌歌。鄭振鐸先生在《插圖本中國文學史》中評價《詩經》愛情詩說：「她們乃是民間小兒女的『行歌互答』，她們乃是人間的青春期的結晶物。雖然注釋家們常常奪取了她們的地位，無端給她們以重厚的面幕，而她們的絕世容光卻終究非面幕能掩得住的。」❺事實正是如此。

然而，《詩經》愛情詩為人們所確認，並非是一帆風順的。它經歷了一個由被誤解、曲解到被理解、讚美的艱難而漫長的過程。首先給《詩經》活潑真切之愛情詩遮上政治說教陰影的是《毛傳》，它硬是把愛情詩聯繫西周和春秋時代各國政治和社會中的一些具體事件來穿鑿附會地加以解釋，什麼「后妃之德」，什麼「被文王之化」，什麼「刺亂」、「刺忽」等等，不一而足。後來宋儒朱熹對這些愛情詩雖然很少有政治比附，然卻又把好多優秀的情詩一律斥之為「淫奔之詩」。縱觀《詩經》研究史，封建衛道之士們對《詩經》的歪曲，要麼誣判為「淫」詞，要麼張冠李戴，說到底就是要從根本上加以否定。如今，我們要想真正的認識和理解《詩經》愛情詩的思想與藝術的審美價值，就必須奮力掃除千百年來強壓在它上面的封建塵埃，以還其本來面貌。鄭振鐸先生在〈讀毛詩序〉一文中說得好：「我們要研究《詩經》，便非先把這一切蓋在《詩經》上面的重重疊疊的注疏、集傳的瓦礫爬掃開來而另起爐灶不可。這種傳襲的《詩經》注疏如不爬掃乾淨，《詩經》的真面相便永不能顯露。在這種重重疊疊壓蓋在《詩經》上面的注疏、集傳的瓦礫裏，《毛詩序》算是一堆最沉重、最難掃除而又必須最先掃除的瓦礫。」❻「五四」以來，特別是建國以來，人們開始運用馬克思主義的理論指導《詩經》研究❼，使《詩經》愛情詩的研究逐漸出現了新氣象。近十年來，《詩經》研究者又再次關注起《詩經》愛情詩的研究來，但大多文章只是圍繞對情詩的考證、確認和賞析上面。而且又多側重於對《鄭風》等有關歷史學、社會學、民俗學方面的研究。至於對《詩經》愛情詩藝術審美特徵作綜合研究者，則迄今乎尚未幸見。本文擬以

---

❺ 鄭振鐸：《插圖本中國文學史》（北京：人民文學出版社，1957 年版），頁 49。

❻ 鄭振鐸：〈讀毛詩序〉，見顧頡剛《古史辨》（三）（上海：上海古籍出版社，1994 年版），頁 385。

❼ 建國以來對《詩經》愛情詩的確立和研究貢獻較大者，如郭沫若、胡適、聞一多、顧頡剛、俞平伯、陳槃、劉大白、張西堂、孫作雲等學界前輩。

馬列主義文藝美學為指導，就《詩經》愛情詩的藝術美問題，粗陳管見，權作引玉之磚，謹祈方家鑒教。

愛情詩有狹義和廣義之分，狹義的愛情詩是指戀情與相思的詩，廣義的愛情詩除了戀情與相思的詩之外，還包括婚姻與家庭內容的詩，以及夫婦之間（或熱戀中的情人）的悼亡詩之類。本文要探索的《詩經》中的愛情詩，便是後者（《詩經》中的棄婦詩除外，因為既然女子為男子所棄，那麼也就無愛情可言，故不屬探討之列；而悼亡詩則不同，人去情在，牽腸掛肚、刻骨銘心的悼亡，是生者對死者更為淒婉動人的愛情表現）。本文主要從現今已為公認的五十餘首愛情詩中進行賞析，也涉及少許具有情詩內容而尚未被公認的詩篇，分別從「《詩經》愛情詩的擇美趨尚」、「《詩經》愛情詩的傳情審美」、「《詩經》愛情詩的人格審美」、「《詩經》愛情詩的藝術審美」諸方面逐一淺析之，以求窺得其藝術審美特徵之一斑。

一、《詩經》愛情詩的擇美趨尚

「愛美之心，人皆有之。」無論男女，其理想都是要選擇自己認為最美好的人作為配偶。在《詩經》愛情詩中，反映「人」的審美思想的詩篇就有三十餘首❽。就人體美方面，女性美與男性美相比，則要占多數。首先看女性美的趨尚。論頭髮，以濃密捲曲為美，如「鬒發如雲」（黑髮濃密像烏雲）、「不屑髢也」（不用假髮自然美）（《鄘風・君子偕老》）；「捲髮如蠆（鬢髮卷如蠍尾翹），匪伊卷之，發則有旟」（不是有意卷鬢髮，鬢髮生來要卷揚）（《小雅・都人士》）。論眼睛，以清明流盼為美。如「子之清揚，揚且之顏」（〈君子偕老〉）；「有美一人，清揚惋兮」；「有美一人，宛如清揚」（《鄭風・也有蔓草》）。其中的「清揚」，即眉目清秀流盼貌。馬瑞辰云：「目以清明為美」（《毛詩傳箋通釋》）。論膚色，以白皙為美。如「有女如玉」（《召南・野有死麕》），「揚且之皙也」（〈君子偕老〉），「顏如舜華」，「顏如舜英」（《鄭風・有女同車》）。「舜」，即槿，花多白色，比喻女子皮膚白如槿花。論形體，以豐碩為美。如「有美一人，碩大且卷」，「有美一人，碩大且儼」（《陳風・澤陂》），「卷」，美

❽ 據蔣孔陽先生統計，見〈美學應當研究人的形體〉，《文匯報》1987 年 11 月 24 日第四版。

好貌；「儼」，莊好貌。論氣質，以嫻靜為美。如「閒美且都」（《鄭風・有女同車》），「靜女其姝」（《邶風・靜女》），「都」、「靜」，都含有嫻淑文靜之意。至於《衛風・碩人》中對衛莊公夫人莊姜形體美的描寫，則更是集中體現了當時人們普遍存在的人體審美觀。首章起句是「碩人其頎」，三章起句是「碩人敖敖」，突出了莊姜的頎長豐碩之美。中間一章，全用比喻手法描繪莊姜各部位的形體美：

手如柔荑，（手指纖嫩像幼茅）
膚如凝脂，（皮膚白嫩像凍脂）
領如蝤蠐，（頸如白色小天牛）
齒如瓠犀。（牙齒七百像瓠子）
螓首蛾眉，（額角方正眉細彎）
巧笑倩兮，（一笑酒窩生百媚）
美目盼兮。（眸子流轉黑白明）

此章前五句為靜態的形體描寫，後二句為動態的神情描寫，由靜而動，化美為媚，傳神寫照，「直把個絕世美人活活地請出來在書本上涗漾，千載而下，猶如親其笑貌」（清・孫聯奎《詩品臆說》）。由上可知，從平民女子到貴族夫人，當時人們對女子人體美的審美標準，普遍是以白皙、豐碩、秀媚和嫻靜為美。

那麼，在女子眼中的男性世界人體美的標準又將是怎樣呢？在碩大這一點上和女子的人體美標準是相一致的。如《衛風・考槃》寫女子想念男人的句子：「碩人之寬」，「碩人之薖」，「碩人之軸」。其「寬」、「薖」、「軸」，都是對「碩人」的進一步形容，亦是形體碩大的意思。除碩大外，對男子還有壯武的審美要求。如《齊風・盧令》，是一首女子讚美心愛之獵人的詩。其中「其人美且鬈」（勇壯），「其人美且偲」（才幹）。高朝瓔《詩經體注圖考》云：「鬈、偲雖曰容貌如此，亦見武勇奮發意。」其他如「不如叔也，洵美且武」（《鄭風・叔于田》），「子之豐也」，「子之昌兮」（《鄭風・豐》），「子之茂兮」（《齊風・還》），「碩人俁俁」，「有力如虎」（《邶風・簡兮》）。其中「武」、

「豐」、「昌」、「茂」、「偊偊」、「虎」等詞語，都具有豐滿強威壯大的意思。又如「赫如渥赭」（《邶風・簡兮》），「厭惡渥丹」（《秦風・終南》），這兩句都是形容男子黑裏透紅的面部顏色，同樣反映出男子壯實健康之美。《齊風・猗嗟》是一位女子誇讚一位健美藝高之射手的詩，集中歌詠了男子人體美的特質：

猗嗟昌兮，（唉呦好健壯呦）
頎而長兮，（身材高又大呦）
抑若揚兮，（額角寬又廣呦）
美目揚兮，（眼睛閃神光呦）
巧趨蹌兮，（步伐多矯健呦）
射則臧兮。（射技真高強呦）

由此觀之，當時人們對男性人體美的審美標準，普遍以碩大、強壯、魁梧和英俊為美。女子們歌唱獵人，讚美粗獷、剛健而充滿英俊之氣的運動美，分明是「向我們展示了上古人們對生活的信念以及不屈不撓與自然搏鬥的毅力」❾。這種人體美的審美趨尚與當時生產力水準極其低下的奴隸社會之狀況是相一致的，也就是說，它是時代的產物，帶有明顯的功利目的性。

《詩經》愛情詩關於「人」的審美觀念並非局限在人體美（外在美）一面，它還強調要有精神美（內在美）的一面。只有人體美和精神美和諧地集於一身，才是最高層次的理想之美。如《詩經》首篇〈關雎〉中「君子好逑」的「窈窕淑女」，便是如此。《方言》云：「秦晉之間，美心為窈，美狀為窕」。這「美心」與「美狀」的有機結合，才稱得上是男子心中理想的「淑女」，正因為這樣一位美人兒，才惹引得那位青年男子為之「寤寐求之」、「輾轉反側」，雖然「求之不得」，還仍然要幻想著和她成婚。可見，人的外在美和內在美一旦完美結合，便會產生無比的魅力。對男子的審美思想也和女子一樣，要求外美與內美的和諧統一。如《鄭

❾ 修森等：〈《詩經》對人體美的描寫〉，《江漢論壇》1982 年第 6 期。

風・叔于田》云：「不如叔也，洵美且仁」。這是一位女子在拿自己選擇中的兩位男子相比時，得出的明確結論，她認為這位哥哥要比那一位強得多，因為他不僅外表美，而且很謙讓和善。毫無疑問，這位女子是看上這位「美且仁」的男子了。《齊風・盧令》云：「盧令令，其人美且仁」。對男子的審美標準同樣是要求外在美和內在美和諧統一的。

《詩經》愛情詩中確立以人的本體為審美物件，並注重其外在美與內在美的統一，這一民族文化心理的具體表現，就徹底改變了原始審美活動中圖騰與功利的性質，而躍變成肯定自身、有自覺意識的審美活動了。惟其如此，才能發現人生的真正價值與不朽魅力，進而為人們所不厭其煩、滿懷熱情地加以讚美。《詩經》愛情詩中關於「人」的審美思想的確立，最早體現了中華民族的審美心理特徵，開啟了我們民族關於「人」的審美觀的先河。直至兩千多年後的今天，這種審美觀仍然有其強大的生命力。男女青年們在擇偶時，總離不開品貌（外在美）與品行（內在美）這兩條最為基本的標準。只不過是由於時代的不同，其品貌與品行的具體內涵有所變異罷了。

二、《詩經》愛情詩的傳情審美

青年男女們在掌握了擇美的審美標準以後，怎樣才能傳情達意，兩情好合呢？也就是說，男女之間的傳情方式又是如何呢？歸納起來主要有三種，即：借歌傳情，借節聯情，借物寄情。這些傳情方式，充滿著一種純真、高尚、歡快、活潑、優美、自然、諧謔和風趣的審美情趣，給人以無比愉悅的精神享受。

㈠借歌傳情。借助於唱和與對歌來傳達心靈深處的愛情戀意，這是男女間交流感情的常用方式。《鄭風・蘀兮》是比較典型的一首。

蘀兮蘀兮，蘀兮蘀兮，
風其吹女！風其漂女！
叔兮伯兮，叔兮伯兮，
倡予和女！倡予要女！

「蘀」草木脫落的皮葉。「倡」帶頭唱。「女」即汝。「要」相約。在一個草木搖落，樹葉飄零的秋日，這位女子也按捺不住對意中人的渴求之情，便身分親昵地呼喚著「叔兮伯兮」（意即弟弟呀哥哥呀，是同輩之間的稱呼），真誠地希望他們來和唱自己的歌曲，進而以此吸引那些小夥子們來愛上自己。可見，這位女子要求唱和是表像，而渴望愛情卻是本意。感情率真而純樸，情調熱烈而歡快，實是一首淳樸美好的戀歌。

《鄭風・東方之墠》亦是一首男女以相互唱和之形式來表達濃烈相思之情的民間戀歌，全詩兩章，云：

東門之墠，東門之栗，
茹藘在阪。有踐家室。
其室則邇，豈不爾思？
其人甚遠，子不我即。

這對青年男女都住在城東門，而且相隔很近。可不知何因，他倆卻難以相會，只好借助於對歌來傾訴衷曲。首章為男子所唱，表達了他近在咫尺、遠若天涯的可望而不可即的相思之苦。其中「其室則邇，其人甚遠」，「兩語工絕，後世情語皆本此」（明・孫鑛《孫月峰先生批評詩經》）。二章為女子對唱，委婉的嗔怪中卻又蘊含著誠摯而熱烈的相愛之情。從男女之間那種情切切、意綿綿的對唱聲中，我們分明感受到了近三千年前古代人們純潔如玉、熱烈如火的愛情世界。那班封建衛道之士注析此詩，卻多指斥為「淫奔之詩」，實乃癡人說夢。明代詩評家鍾惺曾為此而大呼不平，云「《秦風》『所謂伊人』六句，一項深藐極矣。此詩以『其室則邇』二句盡之。必欲鑿之以淫奔，冤甚！冤甚！」（《詩經評》）堪稱知音之賞！

言為心聲。《詩經》時代的青年男女，以歌傳情，有實事求是之心，無嘩眾取寵之意。他們的感情世界，又如一泓清泉，晶瑩澄澈；亦似三春芳草，生機盎然。《詩經》愛情詩中借歌傳情的方式，開啟了我國民間情歌的先聲，對後世影響很大。世稱「歌仙」的唐時廣西壯族自治區的劉三姐，她隨物賦情，張口即歌，是對歌的神手。現在一些少數民族地區仍然以對歌形式來挑選物件，如瑤族地區流行的一首著名的〈情歌對唱〉：

（男）太陽出來照白岩，金花銀花滾下來；
金花銀花我不愛，只愛情妹好人才。
（女）太陽出來照半坡，金花銀花滾下坡；
金花銀花我不愛，只愛情哥好山歌。
（男）月亮彎彎兩頭鉤，兩個星宿掛兩頭；
金鉤掛在銀鉤上，妹心掛在郎心頭。
（女）月亮彎彎兩頭尖，兩個星宿掛兩邊；
金鉤掛在銀鉤上，郎心掛在妹心邊。
（合）月亮出來亮堂堂，犀牛望月妹望郎；
郎有心來妹有意，有心有意結成雙。

這一類情歌對唱方式，是對《詩經》情歌的繼承與發展，語樸情深，富有濃厚的審美情趣。

㈡借節聯情。據傳古人在仲春之月有會合男女的風俗，即官方所規定的愛情節日。《周禮・地官・媒氏》云：「媒氏（媒官）掌萬民之制（配合）……中春（二月）之月，令會男女，於是時也，奔者不禁；若無故而不用令者，罰之。司男女之無夫家者而會之。」此外，青年男女們還利用秋祭和社會（秋天祭土地神的盛會，一是報豐收，二試卜來歲，這種活動男女老少都得參加。）這種春秋兩季的大型盛會，增加男女接觸的機會。這實在是他們選擇對象、談情說愛的最佳時機。

仲春之月「會男女」，這是周王朝的制度。但在各諸侯國，所定的時間亦有差異，如鄭國，即以農曆三月三日為祭祀高禖（即高禖神，管理結婚與生子的女神）和祓禊（洗除災禍，祓除邪惡）的節日。在這一天，鄭國的青年男女都成群結隊來到溱水和洧水邊，他們手持香草，招魂續魄，排除不祥，同時趁此機會，選擇自己心愛的物件。《鄭風・溱洧》便是典型的一首。詩歌用充滿深情的筆調，生動而真切地描繪了青年男女的自由歡快、相互戲謔的其樂融融的場面。在這一天男女間可以盡情地談情說愛，一旦情投意合，即可「贈之以勺藥」，一對「有情人終成眷屬」。

和《鄭風·溱洧》春日男女聚會不同的，《陳風·東門之枌》描寫的則是秋日社前盛會的情景。內容大體與〈溱洧〉相同，那些青年女子為了能夠參加這樣的盛會，竟「不績其麻」（撂下手中紡的麻）。她們之所以這般重視盛會，是因為她們在這樣的盛會上，可以盡情地選擇自己的意中人。你看她們和青年男子們玩得是多麼開心啊。「婆娑其下」（舞姿蹁躚大樹下），在一組特寫鏡頭中，只見一位女子在跳舞時眼睛總是癡癡地盯著男子望，「視爾如荍」（看您像朵錦葵花），「情人眼裏出西施」，這位女子完全被那位小夥子的容貌迷住了，隨即「貽我握椒」（送我一把花椒草）。如此令人心醉的相會場面，如此一見鍾情、心心相印甜蜜情意，是多麼純樸、真摯而令人可愛。

〈溱洧〉和〈東門之枌〉仿佛兩座充滿詩情畫意的仕女遊樂園。在這男女相識相親相愛的極樂世界裏，沒有虛情假意，唯有真情實意；沒有市儈習氣，唯有肝膽相照；沒有忸怩作態，唯有自然大方。這種古老而簡樸的戀愛方式，正是我們中華民族熱情、樸實、忠厚優良傳統在青年男女身上的最初體現，有著豐富的審美意義。

㈢借物寄情。青年男女經過節日盛會的相聚和初步瞭解後，雙方便開始互贈信物，以表達自己對戀人的忠愛之情，以物作證，借物寄情。《詩經》中有好多這方面深情動人的好詩。如著名的《衛風·木瓜》，全詩三章，首章云：

投我以木瓜，（送我一隻木瓜）
報之以瓊琚。（我拿佩玉報答）
匪報也，（不是為了報答）
永以為好也！（只為永遠愛她）

「瓊琚」，即雜佩之美玉。這位男子十分坦誠地向人們表白：那位多情的姑娘送給「我」一隻酸澀的木瓜，「我」卻用價值更大的「瓊琚」來報答她。「你」有愛，「我」有情；「你」有一份愛，「我」便有十分情。在這一「投」一「報」的兩個平常的動作之間，卻加深了男女雙方互相信任和敬慕的感情。在這位小夥子看來，女方贈送給自己的雖然是一隻並不起眼的木瓜，但禮輕情意重。那上面分明凝聚著姑娘的一腔深深的愛，他怎能不激動萬分呢！因此，便有了小夥子「報之以瓊琚」的感人舉動。當然，投木瓜和報瓊琚之間是不能作經濟核算的。這正如男主人公所宣稱的那樣，自己向女方「報之以瓊琚」並不是作為報答看待，而是借此表達和心上人「永以為好」、白頭偕老的強烈願望而已。多麼率真的語言，多麼誠摯的感情，反映了勞動人民豪邁、爽朗、懇切的性格。真是在這投木瓜和報瓊琚的饋贈與暗示中，男女間純潔無私的愛情得到了交流和昇華。後代社會尤其是資本主義社會中一部分人以錢財權勢為基礎的「以物易物」的商品式的戀愛觀，與《衛風・木瓜》純潔無瑕的愛情境界相比，殆同天壤，無與倫比，是不能同日而語的。

在《詩經》愛情詩中，男女間所贈之物似乎都十分簡單，而且大多是隨手拈來之物。如《鄭風・溱洧》中「贈之以勺藥」，《陳風・東門之枌》中的「貽我握椒」，還有《邶風・靜女》的「貽我彤管」和「自牧歸荑」，《召南・野有死麕》中打獵的小夥子以「白茅純束」送給「如玉」之女的「死麕」等等，但這些普普通通的饋贈之物，卻寄託著男女雙方忠於愛情的一顆顆火熱的心，別有一番感人之深情厚意。如〈溱洧〉、〈東門之枌〉中所贈之物「芍藥」和「花椒」，就不是一般的香草。「芍藥」是男贈女之物，因為它對女子具有調經利血之功能；「花椒」為女贈男之物，因為它對男子具有滋陽暖腎之作用。故而，在這普普通通的饋贈之物上，無疑就寄寓著男女雙方無微不至的關心和滿腔熱情的厚愛。儘管男女間所贈之物極普通，極平常，但他們都視如寶貝，彌足珍愛。這種審美心理在《邶風・靜女》中表達得尤為細膩而真切。如末章云：

自牧歸荑，（郊外送我紅管草）
洵美且異。（實在奇異而美好）
非女之為美，（不是茅草有多美）
美人之貽。（只因美人心意好）

這位男子得到了心上人從郊外采送他的一根紅管草，真是喜出望外，頓時覺得紅管草一下子也變得格外美麗了。為何會產生這樣的審美心理呢？原來這紅管草本身稱不得什麼美麗，它的美麗全在於是美人所贈。當此際，這株紅管草，在這位小夥子眼裏已不是普通的自然之物，而是那位多情的女子奉獻給自己的一片愛心。愛人及物，感情深摯。正如高朝瓔所云：「因其人而美其贈，無非輾轉相愛昵之意」（《詩經體注圖序》）。說到底，還是青年男女們借物寄情審美心理的具體表現。這說明了，在那個時代，青年男女們所注重的並不是「物」，而是「情」。這種以情為重的戀愛審美觀，直至今日，仍然具有不可忽視的審美教育意義。

上文所論及的青年男女借物寄情的戀愛方式，實即為美感中的移情現象的具體反映。他們互贈之物，均是他們寄予深切之情的媒介而已。他們所看重的不是物（一隻「木瓜」，一株「紅管草」有何經濟價值而言？）而看重的是對方的情。隨著所贈之物的傳遞，感情也就自然得到了交流。德國著名美學家、「移情說」的主要代表者台奧多爾・里普斯在〈論移情作用，內摹仿和器官感覺〉一文中說：「審美欣賞的原因就在我自己，或是『看到』『對立的』物件而感到歡樂或愉快的那個自我。」❿《邶風・靜女》中的男女青年之所以為得到女子所贈之一株紅管草而喜不自勝，就是因為它是美人所贈。倘若不是美人所贈，長於荒野之地的「紅管草」就激發不起這位小夥子的強烈的美感因素了。這說明，美的存在與否，取決於感情的移入與否。正如朱光潛先生所說：「美是人所規定的價值，不是事物本身所具有的特質，離開人的主觀感受，就不存在美。因此，一切美都不過是主體的審美情趣外射於物的結果。」⓫《詩經》中青年男女借物寄情的戀愛方式，之所以能引起人們普遍而高度的重視，是因為人們已在不知不覺地進入了審美心理過程，雖然當時尚無「審美心理」這個概念。之所以「情人眼裏出西施」，正因為有了情。這便是審美心理現象的形象說明。

三、《詩經》愛情詩的人格審美

就像人間之路上有坑坑窪窪和泥濘荊棘一樣，青年男女的戀愛或婚姻之路也同樣難免哀怨相思和痛苦憂愁，這是因為愛情生活是社會生活的一部分，它與一定的

---

❿ 參見朱光潛：《西方美學史》（下）（北京：人民文學出版社，1964 年版），頁 608－609。
⓫ 朱光潛：《文藝心理學》（開明書店，1936 年版），頁 33。

社會背景和歷史背景條件下的思想、文化和倫理道德觀念及其人的社會地位、階級屬性密切相關。所以，愛情不可避免地要受到社會諸因素的制約。黑格爾曾將這種矛盾衝突歸納為三種現象：「第一種最常見的衝突就是榮譽和愛情的衝突……。第二個因素，即政治的旨趣，對祖國的愛，家庭職責之類永恆的實體性的力量本身，也會與愛情發生衝突阻止愛情的實現……。第三，和愛情發生矛盾對立的還可以有一些外在的情況和障礙。例如事務的尋常演變，生活中散文性的事務、災禍、情欲、偏見、心胸的狹隘、旁人的自私以及多種多樣的事故。」⓬那麼，在這些有關個人與家庭、社會和思想諸種矛盾鬥爭面前，《詩經》愛情詩中的青年男女主人公將表現出怎樣的一種思想態度，亦即具有怎樣的一種人格審美呢？關於這一點，《左傳・襄公二十九年》記載吳季札在魯國觀樂時，對《詩經》中的愛情詩曾作過「樂而不淫」的評論。這種要求克制情感的中和之美的觀點，為後來孔子所採用。他認為「〈關雎〉樂而不淫，哀而不傷。」意即人的哀樂情感的抒發不能聽其自然，必須受到一定的政治倫理觀念的制約，亦即合乎仁和禮的要求。換言之，即為情與理的統一中和之美。在眾多的《詩經》愛情詩中，無論是男思女，還是女慕男，可以說，庶無越軌違德之處。他們對待愛情的態度似乎都能統一在一個恰到好處、恰如其分的適度之情境中，從而構成了較為典型的東方式的人格審美理想。

《周南・關雎》是一首頗為典型的富於人格美的愛情詩篇。它以生動感人的筆觸，讚美了一位青年男子在思慕「窈窕淑女」的過程中所表現出來的那種歡樂中寓無限憂思、憂思中又寄無限希望的思想境界。全詩三章，首章寫對「窈窕淑女」美好之印象，次章寫對「窈窕淑女」「轉輾反側」之熱烈相思，末章寫對「窈窕淑女」「求之不得」的相思入神，終於幻化出一個與她結婚的夢境來。詩中主人公在對「窈窕淑女」「求之不得」之後，沒有灰心喪氣，半途而廢，也更沒有鋌而走險，去幹那種越軌的缺德之事，表現出他既有熱烈的情感又有清醒的理智的冷靜頭腦。讓極度的相思之情一任在胸中奔突，潛思內轉，憂愁自忍。他想啊想啊，突然幻化出一個與之成婚的歡快場面。這一幻化非同小可，正有力地體現了他對美好愛

⓬ 〔德〕黑格爾著，朱光潛譯：《美學》第二卷（北京：商務印書館，1979 年版），頁 330－331。

情執著追求的強烈願望與積極的人生態度。詩中男主人公對「窈窕淑女」是喜慕之至的，但他絲毫沒有那種邪淫之念產生。「求之不得」之後，至多是「輾轉反側」而已；在幻想中的新婚歡樂之際，他也來忘乎所以，而只是用瑟瑟之音與鐘鼓之樂來彬彬有禮地娛之樂之，在欣喜愛慕中又不失莊重和溫婉的儀態。總之，這位青年男子多情而不淫佚，苦戀而又執著，具有一種難能可貴的情理相恰的中和之美的健全人格。由此反映出我們中華民族所特有的注重人生、執著追求而中和有節的可貴品質，對後世影響深遠。

寫相思之苦的〈關雎〉能體現男主人公人格的中和之美，即便寫相遇之歡的《召南・野有死麕》中的女子在歡愛之際也同樣具有這種人格美的體現。當青年獵手將剛獲取的「死麕」以「白茅包之」送給那位女子時，即表現出一種急不可耐地要與之做愛行歡的騷動情緒。然而，那位女子沒有以「熱」對「熱」，則是十分理智地告訴他：「舒而脫脫兮，無感我帨兮，無使尨也吠。」意思是說，「你慢慢來別著忙，別亂動圍裙別魯莽，別惹得獵狗叫汪汪。」此時此刻，這位女子何嘗不春心蕩漾（本詩中「有女懷春」是也）、心醉如泥呢，但卻又表現出少女所特有的羞怯與莊矜，若即若離，亦情亦理，似嗔似喜，如怨如慕，體現了她熱中有冷、冷中寓熱的中和人格審美思想。

與《召南・野有死麕》中那位女子具有相同心理素質的，還有《鄭風・將仲子》的一位少女。全詩三章，首章云：

將仲子兮，（求求您呀仲哥兒）
無踰我里，（請莫翻進我里巷）
無折我樹杞。（亦別攀斷杷樹杈）
豈敢愛之？（哪敢愛惜杷樹杈）
畏我父母。（怕的是我爹和媽）
仲可懷也，（仲哥兒呀我真想您）
父母之言，（可是父母之言啊）
亦可畏也。（實在令我心害怕）

以下兩章分別敘說了「諸兄之言，亦可畏也」和「人之多言，亦可畏也」的無限苦惱。這說明從家庭成員中的父母兄長及左鄰右舍的人們已普遍反對那種不經「父母之命，媒妁之言」的自由戀愛了。在尚未經父母兄長同意，而那位多情的小夥卻在一個夜晚逾牆不期而至之時，這位女主人公便陷入了既愛「仲子」又怕父母的矛盾之中。在這情與理的交鋒中，怎麼辦呢？還是她聰明機智，她表面上拒絕「仲子」的求愛，似乎有點冷漠，但在一唱三歎的「仲可懷也」的獨白中，不又分明跳蕩著一顆摯愛「仲子」的熱情火種嗎？詹安泰先生說得好：「我認為這是一個戀愛中的女子替她心愛的人多方面設想，以減少她戀愛的障礙。她並不是說仲子不要來，而是請他不要跳牆攀附而來；她雖然有多方面顧慮，但主要的還是為要順利地達成她的目的。」也就是說，這位女子如此三番五次地勸說「仲子」「無逾我里」、「無逾我牆」、「無逾我園」，言下之意，是在暗示那位小夥子要改變一下求愛的方式，以達到既能談情說愛、又能避開父母兄長及社會上各種人們視線的兩全其美之目的，用心之良苦，感情之真摯，真乃感天地、泣鬼神也。而這感泣之源，恰恰是在於這位女子情理相兼的真、善、美之人格力量。

在《詩經》描寫思婦懷夫的愛情詩中，一些婦女多表現出既為丈夫報國殺敵而自豪、又為難以團聚而相思的矛盾心理。但相思歸相思，為了國家的安危和生活的安定，一些思婦則能將愛情統一於丈夫的愛國壯舉之下，表現出顧全大局的高尚思想情操。如《衛風·伯兮》全詩四章，首章全是對出征丈夫的誇讚之詞：「伯兮朅（威武健壯貌）兮，邦之傑兮。伯也執殳（古代兵器），為王前驅。」熱情誇讚的豪邁中洋溢著一腔愛國激情，但後三章卻筆鋒一轉，逐層深入地寫思夫之情，委婉細膩，曲折動人。袁梅先生評此詩說：「這是一位愛國婦女所唱的思夫曲，她為金戈鐵馬、英勇衛國的丈夫而自豪；但又被無盡的思念所折磨」（《詩經譯注》）。在這位思婦看來，愛國是重要的，愛情也是不可缺少的。但失去愛情的痛苦只是暫時的，且可以克服的；若失去國家的痛苦，那才是長期的，無法挽回的。所以，在詩的一開頭，她仍以擁有威武英勇的丈夫而感到無比自豪，正是在這自豪之情與思夫之情的交織中，突現了這位思婦以國為重、甘於奉獻的高尚人格美思想。

總之，在《詩經》愛情詩中，反映了先民們對幸福生活的渴求精神；同時也體現了他們強大的感情克制力。在這片愛情的聖土中，不存在歐洲文學那種瘋狂情欲的印痕。無論是熱戀，還是失戀，歡愛抑或哀怨，感情之舟始終都在理智的航標導引下前行。表現為寫相思時不只一味纏綿，寫歡樂時也不顯得輕佻，即便訴說痛苦時也顯示出作者純潔而不屈的心情。這些正是中華民族獨具的「哀而不傷」、「溫柔敦厚」的人格審美特徵之一。

四、《詩經》愛情詩的藝術審美

幾千年來，《詩經》愛情詩之所以能以它那豐滿多彩的內容、純真濃摯的感情和獨具神韻的魅力，博得廣大人民群眾的喜愛。是因為在這些詩中成功地運用了現實主義的創作手法，採用了情景交融、虛實相生、以心寫人、誇張比襯、細節描寫、情語互答和反復詠歎等優美的藝術表現形式，塑造出一個個真誠、善良和美好的忠於愛情的青年男女之形象。在愛情這方古老的園地裏，他們既有幽期密約的歡悅、不期而遇的興奮，也有咫尺天涯的焦慮、父母干涉的畏懼；既有熱烈大膽的追求、忠貞不二的表白，也有愛情受挫的呻吟、刻骨銘心的相思。但他們的感情大都是十分淳樸、熱烈、率真、健康的，體現了人的本質力量。下面就《詩經》愛情詩藝術形式美之諸因素逐一論析之，以窺其審美特徵之一斑。

㈠形象典型放異彩

恩格斯說過：「每個人都是典型，但同時又是一定的單個人，正如老黑格爾所說的，是一個『這個』，而且應當如此」⓭。這就是說，藝術形象是具有鮮明個性特徵的，他們個性特徵越鮮明，其藝術生命就越強；反之，他就會失去藝術生命，失去典型的概念意義。《詩經》愛情詩，正是自然而逼真地為我們塑造了源於生活而高於生活的栩栩如生青年男女的藝術形象。擇要論之，大約有以下幾種典型形象：

1.執著求愛的苦戀者

如《周南・關雎》中男主人公對「窈窕淑女」見而悅、悅而求、「求之不得」而又幻想成婚的如癡如醉的執著追求精神，讀之搖人心旌。《陳風・澤陂》中男主

⓭ 〔德〕恩格斯：〈致敏娜・考茨基〉，見《馬克思恩格斯全集》（北京：人民出版社，1975年版），頁796。

人公亦在河邊遇上了一位美人兒，因而使得他「寤寐無為」、「涕泗滂沱」、「中心悁悁」、「輾轉伏枕」。相思的苦痛比〈關雎〉更深更動人。《秦風・蒹葭》描寫男青年對「宛在水中央」的「伊人」的企盼和渴求不舍的情景，儘管「道阻且長」，「道阻且躋」，「道阻且右」，困難重重，但他仍然在哪里執著地尋覓著，熱切地幻想著。可以說，〈關雎〉、〈蒹葭〉的確唱出了人類永恆的追求主題，為後人對真理、科學和完美人格與理想的追求，樹立了千古不朽的榜樣。

2.敢於反抗的奮鬥者

恩格斯在〈家庭、私有制和國家的起源〉中說過：「在整個時代，婚姻的締造都是由父母包辦，當事人則安心順從……。現代意義上的愛情關係，在古代只是在官方社會以外才有。」這番話亦是甚合我國周代社會實際的。《齊風・南山》云：「娶妻如之何？必告父母」，「取妻如之何？匪媒不得。」這證明封建禮教對當時的婚姻問題已有一定的制約力量。《鄘風・柏舟》便是一位女子勇敢反抗包辦婚姻的傑作。全詩共兩章，首章云：

汎彼柏舟，（柏木小船蕩悠悠）
在彼中河。（行至河中不起波）
髧彼兩髦，（額頭垂發美少年）
實為我儀；（的確是我好配偶）
之死矢靡他。（誓死相愛到白頭）
母也天只！（喊聲母親喊聲天）
不諒人只！（不能體諒究為何）

一個女子愛上了那個「髧彼兩髦」的英俊少年，認為他是最為理想的對象，但她的母親卻包辦婚姻，要給她另擇婿家，可她誓死不從。堅定表示：非那少年不嫁。章末女子對母親和老天的呼喚，不正是對禮教壓迫自由婚姻的強烈控訴嗎？尤其是「之死矢靡他」的鋼鐵般堅強的誓言，千百年來，仍然具有盪氣迴腸的感人力量。《鄭風・將仲子》中主人公自由戀愛的行為也同樣遭到了禮教的限制，但她卻能以表明拒之、實即愛之的假像去啟撥那位男子設法改變逾牆幽會的舉動。實際上，這是更為機智巧妙地反抗禮教限制爭取戀愛自由的有效方式。〈柏舟〉和〈將仲子〉的女主人公，一個是正面鬥爭，一個是側面反抗，方式不同，但爭取自由幸福愛情生活的目的卻是一致的。這種反抗精神，無疑具有積極的審美意義。

《召南．行露》中的女主人公卻是另外一種反抗的形象。一個已有妻室、曾經欺騙她的強暴男子，用打官司來要脅她成婚，而她卻毫不畏懼，絕對不賣帳，「誰謂女無家，何以速我訟？雖速我訟，亦不女從！」反詰是多麼有力，態度是何等堅決，表現了這位女子反對強暴、維護人格與愛情尊嚴的鬥爭精神，激起了讀者強烈的感情共鳴。

3.大膽熱烈的求愛者

這類形象在《詩經》中舉不勝舉，俯拾皆是。如上述〈將仲子〉中「仲子」這位小夥，當他與那位女子剛剛戀上後，便不顧女方父母兄長及社會輿論的反對，乘夜攀樹來與女子幽會，真是夠大膽夠熱烈的。與司湯達爾的名著《紅與黑》所描寫的大膽求愛者于連的形象，是多麼相似乃爾。《召南．野有死麕》中那位年輕獵人竟以剛捕獲的一致死麕來向女子求愛。從女子的委婉勸告中，反映了年輕獵人急不可耐的求愛之情。何其芳先生指出：「傑出的抒情詩是應該寫出一種典型的感情的。」⓮此詩正是寫出了男女幽會的純潔質樸熾熱粗獷的典型感情。如此充滿超塵脫俗的野趣之愛，它完全擺脫了一切功利觀念，故他們之間的愛，可謂是靜如水，濃如酒，美如玉了。

從女子方面看，主動渴求愛情的詩篇亦是很多。如《鄭風．蘀兮》描寫一個女子在秋日裏主動要求自己看中的男子唱歌她來和，誠心一片，情深意切；《王風．大車》的女主人公主動向男子敞開了火熱的心扉，渴望男子和自己一起私奔。但她又擔心男子不敢，便表示：「穀（生）則異室，死則同穴（墓穴）。謂予不信，有如皦（皎）日。」這位女子希望用自己堅定的誓言來打動他的心，最終和她一起去享受那自由幸福的愛情生活。姚際恆認為，這是男女「誓辭之始」。⓯如此誓言，

⓮ 何其芳：《詩歌欣賞》，見《何其芳文集》（第五卷）（北京：人民文學出版社，1983 年版），頁 431。

⓯ 姚際恆：《詩經通論》（北京：中華書局，1958 年版），頁 96。

直把一個率真、勇敢、多情的女性形象浮雕般地凸現了出來，大有驚天泣鬼的感染力量。黑格爾說得好：「愛情在女子身上特別顯得美，因為女子把全部精神生活和現實生活都集中在愛情裏和擴大成為愛情，她只有在愛情裏才能找到生命的支撐力。」〈大車〉中這位視愛情如生命的女子，其藝術形象不正具有崇高的審美價值和情感魅力嗎？

《召南・摽有梅》中女主人公急切求偶的呼喚同樣激動不已。此詩直言其意，無顧慮，無文飾，充分體現了女主人公追求幸福愛情的迫切心情，具有大膽率真的審美價值，而那班封建衛道者們卻對這類求愛詩大加指責，一概目之為「淫奔之詩」。其實，恰好從方面證明了《詩經》愛情詩的純樸之處，優美之處，閃光之處。

4.堅貞不二的鍾情者

《詩經》愛情詩中的青年男女，一旦相愛或成婚後，大多表現出一種珍重愛情，渴望白首偕老的美好心態。《鄭風・出其東門》，就是一首獻給對愛情和婚姻忠貞不二之青年男女的熱烈頌歌。全詩二章，首章云：

出其東門，（走出東城門）
有女如雲。（美女多如雲）
雖則如雲，（雖說多如雲）
匪我思存。（非我心上人）
縞衣綦巾，（白衣與綠裙）
聊樂我員。（才是我最親）

在一個春日集會的日子裏，這位青年男子在城東門的集場上碰見了許多像雲彩一樣美麗的女子，但他毫不動心，心裏依然想著和挨著那位「衣冠簡樸古風存」的妻子。這種對待愛情的嚴肅認真、堅定不移的態度。委實是難能可貴、令人肅然起敬的。故戴君恩贊許說：「破得此關，當以出世男子許之矣。」（《讀風臆評》）評價可謂高矣！

《詩經》中描寫女子忠於愛情的詩篇則更多。如《鄭風・揚之水》中的女主人公，在丈夫將要出遠門離別時，她語重心長地對丈夫說：

維予與女。（只有你我心連心）

無信人之言，（別人話兒不輕聽）

人實誑女。（他們都是在騙人）

在字字囑咐、句句叮嚀中，我們窺見到了這位婦女對丈夫忠愛之至的赤誠之心。此外，像《周南・汝墳》、《鄭風・風雨》、《衛風・伯兮》、《王風・君子于役》等，都是極寫女子對愛情忠貞不二的千古絕唱。

5.刻骨銘心的相思者

此類形象可分為三種：

⑴男女傾慕的相思者

這類詩數量很多。如前述之《周南・關雎》、《鄭風・東門之墠》、《陳風・澤陂》等都屬此類。而相思濃郁，感情至者當推《王風・采葛》。詩云：

彼采葛兮，一日不見，如三月兮。

彼采蕭兮，一日不見，如三秋兮。

彼采艾兮，一日不見，如三歲兮。

一個男子對采葛織夏布、采蒿供祭祀、采艾治病的勤勞而美麗的姑娘產生了愛慕之情。他與她才「一日不見」，就如同數月數年那樣漫長，用誇張之法寫相思之深，分外感人。其中「一日不見如三秋」之語已成為今天人們表達男女相思或友朋思念之情的通用成語，可謂千古情語一脈通啊。

《鄭風・子衿》是一首描寫女子思念情人的優美情歌。詩中反復吟唱「青青子衿，悠悠我心」，直接指明了那位身穿青色衣領服裝的小夥子，就是她日夜思念慕愛不已的物件。所選明確，印象深刻，體現了女子對愛的執著與專一之情。《王風・丘中有麻》，敘寫一個性格潑辣的女子滿懷癡情、熱切盼望與愛人相會的情景。她希望與所愛之人結為良緣，刻骨相思，至情至真。

⑵天各一方的相思者

《詩經》時代，由於戰爭和徭役的頻繁發生，男子們大多成了征役之夫。外有曠夫，內有怨婦。因此，男女雙方的相思之作自然就大量產生。這在《詩經》愛情詩中佔有一定的比例。這類詩大多寫得情深意切、纏綿悱惻。《周南・卷耳》中的女主人公為想念遠役的丈夫，無意採摘卷耳，連小小的淺筐也難以采滿。她想啊想啊，似乎看見了她的丈夫在翻山越嶺，在眺望家鄉，在借酒澆愁；看見丈夫的馬病了，僕人也病了，這該是多麼艱難困苦的處境啊。全詩「情中之景，景中之情，婉轉關生，摹寫曲至。故是古今閨思之祖」（戴君恩《讀風臆評》）。《衛風・伯兮》中女主人公想念丈夫而想得頭疼心痛亦心甘的心裏話，催人淚下，不能卒讀。此詩對後世影響頗大。如有一首民歌這樣唱到：「想了一朝又一朝，再想一朝成了癆；十個成癆九個死。妹不原諒哥難逃。」其內容與精神正與〈伯兮〉相承。

其他如《王風・君子于役》婦女與傍晚時刻倚門思夫的動人情景之描繪，《豳風・東山》征夫於役滿而歸的途中想像與妻子團聚情景之描寫，以及《王風・揚之水》戍卒觸景生情、懷念妻子之訴說，等等，都十分逼真地摹寫出相思者最為動人心弦的一幕。此外，《召南・草蟲、殷其雷》、《秦風・小戎》、《小雅・采綠》等，其中女主人公對遠役不歸的丈夫熱切思念場景之描寫，皆具極其動人的藝術力量，堪稱思婦詩之傑作。

⑶生離死別的悼亡者

《詩經》愛情詩所歌詠的男女間那種誠摯深切的感情，不僅生前如此，而且死後亦一如既往，甚或更深。《邶風・綠衣》是一位男子悼念亡妻之作。他由故妻生前為其所精心縫製的一件「綠衣」寫起：「我思古人，俾無訧兮」，「我思古人，實獲我心」。意即，我所思念的故妻啊，生前由於她的諄諄告誡，才使我少犯過錯；又由於她的勤勞和聰明，所以樣樣都很順合我的心意。相思愈烈，愛情愈深，真是「三年無改，一日不忘」啊。這種睹物思人、物是人非的悼亡之法，已開啟後世悼亡詩詞之先河。如宋代賀鑄《生查子》「記得綠羅裙，處處憐芳草」的描寫，明代歸有光《寒花葬志》中「曳深綠布裳」的細節回憶，都是因見妻子所縫綠色衣服而興起哀傷之情的悼亡名篇。

《唐風・葛生》是一首悼夫之詩。語言淒切，令人哀感不已。全詩五章，云：

葛生蒙楚，蘞蔓於野。予美亡此，誰與獨處！

葛生蒙棘，蘞蔓於域。予美亡此，誰與獨息！

角枕粲兮，錦衾爛兮。予美亡此，誰與獨旦！

夏之日，冬之夜。百歲之後，歸於其居！

冬之夜，夏之日。百歲之後，歸於其室！

前三章，女主人公哀傷死者獨眠荒野，憂慮中寄寓著對亡夫深切的體貼之情；後三章，女主人公悲歎自己獨活人間的孤苦，表示死後要和亡夫葬於一室。「全詩長哭逝者之獨，深哀自身之孤，而這種孤獨感源於深摯的愛情。因此，在世人看來，唯在死後同穴，才能消除這份孤獨。不言生前之情愛，只言死後之孤苦，而其情自見。」⓰總之，「此詩甚悲，讀之使人淚下」（陳澧《讀詩日錄》），真乃千古悼亡詩之祖也。

⑷哀怨憂鬱的失戀者

愛情的航船不都是一帆風順的，有時也會遇到漩渦暗礁，驚濤駭浪。在《詩經》愛情詩中就有許多描寫失戀者哀怨悱惻的詩篇。如《鄭風‧狡童、褰裳》都是描寫女子失戀的代表作。均為兩章。〈狡童〉首章云：

彼狡童兮，不與我言兮。維子之故，使我不能餐兮。

〈褰裳〉首章云：

子惠思我，褰裳涉溱。子不我思，豈無他人？狂童之狂也且！

在這兩位女子的眼中，一個男子為「狡童」（小滑頭），一個男子為「狂童」（愚昧無知者）。這兩位女子由於性格和失戀的原因不同，其對待失戀的態度亦自然有別。〈狡童〉主人公較為纏綿，依依不捨，竟至廢寢忘食；〈褰裳〉主人公較

⓰ 韋鳳娟賞析，見《古代愛情誓詞鑒賞辭典》（瀋陽：遼寧大學出版社，1990年版），頁57。

為潑辣，爽朗乾脆，敢於鬥爭，堅毅果敢，大有蘇軾〈蝶戀花〉詞所說的那種「天涯何處無芳草」之曠達態度。鄭振鐸先生說過：「《鄭風》裏的情歌，都是寫得很倩巧，很婉秀，別饒一種媚態，一種美趣……『子不我思，豈無他人？狂童之狂也且!』（〈褰裳〉）似是《鄭風》中很特殊的一種風調。這種心理，沒有一個詩人敢於將她寫出來！」⑰這恰恰言中了〈褰裳〉詩中女主人公對待失戀所表示出來的那種率直、大膽而開朗的性格。

⑸贏得愛情的自豪者

如前所述的《衛風・木瓜》中青年男女「投我以木瓜，報之以瓊琚」的友好的饋贈之舉，《邶風・靜女》中那位小夥子因姑娘「貽我彤管」而「說懌女美」的開心勁兒，都十分真切地反映了青年男女贏得愛情的自豪感。《鄘風・桑中》則以男子口吻，回憶美麗姑娘「期我乎桑中，要我乎上宮，送我乎淇之上矣」的兩情相悅的美好時刻，怡然自得之情溢於言表。《齊風・東方之日》是一位男子回憶與意中人往日歡聚之情事的詩，全詩共二章：

東方之日兮，彼姝者子，在我室兮。在我室兮，履我即兮。
東方之月兮，彼姝者子，在我闥兮。在我闥兮，履我發兮。

能與如同日月般美麗可愛的女子幽會，在這位男子看來，簡直是令人陶醉、幸福無比了。此詩便是他歡快自豪之情的自然流露。

男女互相饋贈、幽期密約的情景是甜美幸福、耐人尋味的，而新婚燕爾的歡悅之情則更是令人終身難忘、刻骨銘心。《周南・桃夭》與《唐風・綢繆》，皆為賀婚歌。前者寫桃花盛開的季節裏，一位善良美麗的姑娘出嫁了。從「之子于歸，宜其室家」的反復詠唱中，極寫出男子的歡樂神情和對未來生活的美好希望。後者寫新婚之夜，男女雙方喜不自勝、不知如何相愛才好的歡樂。「今夕何夕，見此良人？子兮子兮，如此良人何？」這幾句「描摹男女初遇，神情逼真，自是絕作，不

⑰ 鄭振鐸：《插圖本中國文學史》（北京：人民文學出版社，1957年版），頁49－50。

可廢也。」⓲全詩不言「樂」，而「樂」滿紙焉。此之謂「不著一字，盡得風流」（司空圖《詩品・含蓄》）矣。

⑹伉麗情篤的恩愛者

《鄭風・女曰雞鳴》是寫夫婦互相親悅、相互警戒而充滿家庭和諧氣氛的一首佳作。全詩三章，首章寫妻子因聞雞鳴而催丈夫早起去打獵；二章寫夫婦和樂之情。妻子表示待丈夫射了許多野雞和大雁歸來時，就親手精心烹調獵物，然後夫婦同享。恩愛摯情，令人豔羡。三章寫丈夫以雜佩贈送妻子，以表達對妻子的警戒與體貼之謝忱。這一點，竊以為連後來沈復《浮生六記》中「閨房記樂」裏所寫的夫婦恩愛之情亦恐怕只能望其項背。故而，連對情詩每有微言的朱熹也不得不對它頷首稱道：「〈女曰雞鳴〉一詩，意思亦好。讀之，真個有不知手之舞、足蹈者」。⓳道學家尚且如此，一般人則更是為之感動不已了。《齊風・雞鳴》構思和內容與此相似，寫的都是妻子聞雞鳴叫而催丈夫早朝的事。他的丈夫是位士大夫，他希望丈夫不要戀床貪睡，應忠於職守。警戒中包寓著愛夫的一片深情。姚際恆評此詩說：「此詩謂為賢妃作亦可，即謂賢大夫之妻作亦無不可。總之，警其夫欲令早起，故終夜關心，乍寐乍覺，誤以蠅聲為雞聲，以月光為東方明，真情實境，寫來活現」。⓴

《王風・君子陽陽》，是一首描寫夫妻同場歌舞的事，活潑歡快，其樂融融。全詩二章：

君子陽陽，左執簧，右招我由房，其樂只且！
君子陶陶，左執翿，右招我由敖，其樂只且！

「陽陽」、「陶陶」都是快樂舒暢的意思，「由房」，房中樂；「由敖」，舞曲名；「簧」笙類樂器；「翿」用五彩野雞毛做的扇形舞具。全詩扣住「樂」字，

⓲ 方玉潤：《詩經原始》（北京：中華書局，1986 年版），頁 257。
⓳ 黎靖德編：《朱子語類》（三）（長沙：嶽麓書社，1997 年版），頁 1874。
⓴ 姚際恆：《詩經通論》（北京：中華書局，1958 年版），頁 116。

生動地表現了夫婦歡快甜美的歌舞場景，給人以輕鬆愉悅的美之享受。堪稱是一首別開生面、韻味十足的愛情頌歌。

㈡意境優美詩情濃

意境，是我國美學思想中的一個重要範疇，亦是藝術美的一個重要標誌之一。何謂意境，意境就是客觀自然與人的主觀感情相互交融的產物，亦即情與景，意（情）與境（景）的和諧統一。明代朱承爵說過：「作詩之妙，全在意境融徹，出音聲之外，乃得真味。」㉑王夫之亦說過：「情景名為二，而實不可離。神於詩者，妙合無垠。巧者則有情中景，景中情」。㉒早在二千多年前的《詩經》愛情詩中，像這種將詩人的主觀情懷與客觀景物的描寫結合起來構成典型意境，並與大自然長期的艱苦鬥爭中，不僅建立了物質關係，而且還建立了審美關係。這種審美關係的建立，與青年男女多在水邊、山野和林地等處幽會密約、談情說愛的情形以及相思者所處的特定環境等是密不可分的。這是構成《詩經》愛情詩意境的一個重要因素。探討一下《詩經》愛情詩的意境美，以見其藝術審美特徵，這委實是一件饒有情趣和有意義的事情。

《陳風・東門之楊》是一首描寫男女相約而未成的詩。全詩二章，首章云：

> 東門之楊，其葉牂牂。昏以為期，明星煌煌。

詩中主人公原先是約好黃昏時分與對方相會於「東門之楊」的，可是左等右等，怎麼也不見人影。抬頭看看，只見茂盛的楊樹葉隨風沙沙起舞，還有那天空的星星幽幽發光。如此清幽孤寂的環境，正傳神般地表達了與主人公那種久候不至、孤獨無伴的淒涼心情。此詩意境，為後來歐陽脩〈生查子〉詞「月上柳梢頭，人約黃昏後」所本。《鄭風・野有蔓草》，也是一首意境甚美之傑作。主人公的心情與

㉑ 朱承爵：《存餘堂詩話》，見何文煥輯：《歷代詩話》（下）（北京：中華書局，1981 年版），頁 792。

㉒ 王夫之：《薑齋詩話》，丁福保輯：《清詩話》（上）（上海：上海古籍出版社，1963 年版），頁 11。

《陳風・東門之楊》卻迥然不同。這兩位青年男女已完全沉浸在不期而遇的無限喜悅之中了。全詩二章，首章云：

野有蔓草，零露漙兮。有美一人，清揚婉兮。邂逅相遇，適我願兮。

首二句為比興手法，交代相遇的時間、地點以及特定的環境。在野外綠茵如毯的春草上，佈滿了晶瑩剔透的露珠兒。此時此刻，一位眉目清秀，閃動著露珠般晶亮發光的大眼睛的美麗姑娘翩然而至。美景妙女，人畫一體；樂景悅情，水乳交融。如此意境的創造，極大的增強了藝術效果。如此比興，不僅創造了詩歌的整體意境，而且給人們留下了豐富的想像餘地。曠野上那連天的芳草，不正是象徵著少男少女們蓬勃旺盛的青春活力嗎？芳草旺盛的生命力離不開甘露的滋潤，而少男少女們的青春活力不也同樣需要愛情甘露之潤澤嗎？這自然間之甘露與人間愛情之甘露又都具有純潔甘美的審美趣味。同時，那晶瑩透徹的露珠又與美人那雙秋水汪汪的顧盼生情之眼睛相互映襯，更顯出倩女那楚楚動人的綽約風姿與幽雅神韻來。

在運用比興手法創造優美意境、增強詩歌表現力與感染力方面，《陳風・月出》堪稱代表作之一。這是一首月下懷人的愛情詩。全詩三章，反復詠唱月下美人的形象，別具魅力。首章云：

月出皎兮，佼人僚兮。舒窈糾兮，勞心悄兮。

「佼」、「僚」，皆為「美好」的意思。「窈糾」，形容體態苗條。「悄」，憂深的意思。在一個皓月當空、銀光瀉地的美好夜晚，詩中這位男青年望月懷人，浮想聯翩。「月出皎兮」一句非同尋常，它既是「興」句，具有引發全詩的作用，又是觸發詩人懷想的媒介，渲染了一種恬靜優美、撲朔迷離的氣氛，為美人的出場創造了神話般迷人的環境；同時它又兼有「比」的作用，即用月光的皎潔柔和來比喻白皙溫柔的美人。我們若將「月出皎兮，佼人僚兮」連起來考察，它就更具有一種深邃悠遠的意境美。皎潔的月光下，亭亭玉立著一位體態苗條、皮膚潔白如玉的美人，俊美的秀容與清輝的月色融為一體，這是一幅多麼富有詩情畫意的月下美人圖啊。浙江地方民諺云：「月光下看老婆，越看越漂亮；露水裏看莊稼，越看越喜歡。」正是說明了人們在特定環境中面對事物所產生的奇特的審美效應。杜甫〈月夜〉中想像妻子優美形象的兩句詩：「香霧雲鬟濕，清輝玉臂寒。」亦是將妻子置於月光之下來盡情表現的。與〈月出〉詩具有異曲同工之妙。這種見月懷人、以月比人之手法來構成優美意境的藝術特徵對後世影響很大。月亮，在後世的文學作品中，除了具有比喻美人的作用外，它已逐漸發展成為一個傳統意象，並以此來象徵思念親友、故鄉之情，以及美好的事務與理想等。焦竑《焦氏筆乘》云：「〈月出〉，見月懷人，能到意中事。太白〈送祝八〉：『若見天涯思故人，浣溪石上窺明月。』子美〈夢太白〉：『落月滿屋樑，猶疑見顏色。』常建〈宿王昌齡隱處〉：『松江露微月，青光尤為君。』王昌齡〈送馮六元二〉：『山月出華陰，開此河渚霧。青光見故人，豁然展心悟。』此類甚多，大抵出自《陳風》（筆者按，即〈月出〉篇）也」。可見，〈月出〉的確是《詩經》愛情詩中意境優美的傑作，歷來受人喜愛。蘇軾〈前赤壁賦〉中「誦明月之詩，歌窈窕之章」，「明月之詩」，即指《陳風・月出》詩。而〈前赤壁賦〉中「月出於東山之上」，「渺渺兮予懷，望美人兮天一方」等句所創造的空靈澄澈的意境又正是從〈月出〉中脫胎而來。

除了《陳風・月出》以明月比美女的詩篇外，還有同時以日和月來比喻美女的詩篇。《齊風・東方之日》就是典型的一首。詩中「東方之日」與「東方之月」，既表示時間概念，展示這位美女和青年男子日夜相聚、形影不離的纏綿愛情，又是對「彼姝者子」人體美的形象描寫。由太陽的溫暖和月光的皎潔，很容易使人想像出那位溫柔多情而純潔美麗的女子。在溫和的陽光和皎潔的月光下，美人與青年男子的幽會，自然構成了一幅歡悅甜美充滿神秘色彩的意境。古人以日月之明喻指女色之美，此詩與《陳風・月出》已開其先聲矣。陳澧《讀風日錄》云：「兩章首句（筆者按，即〈東方之日〉）皆因時起興之語也。宋玉〈神女賦〉：『其始來也，耀乎若日初出照屋樑；其少進也，皎若明月舒其光。』曹植〈洛神賦〉曰：『仿佛兮若朝雲之蔽月，皎若太陽升朝霞。』皆與此同。薛君章句謂『東方之日兮』，悅其顏色之美盛也。〈日出東南隅行〉『淑貌耀朝日』，〈秋胡詩〉『明豔侔朝日』，正襲此意。」可見，像《詩經》愛情詩這種以興而兼比之手法創作意境的藝術生命力，委實是歷久彌新的。

《詩經》愛情詩中借優美意境表現濃郁情思之作，要數《秦風・蒹葭》、《王風・君子于役》和《鄭風・風雨》最具代表性。三詩共同的特點就是主人公均置身於一個特定的自然環境中，淋漓盡致而又恰到好處地表達出他們各自神牽魂繞、夢寐以求的真切動人的情感。〈蒹葭〉採用的是「敘物以言情」（宋・李仲蒙語，見胡寅《裴然集》）的賦體手法，三章分別以「蒹葭蒼蒼，白露為霜」，「蒹葭淒淒，白露未晞」，「蒹葭采采，白露未已」開頭，這就把水鄉清秋蒼茫淒迷的自然景物，與主人公對「在水一方」之「伊人」的尋尋覓覓可望而不可及的惆悵情懷，十分和諧地交融在一起，創造了情景交融的美妙意境，從而使詩歌充滿豐富情韻和審美趣味。黑格爾在《美學・序論》中認為，在「古典藝術」中，「把理念自由地妥當地體現於本質上就特別適合於這種理念的形象，因此理念就可以和形象自由而完滿地協調。」㉓所謂「自由而完滿的協調」，亦即情景交融的藝術境界。〈蒹葭〉一詩正是如此。〈君子于役〉是一首思婦於傍晚時分，見夕陽西下、雞兒進窩、牛羊入圈之情景而頓生懷念久役未歸丈夫的詩。全詩二章，首章云：

> 君子于役，不知其期，曷至哉？
> 雞棲於塒，日之夕矣，羊牛下來。
> 君子于役，如之何勿思！

詩中寫景的句子竟「雞棲於塒，日之夕矣，羊牛下來」寥寥十二字，卻語短情長，別具魅力。其一，它真切地勾畫出一幅山村所特有的畜禽晚歸圖，別具詩情畫意之美；其二，在這幅畜禽晚歸圖中，詩人雖然未交待那些放牧者與農夫，但那些成群歸來的牛羊已分明暗示了放牧者的隨歸，因為牛羊都是由人看管的，而就在這些被暗示了的放牧者和夜歸的人們中，這位思婦怎麼也看不見自己丈夫的影子，唯有倚門眺望、形影自悼而已。詩人由此而立體化地刻畫出一位孤苦伶仃的思婦形象。此詩意境深邃、含意悠遠，讀之如食橄欖，「真味久愈在」（歐陽脩〈水谷夜

㉓ 〔德〕黑格爾著，朱光潛譯：《美學》（序論）。

行詩〉）。王照圓評此詩云：「寫鄉村晚景，睹物懷人如畫。」（《詩說》）正因為如此，〈君子于役〉在以黃昏之景寫思婦懷人之情的關係上，具有開創性意義。清人許瑤光〈再讀詩經四十二首〉第十四首云：「雞棲于桀下牛羊，饑渴縈懷對夕陽。已啟唐人閨怨句，最難消遣是昏黃。」其實，早在唐以前的詩人作品中，都已含有〈君子于役〉意境的神韻。如曹植〈贈白馬王彪〉：「原野何蕭條，白日忽西匿。歸鳥赴喬林，翩翩厲羽翼。孤獸走索群，銜草不遑食。感物傷我懷，撫心長太息。」潘岳〈寡婦賦〉：「時曖曖而向昏兮，日杳杳而西匿。雀群飛而赴楹兮，雞登棲而斂翼。歸空館而自憐兮，撫衾裯以歎息。」等等，其意境之描寫，皆烙有〈君子于役〉很深的文脈印記。

被後人稱之為開「風雨懷人」之先聲的《鄭風・風雨》，描寫的是一位女子於風雨之夜終於和所愛之人相會的動人故事。詩三章，首章云：

> 風雨淒淒，雞鳴喈喈。既見君子，雲胡不夷！

首兩句即景，但卻景中含情；後二句抒情，卻情中見景。這位女子等待所愛之人，從白天等到夜晚，又從夜晚等到雞叫。不見「君子」，絕不甘休。皇天不負苦心人。她所熱切盼望的心上人終於冒著風雨奇跡般地出現在她的面前。當此際，她怎能不高興萬分呢？後二句描寫歡悅之情的句子，與相見前的淒涼之景形成了鮮明的對比。以哀景寫樂情，更顯見其樂也。方玉潤評此詩云：「此詩人善於言情，又善於即景以抒懷，故為千古絕調也」。[24]慧眼獨識，不為溢美。此詩的意境，多為後人所樂賞而借鑒。如劉長卿〈逢雪宿芙蓉山主人〉：「柴門聞犬吠，風雪夜歸人」；李商隱〈夜雨寄北〉：「君問歸期未有期，巴山夜雨漲秋池」等。更值得自豪的是，此詩的「風雨懷人」，不僅創造了優美的意境，給後世文學以很大影響，而且人們還將其賦予了更為廣泛而積極的社會與革命的豐富內涵。例如許多志士仁人雖處「風雨如晦」之境，卻仍以「雞鳴不已」來鼓勵和鞭策自己。所以「風雨懷人」之意境，就又具有奮鬥不息、追求光明的偉大而深遠的象徵意義，豐富了詩歌

---

[24] 方玉潤：《詩經原始》，頁220。

內涵，拓寬了詩歌意境，提高了審美價值。

《詩經》愛情詩中意境審美價值較高的詩篇還有很多，如《周南·關雎、桃夭、漢廣》、《召南·草蟲、野有死麕》、《鄘風·桑中》、《鄭風·蘀兮、溱洧》、《陳風·澤陂》等，這些詩或先景後情，或先情後景，或景中情，或情中景，總之，情景合一，渾然生輝。值得注意的一個現象是，這些愛情詩中的景，如前文所述，大多為比興之媒介物，亦是詩人所處之環境，這就清楚地表明瞭人的情感與大自然是密不可分的。正如黑格爾所指出的：「自然美還是由於感發心情和契合心情而得到一種特性。例如寂靜的月夜，平靜的山谷，其中有小溪蜿蜒地流著，一望無邊波濤洶湧的海洋的雄偉氣象，以及星空的肅穆而莊嚴的氣象就是屬於這一類，這裏的意蘊並不屬於物件本身，而是在於喚醒的心情。我們甚至於說動物美，如果它們現出某一種靈魂的表現，和人的特性有一種契合，例如勇敢、強壯、敏捷、和藹之類。從一方面看，這種表現固然是物件所固有的，現出動物生活的一面。而從另一方面看這種表現卻聯繫到人的觀念和人所特有的心情」。㉕所以說《詩經》愛情詩意境的產生，正是由於詩人通過對「寂靜的月夜」，「平靜的山谷」等自然景物的所見所感，從而「喚醒」了詩人喜怒哀樂各種複雜的「心情」，觸物生情，由景起情，情景相生，妙合無垠，這便是《詩經》愛情詩意境美的主要內容和審美特徵。

㈢以心寫人見含蓄

《詩經》愛情詩中男女們的情感世界頗為豐富多彩，或情急意切，如山中瀑布；或纏綿悱惻，似溪間小流；或歡快瀟灑，如春風楊柳；或哀怨悽楚，似秋雨梧桐……。如此種種情感，各樣心態，都是通過細膩委婉的心理描寫表現出來的。簡言之曰：以心寫人。這種以心寫人的藝術手法，特別適宜表達那些鍾情善懷之男女們的內心世界，它亦是《詩經》愛情詩藝術審美的主要特徵之一。

《詩經》愛情詩中描寫思婦的較多，丈夫久役不歸，妻子望眼欲穿，空守閨房，孤苦難挨，自然牽腸掛肚，相思縈懷。《邶風·雄雉》通篇寫思婦懷念丈夫之情，思婦細微的心理變化極富層次。全詩四章，首章寫思婦見「雄雉於飛」而生懷

㉕〔德〕黑格爾著，朱光潛譯：《美學》（序論）。

夫之念；二章繼寫思婦因相思而勞心；三章寫思婦感傷光陰如梭，道路遙遠，不知丈夫何日歸來，思念日益；末章宕開一筆，描寫思婦心理更為深婉有致。詩云：

百爾君子，不知德行。不忮不求，何用不臧？

意思是說，世上男人都一樣，不知道德和修養。丈夫不貪又不殘，走到哪裏不順當。這位思婦因丈夫久役不歸而產生疑慮。她先是擔心丈夫會不會像其他男人那樣不講道德和修養，貪得無厭而令人忌恨，受到處罰；但她又堅信，她的丈夫不是那號人。因此，他是不會有什麼不順當的事的。他一定能夠平安無事地回家團聚的。在旁觀者看來，思婦的堅信又有多少把握呢？但它畢竟是思婦的美好「希望」。正是這「希望」的一筆，才愈見出思婦對丈夫的一腔至愛深情。《衛風・伯兮》刻畫女子懷夫心態，比起〈雄雉〉來則更為深摯動人。全詩四章，首章思婦誇夫為「邦之傑」、「王前驅」，語麗而情悲。以下三章，轉寫思婦懷夫的曲折深微的心態。先寫思婦因丈夫久役未歸而無意打扮，「自伯之東，首如飛蓬，豈無膏沐？誰適為容。」情態是慵懶的，而思夫的感情卻是強烈的；次寫思婦「願言思伯，甘心首疾」，為思念丈夫，甘願頭痛也在所不惜，忠貞之情，搖人心旌；末寫思婦「願言思伯，使我心痗」，為了丈夫，她曾相似而得心病。相思的苦痛步步加深，而愛夫的感情亦層層推進。《衛風・伯兮》中思婦這種誇夫、思夫、愛夫的種種複雜而綜合的心態，具有普遍的審美意義，實為我國文學思婦詩的開山之作。

《詩經》愛情詩之男女主人公的心態描寫，往往都注重於矛盾心理的刻畫。《鄭風・將仲子》是甚為典型的一首。本詩以女子口吻，訴說了她對夜晚逾牆攀樹而與之幽會的青年男子欲拒不能、欲罷不得的複雜感情。男子主動來幽會，女子當然是求之不得的。但是在「不待父母之命，媒妁之言，鑽穴隙相窺，逾牆相從，則父母國人皆賤之」（《孟子・滕文公下》）的封建意識漸濃的社會風氣下，她又不免感到膽顫心驚，毛骨悚然。這位女子對於「父母」、「諸兄」和社會之「人」的指斥，不得不感到「可畏」；而對於意中人「仲子」，她又是的確感到「可懷」。正是這位女子進退兩難的矛盾心理的衝突，才形成了此詩所特有的憂鬱美之風格。

《鄭風・豐》描寫女子矛盾心理方面是一首較為出色的詩。全詩四章，前二章寫那位健壯魁梧的男子主動積極地等待這位女子上車成婚，而她卻不知何事卻未能前往。後來想想卻又懊悔不迭，連連哀歎「悔予不送兮」，「悔予不將兮」，大有幡然悔悟、痛改前非之感。連下兩「悔」字，極寫女子心急如焚、欲好如初之情狀。後二章寫女子整整齊齊穿好出嫁時的新衣，熱切地呼喚著「叔兮伯兮，駕予與行」，「駕予與歸」。如果說前二章的「悔予不送」，「不將」，還只是停留在內心的自責之上的話那麼，後二章的「駕予與行」、「駕予與歸」，則完全是以有力的行動來證明她的悔過。在悔與盼的矛盾轉換中，浮雕般地塑造了女主人公渴求美好婚姻的動人形象。

《詩經》愛情詩心理描寫除了借助於事物的變化、人物的語言和舉措等方面來表現外，通常還借助於想像和幻想來加強藝術效果。如《周南·關雎、卷耳》等。（詳見下文，此不贅述。）

㈣虛實相生構思巧

《詩經》愛情詩的男女主人公在一方思念另一方至極之時，往往會產生許多想像和幻境。或想像對方的處境，或虛擬對方的思念，或幻想夫婦團聚之樂，等等。這種現實與虛幻結合的表現手法，也是《詩經》愛情詩藝術審美特徵之一。

《周南·漢廣》是一首以先實後虛、虛實交錯手法來表現一個青年樵夫熱戀美麗女子而不得的好詩。全詩三章，首章實寫美人難得的無可奈何的失望之情。雖是失望，但又不絕望。於是便出現了二章開頭四句所描寫的情景：

翹翹錯薪，言刈其楚；之子於歸，言秣其馬。

這幾句詩意思是說，我將去砍伐那長得高高的荊條，為的是娶親時當燭燒。㉖這位女子要出嫁，為了迎娶她，我將馬兒喂個飽。你看，這位小夥子的想像是多麼

㉖ 魏源《詩古微》云：「三百篇言娶妻者，皆以析薪取興。蓋古者嫁娶必以燎炬為燭。故〈南山〉之析薪，〈車舝〉之析柞，〈綢繆〉之束薪，《豳風》之〈伐柯〉皆與此錯薪、刈楚同興。」

美好，感情是多麼豐富。真所謂「悅之至」而「敬之深」㉗也，然而這畢竟是極度失望下的幻想而已。當他的思緒再次跌落到現實中來時，他又不得不憂傷地唱到：

漢之廣矣，不可泳思；江之永矣，不可方思。

全詩就這樣實、虛、實地交錯描寫著，極其自然而又真切地展示了青年男子無可奈何而又充滿希望、雖有希望卻又憂心忡忡的心靈歷程。如此虛實結合的表現手法，比起單一從現實方面描寫，其結構更曲折，內涵更豐富，意境亦更深遠。

《周南・汝墳》寫一個在汝水堤邊砍柴的婦女，思念她遠役的丈夫。她來見其丈夫的心情，就像人早晨饑餓而思食那樣急迫（「未見君子，惄如調饑」）。她想著想著，朦朧中覺得丈夫就來到了自己的身邊，相親如故（「既見君子，不我遐棄」），丈夫總算還沒有忘掉她，她是多麼的高興啊！一筆虛寫，力透紙背。《召南・草蟲》也是一首思婦詩。她在山裏挖野菜，看見了「喓喓」鳴叫的「草蟲」（蟈蟈）和「趯趯」蹦跳的「阜螽」（蚱蜢）以後，突然想起了遠役中的丈夫，憂思泉湧，愁腸百結。在極度的想像中，她似乎見到了丈夫。因此，她的那顆焦慮的心一下子便平靜了下來（「亦既見止，亦既覯止，我心則降」）。三章重唱，反覆渲染了於幻境中夫婦同樂的愉悅氣氛。而實際上，這種愉悅氣氛渲染得越突出，那麼，那位思婦的離愁也就越濃郁。以樂寫哀，更增其哀；以虛襯實，表現深刻。將思婦念夫的深厚感情推向了高潮。方玉潤評此詩云：「始因秋蟲以寄恨，繼曆春景而憂思。既未能見，則更設為既見情形以自慰其幽思無已之心。此善言情作也。然皆虛想，非真實覯。……由秋而春，歷時愈久，思念愈切。本說『未見』，卻想及『既見』情景，此透過一層法也。」㉘所謂「透過一層法」，亦即以虛襯實、以樂景寫哀之法。正因為此詩虛與實的巧妙結合，哀與樂的有力襯托，才增強了女主人公思婦深情的極大張力，從而給人以品之有味的美學情趣。

以虛實結合法來表現男女主人公思念深情最為動人者當推《周南・關雎》和

㉗ 朱熹：《詩集傳》，頁6。

㉘ 方玉潤：《詩經原始》，頁98－99。

〈卷耳〉。〈關雎〉中那個青年小夥看上了一位「窈窕淑女」，他認為唯有她才是最好的配偶，然而終究「求之不得」而「寤寐思服」、「輾轉反側」。這些都是實寫，是青年小夥子熱烈相思之情的自然流露。雖然「求之不得」，但他仍然癡心不改，執著追求，硬是幻化出充滿歡樂氣氛的「琴瑟友之」、「鐘鼓樂之」的結婚場面來。這一幻化，便把青年小夥對「窈窕淑女」無比思慕的感情推向極致。一個追求美好、矢志不渝的鍾情者的形象便活脫脫地躍然紙上。倘若僅有前二章青年小夥相思難免的描寫，而缺少後一章「透過一層」的幻化娶妻場面的神來之筆，這位青年小夥的相思之情就會大打折扣，黯然失色。正因為有了末章這個傳神的妙筆，才使得主人公形象陡然高大起來，亦才使得此詩充滿旺盛的藝術生命力而永遠活在人們的心中。

〈卷耳〉的主人公是一位思婦，全詩四章，僅首章是實寫，以思婦採摘卷耳、不易滿筐的具體行為來形象地表現她思夫之情深。懷人而忘采物，有意在言外之妙。其餘三章均為虛寫。詩人讓這位思婦的思想插上翅膀一任在幻想世界中翱翔。她先想見丈夫登上高高的土石山，馬兒跑得腿發軟。此刻，丈夫正借酒澆散思念親人的憂愁；繼而想見丈夫登上高高的山崗，馬兒仍然病得慌。此刻，丈夫仍在借酒瀉憂愁。最後想見丈夫登上亂石崗，馬兒已疲病得不能前行，僕人也病倒了。此刻，丈夫只能無可奈何連聲哀歎憂愁了。詩後三章為幻想之詞，設想丈夫思妻，曲寫妻子思夫，不言妻子思念之苦而愈見其苦，不言妻子思夫之深而愈見其深。正如劉熙載《藝概》所云：「《周南・卷耳》四章，只『嗟我懷人』一句是點明主意，餘者無非做足此句。賦之體約用博，自是開之。」㉙〈卷耳〉詩這種「心已馳神到彼，詩從對面飛來」㉚的以虛寫實之法，已開後世思念親友之作的無數法門。如徐陵〈關山月〉：「關山三五月，客子憶秦川。思婦高樓上，當窗應未眠。」杜甫〈月夜〉：「今夜鄜州月，閨中只獨看。遙憐小兒女，未解憶長安。香霧雲鬟濕，清輝玉臂寒。」元好問〈客意〉：「雪屋青燈客枕孤，眼中了了見歸途。山間兒女應相望，十月初旬得到無？」等等，影響深遠，於此可見。

㉙ 劉熙載：《藝概》（上海：上海古籍出版社，1978 年版），頁 98。

㉚ 浦起龍：《讀杜心解》（二）（北京：中華書局，1961 年版），頁 360。

㈤誇張比襯情倍增

劉勰《文心雕龍·誇飾》云：「雖《詩》、《書》雅言，風俗訓世，事必宜廣，文亦過焉。是以言峻則嵩高極天，論狹則河不容舠；說多則『子孫千億』，稱少則民靡孑遺。襄陵舉滔天之目，倒戈立漂杵之論：辭雖已甚，其義無害也。」其中所舉均是《詩經》和《尚書》中用以誇張的名句，他們均能抓住作品中值得突出的要點，能夠揮舞奇筆強調和渲染作者所要表達的強烈的想像之情感，極富表現力與感染力。《詩經》愛情詩中的誇張比襯手法甚為突出，對於塑造人物形象和提高審美價值，都能收到理想的藝術效果。

《周南·漢廣》中反復詠唱江漢之寬廣和長遠，說自己怎麼也渡不過去與自己所思慕的女子相會。其實，作者只是用誇張手法來表達男主人公對女子的愛慕之深、渴望之切與失望之極的複雜心情。詩中主人公那種惆悵的情懷，遂通過被作者極度誇張了的廣闊無邊的江漢而淋漓盡致地表現了出來，給人留下了深刻的印象。

如果說〈漢廣〉是從空間上來進行誇張，以強調人的主觀感受，那麼，《王風·采葛》則是從實踐方面進行誇張，突出男子對女子的相思之切。他對那位勤勞而美麗的姑娘才「一日不見」，便產生了如「三月」、「三秋」、「三歲」的度日如年的難熬感覺，反復中呈層進，誇飾中見真情。此詩如此誇飾之作法，後世多仿。如晉·張華〈情詩〉：「居歡惜夜促，在戚怨宵長。」唐·李益〈同崔邠登鸛雀樓〉：「事去千年猶恨速，愁來一日即為長。」這些詩卻極其生動而真切地寫出了特定環境下特定人物的心理感受，具有普遍的心理審美意義和價值.

在《詩經》愛情詩中，許多青年女子都喜歡用極其誇張的手法來讚美自己的意中人。如《衛風·伯兮》：「伯兮朅兮，邦之傑兮。」《秦風·小戎》：「言念君子，溫其如玉」等等，都是在自豪中洋溢著對男子的愛慕之至的純真感情。《鄭風·叔于田》是其中最為出色的一首。全詩三章，首章云：

> 叔于田，巷無居人。豈無居人？不如叔也，洵美且仁。

首二句出語奇警。這位女子極其誇張地說，她心愛的青年獵手出去打獵了，竟使得全里巷便空無一人了。孫鑛《批評詩經》云：「『巷無居人』句，下得煞是陡峭。」緊接著，女主人公又自我解釋道，難道是全里巷真的空無一人？不是的。只是因為里巷中所有的青年小夥子都不如我的那一位美麗而謙遜。正如朱熹所說：「非實無居人也，雖有而不如叔之美且仁，是以若無人耳」。[31]這裏，作者描寫越誇張，越見出女子之愛的熱烈；描寫越奇特，越增加詩歌的藝術深度與力度。

對比手法在《詩經》愛情詩中亦多見運用。反映男女間真誠相愛者，如《衛風．木瓜》：「投我以木瓜，報之以瓊琚。」以所贈之物貴賤的對比，來表達男子的赤誠之愛。反映男子對愛情忠貞不渝者，如《鄭風．出其東門》：「出其東門，有女如雲。雖則如雲，匪我思存。」東門之外的美女雖然多如雲，但這位男子毫不動心，他唯一忠愛的是家中那位「縞衣綦巾」的淡妝樸素的妻子。通過一與多的對比，更襯托出男子對愛情的專一和執著。這類例子不勝枚舉的。要之，強烈的比襯手法，它是塑造人物形象、構成藝術美的重要因素之一。

㈥細節描寫形神現

好的細節描寫，猶如一顆顆閃光的珍珠，它能使藝術形象傳神寫照，熠熠生輝，使作品更具有藝術審美價值。《邶風．靜女》首章寫那位女子本是約好在城門口樓裏等這位小夥的，可當小夥按時赴約後，她卻事先躲藏了起來。因此遂產生了小夥「搔首踟躕」生動精彩的一幕。「搔首」，側重於動作描寫，寫出了小夥抓耳撓腮的焦急萬分的情狀；「踟躕」，側重於心理刻畫，寫出小夥不知所措、要走不走的神情。寥寥四字，竟然將一位赴約未遇時男子的焦急心情刻畫得形神畢現，真虧作者想得出來。

《詩經》愛情詩中常用細節描寫來刻畫人物外貌，工筆細描，毫髮逼真。《鄘風．柏舟》中女主人公的婚姻遭到了母親的反對，但她仍然堅定地愛著那位「髧彼兩髦」的少年。「髧」，頭髮下垂貌；「兩髦」，古代男子未成年時頭髮的式樣，前額頭髮分向兩邊披著，長齊眉毛；額後則紮成兩綹，左右各一，叫做兩髦。此乃少年人的明顯標誌。作者抓住少年髮型的特徵精描細寫，活畫出他的天真活潑、質樸可愛的外貌。正是這一繪形繪神的細部描寫，才把這位少女對少年的執著愛情深刻表現出來。也正因為這一「髧彼兩髦」的美少年，才更堅定了她「之死矢靡他」

[31] 朱熹：《詩集集》，頁48。

的愛心。細節不「細」，於此可見。

《衛風・伯兮》第二章僅僅抓住思婦因丈夫東征以後便再無心思梳妝打扮而變得「首如飛蓬」這一形象特徵，便真切而深刻地揭示了思婦對其丈夫那「一片冰心在玉壺」般的純潔而熾熱的愛。千古而下，讀之仍然令人感動不已。《詩經》愛情詩中這些細節描寫，在塑造藝術形象的過程中之作用是不可忽視的。它往往起到畫龍點睛、以少勝多、一處細寫、全篇生輝的藝術妙用。

㈦情語互答感肺腑

在《詩經》反映戀愛和婚姻的詩篇中，常借助於男女間的贈答對話來表現他們的思想情懷。這些對話，猶如三月春風，暖人心窩；恰似山間溪水，晶瑩澄澈；兩情脈脈，一片溫馨，給人以精神之美的愉悅享受。《鄭風・溱洧》，詩分兩章，首章開頭描寫溱洧而河水冰融水漲之際，青年男女們手拿蘭草成群結隊地來到河邊，交代了春遊地點環境；接著就是青年男女一段充滿情趣的對話：

女曰：「觀乎？」士曰：「既且。」「且往觀乎？洧之外，洵訏且樂。」

有位率真熱情的青年女子主動邀請一位小夥去溱洧河邊去看熱鬧，女子的發問，既有心，亦多情。而那位男子似乎還未覺察到這一點，只是漫不經心地回答了一句：「我已經去過一趟了。」可這位女子並不因此而賭氣就走，而是再次勸他說：「陪我再去看看吧，洧河岸邊啊，地廣人多好熱鬧」。精誠所致，金石為開。那位男子終於動情了，便和她一路調笑到了洧河邊，並且「贈之以芍藥」。這首詩，從環境、風俗、人物的描寫中表現出了節日的歡樂，尤其是男女青年的戲劇性的對話穿插，給全詩帶來了青春的活力，增添了審美情趣。姚際恆云：「詩中敘問答，甚奇。」㉜所謂「奇」，奇就奇在通過對話描寫，使詩歌結構形式更為靈活，內容更為豐富多彩，情調更為活潑歡快。更為重要的是，由於對話的穿插，卻展示出青年男女那自由純真而充滿活力的愛情世界。

兩千多年後的今天，從〈溱洧〉青年男女的對話中，我們似乎仍然可以聽到他

㉜ 姚際恆：《詩經通論》，頁 112。

們充滿甜情蜜意的戀愛生活的前奏曲；而從《鄭風・女曰雞鳴》的夫婦對話中，我們似乎又分明可以聽到他們那種恩愛纏綿的家庭生活的幸福歌。全詩三章，全是夫婦間的對話寫成的。首章寫妻子催起，二章寫妻子烹調，三章寫丈夫贈物，充滿著一片溫馨和睦的琴瑟之樂。後世那種所謂「結婚是愛情的墳墓」的論調，在〈女曰雞鳴〉這對夫婦面前將會黯然失色！此詩對話聯句的形式，在《詩經》中別開生面，開啟了後世聯句詩的先聲。同時，又是我國最早的小歌舞劇，它以內容美和藝術美的極高價值，贏得了中國文學史上較高的地位。

㈧反復詠唱主題明

重章迭句，反復詠唱，是《詩經》「國風」民歌的重要特色之一，更是《詩經》愛情詩的藝術審美特徵之一。這種重章複遝的表現手法，一方面能使更多的愛情詩具有節奏美，韻律美，易記易唱，便於流傳；一方面也可淋漓盡致地宣洩男女戀人或青年夫婦間內心喜怒哀樂的複雜感悟，使主題更鮮明，更集中，更突出，從而進一步提高詩歌的審美教育意義。

《詩經》愛情詩中重複的句子，往往就是這首詩的詩眼所在。如《周南・關雎》中「窈窕淑女」一句反復出現，這就把青年男子深切的相思以及難以成眠直至幻想成婚的原因揭示得一清二楚。可以說，「窈窕淑女」一句，正是〈關雎〉的核心之句，靈魂之句，精華之句，閃光之句。沒有這一句，〈關雎〉將會大為遜色。《鄘風・桑中》三章，每章末都以「期我乎桑中。要我乎上宮，送我乎淇上矣。」反復詠唱，一味地抒發男女幽會時的歡樂之情，十分有效地突現了那位青年男子的自豪感。《衛風・木瓜》三章，每章前二句，僅女子所投之「木瓜」、「木桃」、「木李」和男子回贈的「瓊琚」、「瓊瑤」、「瓊玖」等物不同處，餘者均同。每章的末二句均已「匪報也，永以為好也」結尾，一唱三歎，餘音嫋嫋。青年男子那種誠心誠意對待愛情的態度也就在其中得到了毫髮無遺的表現。

在重章迭唱的愛情詩中，還有許多以螺旋式層層推進來加深主人公思想感情的詩。如《召南・摽有梅》寫一位大齡女子急待嫁人。作者以樹上梅子由「七」而「三」、再「頃筐塈之」的漸漸變少的事實，極寫女子急切焦慮的心情，十分感人。《王風・采葛》通過「一日不見」如「三月」、「三秋」、「三歲」的重複漸進的描寫，突出男子濃烈的相思之情。語樸情真，回環婉轉，的是民歌本色。重複中間參以層進之法。它不但能從橫的方面來窺探男女主人公的動人形象，而且還能從縱的方面把握他們的思想脈搏。縱橫交錯，更有利於多層面綜合性地塑造藝術形象，增強其審美功能。

本文試就馬克思主義的美學思想，對《詩經》愛情詩的藝術審美特徵進行了初步的淺析，覺得無論在思想內容抑或在藝術形式方面，都存在著很多極其可貴的美學風貌。其中，既顯示了人們對「人」本身審美觀較為健康而清醒的認識，又閃耀著男女主人公人格美精神的燦爛光輝；既有談情說愛方式的審美情趣，又有表現各種藝術形象的審美價值，諸如風俗美，形象美，意蘊美，意境美，含蓄美，結構美等等。都一一呈現出美的活力，散發出美的芳香，展示出美的風采。可以說，《詩經》愛情詩中的藝術美學內容是甚為豐富的，加強對它的研究和開發，就可以大大拓展《詩經》研究的新領域。進一步提高《詩經》在中國文學史上和美學史上的地位。

經　學　研　究　論　叢
第　二　十　輯　　頁115～134
臺灣學生書局　2012 年 12 月

思想史與四書文本斷代

程一凡*

一、序論

四書者，程子重之，朱子集成之，其脫穎而出為中華文化史上的大事。本文所要討論的是四書的文本何時形成？這問題的答覆對經學研究應有一定意義。這問題本來幾近不可能研究，但古代文本不斷自地下涌現，這些發現填補了太多我們對先秦以及西漢思想理解的空白，則今日雖離對此問題的背景已瞭若指掌還很遙遠，但至少可以開始作清理此問題的預階工作了。

但起步時我們發現橫在我們面前最大的阻礙不在材料，而是在方法論的範疇。就一定意義來說思想史家們對於此類問題猶未建立一個較完善的求證體系，哲學家看了一個或多個文本，可構築出一個古代哲學家的思想體系，思想史家也可以構築一個體系。但這體系不一定以一個哲學家所遺文本中的思想為依歸，而是以受關注文本的時代性為依歸。史家看一個文本，可茲斷代的有很多層面，組成一個文本最基本的是思想，其次是文字，如果有具時代意義的文本實物（即出土物）就更好了，因為那不但提供了一個嶄新的文本（吾人應從思想、文字重頭讀起），而且還有書法、文本格式、文本載體（簡長短、帛綴絕）等各層面可供參考。於是小自慣用詞彙、大至思維方式、價值系統等都可為吾人斷代的目的服務。因為人類活動的斷續進退並不是漫無章法的，歷史學家正可利用這種過去時空纖維的組織性與消長

* 程一凡，海外學人，曾任教匹茲堡大學等歷史系。

性而甄別創作文本的方位。就這意義來說，史家從何角度或層面切入都應該是「條條大路通羅馬」的，這也可說是我們用「多維鑒定」作文本斷代的原則。❶

我們的進路與過去很多平行的努力也許稍有不同的是：我們堅持思想本身亦必須作為斷代的參考，也就是說，除了一個文本的縱切面包括思想、文字……多層面外，思想本身有它在人際（包括古今）交通的渠道。思想決不是如陳子昂所說的那樣「前不見古人，後不見來者」，相反，文本之表達思想常常只是如歐洲中古書籍史家焦理齊所說的與其他作者或文本作「書寫的對話」（written discourse），❷即相對其他思想可看出先後脈絡。我們的工作當然非完全創新，民國期的一些巨匠已經大膽往前邁進了好幾步，例如馮友蘭、錢穆等先生討論楊朱－老子－莊子的關係，什麼是先－什麼是後，就是一定的開端了。❸但把文本的發展看成是思想系統間的互動、對話則是本文的特色，劉笑敢先生提出過的聚焦說應用於一個思想系統中特定思想的發展可說是本文所謂思想交通的一種。❹

相形之下，近期的一些作品反而使人起倒退之感，例如有人以一二特殊的思想作為斷代的充分條件，而不以整體的文本作為探討的對象。思想為人類生理活動之一，其表示與傳達透過殘留的文本吾人得以窺見。文本由片語、句子、段落構成，搦管運思之際，即祖述古人，亦透過不同的意象、環境而重新組合傳承來的字語，乃至於展現峰回路轉、情移趣異的新局面。所以隔著時空的舊「成章」與新「成章」之間不確定的空間太大，只有在成章當時有關的諸片、層特性才八方雲集，落實於文本中。所以我們說文本斷代，就不得不以其整體為心，因為一些標誌性的概念詞彙儘管可有較長的生命，但在越代的新文本中它可能僅豐富了面目全非的新思

---

❶ 關於此，馮友蘭先生已作了一定的提示，見馮友蘭：《中國哲學史》（上海：神州國光社，1931 年），第一篇第八章第 1 節。

❷ 參考 Jesse M. Gellrich, *The Idea of the Book in the Middle Ages* (Ithaca: Cornell University Press, 1985), p.31.

❸ 《中國哲學史》（上海：商務印書館，1934 年），第一篇第七章第 1 節；錢：《莊老通辨》（北京：三聯書店，2002 年）。

❹ 劉笑敢：〈從竹簡與帛本看《老子》的演變：兼論古文獻流傳中的聚焦與趨同現象〉，武漢大學中國文化研究院編：《郭店楚簡國際學術研討會論文集》（武漢：湖北人民出版社，2000 年）。

潮。如本文第四節即將討論的「慎獨」思想，子思時就有了，那是在前五、四世紀之交，那麼《中庸》中討論了「慎獨」，可不可以根據這一點就說《中庸》出自前五或四世紀？具體的文本斷代要考慮問題文本的全部。

「全部」如何落實是個問題，學者實際考察時也只能注視大部或主要、關鍵部分。因為我們知道古人（尤其是宋版製文本流行之前）文本總有添綴改削，換言之，受關注文本在宋前某時段的「全部」為何吾人較難說準，只能在無強有力反證之下且以今本為準。四書性質本不統一，以《孟子》文本為最整齊、可靠性最高，《論語》其次，《大學》、《中庸》則最複雜，思想淵源疊合性極高。本文對四書進行聯袂斷代，是想將這些問題作一總回顧，以下依《論》、《孟》、《學》、《庸》之序逐一討論。關於我們所涉及的出土古籍，要說明的是，我們將密切利用湖北荊門郭店、雲夢睡虎地、湖南長沙馬王堆、河北定州八角廊等的發現，原因是要采可靠的科學發掘出的文物。而膾炙人口的上海博物館「楚」簡、乃至最近公布的清華大學新購簡則不在其例。❺

二、《論語》

首先要解決的問題是《論語》何時成書，然後再考慮今《論語》的可靠性。定州《論語》一九七三年的出土有重大意義，❻它為我們研究《論語》何時成書提供了下限，也為研討《論語》文本史提供了框架。❼本世紀陳東先生從避諱字的結算入手，判斷該批竹簡作時在漢高祖年間，而非墓葬所屬的前一世紀中期。❽我們可以此為話題，討論《論語》是否於前三世紀（甚至更早）即已成書。❾

---

❺ 我已有一文質疑上博簡：〈以思想史讀上博「楚」竹書〉，2006 年 6 月於《武漢大學簡帛網》首發。

❻ 簡單介紹見河北省文物研究所：〈河北定縣 40 號漢墓發掘簡報〉，《文物》，1981 年 8 期。

❼ 標準本為河北省文物研究所：《定州漢墓竹簡論語》（北京：文物出版社，1997 年）。

❽ 陳東：〈關於定州漢墓竹簡《論語》的幾個問題〉，《孔子研究》，2003 年 2 期。

❾ 李銳已對陳文提出了初步質疑，李氏：〈近出六藝類典籍學派研究述評〉，丁四新、夏世華編：《楚地簡帛思想研究（四）》（武漢：崇文書局，2010 年）。

我們應該先聽聽漢人是如何討論此問題的，王充說先秦《論語》篇幅已難言之，而

> 漢興失亡，至武帝發取孔子壁中古文，得二十一篇。……宣帝下太常博士，時尚稱書難曉，名之曰「傳」，後更隸寫以傳頌。初孔子孫孔安國……始曰「論語」，今時稱「論語」二十篇。❿

這麼說，漢《論語》成書的基礎在「古文」，而書得名要到前二世紀晚期。另一方面，東漢趙岐說：「孝文皇帝欲廣博學之路，《孟子》、《孝經》、《論語》、《爾雅》皆置博士，後罷傳記博士，獨立五經而已。」那麼，《論語》本屬「傳」應很明顯。且就篇數論，定《論》恰二十篇，與充論合，則《論語》之立規模當在前二世紀下半。⓫

關於定州《論語》斷代，鑑定標準之一應是書法。惜公佈的墓葬竹簡圖版屬《論語》者僅一簡，且照片不清，⓬可以看到的是漢隸，⓭而非如馬王堆《老子》甲本那樣的「漢前隸」（我語，即猶有微些篆意）。另外，陳夢家等先生指出：即明顯是西漢晚期抄寫的《儀禮》本避諱亦僅避高帝諱，其他中亙數帝一概不避，⓮想為西漢後期以來成例，故以避諱求斷代亦刻舟求劍矣。況若《論語》既從漢初立即有定本，何知名的習《論》大師僅漸起於武廟，而大興於宣朝？據陳東研究，魯、齊《論》之別大致僅在字詞、分章之間，而不觸及《論語》文本大體，若此，則分齊、魯二《論》意義何在？既一百五十年前已有定本，何前一世紀中葉反起分

❿ 王充：《論衡》卷 28〈正說〉81。

⓫ 梅約翰之說頗可參考，John Makeham, "The Formation of *Lunyu* as a Book," *Monumenta Serica,* vol. 44 (1996)。其他上下可參考熊鐵基：〈經學〉，《漢唐文化史》（長沙：湖南出版社，1992 年），第 6 章；嚴靈峰則謂《論語》成時在文帝時。

⓬ 《文物》，1981 年 8 期，圖版貳：9；並可參考同期〈簡報〉圖八的摹本。

⓭ 馮景昶等：〈從定縣漢墓竹簡看西漢隸書〉，《文物》，1981 年 8 期。

⓮ 甘肅省博物館．中國科學院考古研究所：《武威漢簡》（1964 年）（北京：中華書局，2005 年），頁 52。

裂？

另外就思想內容看亦頗有可疑處，自《荀子》起（《荀子》本身的斷代就大有問題，篇幅成於漢者多）成文早的篇章（應成於前三世紀）提到孔子的極少，荀子本人的反傳統是個決定因素。之後像呂氏《十二紀》等稱引孔子的亦尤寡。⓯如何邁過這前三世紀下半的低谷以達所假定的高帝時復興，⓰則問題很大。〈微子〉篇大部文本所言孔子個人向退隱們的反駁是定州《論語》所有的，這些話與西漢流行的《莊子》中道家人物教訓取笑孔子恰為對鏡反像，這些《莊子》故事成時可入前二世紀中期，⓱說定《論》早過它們，大可存疑。像〈述而〉篇中那句說到「老、彭」的名言（定州《論語》亦有「老彭」）我們認為也應所出稍晚（「老」應是老子，「彭」就是彭祖），前二與一世紀文獻中儒－道交融者（如《禮記・曾子問》）比比皆是，但說前二世紀初黃老思想已盛行到要改變老夫子作語方向，則嫌太早。

總之，我們認為王充的話參考性大些，其他像趙岐的話僅能旁列參考（即：或有「論語前本」之考慮？）。

至於《論語》文本始作於何時（即上限）則難言，估計最早著墨時間可在前五世紀下半。⓲但我們不妨側面探測此問題，即考驗定・今《論》文本的可信度，⓳愈可信則成文時間或愈早？為此我們把郭店、定州這樣的發現作為我們的「思想測聽站」。郭店出土物繫年偏早的是〈緇衣〉和〈五行〉，此二篇作者可能是子思。就今本《論語》看至少在思想上雙方無大不對應處，儘管相同的陳述幾沒有。所謂

⓯ 本文所以稱「呂氏《十二紀》」是因為據安徽阜陽雙古堆出土文物，呂不韋時似僅有十二紀，八覽、六論皆漢人補綴。可參考胡平生、李天虹：《長江流域出土簡牘與研究》（武漢：湖北教育出版社，2004 年）。

⓰ 朱維錚氏已對此提出質疑。〈《論語》結集脞說〉，《孔子研究》，1986 年 1 期。

⓱ 可參考張恆壽：《莊子新探》（武漢：湖北人民出版社，1983 年）。

⓲ 美國白牧之夫婦力主《論語》文成於前四世紀，惟其方法與依據似不易曉。E. Bruce and A. Taeko Brooks, *The Original Analects: Sayings of Confucius and His Successors* (Columbia University Press, 1998).

⓳ 由於定州《論》基本已具今本規模，故本文以「定・今《論》」表示定《論》以來的今《論》格局。

對應可提兩點：⑴有關〈緇衣〉：《論語》中孔子重「仁」，「仁」的重要在〈緇衣〉中頗可見，如「子曰：上好仁，則下之為仁也爭先。」（簡 10、11）論政之時，《論語》中孔子重君主本身的表率性，這一點〈緇衣〉也說得很透徹。⑵〈五行〉的出現使我們對定‧今《論語》更增信心，因看得出〈五行〉作者（子思）對個中的德目之間有何內在關係至為關注，這反映在〈五行〉之前應有一源頭已把這些德目先做了介紹，我們想像此源頭在作者之祖（即孔子）是相當合理的。分類的來看，〈述而〉篇中「聖人」比「善人」的位階高些（定《論》有此條），與〈五行〉中的「聖」「善」位階對應。而在〈五行〉中「仁」顯然是「聖」之外的四行之長，與吾人所理解的孔子重「仁」亦完全對應。

其他郭店簡儒家文篇我們懷疑或較子思之作稍晚，其中所見的文句與《論語》有關的有：「夫夫，婦婦，父父，子子，君君，臣臣，六者各行其職」（〈六德〉簡 23、24）其反，「夫不夫、婦不婦、……昏所由作也。」（簡 37、38）這和〈顏淵〉篇說的「君君，臣臣，父父，子子」是差不多的，只是〈六德〉篇六者的次序非常有意思，因為它從「夫婦」開始，然後及于「父子」，然後及于「君臣」，似乎指派的（ascriptive）韻味少些。〈尊德義〉中有「民可使道之，而不可使知之，民可道也，而不可強也。」這自然使人想起〈泰伯〉的「民可使由之，不可使知之。」（定州）另外一些小地方也使人想到孔子的話是不是已為人所熟知？如〈六德〉說：「聖生仁」（簡 35）而〈述而〉說：「若聖與仁，則吾豈敢？」（定州），把「聖」與「仁」拉得很近，和〈唐虞之道〉說的「縱仁聖可與」都可參照來看，說明至少「仁－聖」聯用在前五、四世紀之間一段時期中較流行或慣用，也間接提高了《論語》的大部文本出自孔子的可信度。其他像我們如果懷疑孔子說過「道不行，乘桴浮于海」的話，至少我們知道郭簡中「道」的定義不必限制於道家的玄道中，郭簡中這樣的證據不少。

再看郭店〈語叢〉簡中和《論語》關係最明顯的兩三小段。該批簡的作時要比墓中其他多數諸簡晚，約在前四世紀中期。〈語叢三〉有「志於道，據於德，倚（？）於仁，游於藝。」（簡 50、51）和「亡意，亡固，亡我，亡必。」（簡 64 上、65 上），前者與〈述而〉篇的「子曰志於道……」說除了「德」後字不確定外（今本作「依」），其他完全一樣。後者與〈子罕〉篇的「子絕四」除了次序不同外（今本作「毋意，毋必，毋固，毋我。」）內容亦完全同（而以郭店文本顯得原始），定《論》中有「志於道」章而無「子絕四」章，但按可能對應的章數算，定《論・子罕》當基本與今本同，則存亡之別意義不大。〈語叢二〉還有「小不忍，伐大彭」（簡 51）古文字學家多把後一半讀為「敗大勢」，與「小不忍，亂大謀」（據定州本）亦可對應，則二者必有傳承關係。〈語叢三〉簡長 17.6－17.7 釐米，與定州《論》簡長相近（16.2 釐米），正王充所謂的「懷持之便」，於是從〈語叢〉到約三百年後的定州《論語》形制、思想都有些一貫性。〈語叢〉我們知道是郭店墓主的筆記，其中與《論語》有關的數條是從儒門某士處抄來或聽來的？

之後《孟子》一書對孔子的話引用得尤有意識（〈盡心〉中說了孟軻紹述前人的志向），且引用的孔子的話大都在定・今《論》中可見。下及湖北雲夢睡虎地出土的秦簡〈為吏之道〉文本，則尤見定・今《論》中思想，如「毋行可悔」、「恭敬多讓」等句，與「言寡尤，行寡悔，祿在其中矣。」（〈為政〉，定州有）「溫良恭儉讓」（〈學而〉，定州無）相對應。「言寡尤」段尤值得注意，那是孔子向要學做官的子張說的，怎麼就那麼巧收進了秦初「為吏」的手冊？這些話屬於通俗層次，有如包山楚簡中的卦畫，反映當有更高層次文本作為此思想輻射之源。當然完全可能這些僅是當時流行的說法，吾人無由知道是蛋先雞先，不過《論語》的話在語氣上像是春秋人語。且由定至今《論》文本大致穩定，反映其權威之迅速建立，則以之代表孔丘及其門的思想吾人可以基本肯定。以下談談不肯定的方面。

像郭店〈語叢〉所寫多條（自一至三冊不下一百幾十條），與《論語》有關的數條全不冠以「某曰」或「子曰」之類的說明，難道必排除這些話僅為墓主自己的反思隨筆，後來逐漸「甄選」進了《論語》的可能？且西漢《論語》有無受當時文本膨脹影響之可能，例如〈憲問〉篇的「子路問成人」章在同定州墓出土的〈儒家者言〉簡中出現，且內容與定・今《論》不同，則吾人如何得知「入圍」《論語》的就有思想肯定性？又如今〈子路〉篇中有「子曰：君子和而不同，小人同而不和」的話，這與〈五行〉中說的「和則同，同則善」（簡 31、32）完全背道而馳，換言之，如果孔子對「和」與「同」之分如此明確，作為孔子之孫的子思怎能賦予「同」如此高的價值？在定《論》中無此條。這雖不一定就表示該章晚出，但至少今本中可存疑的文本應是有的（參見註㊼）。

《論語》之寫成是個題目大材料少的問題，主要問題為傅斯年所提的先秦成書演變三階段所道盡：《論語》著墨時屬最早的「記言」階段，⑳伴儕文本極少，繫年者難以旁敲側擊、輾轉攀緣。這問題在《孟子》文本斷代上恰不存在。

三、《孟子》

戰國西漢文獻近年陸續出土亦惠及《孟子》，尤其〈五行〉篇在馬王堆和郭店的相續發現（在馬王堆還在其篇後發現了「說」說明至遲在漢初該篇已晉至「經」的地位），㉑是為蠡測其著作歷史性的大扭點。此文本的發現解決了千年來難解之謎，那就是為什麼《荀子・非十二子》會說：「子思唱之，孟軻和之」，編造理論，「謂之五行」。後世學者不解孟子跟金木水火土有什麼關係，儘管唐楊倞的注說這「五行」是「仁義禮智信」（錯了一樣），一直到上世紀，學者多半還只能以金木水……來理解荀子所指。㉒至少〈五行〉篇的出土使得何謂「五行」的問題得以解決，而子思思想為何亦首次得到具體的文本依據，使得「思孟」學派研究亦因而崛起。

但今日學者眼望著〈五行〉篇仍不一定立即理解荀子怎麼說「子思唱之，孟軻和之」。更怪的是大部分學界對「思孟學派」的注意力多沒放在郭店出土的關鍵儒簡上，㉓乃至於何謂「思唱孟和」與為何「五行」和孟軻會產生關係的問題學界恰似擦肩而過。直到較近的杜維明編《思孟學派新探》（副標題）㉔才對由思至孟如何傳承的問題有稍聚光的關注，但可惜傳統印象中的子思著作和出土後確認的子思

---

⑳ 其他二階段為「著論」、「成書」，見傅斯年：〈戰國文籍中之篇式書體——一個短記〉《中央研究院歷史語言研究所集刊》，第1本第2份（1930年）。

㉑ 何謂「經」不妨參考平岡武夫：《經書の成立》（1946）（東京：創文社，1985年）。

㉒ 古學專家如李學勤者還是堅持《荀子》言「五行」為自然元素，而帛書〈五行〉必為「蹈襲《孟子》」而成。李學勤：〈帛書「五行」與《尚書・洪範》〉，《學術月刊》，1986年11月號。

㉓ 關於「思孟學派」的內容，梅約翰早已提出了質疑。John Makeham, *Lost Soul: "Confucianism" in Contemporary Chinese Academic Discourse* (Harvard University, 2008)。

㉔ 杜維明編：《思想・文獻・歷史》（北京：北京大學出版社，2008年）。

著作並未分清，乃至自出土文物而來的新優勢頓失，故剩餘的討論空間仍很寬裕。

思－孟傳承與荀卿的指控不經過一番探尋和復原是難以理解的。我曾作一番整理，今綜述於此：首先，五行觀是子思較宏觀地把孔教的各種德目作了排比，但仁、義、禮、智、聖的這五德目并非平等，子思提出了「聖」德的綜合性質：「德之行五，和謂之德，四行和謂之善。善，人道也，德，天道也。」（簡 4、5）又說「聖知，……五〔行之所和」也，和則樂，樂則有德。」（簡 28、29）則「聖」德既為五行之總，又因「聖」與「智」德近，在意義上二者有重疊，故「聖」德一方面為五行的平等一員，一方面又因與另一員關係不清，乃至淩駕其他四行，這些盤結使子思的「五行」道德系統內部承重很大。孟軻的創見在於他去除了「聖」德而改以「四端」姿態來體現那「善」的「四行」（仁、義、禮、智），原系統中的內壓才大為減輕，孟軻也得出了他的性善論說，㉕而「五行」（和〈五行〉）後來（唐後）因為孟說取代而終於消失了。但我們這樣的討論只證明了《孟子》文確承子思脈絡而來，有無其他佐證，幫助我們把《孟子》文本在繫年上更加約制？

這可分兩方面談：思想與史實。拙二〇〇八年的「楊朱」（此為訛稱，正確稱呼應為「陽居」）研究把陽居本人的著作與傳承基本確定（著作就藏在《老子》之中，經郭店「老子」而顯現）。㉖順此，則孟軻的活動年代與交游亦大致可循，其年輕時在稷下與陽居門人頗有交往。透過此層了解，方知《孟子》書中的很多思想所本，如書中有「赤子之心」（〈離婁下〉），這和《老子》中（陽居）的「含德之厚者比於赤子」絕對是有關係的。㉗同時《孟子》書中反對「仁內義外」的討論也在郭店簡文中得到印證，郭店多項簡文遵循的正是「仁內義外」的道理，反映「仁內義外」命題在戰國中期的儒學界非常流行。㉘我們把《孟子》和郭店簡對讀

㉕ 詳拙〈五一四運動：論思－孟傳承〉，未刊。

㉖ 〈誰是楊朱？——聽史華慈的〉，收許紀霖、朱政惠編：《史華慈與中國》（長春：吉林出版集團，2008 年）。

㉗ 關於此，郭沂談了一些，郭沂：〈老子對孟子思想的影響〉，陳鼓應編：《道家文化研究》，6 輯，1995 年，其他諸家亦有所涉及，不詳列。

㉘ 詳拙著〈墨孟之間：性善說的醞釀〉，武漢大學中國文化研究院編：《郭店楚簡國際學術研

才知道孟軻的重要在於他打破了德目內外異源的局面，從基礎起把子思的「五行」體系做了大翻修，徹底排除了「德」由外鑠說，這也是與孟軻所接觸到的陽居門較凸顯的自我感不脫關係的。

另一方面是吾人對《孟子》文本的純粹歷史事件記載的印證，就提兩方面例子吧：⑴〈滕文公〉篇記載他在滕遇見了老朋友的弟子陳相，而〈告子下〉篇記載了他遇宋牼於石丘，談起「秦楚構兵」的事，羅根澤因推出此離孟子居滕時不遠。㉙郭店墓中所葬其實就是孟軻的老朋友沈章（記者誤為「陳良」），孟軻罵陳相「倍師」是因「陳良」去世不久，陳相卻從許行習君臣並耕，自該墓葬具形制斷墓閉時確為前四世紀晚期，與丹陽戰役時近，故書中記載可謂準確。⑵與齊王有關取燕與否的對話內容都與當時國際風雲吻合，㉚甚至〈離婁〉的齊人有一妻一妾故事可能是孟軻對齊國國際政治的評語，是為有記錄的最早政治寓言之一（文後的勵志演說小段「由君子觀之……」應為後人所加）。全書如此契合歷史事件是古文獻中少見的。

但儘管如此，《孟子》書文頗長（三萬餘字），難以想像其中絲毫無後加的演繹，㉛但在未證明何處為偽之前，應賦以總的信任。為什麼《孟子》那麼得天獨厚呢？與社會、政治因素都有關係，如前所提，先秦至漢為中國書籍長成之時，到了前三世紀寫作文本聚篇成「書」，如《荀子》、呂氏《十二紀》等都是，《孟子》文本書寫後不久成書已成俗，故不致散亡。注《孟子》的東漢趙岐說孟軻本人及參加關鍵文本的釐定，宋元人王應麟讚其書「筆勢如熔鑄而成，非綴輯所就。」㉜恐非偶然，秦火時（趙岐說）《孟子》「號為諸子，故篇籍得不泯絕。」這是說《孟

討會論文集》（武漢：湖北人民出版社，2000 年）。

㉙ 羅根澤：《孟子評傳》（上海：商務印書館，1932 年）。

㉚ 楊華在這方面已有研究，可參考楊：〈孟子與齊燕戰爭：兼論《孟子》相關篇章的文本編年〉，《中國哲學史》，2001 年 3 期。

㉛ 可參考嚴靈峰：〈孟子萬章篇一段錯簡的改正〉，收《無求備齋學術論集》（臺北：中華書局，1969 年）。

㉜ 《困學紀聞》卷八。

子》在前三世紀被劃儒家主流之外，㉝塞翁失馬。之後又有剪除外篇之舉，故自古至今的嘉評是實至名歸的。㉞

《孟子》成時為何？曰：可離孟子生時不遠，即前三世紀。

四、《大學》、《中庸》

《大學》、《中庸》本皆《禮記》中文，朱熹《大學章句》言《大學》「經一章，蓋孔子之言，而曾子述之。其傳十章，則曾子之意，而門人記之也。」亦有別說者。但無論說出於子思，㉟還是稍早的曾子，其時序都在孟軻前。故一直到最近，學者多以此時序為倚，㊱當然質疑的聲音亦時可得而聞。㊲

程頤說：「於今可見古人為學次第者獨賴此篇之存一章，蓋孔子之言，而曾子述之。其傳十章，則曾子之意，而門人記之也。」很可能就是為什麼他把《大學》從《禮記》中取出，成為獨立一書。由於《大學》的「經文」已經包含了這「次第」的構想，本文的討論且先限於經部分。

《大學》經所言可分為八階（舊稱「八條目」）：

格物－致知－誠意－正心－修身－齊家－治國－平天下

反過來是：

㉝ 這由陸德明《經典釋文》未收《孟子》可為旁證。

㉞ 評語多「翔實」、「完整」之類。如呂濤：〈《孟子》的作者〉，《孔子研究》，1986 年 3 期，頁 124。嚴靈峰：〈孟子萬章篇一段錯簡的改正〉，頁 561。

㉟ 如郭沂：〈子思再探討：兼論《大學》作于子思〉，《中國哲學史》，2003 年 4 期，頁 30－31。

㊱ 如 Paul R. Goldin, *Confucianism* (University of California Press, 2011)。

㊲ 自馮友蘭主《大學》出《荀》後以來，勞榦又說其出孟後，一直到最近的雲韜等。

明明德于天下－治國－齊家－修身－正心－誠意－致知－格物

這一段很容易勾起我們對《老子》的「修之身……修之家……修之國……修之天下……」的聯想，而不少熟悉道學的專家們已經指出這前後的影響關係。[38]但問題是：作此書的道學研究者大多已假設《老子》書出於春秋，如果說《老子》書可能出於戰國，而《大學》又有曾、伋手印的可能，則孰先孰後，是否猶在未定？

這問題本來無法整理，現在有了郭店材料的出土，繫齡方見頭緒。確實此以己身為中心的社會同心圓說最早起於《老子》文本，本部分在戰國中期即有，[39]組成了這「八階」的前一半。先有了這部分《老子》文本作為引源，才有孟子的「人有恒言，皆曰天下國家，天下之本在國，國之本在家，家之本在身。」（〈離婁上〉）之後有呂氏《十二紀・先己》的「昔者先聖王成其身而天下成，治其身而天下治。」《呂氏春秋・覽》有「詹子以為為國之本在於為身，身為而家為，家為而國為，國為而天下為。」（〈執一〉）至於《管子・牧民》說「以家為鄉，鄉不可以為也；……以國為天下，天下不可以為也。」談的是在什麼條件下這同心圓兜不轉了，是更深化的反芻思想，也等於是道家討論這同心圓的反命題，時間上當然還在《呂覽》之後。《大學》前瞻統籌猶勝《管子》，故猶在其後。

「八階」的後一半更明顯指向產自漢代，《管子》是重要的參考點，該書中文把「修身」在「修心」的道理說得特別透徹。例如：

> 形不正者德不來，中不精者心不治。正形飾德，萬物畢得。翼然自來，神莫知其極。昭知天下，通於四極。是故曰，無以物亂官，毋以官亂心，此之謂內德。是故意氣定，然後反正。氣者身之充也。行者正之義也。充不美，則心不得。行不正，則民不服。（〈心術下〉）

---

[38] 如金德建：〈《大學》思想和道家的關係〉，氏著《先秦諸子雜考》（鄭州：中州書畫社，1982 年），後如涂又光、孫以楷又次第及之。

[39] 詳見拙作〈譜成《老子》的三個關鍵作者〉，《湖南省博物館館刊》，2005 年 2 期。

意以先言，意然後形，形然後思，思然後知。（同上）

《管子》的斷代以前羅根澤說零星部分是漢代的不少，㊵其實通書除了嵌有些許先秦元素外，其框架無非皆漢，故書中的這種「內業」秩序感若比《大學》原始，則《大學》所出之晚可想。

關於《大學》八階的第一——「格物」，仍應注意《管子》，其〈宙合〉篇說：「故圣人博聞多見，畜道以待物。物至而對形，曲均存矣。減，盡也，溜，發也。言遍環畢，莫不備得。」這講的不出認知論的範圍，漢代本在認知上有大成就，從《荀子》到《莊子》都可見出（我們認為《莊子》大部亦出漢，見拙書稿「老子的基因」）。這裡說的「對形」對我們理解「格物」大有幫助，因為這和南北朝說的「格義」是對應的。鄭玄注《大學》引了《尚書》的「格爾眾」，又說：「格君心之非」，其實都是同義，就是：「格」即通過一定的規約、限制或範圍加以理解或處理，章太炎說：「格物者，格距於其軌度」㊶則近是。古人有解之為「至」的，雖以今人眼光看顯得僻遠，但亦無妨。古「物」由「勿」來，或非我之意，郭店〈語叢二〉：「亡物不物，皆至焉。」（簡 64 下、65 下）也許是說沒有一樣東西我不看成是東西，都可理解，「至」或可作知道、理解講，那麼「格」解為「至」也通。

《大學》經具體成時為何？我們認為不早於前一世紀初期。㊷至於其「傳」應作於經文成後不久，因「傳」一般出於「經」後，而《大學》的經－傳關係很密切，不像是已寫了太久以後新加的，但吾人無空間繼續討論了。

㊵ 如羅根澤：《管子探原》（香港：太平書局，1966 年）；郭沫若：〈侈靡篇的研究〉，《歷史研究》，1954 年 3 期。

㊶ 章太炎：〈說物〉，收《太炎文錄初編・文錄》，卷一。

㊷ 武內義雄已主張《大學》出武帝後。武內氏：〈大學篇成立年代考〉，氏著：《老子原始——附諸子攷略》（東京：清水弘文堂，1967 年）。梁濤說：「《中庸》的思想比《大學》較為成熟，故《大學》應在《中庸》之前。」也是正確的。梁氏：〈《大學》早出新證〉，《中國哲學史》，2000 年 3 期，頁 95。

關於《中庸》，傳統與現代討論其作者（包括時代）的不少，[43]自古傳作於子思，但自歐陽修起已有人發出懷疑的聲音，[44]及清更有人提出《中庸》成於統一帝國期的。那麼《中庸》是不是子思所作的呢？藉著早期文獻的出土，這個問題應較明朗了。

我們認為說《中庸》源自子思不是沒有根據的。關鍵在於〈五行〉篇的發現，〈五行〉出自子思應不成問題。《中庸》中的很多觀念襲自〈五行〉篇，如《中庸》講「慎獨」，〈五行〉篇有「慎其獨也」語，但《中庸》談「君子慎其獨也」是在一種超乎聞見、與天地鬼神通的前提下談的，這和〈五行〉的「淑人君子，其儀一也」的社會性「慎其獨」是完全不一樣的。當然它接下話題說明〈五行〉確是我們要找的《中庸》的上流之一，但說〈五行〉、《中庸》是同作者就格格不入了。如所謂的「致中和」觀念也是《中庸》中極為關鍵的觀念。〈五行〉說：「仁形於內謂之德之行，不形於內謂之行」，說這個「內」就是「中」也可，而「中心」在〈五行〉也很重要（簡 5、6、32、33）。至於〈五行〉說的「德之行五，和謂之德」跟「聖，……五〔行之所和〕也，和則樂，樂則有德。」則是「和」的討論，那麼說《中庸》於〈五行〉有所繼承，也難說不。

但《中庸》對子思思想最重要的繼承或在於〈五行〉說的「聖人知天道也」的觀念，〈五行〉說「德，天道也。」同郭店簡〈成之聞之〉篇說「順天常」（簡 38），又說「昔者君子有言曰：『聖人天德』曷？」（簡 37）都像在演繹同一話頭。《中庸》通篇在講人與天的感通，〈五行〉的天－人溝通為《中庸》天－人觀設下了框架，這可說是《中庸》採自子思母源頗得力的證據。《中庸》又說：「苟不固聰明聖知達天德者，其孰能知之？」（〈仲尼之道〉）不但這裡所談的「聖知天德」只有從〈五行〉中摘出，而且〈五行〉中確實是討論了「聖人」的超然聰

---

[43] 這問題綜合得較有序的，中文有吳怡：《中庸誠的哲學》（臺北：東大圖書公司，1976年）；英文有 Christian Soffel and Hoyt Tillman, *Cultural Authority and Political Culture in China: Exploring Issues with the zhongyong and daotong during the Song, Jin, and Yuan Dynasties* (Stuttgart: Franz Steiner Verlag, 2012)。

[44] 《中庸》之見容於宋，可參考夏長樸：〈論中庸興起與宋代儒學發展的關係〉，《中國經學》，2 輯，2007 年。

明，並達天道。所以《中庸》沒有〈五行〉思想元素作鋪墊怕是難成的。

《中庸》繼承了孟子的思想嗎？我們認為也有，㊺如《孟子》說：「親親，仁也；敬長，義也。」（〈盡心上〉）「未有仁而遺其親者，未有義而後其君者也。」（〈梁惠王上〉）而《中庸》說的是「仁者人也，親親為大；義者宜也，尊賢為大。」這樣一說，命題便不一樣，《孟子》的說法描述的性質較大，《中庸》的說法指令的性質較大。且把「先君」改成了「尊賢」明顯是漢人手筆，西漢之時「尊賢」思想盛極一時。其他像《孟子》〈離婁上〉、〈盡心上〉好好地討論了「誠」，因而奠定了「誠」德的基礎，接著「誠」在《韓非》、《莊子》中都有所演繹（如後者說「脩胸中之誠，以應天地之情」，出〈徐无鬼〉），到了《中庸》才有「唯天下至誠，為能經綸天下之大經。」（〈仲尼之道〉），把《孟子》「誠」的力量大大地豐實了起來。

除了對於思－孟的繼承外，本文必須強調《中庸》與道家思想的關係。㊻如說「唯天下至誠，……則可以贊天地之化育」可視為「郭店老子」甲篇「化」思想之衍伸。漢代道家人講「前識」的能力（如《韓非‧解老》），《中庸》就說：「至誠之道可以前知。」也許重要的一步是接受了所謂的「天生人成」的觀念，呂氏《十二紀‧本生》說：「始生之者，天也；養成之者，人也。」就此奠定了《中庸》之中最重要的觀念之一。同書中〈先己〉所說的「順性則聰明壽長」似在《中庸》論舜的「大孝」有了響應：「故大德必得其位，……必得其壽。」而《莊子》的影響亦在在可見：例如說「舜其大知也與」，很明顯地是出自〈逍遙遊〉的「小知不及大知」，同書〈則陽〉說的「復命搖作，而以天為師，人則從而命之也。」是說「復命」則惟天是從，人不過是執行（天）命（「命之」）罷了。這不但是為「天命之謂性，率性之謂道」打下基礎，也為《中庸》典型的「誠－誠之」觀念偶

㊺ 杜維明先生已說《中庸》不必作於《孟子》前，與多數哲學家不同。Tu Wei-ming, *Centrality and Commonality: An Essay on Confucian Religiousness* (State University of New York Press, 1989), p.17。

㊻ 關於此，顧頡剛早有所論，見其 1921 年致胡適信，收《顧頡剛自述》（劉俐娜編）（鄭州：河南人民出版社，2005 年），77 頁。其後說道家影響《中庸》的大有人在，惟是不是說在點上則視指涉中否。

以為天人之辨的基礎立下張本。我們還要問：為什麼《中庸》作者獨鍾子思文本中「慎獨」觀念，乃至於談到「至誠之道可以前知，……至誠如神。」不是由於〈在宥〉說：「出入六合，遊乎九州，獨往獨來，是謂獨有。獨有之人，是謂至貴」？《中庸》明顯是把幾條綱線（《孟》、《莊》等）搓揉辮結了。

最有意思的是第二十章的「思知人不可以不知天」的話，這話分量很重，因為這正是《荀子》對《莊子》批評的正面反駁，〈解蔽〉說：「莊子蔽於天而不知人。」更有甚者，《莊子・徐无鬼》說「夫仁義之行唯且無誠，且假乎禽貪者器。」同篇特重「修胸中之誠，以應天地之情而勿攖。」「修誠」就是《中庸》所說的「誠之」。「修誠」是如此自然（「勿攖」就是不要去擾動干涉它），它比「仁義」事體還大，這與《中庸》所言已幾一樣了。只是《中庸》說得更透徹，它說「誠者天之道也。誠之者，人之道也，誠者不勉而中，不思而得，從容中道，聖人也。」所謂的「不思而得」還是得自道家，如呂氏《十二紀・本生》說：「不謀而當，不慮而得。」《莊子・刻意》說：「不思慮，不豫謀，……乃合天德。」〈天下〉：「不慮而對」，難以想像《中庸》不是在這些文本的環視下寫成，否則何以用「中庸」二字作全書脊樑？該詞出《荀子》：「中庸民不待政而化」（〈王制〉），㊼原是中間偏負面的用語（前一句話是「元惡不待教而誅」）。《莊子・天下》篇說莊周「獨與天地精神往來而不敖倪於萬物，不譴是非，以與世俗處。」這基本就是《中庸》說的「極高明而道中庸」了。故吾人無法忽視《莊子》給《中庸》的提示。㊽

同時，漢代諸雜家的調和亦非常重要，如《管子》說：

> 所以失之者，必以喜樂哀怒。節怒莫若樂，節樂莫若禮，守禮莫若敬。外敬而內靜者，必反其性。（〈心術下〉）

㊼ 一般說「中庸」一詞出《論語・雍也》，該章不但定《論》無，唐寫本鄭注《論語》亦無，所出何時就不知了。

㊽ 關於這一段錢穆已說「若非深通《老》《莊》，則《中庸》此一節語終將索解無從。」錢穆：《莊老通辨》，頁275。

把這些話和下將引的《春秋繁露》語合起來，儼然已經是「喜怒哀樂之未發，謂之中；發而皆中節，謂之和」的底本了。「性」是自然的，《孟》、《莊》之後這已經不容懷疑，但《中庸》越過《孟子》，不談「盡心」而談「盡性」；孟子把工夫作在「心」上是繼承子思（〈五行〉）的話匣，《中庸》把文章作在「性」上是繼承了《莊子》的話匣。孟軻所謂的「盡其心者知其性也」有探索心的極限的意思，他說「知者無不知也」（皆出〈盡心上〉），在認知上他是樂觀的。《中庸》所謂

> 唯天下至誠，為能盡其性；能盡其性，則能盡人之性；能盡人之性，則能盡物之性；能盡物之性，則可以贊天地之化育；可以贊天地之化育，則可以與天地參矣。

則進入到了「靈冥經世」的境界，是《淮南子》以來才有的東西。

什麼叫「靈冥經世」呢？就是通過想象中的我與自然界中非可見力量的溝通而具備的等同或參與自然的能力，如《淮南子・本經訓》說：「乘太一者牢籠天地」。先有這種我與天地對等的神奇關係，才能逐漸馴化之，而成為我告別被動、參與天地化育的介質。如此，則人與宇宙造化的過程不是兩個互相隔絕的系統，相反，按道家的說法，人通過修煉是可以拿捏造化的。儒家原不講這些，講的完全是自己的心力，像孔子說「我欲仁，斯仁至矣。」孟子說「浩然之氣」「塞于天地之間」，「配義與道，無是，餒也。」（〈公孫丑上〉）是為《中庸》說「靈冥經世」的儒家本源。這種「氣」要養，所以《中庸》說要「誠之」，以達「至誠」，以到達「與天地參」的境界。《中庸》順《孟子》而來，但或許為了偽裝直出自子思，故意避開談「善」，其實所謂「率性」、「盡性」不用「性善」的底蘊去理解就很困難（《中庸》不是說：「誠身有道，不明其善，不誠乎其身矣」嗎？），故所謂的「率性」和《大學》的「止於至善」是堂兄弟。同時我們反觀《春秋繁露》的〈循天之道〉篇對「中和」的闡釋於架構上、價值上都似接近《中庸》：「夫德莫大於和，而道莫〔不〕止於中；中者，天地之美達理也。」㊾《管子・白心》有

㊾ 胡志奎已論董仲舒等影響至詳。胡志奎：《學庸辨證》（臺北：聯經出版公司，1984 年）。

「和以反中，形性相葆」語，也比上言的〈五行〉靠近《中庸》。非經過孟、莊、董的系列薰陶，《中庸》恐卒難成。

關於《中庸》，早有一批學者認為其晚出，時間則自戰國中期至漢初不等，胡志奎先生主張尤晚，在董仲舒對策之後，本文同意。《中庸》裏有「今天下車同軌、書同文，行同倫」字樣，清以來經學家們也都側目而視了。有當今學者替《中庸》打圓場，說文本中是有駁雜處，但大部分仍是子思之言。其實漢人手跡何止於此？《中庸》大談「知微之顯」和「博學之」，是漢人的認知習慣。談「柔遠人」而不談「攘夷」，與《鹽鐵論》中文學賢良的論調相平行，尤切合前一世紀南北匈奴內服事。總之，《中庸》大幅減輕了從子思到孟軻一貫對「聖」德的討論（儘管維持甚至增強了形而上趨勢），說明該動量已是強弩之末。

《史記・孔子世家》說：「子思作《中庸》。」宋王柏認為《漢書・藝文志》中說的《中庸說》二卷出今本的《中庸》前，[50]但何以班固時尚稱《中庸說》的作品在史遷時倒反稱以較「摩登」的名詞「中庸」？《史記》中頗見後人增補改動處，疑〈世家〉文不免。

對《中庸》斷代與作者問題的不安已反映於歷來學者總喜對《中庸》文本上下其手，至遲自南宋王柏始已挪動調度，以緩解內壓。但至今積累問題之多，使得即使是堅持置《中庸》於子思名下者亦每願割半壁江山以求偏安。可惜學者們所提議的割讓計劃並不能換取太平：以最新的二提議為例，李啟謙說：今本《中庸》三十三章第二十章中後部以下皆可僅作參考；[51]郭沂則認為前二十章大部非子思所作，而自第二十章起，[52]則絕對應為子思所作。二說互見，前說切除第二十章中部以後是因為可去不少明顯有問題的文本（如「車同軌……」），而後說則認為前二十章中絕大部分文本是「《論語》的佚文」（實際上即是從《論語》文本發展出的衍

[50] Soffel and Tillman, *Cultural Authority and Political Culture in China*, p.83.

[51] 李啟謙：〈子思及《中庸》研究〉，收楊朝明、修建軍編：《孔子與孔門弟子研究》（濟南：齊魯書社，2004 年）。

[52] 值得一提的是：這今第二十章已非唐時面貌，在孔穎達的《禮記正義》中前後文本原分屬二卷，朱熹搓而為一。

義），故唯有之後的部分才可能為子思的創作。[53]但如果我們二提議合觀，則剛好只能達於今《中庸》無子思本人下筆的結論，與本節所論合。

然則《中庸》文本究成於何時？曰不早於前一世紀中期。

五、結論

用通俗話說，四書是「原始儒家」的壓箱文本，則其斷代問題不可謂不大。國內改革以來學術欣欣向榮，唯叩問經書之齡，專家們的意見則頗以最傳統的說法為依歸。我國古代思想研究一向屬於「哲學」範圍，「思想史」是改革開放以來才日趨流行的名詞，也許這其間的過渡太匆促了，儘管一時以思想史研究自居的學者大有人在，但多數僅作「古代哲學」研究，並沒有在「史」上做功夫，侯外廬等已經說了：「研究子思、孟軻的學派性首先應該確定他們著作」。[54]郭店發掘以來，何謂「思孟學派」的問題似乎收穫較少也許正因為從著作辨認起習作即不嚴謹，則其行不能遠。《論語》成文斷代所行亦未能太遠，那是因為受其著作時代與環境之所限，高信資料不多，但至少體認到極限處境，比不聞不問、依然故我似稍勝一籌。

戰國至西漢這一段由於變遷層面涉及政治、經濟、社會、文化、科技等各方面，已是面對文本繫年者的一大扭曲凹凸鏡。本文無空間把其複雜背景因素一一陳列，至少吾人應提高警覺，不當事事人云亦云。顧頡剛先生說：「現存的古書莫非漢人所編定，現存的古事莫不經漢人的排比。」[55]此僅言漢人對文本上下其手，猶未言及其創作之廣泛深入，如歐陽修所謂「漢興久之，……奇書異說方充斥而盛行，……而〔漢人〕不自知其取捨真偽。」[56]即「身在廬山」的漢人亦無由綜理辨別。近有學者為《中庸》子思說辯護時說起：「司馬遷等皆明言子思作《中庸》，豈可無憑？」問題不是「有無憑」，而是「有何憑」。經漢人手傳下的故紙堆就斷代的眼光來看是一團混亂，手持出土文物一一核對，吾人發現民國期不少學者的看

---

[53] 郭沂：〈《中庸》成書辨正〉，《孔子研究》，1995 年 4 期。

[54] 侯外盧、趙紀彬、杜國庠：《中國思想通史》第一卷《古代思想》（北京：人民出版社，1957 年），頁 372。

[55] 顧頡剛：〈顧序〉，《古史辨》第四冊，頁 21。

[56] 歐陽修：〈帝王世次圖序〉，今人排《歐陽修散文全集・序跋》。

法竟大致是正確的。史學精神與最近三十年執牛耳的「釋古派」還是有尖銳矛盾的。

斷代問題離不開源流問題，故旁流錯渠如何融匯吾人亦須關心。顧炎武曾觀察到「莊、列、百家之言竄入經義」，57亭林當大故之後，故何為儒宗原始經義是所究心。今日我們存心既不在以辨別為排斥，或以指認為崇奉，則「他山之石」可謂多多益善，尤利觸類旁通。之所以儘管無出土文本為《學》、《庸》的直系近親，但一葉甫落，秋林盡染，該二著之斷代於考古發掘之餘亦受惠焉。《學》、《庸》二書為理學中人之所鍾，於構成後世國人之世界觀有其前瞻性，本文拈出如「靈冥經世」意識者亦入洪流，庶幾讀者稍知其源。又，《學》、《庸》之中不乏歷史形成的思想哥登結，一個「格物」，一個「已發－未發」，不知折磨煞多少宋明儒，今明其時代出處，於排難解紛或有小補。

57 顧炎武：〈富平李君墓誌銘〉，《亭林文集》，卷五。

經 學 研 究 論 叢
第 二 十 輯　頁135～170
臺灣學生書局 2012年12月

晚明新四書學研究

劉芷妤*

一、前言

《續修四庫全書總目提要》著錄的明代（1368－1644）四書學著作共四十一本；《四庫未收書輯刊》有六本；《四庫禁燬書叢刊》有四本，《四庫禁燬書叢刊補編》有二本；《新集四書註解群書提要附古今四書總目》提及的著作，單就四書類而言有二三五本，所附的《古今四書總目》有五五三本。❶《四庫全書》僅收十本，存目三十九本，與如今的統計資料成為鮮明對比。

檢索明代以後重要的圖書目錄，發現有大量的四書作品於正德（1506－1521）以後問世，嘉靖（1522－1566）時越發蓬勃發展，延續至明末清初。最先研究四書學在明代的發展史，當推四庫館臣，除了踐履實行、推崇程頤（正叔，1033－1101）和朱熹（元晦，一字仲晦，1130－1200）學說的著作能獲令譽外，未被收錄的書本多遭「講章瑣說」、「陽儒陰釋」、「特自抒其一人之見」、「好議論而不究其實」、「恍惚支離」之流的諷語。現有經學史對此著墨不多，近代探討此問題

---

* 劉芷妤，清華大學中國文學系碩士生。

❶ 本書對人物年代的分類與《四庫》系列叢書不同，如陸隴其（稼書，1630－1692），生於崇禎三年（1630），但活躍時代主要在清朝，《四庫全書》收錄其《四書講義因勉錄》，本書卻仍將其作收入明代。只要生年在明朝，一律視為明人著作。
國立編譯館主編：《新集四書註解群書提要附古今四書總目》（臺北市：華泰文化事業公司，2000年5月）。

的單篇論文有傅武光〈四書學考〉❷，李紀祥〈管志道《大學》改本研究——兼介日本內閣文庫《重訂古本大學章句合釋文》中文鈔本〉❸，鄧克銘〈借禪詮儒：袁宗道之四書說解——以「性體」、「格物致知」為中心〉❹、〈張岱《四書遇》註解四書之特色〉❺，吳伯曜〈陽明心學對晚明四書學的影響〉❻和〈陽明學說對《焦氏四書講錄》的影響〉❼、〈「三教合一」思想對晚明《四書》學的影響——以林兆恩《四書正義》為例〉❽，黃俊傑〈張岱對古典儒學的詮釋——以四書遇為中心〉❾、〈如何導引「儒門道脈同歸佛海」：蕅益智旭對《論語》的解釋〉❿，蔡金昌〈蕅益智旭《大學直指》初探〉⓫、〈蕅益智旭《中庸直指》探析〉⓬，朱

❷ 傅武光撰：〈四書學考〉，《國立臺灣師範大學國文研究所集刊》第 18 期（1974 年 6 月），頁 651－928。

❸ 李紀祥撰：〈管志道《大學》改本研究——兼介日本內閣文庫《重訂古本大學章句合釋文》中文鈔本〉，《中國書目季刊》第 22 卷第 2 期（1988 年 9 月），頁 38－46。

❹ 鄧克銘撰：〈借禪詮儒：袁宗道之四書說解——以「性體」、「格物致知」為中心〉，《文與哲》第 16 期（2010 年 6 月），頁 367－396。

❺ 鄧克銘撰：〈張岱《四書遇》註解四書之特色〉，《國立中央大學人文學報》第 35 期（2008 年 7 月），頁 1－36。

❻ 吳伯曜撰：〈陽明心學對晚明四書學的影響〉，《湖南大學學報》（社會科學版）第 20 卷第 2 期（2006 年 3 月），頁 31－37。

❼ 吳伯曜撰：〈陽明學說對《焦氏四書講錄》的影響〉，《傳播、交流與融合：明代文學、思與宗教國際學術研討會論文集研討會論文集》（嘉義縣：南華大學文學系，2005 年 8 月），頁 433－472。

❽ 吳伯曜撰：〈「三教合一」思想對晚明《四書》學的影響——以林兆恩《四書正義》為例〉，《高雄道教學院學報》第 2 期（2006 年 4 月），頁 232－242。

❾ 黃俊傑撰：〈張岱對古典儒學的詮釋——以四書遇為中心〉，《明清之際中國文化的轉變與延續研討會論文集》（臺北：文史哲出版社，1991 年 2 月），頁 323－375。

❿ 黃俊傑撰：〈如何導引「儒門道脈同歸佛海」：蕅益智旭對《論語》的解釋〉，《法鼓人文學報》第 3 期（2006 年 12 月），頁 5－22。

⓫ 蔡金昌撰：〈蕅益智旭《大學直指》初探〉，《興大中文學報》第 21 期（2007 年 6 月），頁 253－272。

⓬ 蔡金昌撰：〈蕅益智旭《中庸直指》探析〉，《興大中文學報》第 23 期（2008 年 6 月），頁 49－66。

宏達〈張岱四書遇的發現及其價值〉⓭、鄭雅芬〈蕅益大師《論語點睛》探究〉⓮、王開府〈憨山德清儒佛會通思想述評——兼論其對《大學》《中庸》之詮釋〉⓯、周群〈陽明學與袁宗道的《四書》詮釋〉⓰亦有涉及；另外，羅永吉《《四書蕅益解》研究》⓱、簡瑞銓《《四書蕅益解》研究》⓲和《張岱《四書遇》研究》⓳、吳伯曜《王陽明《四書》學研究》⓴與《林兆恩《四書正義》研究》㉑、陳昇輝《晚明論語學之儒佛會通思想研究》㉒、陳孟君《李卓吾《四書評》與晚明新四書學》㉓、張曉生《郝敬及其《四書》學研究》㉔、張雅評《王陽明「格物致知」

⓭ 朱宏達撰：〈張岱四書遇的發現及其價值〉，《杭州大學學報》第 15 卷第 1 期（1985 年 3 月），頁 43－49 轉頁 59。

⓮ 鄭雅芬撰：〈蕅益大師《論語點睛》探究〉，《興大中文學報》第 23 期（2008 年 6 月），頁 119－154。

⓯ 王開府撰：〈憨山德清儒佛會通思想述評——兼論其對《大學》《中庸》之詮釋〉，《國文學報》第 28 期（1999 年 6 月），頁 73－99 轉頁 101。

⓰ 周群撰：〈陽明學與袁宗道的《四書》詮釋〉，《孔子研究》2004 卷第 4 期（2004 年），頁 91－98 轉頁 128。

⓱ 羅永吉撰：《《四書蕅益解》研究》，潘美月、杜潔祥主編：《古典文獻研究輯刊》4 編第 28 冊（臺北縣：花木蘭文化出版社，2007 年 3 月）。

⓲ 簡瑞銓撰：《《四書蕅益解》研究》，潘美月、杜潔祥主編：《古典文獻研究輯刊》4 編第 28 冊（臺北縣：花木蘭文化出版社，2007 年 3 月）。

⓳ 簡瑞銓撰：《張岱《四書遇》研究》，潘美月、杜潔祥主編：《古典文獻研究輯刊》6 編第 9 冊（臺北縣：花木蘭文化出版社，2008 年 3 月）。

⓴ 吳伯曜撰：《王陽明《四書》學研究》（高雄市：國立高雄師範大學國文學系博士班博士論文，2007 年 6 月）。

㉑ 吳伯曜撰：《林兆恩《四書正義》研究》，潘美月、杜潔祥主編：《古典文獻研究輯刊》5 編第 18 冊（臺北縣：花木蘭文化出版社，2007 年 9 月）。

㉒ 陳昇輝撰：《晚明論語學之儒佛會通思想研究》（臺北縣：淡江大學中國文學系碩士論文，2002 年）。

㉓ 陳孟君撰：《李卓吾《四書評》與晚明新四書學》（南投縣：暨南大學中國語文學系碩士論文，2004 年 6 月）。

㉔ 張曉生撰：《郝敬及其《四書》學研究》（臺北市：東吳大學中國文學研究所博士論文，2002 年 12 月）。

繼承古本《大學》之詮釋與發微》㉕、賴國誠《蕅益智旭以佛解儒研究——以《四書蕅益解》及《周易禪解》為中心》㉖、吳長憲《周汝登《四書宗旨》之研究》㉗、劉信志《周海門之四書詮釋——以《四書宗旨》為主》㉘、趙一靜《張岱的《四書》學與史學》㉙、扈繼增《功夫與境界——孫應鰲的心學之路》㉚，上述論文對此也有立章節分析。

日本學者鑽研明代四書學較早，荒木見悟的《明代思想研究：明代における儒教と佛教の交流》㉛、佐野公治的《四書學史の研究》㉜，二書截至目前為止依舊為人反覆引用，松川健二編《論語思想史》㉝也論述了對此題目的看法。

其餘以明代中晚期的經學家為主題的論文或多或少也會提及此，但總結如今的研究成果，可知雖然近年來有學人開始針對明代四書學作深入的考察，但是面對汗牛充棟的作品，現有的成果依舊不夠。

二、晚明新四書學產生背景

朱熹制定的《四書章句集注》，自元仁宗皇慶二年（1313）下詔成為取才定本

㉕ 張雅評撰：《王陽明「格物致知」繼承古本《大學》之詮釋與發微》（花蓮縣：東華大學中國語文學系研究所碩士論文，2005 年 1 月）。

㉖ 賴國誠撰：《蕅益智旭以佛解儒研究——以《四書蕅益解》及《周易禪解》為中心》（彰化縣：明道大學國學研究所碩士論文，2008 年 6 月）。

㉗ 吳長憲撰：《周汝登《四書宗旨》之研究》（臺北市：政治大學中國文學研究所碩士論文，2009 年 7 月）。

㉘ 劉信志撰：《周海門之四書詮釋——以《四書宗旨》為主》（臺中市：逢甲大學中國文學研究所碩士論文，2011 年）。

㉙ 趙一靜撰：《張岱的《四書》學與史學》（長沙市：湖南大學專門史碩士論文，2006 年）。

㉚ 扈繼增撰：《功夫與境界——孫應鰲的心學之路》（貴陽市：貴州大學中國古代史碩士研究生學位論文，2008 年 5 月）。

㉛〔日〕荒木見悟撰：《明代思想研究：明代における儒教と佛教の交流》（東京市：創文社，1972 年 12 月）。

㉜〔日〕佐野公治撰：《四書學史の研究》（東京市：創文社，1988 年 2 月）。

㉝〔日〕松川健二編，林慶彰等譯：《論語思想史》（臺北市：萬卷樓圖書公司，2006 年 2 月）。

後，便經由政治力量產生巨大影響，明太祖（1328－1398）開國之初，感於人才難得，對作為取才主要方式的科舉頗為看重，「後頒科舉定式，初場試四書義三道，經義四道。四書主朱子《集注》……永樂間，頒《四書五經大全》，廢註疏不用。」㉞明成祖（1360－1424）雖然廢除原有的考試定本，但所頒布的《四書大全》主要仍宗朱子說法，因此明中葉以前的四書學大多「此亦一述朱，彼亦一述朱」㉟，程朱之學漸漸被視作通往功名利祿的捷徑，士子沉溺詞章訓詁，遑論藉著經典修身養性直達聖人之境，所謂「明代儒生，以時文為重，時文以四書為重」㊱實非杜撰。聖學的乏人問津令王守仁（伯安，號陽明，1472－1529）頗為感嘆：

> 夫聖人之學，心學也，學以求盡其心而已。堯、舜、禹之相授受曰：「人心惟危，道心惟微；惟精惟一，允執厥中。」……聖人既歿，心學晦而人偽行，功利訓詁、記誦辭章之徒紛遝而起，支離決裂，歲盛日新，相沿相襲，各是其非，人心日熾而不復知有道心之微。㊲

聖人之學向內心探求便可理解，不假外求，書籍的作用在於輔助後代明白聖人之心，千言萬語，不過助人擴充本有之善以行仁義，如今古書既然淪為追逐榮華富貴的工具，道心的微妙之處遂罕有人知。

正德十六年（1521），五十歲的王守仁正式提出「致良知」，並以此為教育宗旨，日趨下流的學風的改善契機隱然浮現，嘉靖、隆慶（1567－1572）時期，心學幾與朱學分庭抗禮，佐野公治簡潔扼要的點出：從宋代至明代的經學研究可以視為

㉞〔清〕張廷玉等修纂：《明史》，張元濟主編：《百衲本二十四史》第 37 冊（上海市：商務印書館，1937 年 1 月，上海涵芬樓據清乾隆年武英殿原刊本影印），卷 70，〈選舉〉二，頁 1。

㉟〔清〕黃宗羲撰：《孟子師說》，吳光主編：《黃宗羲全集》（杭州市：浙江古籍出版社，2005 年 1 月），〈題辭〉，頁 48。

㊱〔清〕永瑢等撰：《四庫全書總目》（北京市：中華書局，1992 年 10 月），上冊，卷 37，〈《四書人物考》提要〉，頁 310。

㊲〔明〕王守仁撰，吳光、錢明、董平、姚延福等編校：《王陽明全集》（上海市：上海古籍出版社，2006 年 4 月），上冊，卷 7，〈重修山陰縣學記〉，頁 256－257。

從朱子的四書學的繼承、發展到揚棄的過程，其中明代的王守仁居於分水嶺的地位，到了晚明的四書學自由研究大興，佛教思想也大量流入四書學解釋之中。[38]王守仁的經學與其倡導的心學密不可分，強調經卷固然詳細陳述了前賢講述的道理，並非只有依賴研讀傳注才是明瞭聖人唯一的方法，「心外無物，心外無事，心外無理，心外無義，心外無善」[39]，德性根源在人的本心，把握這一點就能體會聖賢之道：

> 經，常道也。其在於天謂之命，其賦於人謂之性，其主於身謂之心。心也，性也，命也，一也。通人物，達四海，塞天地，亙古今；無有乎弗具，無有乎弗同，無有乎或變者也；是常道也。其應乎感也，則為惻隱，為羞惡，為辭讓，為是非；其見於事也，則為父子之親，為君臣之義，為夫婦之別，為長幼之序，為朋友之信。是惻隱也，羞惡也，辭讓也，是非也；是親也，義也，序也，別也，信也，一也，皆所謂心也，性也，命也。通人物，達四海，塞天地，亙古今；無有乎弗具，無有乎弗同，無有乎或變者也；是常道也。以言其陰陽消息之行焉，則謂之《易》；以言其紀綱政事之施焉，則謂之《書》；以言其歌詠性情之發焉，則謂之《詩》；以言其條理節文之著焉，則謂之《禮》；以言其欣喜和平之生焉，則謂之《樂》；以言其誠偽邪正之辨焉，則謂之《春秋》。是陰陽消息之行也，以至於誠、偽、邪、正之辨也；一也。皆所謂心也，性也，命也。通人物，達四海，塞天地，亙古今；無有乎弗具，無有乎弗同，無有乎或變者也。夫是之謂六經。六經者非他，吾心之常道也。故易也者，志吾心之陰陽消息者也；書也者，志吾心之紀綱政事者也；詩也者，志吾心之歌詠性情者也；禮也者，志吾心之條理節文者也；樂也者，志吾心之欣喜和平者也；春秋也者，志吾心之誠偽邪正者也。君子之於六經也，求之吾心之陰陽消息而時行焉，所以尊《易》也；求

[38] 〔日〕佐野公治撰：《四書學史の研究》，序章，〈四書學史の概況〉，頁 3－43。

[39] 〔明〕王守仁撰，吳光、錢明、董平、姚延福等編校：《王陽明全集》，上冊，卷 4，〈與王純甫〉癸酉，頁 156。

之吾心之紀綱政事而時施焉，所以尊《書》也；求之吾心之歌詠性情而時發焉，所以尊《詩》也；求之吾心之條理節文而時著焉，所以尊《禮》也；求之吾心之欣喜和平而時生焉，所以尊《樂》也；求之吾心之誠僞邪正而時辨焉，所以尊《春秋》也。蓋昔者聖人之扶人極，憂後世，而述六經也。猶之富家者之父祖，慮其產業庫藏之積，其子孫者，或至於遺忘散失，卒困窮而無以自全也，而記籍其家之所有以貽之，使之世守其產業庫藏之積而享用焉，以免於困窮之患。故六經者，吾心之記籍也，而六經之實，則具於吾心。㊵

「而六經之實，則具於吾心」的經學觀伴隨王學的普及衝擊官學權威，科舉政策未改，然而接受良知為作聖根本之說的知識分子與日俱增，詮釋經典的態度也轉變成注重個人良知的展現及自我人格完成，敢於大膽提出己見進而質疑先賢，不再墨守成規，以陽明學作為思想基礎的四書著作如雨後春筍般的出現可為明證。

值得注意的是，雖然王守仁生前對沙門、玄門並無非剷除不可的想法，但曾駁斥被指為禪學一事，並且分辨心學、禪學似同而實異之處正在對人倫、世務的見解，貶責釋氏一心一意只求解脫輪迴之苦乃自私自利的作法，對於道教為求長生故不理世事、閉門修煉的主張亦不少微詞，「佛老之空虛，遺棄其人倫萬物之常，以求明其所謂吾心者，而不知物理即吾心，不可得而遺也。」㊶面對佛老時與朱子並無歧異，專主儒者立場：

夫禪之學與聖人之學，皆求盡其心也，亦相去毫釐耳。……該聖人之學，無人己，無內外，一天地萬物之為心，而禪之學起于自私自利，而未免於內外之分，斯其所以為異也。今之為心性之學者，而果外人倫，遺事物，則誠所

㊵〔明〕王守仁撰，吳光、錢明、董平、姚延福等編校：《王陽明全集》，上冊，卷7，〈稽山書院尊經閣序〉，頁254－255。

㊶〔明〕王守仁撰，吳光、錢明、董平、姚延福等編校：《王陽明全集》，上冊，卷7，〈《象山文集》序〉，收入頁245。

謂禪矣。使其未嘗外人倫，遺事物，而專以存心養性為事，則固聖門精一之學也，而可謂之禪乎？㊷

然而心學直捷的成聖功夫與禪學「明心見性」之說終究相去不遠，又逢晚明佛教復興、全真教大行於世，三教合一論風行，「蓋心學盛行之時，無不講三教歸一者也。」㊸儒、釋、道的障壁愈發混淆，無論儒林、僧侶、道士，宣揚三教會通者比比皆是，吳伯曜〈陽明心學對晚明四書學的影響〉一文中認為主要因素有兩個：「第一，陽明心學強調普遍而內在的超越本體的存在。……第二，陽明心學對佛、道兩家思想抱持較開放、接納與肯定的態度。」㊹文學、戲曲、小說、宗教、音樂、繪畫都有程度不同的呈顯，經學亦不例外，這點在士子注解四書時表現得十分明顯。

《四庫全書》未收錄的作品多半不專尚朱子一說，或者力崇王學，或者發揮己說，或者攝儒歸佛，或者兼容眾說，如林兆恩（懋勳，1517－1598）的《四書正義》、周汝登（繼元，1547－1529）的《四書宗旨》、鹿善繼（伯順，1575－1636）的《四書說約》、劉鳳翔（？－？）的《四書鞭影》、劉宗周（起東，1578－1645）的《論語學案》及《孔孟合璧》、張岱（宗子，又字石公，1597－1680）的《四書遇》……等等，持論雖不一，卻蔚為風潮，替越發死寂的學術界注入一股不可小覷的活力，多元的四書詮釋面向亦藉由大量的著作保留至今。

三、晚明新四書學的特徵

四書詮釋方向因陽明學而改表現在許多層面上，荒木見悟命名為「新四書學」，進一步指出晚明四書作品主要有「重視良知主體」、「儒佛融合的思想」、「以己意自由解經」等特徵；佐野公治歸納為「禁慾傾向的淡化」、「經書觀與聖

㊷ 〔明〕王守仁撰，吳光、錢明、董平、姚延福等編校：《王陽明全集》，上冊，卷 7，〈重修山陰縣學記〉，頁 257。

㊸ 〔清〕永瑢等撰：《四庫全書總目》，上冊，卷 132，〈《知非錄》提要〉，頁 1124。

㊹ 吳伯曜撰：〈陽明心學對晚明四書學的影響〉，《湖南大學學報》（社會科學版）第 20 卷第 2 期（2006 年 3 月），頁 36。

人觀的變遷」、「採用佛老思想解釋四書」三種特色。從兩位學者的研究成果中可看出晚明新四書學宗王反朱、自由發揮、三教融合的趨勢，以下一一分述。

㈠宗王反朱

以陽明心學的內涵取代程朱學說成為經書注解時的普遍現象，更有甚者，質疑、批評者大有人在，朱子學顯然不再獨尊。將時人發難的意見略加彙整，發現集中於體例、內容、義理三方面。

1.反對《大學章句》的體例

《大學》雖是孔門相承之書，本身卻存在著寫作年代、作者、錯簡爭議，林慶彰論錯簡問題，曰：

> 其次，是《大學》的錯簡問題。根據鄭玄、孔穎達用來做注疏的古本《大學》加以觀察，文中似已有朱子所說的「三綱」、「八目」的分別。且自「誠意」以下共六目，也都有隱含的釋文。這種篇章結構，頗引起後儒的懷疑：
>
> ⑴《大學》中的八德目，不應祇有「誠意」以下六目有釋文，而「格物」、「致知」二目沒有釋文。
>
> ⑵《大學》中的三綱：「明明德」、「新民」、「止於至善」，比八德目更為重要，不應沒有釋文。
>
> 這兩點疑問，使後代學者懷疑古本《大學》可能有錯簡或闕文。有錯簡，就必須調整章節順序；有闕文，則要加上補充。由於學者對於《大學》宗旨的認識並不相同，在調整章節順序，或補充闕文時，皆以為自己所改訂的本子與原本最相吻合。但是，《大學》的原本既未曾出現過，則學者以自己為是的作法，就無法得到其他人的認同，人人自己為是，則各各有改本。自宋程顥起，至明末，可知的改本即有數十家之多。㊺

㊺ 林慶彰撰：《清初的群經辨偽學》（臺北市：文津出版社，1990 年 3 月），第 7 章，〈考辨《大學》〉，頁 362－363。

明代學者熱衷於刪改、增補《大學》，此或可作為一因。

分《大學》為經、傳，且為之撰寫補傳乃朱子的創舉，受到二程的啟發，認為三綱領、八條目為孔子親定的經文，至於解釋三綱領、八條目的文字應劃為傳，接著再分傳為十章並加以修改，遂成《大學章句》。朱子的作法到明代中期開始為人所非議，正德十三年（1518），王守仁力主恢復古本，刊刻古本《大學》和《朱子晚年定論》，〈年譜〉繫此事於「十有三年戊寅，先生四十七歲，在贛」條下：

> 七月，刻古本《大學》。
>
> 先生出入賊壘，未暇寧居，門人薛侃、歐陽德、梁焯、何廷仁、黃弘綱、薛俊、楊驥、郭治、周仲、周衡、周魁、郭持平、劉道、袁夢麟、王舜鵬、王學益、余光、黃槐密、黃鎣、吳倫、陳稷劉、魯扶黻、吳鶴、薛僑、薛宗銓、歐陽昱，皆講聚不散。至是回軍休士，始得專意於朋友，日與發明《大學》本旨，指示入道之方。先生在龍場時，疑朱子《大學章句》非聖門本旨，手錄古本，伏讀精思，始信聖人之學本簡易明白。其書止為一篇，原無經傳之分。格致本於誠意，原無缺傳可補。以誠意為主，而為致知格物之功，故不必增一敬字。以良知指示至善之本體，故不必假於見聞。至是錄刻成書，傍為之釋，而引以敘。刻《朱子晚年定論》。
>
> 先生序略曰：「昔謫官龍場，居夷處困，動心忍性之餘，恍若有悟。證諸六經、四子，洞然無復可疑，獨於朱子之說，有相牴牾，恆疚於心。切疑朱子之賢，而豈其於此尚有未察？及官留都，復取朱子之書而檢求之。然後知其晚歲固已大悟舊說之非，痛悔極艾，至以為自誑誑人之罪，不可勝贖。世之所傳《集注》、《或問》之類，乃其中年未定之說，自咎以為舊本之誤，思改正而未及。而其諸《語類》之屬，又其門人挾勝心以附己見，固於朱子平日之說猶有大相繆戾者。而世之學者，局於見聞，不過持循講習於此，其於悟後之論，概乎其未有聞。則亦何怪乎予言之不信，而朱子之心無以自暴於後世也乎？予既自幸說之不繆於朱子，又喜朱子之先得我心之同然，且慨夫世之學者，徒守朱子中年未定之說，而不復知求其晚歲既悟之論，競相呶呶，以亂正學，不自知其已入於異端，輒采錄而裒集之，私以示夫同志。庶

幾無疑於吾說，而聖學之明可冀矣。」㊻

同時段梓行的二書其實相為表裡，互相參照對理解王守仁從什麼角度切入、闡述《大學》有所裨益。《朱子晚年定論》替古本《大學》的梓刻提供了正當性，王守仁視《大學章句》為朱熹的「中年未定之說」，晚年已經「大悟舊說之非」，可惜後人於此一概不曉，誤入歧途卻渾然未覺，因此復原古本並非離經叛道，相反地，這才是符合朱熹心意的作法。

王守仁屏棄《大學章句》中的全部注釋，自為旁釋，又不區別經、傳，遂成如今的《古本大學注》，又名《大學古本旁傍釋》。其〈序〉云：

> 《大學》之要，誠意而已矣；誠意之功，格物而已矣；誠意之極，止至善而已矣。……是故不務於誠意，而本於格物者，謂之支；不事於格物，而徒以誠意者，謂之虛；不本於致知，而徒以格物誠意者，謂之妄；支與虛與妄，其於至善也遠矣。合之以敬而益綴，補之以傳而益離；吾懼學之日遠於至善也，去分章而為舊本，傍為之什，以引其義，庶幾復見聖人之心，而求之者有其要。㊼

以「誠意」為中心要旨，「格物」乃工夫，否定朱子先「格物」後「誠意」的看法；再來提出「誠意」、「格物」不可分割的見解，二者並非漸進式、一前一後的修養方法，乃當下即是、緊密結合；最後說明分「誠意」、「格物」為二易生支、虛、妄之病，還原《大學古本》方能使聖人本意一清二楚。

林慶彰論王守仁的古本《大學》，道：

㊻ 〔明〕王守仁撰，吳光、錢明、董平、姚延福等編校：《王陽明全集》，下冊，卷 32，〈年譜一〉自成化壬辰始生至正德戊寅征贛，頁 1253－1255。

㊼ 〔明〕王守仁撰，吳光、錢明、董平、姚延福等編校：《王陽明全集》，下冊，卷 32，〈《大學古本》原序〉，頁 1197。

> 明武宗正德十三年（1518），陽明刻古本《大學》，作〈《大學》古本序〉第一稿，懷疑朱子的《大學章句》，非聖門本旨，以為《大學》一篇，原無經傳之分，格致本於誠意，原無缺傳可補。可見陽明以《大學》的宗旨在「誠意」。世宗嘉靖三年（1524）陽明作〈《大學》古本序〉第二稿，將《大學》宗旨由「誠意」改為「致知」，且用「致良知」來解釋「致知」；而「格物」則是「正其不正以歸於正」。「致知在格物」，就是「致吾心之良知於事事物物，使事事物物皆得其理」。這種解釋，自與朱子大不相同。然陽明以「良知」來解釋「知」，不免有增字解經之譏。且其晚年的四句教法又有許多流弊，故陽明之後的儒者，對《大學》的理解，仍是眾說紛紜。[48]

確實，世人無法全盤接受王守仁的做法，但就鬆動官學箝制此點來說，古本《大學》所發揮的作用不可等閒視之。

有為數不少的學人承繼王守仁的思想，反對《大學章句》的聲浪越發洶湧，靈峯蕅益（智旭，1599－1655）於《大學直指》中道：「我心既爾，民心亦然，度自性之眾生，名為『親民』；成自性之佛道，名『止至善』。『親民』、『止至善』，只是『明明德』之極致，恐人不了，一一拈出，不可說為三綱領也。」[49]

視補傳為蛇足的學者亦大有人在，劉宗周晚年著《大學古文參疑》時便不諱言：

> 此謂知本，此謂知之至也。
>
> 從《古本》、《石本》所次。
>
> 承上文，而言「知至物格」之義煥然矣。夫《古本》曰「此謂知本，此謂知之至也」，本成文理，而朱本必更之曰「此謂物格，此謂知之至也」，果孰

[48] 林慶彰撰：《清初的群經辨偽學》，第 7 章，〈考辨《大學》〉，頁 365。

[49] 〔明〕蕅益大師撰：《大學直指》，《四書蕅益解》，收入《靈峰宗論》，收入曹越主編，孔宏點校：《明清四大高僧文集》（北京市：北京圖書館出版社，2005 年 1 月），第 5 冊，頁 784－785。

為當乎？故曰「格致」不必補傳也。[50]

律己嚴苛的劉宗周與陽明後學恣肆狂放的作風壁壘分明，但在處理《大學》的版本問題上明顯受當代學風影響，遂於《大學古文參疑》、《大學古記》、《大學古記約義》、《大學雜言》中對古本、朱本、石經的問題三致意焉，由此可以考察劉宗周態度演變的過程。另有焦竑（弱侯，1540－1620）撰寫〈焦氏訂正古者《大學》〉[51]，亦對版本問題發表己見。

以古本為宗的，尚有魏校（子才，1483－1543）的《大學指歸》、廖紀（時陳，一字廷陳，1455－1523）的《大學管窺》、李經綸（大經，1507－1557）的《大學稽中傳》、姚舜牧（虞佐，1543－1627）的《四書疑問》、崔銑（子鐘，又字仲鳧，1478－1541）的《大學古文》、來知德（矣鮮，1525－1604）的《大學古本》、吳應賓（尚之，1565－1634）的《古本大學釋論》、喬中和（還一，？－？）的《古大學註》；除此之外，《大學》和《中庸》皆採用古本的有呂柟的《四書因問》、萬尚烈的《四書測》。崇豐坊石經攻朱子者，有劉元卿（調甫，1544－1609）的《大學新編》、姚應仁（安之，？－？）的《大學中庸讀》；劉斯源（憲仲，？－？）的《大學古今通考》並排眾版本，顯示欲客觀分析問題的用心；另外，李才（？－？）的《大學約言》、管志道（登之，1536－1608）的《重訂古本大學章句》、顧憲成（叔時，1550－1612）的《重定大學》，皆是在此等學風所偃下成書；更有甚者，連《中庸》、《論語》、《孟子》亦遭波及。

《大學》改本於明朝風起雲湧，李紀祥以為與士大夫對朱學的反感有千絲萬縷的關聯：

明代改本之蠭起，吾人以為與明諸子喜藉《大學》以伸己意之意向有關。而

---

[50] 〔明〕劉宗周撰：《大學古文參疑》，吳光主編：《劉宗周全集》（杭州市：浙江古籍出版社，2007 年 4 月），第 1 冊，頁 611。

[51] 〔明〕焦竑撰：《焦氏四書講錄》，《續修四庫全書》（上海市：上海古籍出版社，2002 年 3 月，據大連市圖書館藏明萬曆二十一年書林鄭望雲刻本影印），第 162 冊，卷 2，〈焦氏訂正古者《大學》〉，頁 2。

此風氣，實始於王陽明，陽明倡議復古，又因宋代理學家（主要指程朱，尤其是朱子）講學重鎮在《大學》，故陽明反朱亦自《大學》入手；朱子重編《大學》並作補傳，故陽明即倡古本以反對朱本。陽明雖藉「大學」以進行理學之爭，唯其意實在藉古本申張己學，非真尊古本也。因之王門後學亦多循此方式，承繼師學而必攻朱子，評格物窮理而必及於朱子改本，明代古本、今本之爭即由此而起，明代改本之風氣，盛於正德、嘉靖、萬曆三期，正與王學相埒，則其間風氣之關聯，亦可以窺矣。

明代改本，既蔚成風氣，故其數量亦居歷代之冠，其中豐坊偽石經《大學》獨能與朱本、古本鼎立分席，最佔影響。豐坊在才藝方面誠為有名，但於學術思想方面卻非重要，何以其改本獨能廣受重視？其關鍵在於其訂改本之方式上，彼假造故實（政和石經故事、子思經緯《學》《庸》），託於石經，以此冒越於朱本之上，其意非欲為一改本中之「諸子」，而實欲上儕為一「經」；再則亦因其家萬卷樓藏書之富，有足以使人不能不之信者。復次，由於諸公名卿之崇揚表彰，如鄭曉、耿天台、趙大洲、唐伯元、管志道等。然諸公何以崇揚石經，除與豐坊之偽託有關外，亦別有因。蓋明初在尊朱空氣下編纂之《四書大全》，弊端實多，有識之士皆致不滿，故「石經」之受諸公崇揚，實與對朱子改本之反動心態有關。[52]

無論推崇的是古本、朱本、石經本或採集眾版無所擇當，皆證實了《大學》版本問題引發晚明學子高度地關切，且持續至清朝（1644－1912），如李光地（晉卿，1642－1718）的《大學古本私記》、劉醇驥（千里，1607－1675）的《大學古本私記》、李棠階（樹南，一字文園，1798－1865）的《古本大學集解》、劉光蕡（煥唐，1843－1903）的《大學古義》……等等，至今未有確切解答，車載斗量的著作量呈現了盛行於晚明的學風的歷時不衰。

2.批評《四書章句集注》的注解

[52] 李紀祥撰：《兩宋以來《大學》改本之研究》（臺北市：臺灣學生書局，1988 年 8 月），〈結論〉，頁 354。

對字義的訓詁、注解內容發出異議，除了明言朱子的錯誤外，不以為然之餘更是不留情面。如《中庸》：「萬物並育而不相害，道並行而不相悖，小德川流，大德敦化，此天地之所以為大也。」朱子解道：

悖，猶背也。天覆地載，萬物並育於其間而不相害；四時日月，錯行代明而不相悖。所以不害不悖者，小德之川流；所以並育並行者，大德之敦化。小德者，全體之分；大德者，萬殊之本。川流者，如川之流，脈絡分明而往不息也。敦化者，敦厚其化，根本盛大而出無窮也。此言天地之道，以見上文取辟之意也。[53]

德分大小，作用亦有川流、敦化之別，天地的運行法則於焉判然兩分，各不混淆。《焦氏四書講錄》闡發此段時明表反對：

萬物並育一節萬物並育於天地而不相害，即無不覆載也；四時日月並行於天地而不相悖，即錯行代明也。正是天地之大處。小德川流，大教敦化，則是天地之所以為大，而其並育不害，並行不悖者此也。

天地之德，亦何分於大小？但自其散殊者說為小，自其翕聚者說為大。大德敦化是敦那川流的化；小德川流，流是流出那敦化的來，只是一個理耳。德不外「元亨利貞」。川流者，元亨利貞之分布，四時日月萬物各具一太極也；敦化者，元亨利貞之全體，四時日月萬物統體一太極也。不害與並育不悖與並行是一串的事，晦庵子分不害不悖屬小，並育並行屬大德，誤矣。[54]

先用己語敘述朱注，接著自發意見，以為天地之德並無大小差別，散殊翕聚確實不

---

[53] 〔宋〕朱熹撰，曹美秀校對：《中庸章句》，《四書章句集注》（臺北市：大安出版社，1999 年 12 月），頁 50。

[54] 〔明〕焦竑撰：《焦氏四書講錄》，《續修四庫全書》第 162 冊，卷 3，〈中庸〉，頁 54－55。

同，然莫非理的作用，不害不悖、並育並行是一不是二，末句直斥朱子有誤。

但只在注解中批判，更有專門討論朱注謬誤的著作出現，以高拱（肅卿，1513－1578）的《問辨錄》最為聞名，四庫館臣諷曰「而議論則務與朱子相左」(55)、「皆率其胸臆，務與程朱抵捂」(56)，由此可見不滿朱學已經是晚明儒生詮釋四書時的普遍態度了。

3.以陽明心學取代程朱理學

《四書章句集注》是已經理學化的著作，朱子將自身的理學思想融入，確立一套鍛練心性的理論和功夫。王守仁以心學重新詮釋《大學》並作《大學問》一書後，許多儒者秉承其志，以心學重新詮解經典，並以陽明學作為持論的基本立場。

如孫應鰲（山甫，1527－1584）解《大學》以「誠意」為主旨：

> 「明明德於天下」，吾人學問分量本體自當如此。齊家者，明明德於家也；治國者，明明德於國也；平天下者，明明德於天下也。其明明德之本，則在修身。曰正心誠意者，修身之實事也；曰格物致知者，正心誠意之實功也。所謂明明德也，此本是吾人合當為的，只看人欲與不欲。孔子曰：「仁，遠乎哉？我欲仁，斯仁至矣。」可見明德非一人之私，乃通乎天下國家而同然。修身必先正心，心者，身之主宰也；正心必先誠意，意者，心之發動也；誠意必先致知，知者，意之明覺也；致知必先格物，物者，知之統會也。《大學》徧舉之，然後明明德之旨始全。物之所在就是知之所在，知之所在就是意之所在，意之所在就是心之所在，其要緊工夫只在誠意。曰格物致知者，所以為誠意之地者也。意者，好惡而已，心之忿懥、恐懼、好樂、憂患，身之親愛、賤惡、畏敬、哀矜、傲惰，家之仁讓、貪戾而行於國，國之好善、惡惡而達於天下，皆不外好惡而已。好惡正心之發而為意也，意誠則好善如好好色，惡惡如惡惡臭，而自慊於心矣。意無不誠，則心即正，身即修。以其廓然之體，自無忿懥、恐懼、好樂、憂患之失；以其順應之常，

(55) 〔清〕永瑢等撰：《四庫全書總目》上冊，卷 37，〈《四書會解》提要〉，頁 312。

(56) 〔清〕永瑢等撰：《四庫全書總目》上冊，卷 37，〈《三經見聖編》提要〉，頁 313。

> 自無親愛、賤惡、畏敬、哀矜、傲惰之偏；以之齊家而家齊，以之治國而國治，以之平天下而天下平，皆自意誠而致之也。故明道曰：「其要只在謹獨。」旨哉！陽明曰：「《大學》之道，誠意而已；誠意之極，止至善而已。」是也。57

以誠意達到明德的境界，心體正大廓然便無偏失，自能齊家治國平天下，從最後引用的話顯見孫應鰲理解的《大學》宗旨深受陽明學影響。

又如焦竑解釋《大學》：

> 大學之道一節
>
> 此孔子以大人之學，示學者大人是自天子至于庶人皆有箇身、心、意、知，皆有天下國家之任者也。其任大，故其學大；其學大，故其道大。明明德，親民，止至善，盛德大業備矣。是之謂大學之道，而成其為大人者也。
>
> 明明德，上「明」字是工夫，即下「明德」的「明」字，更不用他字，可見指示復此明德之本體，別無所加。蓋「親民」，「親」字，程、朱二子訓作「新」字，時文且依他說，若論理，還當依舊作「親」字，陽明子之說最妙。58

不取「新」字，而取「親」字，並認為王守仁講《大學》義理最切合要旨，明顯是心學家的說法。

明中葉之所以會出現更僕難數的陽明學者藉著各種方式呼籲、啟迪人們對內在道德的重視，崇尚心學雖為一因，對本有良知的信心尤其不可忽視。余英時認為王守仁之所以醉心於教育平民與當代政治環境有密不可分的關係：

> （王守仁）他的意思顯然是要通過喚醒每一個人的「良知」的方式，來達成

57 〔明〕孫應鰲撰：《四書近語》，《續修四庫全書》，第160冊，卷1，頁2－3。

58 〔明〕焦竑撰：《焦氏四書講錄》，《續修四庫全書》，第162冊，卷1，〈大學〉，頁1。

「治天下」的目的。這可以說是儒家政治觀念上一個劃時代的轉變，我們不妨稱之為「覺民行道」，與兩千年來「得君行道」的方向恰恰相反。他的眼光不再投向上面的皇帝和朝廷，而是轉注於下面的社會和平民。儘管這個想法在當時遭到「相與非笑而抵斥之」的待遇，今天更不免會有人譏笑他「迂闊而遠於事情」，但它在十六世紀思想與社會的浪潮，卻已永遠留存在歷史上了。……但是這裡我必須澄清一個很重要的論點：他選擇了「覺民行道」的一條新路並不表示他已徹底放棄了「得君行道」的傳統意識。作為儒者，他不可能廢去君臣一倫，因此頓悟以後，他仍然保留了「以道事君，不可則止」的觀點。他最初之所以一意求「遁」正是因為他認清了明武宗已絕不可能是他「事君」的對象。但最後他之所以能發展出「覺民行道」的新體認，則頗疑與頓悟後的經驗有關。如上引《傳習錄拾遺》一條所示，他悟得「知行合一」之後，竟在與「不曾讀書」的「亡命之徒」的交談中得到了積極的回應，而後來在「士大夫」中間反而「格格不入」。我相信這一經驗對他「覺民行道」的決定必曾發生了相當大的影響。[59]

根據本節的研究，我可以肯定地說：陽明「致良知」之教和他所構想的「覺民行道」是絕對分不開的；這是他在絕望於「得君行道」之後所殺出的一條血路。「行道」而完全撇開君主與朝廷，轉而單向地訴諸社會大眾，這是兩千年來儒者所未到之境，不僅明代前期的理學家而已。前面已指出：薛瑄、吳與弼等人為明代的政治生態與政治文化所逼，只有採取盡量退避的消極態度。陳獻章與友人信中也特別指出：「天下之責不仕者輒涉於仆。」（見《陳白沙集》四庫全書本，卷二，〈復趙提學僉憲〉第三通）可知「不仕」確是明代早期理學家共守的原則。但這樣一來，「內聖外王」的儒學傳統便被攔腰切斷了。所以心性之學對於他們最多只能「獨善其身」，而不復有「兼善天下」的可能。他們所證悟的「道體」也唯有「卷之則退藏於密」，

[59] 余英時撰：《宋明理學與政治文化》，《余英時文集》（桂林市：廣西師範大學出版社，2006年5月），第十卷，〈明代理學與政治文化發微〉，頁38－39。

> 再也沒有「放之則彌六合」的一天了。宋代理學家自始便倡導「平治天下，捨我其誰」的精神。明代理學承宋而起，士大夫既接受了這一價值系統，終不可能永遠壓抑他們「行道」的衝動。陽明的龍場一悟便是在這一最大關鍵的所在，找到了一個全新的方向。這當然與十六世紀的社會轉型密相關聯，不能僅從陽明的「天縱之聖」一方面去著想。概括言之，明代理學一方面阻於政治生態，「外王」之路已斷，只能在「內聖」領域中愈轉愈深。另一方面，新出現的民間社會則引誘它掉轉方向，在「愚夫愚婦」的「日用常行」中發揮力量。王陽明便抓住了這一契機而使理學獲得了新生命。[60]

儒家一貫的出處去就之道，乃「用之則行，捨之則藏」，既然不願退藏於密，王守仁自當另尋他法以實現自己平天下的理念，「覺民行道」正是其努力的方向，王學的平民性早已為人熟知，其誕生之由，與明朝的政局的確不無關涉。

簡瑞銓則認為：

> 當特別聲明的，晚明陽明學者的「宗王反朱」乃是代表「道德的覺醒」。陽明後學在其《四書》詮釋著作中對道德本體的一再地強調與探討，實質上傳揚了道德本體的信念，也可說是傳揚了心學的信仰；強化了讀者的道德本體信念，也可說是強化了讀者對心學的信仰。人們對於道德主體這一理念的信奉，事實上也是對自己本有良知良能的自信，如同陽明宣講心學喚起了人們對本有良知良能的自信一樣，晚明《四書》學中的「心學」詮釋，目的也是在建立人們對於本有良知的自信。[61]

即便不皓首窮經也能直抵聖人境界，心學的德廣四方，反映的是人們愈發信賴己身

---

[60] 余英時撰：《宋明理學與政治文化》，《余英時文集》，第十卷，〈明代理學與政治文化發微〉，頁 43。

[61] 簡瑞銓撰：《張岱《四書遇》研究》，潘美月、杜潔祥主編：《古典文獻研究輯刊》6 編第 9 冊，第 1 章，〈序論〉，頁 20。

的德行，這也是王守仁淑世的初衷。

㈡自由解經

心學導致晚明性格解放的現象在士林尤為顯著，自我意識的醒覺逐漸為人所重，基於主體精神的張揚，個性自由的要求日增，禮教束縛功能相形減弱，經學上所突現出來的就是四書詮解的多元多端。

王守仁云：「夫學貴得之心。求之於心而非也，雖其言之出於孔子，不敢以為是也，而況其未及孔子者乎？求之於心而是也，雖其言出於庸常，不敢以為非也，而況其出於孔子者乎？」[62]鼓吹研讀典籍首重「學貴得之心」，不盲循注疏，從本心思索疑難之處，展示獨立思考的精神；又不喜拘泥字句，不以連篇累牘的文字闡發經義，「學者讀書，只要歸在自己身心上。若泥文著句，拘拘解釋，定要求個執定道理，恐多不通。蓋古人之言，惟示人以所嚮往而已，若於所示之嚮往尚有未明，只歸在良知上體會方得。」[63]單就核心問題略以筆墨說明，簡潔易懂，令人一目了然的注釋風格突破傳統，影響了繼踵而起的四書著作。

蕅益大師寫《論語點睛》：「子曰：『眾惡之，必察焉；眾好之，必察焉。』上句為豪傑伸屈，下句為鄉愿照膽。」[64]認為前指豪傑，後指鄉愿，可謂妙解。

又如林兆恩《論語正義》云：

> 安仁
>
> 林子曰：孔子曰：「安仁。」而仁安於中心之中也。孟子曰：「居仁。」而仁居於中心之中也。
>
> 或問中黃。林子曰：「中黃者，黃中也。東木西金，南火北水，而中央土

---

[62] 〔明〕王守仁：《傳習錄》中，吳光、錢明、董平、姚延福等編校：《王陽明全集》，上冊（上海市：上海古籍出版社，2006 年 4 月），卷 2，〈答羅整菴少宰書〉，頁 76。

[63] 〔明〕王守仁撰，吳光、錢明、董平、姚延福等編校：《王陽明全集》，下冊，卷 32，《傳習錄拾遺》，頁 1176。

[64] 〔明〕蕅益大師撰：《論語點睛》，《四書蕅益解》，收入《靈峰宗論》，曹越主編，孔宏點校：《明清四大高僧文集》第 5 冊（北京市：北京圖書館出版社，2005 年 1 月），〈衛靈公〉，頁 748。

也。性由此立，而天命之性在我矣；誠由此盡，而寂然之誠在我矣。《易》曰：『復其見天地之心乎？』又曰：『天下何思何慮？』曾《論》曰：『吾道一以貫之。』《記》曰：『中心安仁。』皆指我之土中而言也。而作聖之功，不過以其仁而安於土中以敦養之爾。」(65)

以五行搭配五位，解「安仁」為「以其仁而安於土中以敦養之」，十分標奇立異的解說。

導致學風自由外，從眾注裡還能看出學者依據自己的生命領會、研讀經書所得闡釋，帶有強烈個人色彩；語言運用方面，不再一味追求典雅莊嚴，甚或有口語化的現象，幾近語錄。晚明四書學的作品內容展現的多樣面貌和一干儒者依憑己說解經乃一體兩面，個人體悟不同，所寫自有差別，《續修四庫全書總目提要》譏諷「晚明文士，競尚纖巧，乃施之於聖經，不類甚矣」(66)、「是亦不墨守注說」(67)、「其書於經旨體會甚深，融會羣說，發抒己見」(68)，指的就是這類現象。

㈢三教融合

中國歷代對不同教派絕大多數抱持寬大開放的態度，君主縱然虔誠尊奉某一宗教，也甚少構成平民自由選擇信仰的障礙，明朝自不例外。朱元璋出身軍旅，屢屢借助宗教凝聚實力，深諳水能載舟亦能覆舟，故一面仿照宋、元制度，設置僧錄司、道錄司掌管天下廟宇，又一面頒詔禁止旁門左道在社會傳播，以免威脅王朝統治；基於經濟考量，對僧、道數量嚴加控管，限制出家者的年齡，由國家主持試經、考試來決定度牒頒發與否，取締私建的寺廟庵堂，有效解決了元末濫發度牒造

---

(65) 〔明〕林兆恩撰：《論語正義》，《林子三教正宗統論》，《四庫禁燬書叢刊》第 18 冊（北京市：北京出版社，2000 年 1 月，據北京大學館藏明萬曆刻本影印），卷上，頁 13－14。

(66) 中國科學院圖書館整理：《續修四庫全書總目提要：經部》下（北京市：中華書局，1993 年 7 月），〈《四書合喙鳴》提要〉，頁 940。

(67) 中國科學院圖書館整理：《續修四庫全書總目提要：經部》下，〈《四書質言》提要〉，頁 940。

(68) 中國科學院圖書館整理：《續修四庫全書總目提要：經部》下，〈《四書鞭影》提要〉，頁 943。

成稅收大減、僧道滿天下卻素質低劣的種種弊病。景泰（1450－1456）、成化（1465－1487）年間財政惡化，為了籌措賑災費用大量發行空名度牒，只要繳納一定的錢糧就能成為躋身方外，享受免役、免稅諸多特權，多如牛毛的不肖分子覷空巧鑽法律漏洞，勞動人口減少，不事生產者增多，國庫益發入不敷出，而佛門、玄教也日益腐敗，變成行政、治安、稅收上的問題，雖不乏上奏淘汰僧道的朝臣，可惜制度崩壞已是沉痾，控制力削弱的中央政府面對惡化的情況亦是有心無力。

雖一度為僧，朱元璋卻不特別禮遇空門，先以儒說穩定社稷，又本著「天下無二道，聖人無二心」的理念肯定釋、道於人心教化亦有不可或缺的輔佐功能，「於斯三教，除仲尼之道祖堯舜，率三王，刪詩制典，萬世永賴。其佛仙之幽靈，暗助王綱，益世無窮，惟常是吉。嘗聞天下無二道，聖人無二心，三教之立雖持身榮儉不同，其所濟給之理一，然於斯世之愚人，於斯三教有不可缺者。」[69]定下重儒但不闢二氏的基本策略：

> 假如三教惟儒者，凡有國家不可無。夫子生於周，立綱常而治禮樂，助國宏休，文廟祀焉，祀而有期，除儒官叩仰，愚民未知所從，夫子之奇至如此。釋迦與老子雖玄奇過萬世，時人未知其的，每所化處，宮室、殿閣與國相齊，人民焚香叩禱，無時不至。二教初顯化時，所求必應，飛悟有之，於是乎感動化外，蠻夷及中國假處山藪之愚民未知國法，先知慮生死之罪，以至於善者多而惡者少，暗理王綱，於國家有補無虧，誰能知識？[70]

「暗助王綱」、「暗理王綱」，此乃最為明太祖強調的功能，期許二氏能成為安撫人心的助力。

開國君主成為晚明鼓吹三教歸一論者的立足基礎，不少心學家藉此回應排佛闢

[69] 〔明〕明太祖撰，姚士觀、沈鈇編校：《明太祖文集》，《四庫明人文集叢刊》（上海市：上海古籍出版社，1991年11月），第1冊，卷10，〈三教論〉，頁18。

[70] 〔明〕明太祖撰，姚士觀、沈鈇編校：《明太祖文集》，《四庫明人文集叢刊》，第1冊，卷10，〈釋道論〉，頁15。

老的意見，如李贄（宏甫，1527－1602）云：

> 三教聖人，頂天立地，不容異同明矣。故曰：「天下無二道，聖賢無二心。」我高皇帝統一寰宇，大造區夏，敬孔子、敬老子、敬釋迦，有若一人然。然其御製文集，凡論三教聖人往往以此兩言斷之，以見其不異也。夫既然謂之道，謂之心矣，則安有異哉？則雖愚夫愚婦，以及昆蟲草木，不能出於此道此心之外也，而況三教聖人哉？蓋非不欲二，雖欲二之，而不得也；非不欲兩，雖欲兩之，而不能也。[71]

先抬出高皇帝，再論述三教其實不異的觀點，以涇渭分明的不可行、不可能作結。

朱元璋固然為陽明學者提供最佳持論基礎，但作法確實和程朱大相逕庭，宋儒多以滅絕倫常貶抑二氏，朱子也不例外，曾言：「佛老之學，不待深辨而明。只是廢三綱五常，這一事已是極大罪名，其他更不消論。」[72]更痛斥禪宗為致使綱常掃地的罪魁禍首。

王守仁的基本立場和朱子一致，然因早年曾接觸二氏，態度相較柔和，以為儒、釋、道名異實同，殊途同歸，直言：「道一而已，仁者見之謂之仁，知者見之謂之知。釋氏之所以為釋，老氏之所以為老，百姓日用而不知，皆是道也，寧有二乎？」[73]且心學的開放性沖淡了異端想法，因而將佛、道引為己用，而非楚河漢界般地劃清立場。嘗言：

> 二氏之用皆我用。即吾盡性至命中完養此身謂之仙；即吾盡性至命中不染世累謂之佛；而後世儒者不見聖學之全，故與二氏成二見耳。譬之廳堂三間，

---

[71] 〔明〕李贄撰：《李溫陵集》，《中國文史哲資料叢刊》（臺北市：文史哲出版社，1971 年 8 月，據明萬曆間刊本影印），第 12 冊，卷 10，〈三教品序〉，頁 22 右－23。

[72] 〔宋〕黎靖德編，王星賢點校：《朱子語類》（臺北市：華世出版社，1987 年 1 月），第 8 冊，卷 126，〈釋氏〉，頁 3014。

[73] 〔明〕王守仁撰，吳光、錢明、董平、姚延福等編校：《王陽明全集》，上冊，卷 6，〈寄鄒謙之〉，頁 205。

> 共為一廳。儒者不及皆吾所用，見佛氏則割左邊一間與之，見老氏則割右邊一間與之，而己則自處中間，皆舉一而廢百也。聖人與天地民物同體，儒佛老莊皆吾之用，是之謂大道。[74]

一視同仁，平等看待，尊重各自的教義與價值意義，不拒緇流羽客於門外，晚明禪悅之風興盛，儒生活動中常見方外之人為座上賓，此等特殊景況的成形多少得力於陽明學。三教趨於融合，和李贄、祝允明（希哲，1460－1526）、羅汝芳（惟德，1515－1588）、袁宏道（中郎，1568－1610）、屠隆（長卿，一字緯真，1543－1605）……等等大批陽明學者亦有直接關連。

1.宗教發展概況

為了更全面的理解明代儒、釋、道的互動情形，以下先分述二氏的發展，再分析四書作品裡如何呈現三教合一的概念。

道教派別眾多，教義、制度的混合由來已久，朱元璋直接劃分作正一、全真，並且實施揚正一抑全真的策略。

正一道擅長符籙法術、祈禳齋醮，符合明王朝治理上的需求，因而受到拔擢，擁有管理天下道教的權力，嗣教天師也往往得帝皇誥封尊號及多方榮寵，尤其明世宗朱厚熜（1507－1566）繼位後一心長生不老，迷信方術，正一道的貴盛於焉達到頂峰，除了被《明史》列入〈佞倖列傳〉的邵元節（仲康，1459－1539）、陶仲文（1475－1560）外，尚有不少道士入朝為官把持政事，依仗皇恩胡作非為，上行下效的結果，就是墮落腐化的道徒遍及寰宇；穆宗朱載垕（1537－1572）即位，鑒於父親崇道過濫，遂採抑制方針；神宗朱翊鈞（1563－1620）則採取保護措施，敕令張國祥（文徵，一字心湛，？－1611）編印《萬曆續道藏》一八〇卷，此乃著述甚少、文化素質低劣的正一道士少數的貢獻之一。正一道的衰頹固然與明王朝的國勢息息相關，主因仍在自身的行為不檢，式微可謂勢之必然。

全真道與蒙古統治者的關係相當密切，顯赫一時導致門人清修不專；在元代政

---

[74] 〔明〕王守仁撰，吳光、錢明、董平、姚延福等編校：《王陽明全集》，下冊，卷 32，〈年譜三〉自嘉靖壬午在越至嘉靖己丑喪歸越，頁 1289。

壇享有崇高的地位，遭受新朝冷落亦在情理之中；以謙沖自守為教旨的全真道不為朱元璋所重，因無法以宗教敦化風俗，遂終明一代在政治上幾乎沒有任何地位，活動對象轉為平民，明中期開始嶄露頭角。承繼宋、元以來南北二宗之說，融會佛說和理學作為修丹理論，戒律強調三綱五常，修煉法則務求簡單具體，呈現世俗化的傾向，而內丹學在社會上的廣為傳播證明了全真道的影響力已經延伸到各個階層，不限於道教內部，頗有中興之象。

明、清兩代，全真道對教義的貢獻是正一道不能望其項背的，高道的理論中常顯示出融貫他說的用意，會通三教也的確是此時期道教發展的一大課題與特色，例如丹法東派的創立人陸西星（長庚，1520－1606）於《道德經玄覽》云：「夫修道者以不爭為上善，老聖蓋屢言之，佛經云：『我得無諍三昧，人中最為第一。』偈曰：『諍是勝負心，與道相違背，便起人我相，安能得三昧？』《語》曰：『君子無所爭。』三教聖人同口一詞，實修行之上德，入聖之要機也。」[75]以「不爭」作為三家共同的原則；由丘處機（通密，號長春子，1148－1227）創立、全真道裡勢力最龐大的龍門派亦主此論，王常月（號昆陽子，？－1680）曰：「大眾，這點真靈的法王，宇宙古今，無物不有，無時不然，非同小可。在釋謂之妙明真心，在儒謂之明德至善，在道謂之圓明道姥，又謂之祖氣。」[76]認為人類與生俱來就有超凡的可能性，只不過儒釋道各自用不同的名諱稱呼，內涵並無差異；伍守陽（號沖虛子，？－1680）乃龍門派第八代門生，創伍柳派，著《仙佛合宗》，大量引徵《愣嚴經》、《華嚴經》、《金剛經》講說丹道，僅由書名亦可見其思想精義所在。

佛教在中土的發展於唐代極盛，由國家主持的翻譯工作無論在質或量上都有豐碩的成果，又陸續出現如玄奘（602－664）般不辭勞苦遠赴外域只為探求佛理的高僧，這些僧侶歸國後對經典的指正、補充和教義的完善都有程度不同的具體貢獻，加上大乘八宗的大成，其中尤其以智顗（538－597）為代表的天臺宗、杜順（557

---

[75] 〔明〕陸西星撰：《道德經玄覽》，《藏外道書》（成都市：巴蜀書社，1992年8月），第5冊，卷2，頁8－9。

[76] 〔明〕王常月撰：《碧苑壇經》，《藏外道書》（成都市：巴蜀書社，1992年8月），第10冊，卷上，頁20。

－640）與澄觀（737－838）為代表的華嚴宗、善導（613－681）為代表的淨土宗、慧能（638－713）為代表的禪宗人才輩出，將理論發展到高峰，佛教遂有壓過儒家的傾向。禪宗重實踐，從實際生活中鍛鍊心性，主張直截了當的開悟方式，不喜用拐彎抹角的邏輯語言佈道，除非有便於接引眾生，否則禪僧多不尋章摘句，遑論埋首桌案為佛經作注；唐武宗李炎（814－846）推行毀佛政策，強迫僧尼還俗，拆除寺廟並收回田產，使沙門遭遇重大挫折，會昌（844－846）法難後禪宗一枝獨秀的局面決定了教義發展必然邁向沉寂的命運，各宗皆罕有能在前人基礎上進一步拓展的高僧出現，直到明末才扭轉劣勢，梵衲之間人才濟濟，如雲谷法會（1500－1579）、笑巖德寶（1512－1581）、幻有正傳（1549－1614）、密雲覺悟（1566－1642）、湛然圓澄（1561－1626）、無異元來（1575－1630）、覺浪道盛（號天界禪師，1592－1659）……等等，雖隸屬不同宗派，卻無礙於德行、學識的傑出，又兼擅外學，往往一身具備琴棋書畫詩詞歌賦多項才藝，故士大夫常以之為不可多得的益友。名高天下的袾宏（佛慧，別號蓮池，一名雲棲和尚，1535－1615）、智旭、德清（澄印，號憨山 1546－1623）、達觀真可（號紫柏老人，1543－1603）四位大師更是厥功至偉，致力泯除三教的界線。聖嚴法師（1931－2009）道：

> 明末佛教，在中國近代的佛教思想史上，有其重要的地位，上承宋元，下啟清民，由宗派分張，而匯為全面的統一，不僅對教內主張「性相融會」、「禪教合一」以及禪淨律密的不可分割，也對教外的儒道二教，採取融通的疏導態度。諸家所傳的佛教本出同源，漸漸流佈而開出大小、性相、顯密、禪淨、宗教的局面。到了明末的諸大師，都有敞開胸襟，容受一切佛法，等視各宗各派的偉大心量，姑不論性相能否融會，顯密是否一源，臺賢可否合流，儒釋道三教宜否同解，而時代潮流之要求彼此容忍，相互尊重，乃是事實。是故明末諸大師在這一方面的努力，確有先驅思想的功勞。[77]

---

[77] 聖嚴法師撰：《明末佛教研究》，《法鼓全集》（臺北市：法鼓文化事業公司，1999 年 12 月），1 輯第 1 冊，〈自序〉，頁 4。

三教混融乃勢之所趨，具體呈顯便是宗派多有包容異己心胸，豈止沙門，儒、道何嘗能自外於潮流？

四大師以身作則，藉由實修體證佛說，弘傳佛法不遺餘力，申明戒行以挽救當時僧人好發議論卻不守清規的弊病，佛教再度興盛。雲棲袾宏的影響力最為深遠，與知識分子頻繁往還，器重報效社稷、濟物利民、感應修持等信念的宏傳，陽明學者中如公安三袁、管志道（登之，1536－1608）、瞿元立（汝稷，1548－1610）、嚴澂（道澈，1547－1625）、趙貞吉（孟靜，1507－1576）、金聲（正希，一名子駿，1589－1645）……等人亦和衲僧過從甚密。聖嚴法師直言：

> 明末居士，有兩大類型：一類是親近出家的高僧而且重視實際修行的，另一類則信仰佛法、研究佛經卻未必追隨出家僧侶修學的讀書人。第一類型的暫且不提，第二類型的居士，大抵與陽明學派有關，所謂左派的陽明學者，便是理學家之中的佛教徒，而且這一批居士對明末佛教的振興，有其不可埋滅的功勞。78

居士絕大多數屬於士大夫階級，在朝、在野都有一定的號召力，又親注佛書，如林兆恩的《金剛經統論》、《般若心經釋略》、《般若心經概論》，以及袁宏道的《西方合論》，和焦竑的《楞嚴經精解評林》、《楞伽經精解評林》、《法華經精解評林》、《圓覺經精解評林》……等等，對當時的社會風氣發揮巨大作用可想而知，促成居士佛教的蓬勃發展。

儒、釋、道在中原傳佈已久，雖難免衝突，然而在對峙中也不斷地互動，無形間消弭了彼此的間距，融合日淺，遂有袁了凡的「功過格」思想孕育而生，要求人主動地如實載錄自己的言行舉止，宛若修行日記，借果報之說約束人們的日常行為，此說廣被於庶黎階級，雲棲大師的《自知錄》亦受功過格影響，另有「陰騭文」、「善過格」，也具備同樣的功能，鎔鑄儒家的道德倫理、道教的積善銷惡、

78 聖嚴法師撰：《明末佛教研究》，《法鼓全集》，1 輯第 1 冊，第 4 章，〈明末的居士佛教〉，頁 281。

佛教的因果報應於其中，以懲惡勸善作為歸一的切入點，三教此際已經混淆不分。風氣既成，儒林中人也不以近佛佞道為恥，以陸西星為例，曾為諸生，同輩間名望甚高，九次應試不取後潛心修道，創立丹道東派，晚年則專心致志於參悟禪理，以為三教同證一道，其人其行其思，莫不可視為明代三教合一思潮的具體表現。

道教於明清之際漸走下坡，雖儒家經典中取材論證三教同源，但道士仍以注疏《周易》、《道德經》、《莊子》、《陰符經》為主，未對四書多加青睞，反之，和尚並不排斥疏解儒典，釋智旭撰《四書蕅益解》、史德清撰《中庸直指》、《大學綱目決疑》、《春秋左氏心法》即為例證。道、佛對四書的態度反差如斯強烈的箇中緣由，筆者孤陋寡聞，未見相關研究文獻，因而不揣駑鈍，試伸一得之愚，作為引玉之磚，以期高賢指正。

言心言性乃二氏特長，宋儒遂標舉四書與之抗衡，並且做為衛道的根本理論，雖言排佛老，實際上採取的方式有別，壓抑道教，將《道德經》、《莊子》回歸諸子百家行列，不可與孔子（仲尼，前 551－前 479）比肩；對外來的釋教則不假辭色，許多學子延續韓愈（退之，768－824）「人其人，火其書，廬其居」的思路，冀望將其從中國連根拔起，從此消失殆盡，李仕魯（宗孔，？－1383）、薛瑄（德溫，1392－1464）、丘濬（仲深，1421－1495）、何塘（粹夫，1474－1543）等人皆不喜佛說，曹端（正夫，1376－1434）的《夜形燭》、胡居仁（叔心，1434－1484）的《居業錄》、詹陵（？－？）的《異端弁正》、羅欽順（允昇，1465－1547）的《困知記》都務在崇正黜邪，斬滅異教，雖有姚廣孝（斯道，法名道衍，1335－1418）寫《道餘錄》、心泰（？－？）寫《佛法金湯編》、屠隆寫《佛法金湯錄》為空門護法，但總體而言，理學家施之於瞿曇的壓力較之玄門確實有過之而無不及。為了改善士子的觀感，和尚遂以佛法講外典，溝通儒、釋，天道性命乃沙門最擅長的主題，四子書變成解經首選，次為《周易》。而道教因為主要典籍仍被允許保留，若欲調和儒、道，直接以《周易》為橋樑便可，毋需旁生枝節，故不將筆墨花費在四書上，往往是文生、居家修道者下意識的借老莊說孔孟，是否隱藏引儒入道的用意在，需檢索全書後方能判斷。

程朱理學予佛家偌大刺激，促成晚明佛教復興當在意料之外，禪悅風氣流行於騷人墨客、達官顯貴之間，陳垣（援庵，1880－1971）道：「萬曆而後，禪風寖盛，士夫無不談禪，僧亦無不欲與士夫結納。」[79]聖嚴法師亦提及此點：

> 從禪宗史上看，凡是一流的禪士輩出的時代，幾乎也是禪宗典籍的豐收之際，尤其到了明末的中國，禪僧及禪宗的居士們，凡是傑出而有影響力者，幾乎都有相當分量及數量的著述，流傳於後世。最難得的是，他們不僅重視禪宗的語錄及史書的創作和編撰，而且從事禪宗以外的經律論的註釋疏解。所以我們若將明末視為中國佛教復興的時代，亦不為過。
>
> 所謂明末，主要是指神宗的萬曆年間（西元 1573－1619），可是，有些人生於萬曆之前，活躍於萬曆初年，有些人生於萬曆年間，活躍於萬曆年間，有些人生於萬曆末期，卻活躍於萬曆之後。明朝亡於一六六〇年，而本文研究的人物，以其生歿年代的起歿計算，則自西元一五〇〇至一七〇二年，最遲的時代雖及清代，仍是生於萬曆年代的人。[80]

萬曆朝（1573－1620）是僧尼活躍的巔峰，兼採三教的作品大半在這四十多年之間與日俱增，此一習尚延續到清帝國前期。

並蓄三教的思潮令沙門得以排解蜂擁自學術界的龐大排佛壓力，之於經學而言，晚明乃注解經書的僧衲為數最多的時期，許多基於佛、道立場或兼容並包的四書著作問世，沈守正（無回，1572－1623）的《四書說叢》、王肯堂（宇泰，一字損仲，1549－1613）的《論語義府》、穆孔暉（伯潛，1479－1539）的《大學千慮》、陸鴻漸（？－？）的《空山擊碎》……等等，難以悉數。

不可忽視的是，三教會通說的大盛並不代表各家都接受一致的論點，三教的基本立足點和思想體系畢竟各有所長，儒、釋、道雖盡力求同，但各說各話仍免不了調和論的五花八門，或以儒為本位，或三教歸道，或援儒入佛，或專尚融會，對於

---

[79] 陳垣撰：《明季滇黔佛教考》（北京市：中華書局，1989 年 4 月），卷 3，〈士大夫之禪悅及出家第十〉，頁 129。

[80] 聖嚴法師撰：《明末佛教研究》，《法鼓全集》1 輯第 1 冊，第 1 章，〈明末的禪宗人物及其特色〉，頁 12。

所合的「一」，眾家蘊含各異。

2.三教調和論在四書作品中的呈現

涉及宗教的新四書學作品大約分作兩類，一者兼容並蓄，一者則全然以佛解經。以下一一分述。

⑴三教兼採

許多士子因學風所偃而認同合一論，往往在詮解古冊時雜引《道德經》、《莊子》、禪師語錄、公案，援用二氏的詞彙，或者比擬行為、文意、觀念。

如《大學》：「所謂修身在正其心者，身有所忿懥，則不得其正；有所恐懼，則不得其正；有所好樂，則不得其正；有所憂患，則不得其正。心不在焉，視而不見，聽而不聞，食而不知其味。此謂修身在正其心。」[81]孫應鰲《四書近語》認為：

> 心體正而已矣。心體之正，既不可墮於無，又不可滯於有。如太虛包涵萬物，應接感通，各止其所，而我無所與，便是心得其正。一涉有所則，意必固我，皆人欲之私心，非天理之本然矣。有所則，便不在，謂其在忿懥，在恐懼，在憂患好樂，而不在心之位也。只意不誠，便有所，便不在。故修身必在正心，以見誠意之當先也。若格得此身與國家天下共為一物，而致其此心本然之知。於此用誠意工夫，以天下國家之好惡為好惡，無將無迎，停停當當，自然無所倚著，而思不出其位矣。非慎獨，其何以知？[82]

以「有」、「無」、「太虛」解釋心體，雖然採用道家詞彙，但仍一本儒家立場。

憨山大師《大學綱目決疑》解釋「古之欲明明德於天下者」，曰：

> 身為天下國家之本。經文向後，總歸結在修身上，可見修身是要緊的事。而此一件事，最難理會，豈是將者血肉之軀，束斂得謹慎端莊，如童子見先生

---

[81] 〔宋〕朱熹撰，曹美秀校對：《大學章句》，《四書章句集注》，頁11。

[82] 〔明〕孫應鰲撰：《四書近語》，《續修四庫全書》，第160冊，卷1，頁5－6。

時，即此就可治國乎？豈是身上件件做得模樣好看，如戲場上子弟相似，即此可以平天下乎？故修身全在心上工夫說。

只如顏子問「仁」，孔子告以「克己復禮為『仁』」，此正是真正修身的樣隨告之曰：「一日克己復禮，天下歸仁。」此便是真正治國平天下的實事，若不信此段克己是修身實事，如何顏子請問其目，孔子便告之以「四勿」乎？且「四勿」，皆修身之事也，克己乃心地為仁之工夫也。克己為仁，即明明德也；天下歸仁，即新民也；為仁由己，即至善之地。故顏子隳聰明、黜肢體，心齋坐忘，皆由己之實效，至善之地也。[83]

力主「修身全在心上工夫」可知受到心學啟發，但禪僧以《莊子》墮肢體、黜聰明、心齋、坐忘的概念詮解儒家修身說，十分別出心裁，《續修四庫全書總目提要》謂「按德清本以儒兼釋，其說是書參雜兩宗，不襲恒解，時得妙悟。」[84]真乃一語破的。

林兆恩創三一教，一名夏教，以「道釋歸儒，儒歸孔子」為教旨，其解「異端」云：

或問：「何以謂之三教者流也？」林子曰：「三教者流，乃三教之流敝，三教之異端也。」又問：「何以謂之三教之異端也？」林子曰：「仲尼之時中也，黃帝、老子之清靜也，釋迦之寂定也，悉皆本之於心者，端也。彼三氏者流，而不知所以求端於心者，異端也。」

或曰：「二氏之學，世人謂之異端者，何也？」林子曰：「異端之說，非必二氏之學與儒者異而後謂之異端也。學儒而不知盡心知性，便是儒門之異端也；學道而不知修心煉性，便是道門之異端也；學釋而不知明心了性，便是

---

[83] 〔明〕憨山老人撰：《大學綱目決疑》，《憨山老人夢遊集》下，曹越主編，孔宏點校：《明清四大高僧文集》第 3 冊（北京市：北京圖書館出版社，2005 年 1 月），頁 322－323。

[84] 中國科學院圖書館整理：《續修四庫全書總目提要：經部》下，〈《大學決疑》提要〉，頁 882。

釋門之異端也。」[85]

不以二氏為邪魔歪道，而以儒、道、釋的末流為異端，可見破除三教間的思想障壁的良苦用心。其實林兆恩從一介學者化身宗教教主，將儒家變為儒教，猶能受到福建一代的民眾景仰，證實了三家調和說的深入人心。

「雖釋道家言亦頗兼取」[86]，四庫館臣嗤之以鼻者，正乃晚明風氣的一大特徵。融合三教雖是普遍現象，但作者是順手捻來、借用二氏的說法和語彙，或是同林兆恩一般別有用心，目前無法一言以蔽之，必須翻閱全書，深入理解著述者的用意所在方可蓋棺論定。

⑵以佛解經

以佛教為核心思想含攝各派，刻意將三教融合的觀念落實作品中，不僅以佛語解經，而是用佛教融攝儒、道，經常是披緇之徒、篤信我佛的居士有意將三教合一的觀念由義理的會通落實到經書中，以士子習以為常的經典作為接引橋樑，藉以達到援人入佛的目標，這類作品多半有強烈地撰寫動機，理論性較強。

如憨山大師《大學綱目決疑》云：

> 知止而後有定，定而後能靜（一節）
>
> 「定」字，乃指自性本體，寂然不動，湛然常定，不待習而後定者。但學人不達本體本來常定，乃去修習，強要去定，只管將生平所習知見，在善惡兩頭，生滅心上求定，如猢猻入布袋，水上按葫蘆。似此求定，窮年也不得定。何以故？病在用生滅心，存善惡見，不達本體，專與妄想打交滾，所謂「認賊為子，大不知止」耳。
>
> 苟能了達本體，當下寂然，此是自性定，不是強求得的定。只如六祖大師，開示學人用心云：「不思善，不思惡，如何是上座本來面目？」學人當下一

---

[85] 〔明〕林兆恩撰：《論語正義》，《林子三教正宗統論》，收入《四庫禁燬書叢刊》第 18 冊，卷上，頁 10。

[86] 〔清〕永瑢等撰：《四庫全書總目》，上冊，卷 37，〈《四書說叢》提要〉，頁 312。

刀兩斷，立地便見自性，狂心頓歇，此後在不別求，始悟自家一向原不曾動，此便是「知止而後有定」的樣子。又云：「汝但善惡都莫思量，自然得見心體。」此便是知止的樣子。所以學人貴要知止，知止自然定。87

以「不思善，不思惡」、「明心見性」等禪說詮釋「知止」、「定」，儒家修養工夫的實質內涵在此說中形同被佛法取代。

如蕅益大師《大學直指》云：

二點示悟修：

知止而後有定，定而後能靜，靜而後能安，安而後能慮，慮而後能得。

「止」之一字，雖指「至善」，只是「明德」本體。此節指點人處，最重在「知」之一字。《圓覺經》云：「知幻即離，不作方便；離幻即覺，亦無漸次。」當與此處參看。《大佛頂經》云：「以不生不滅為本修因，然後成圓成果地修證。」即「知止」之謂也。

此中「知」為妙悟，「定」、「靜」、「安」、「慮」為妙修，「得」為妙證。動靜二相，了然不生，名「能定」，外境不擾故；聞所聞盡，名「能靜」，內心無喘故；覺所覺空，名「能安」，煩惱永寂故；空所空滅，名「能慮」，寂滅現前如鏡現像故；忽然超越，名「能得」，獲二殊勝故。88

徵引《圓覺經》、《大佛頂經》說「知」，兼以斷絕外緣、生滅不起的修行觀解「定」、「靜」、「安」、「慮」，以境界說「得」，純是靜觀的禪定法門。

晚明新四書學的著作和王學、三教合一說的廣被有千絲萬縷的關連，四庫館臣譏評為「尤以禪理詁儒理矣」89、「則純乎明末狂禪之習矣」90、「而議論宗旨則

87 〔明〕憨山老人撰：《大學綱目決疑》，《憨山老人夢遊集》下，《明清四大高僧文集》第3冊，頁320。

88 〔明〕蕅益大師撰：《大學直指》，《四書蕅益解》，《明清四大高僧文集》第5冊，頁785。

89 〔清〕永瑢等撰：《四庫全書總目》，上冊，卷37，〈《四書疑問》提要〉，頁311。

全入異端」[91]，斥為不值一提的著作而不收錄，也許過於苛刻，卻一針見血點名這類書籍的特徵。

四、結論

《四書章句集注》因科舉躍升為術主流，也因而導致學術界的死寂，一味遵從注疏，筆下雖有萬言，實則千人一面，更出現為金榜題名而寫的高頭講章，王守仁於四書學的發展上無疑正居關鍵地位，心學的崛起和廣佈對官學威權的消滅不容疏忽，從《四書章句集注》的體例、內容遭批駁得以證明，越來越多的學者宗奉「致良知」、「只心便是天理」並以此取代朱學作注，亦出現不襲舊說、恣意揮灑的作品，傳統注解方式不再大受遵循，取而代之的是語錄、點評之類的方法，縱然作注也非一字一句解讀，惟重主旨、大義的講解，甚至一語而足；「遇」、「測」、「酌言」、「疑問」、「講錄」、「近語」、「講義」、「鞭影」，光看上列書名便可一窺彼時崇尚自由的學風，擺脫章句訓詁的負荷，洋溢獨立、解放精神；明太祖以二氏暗佐王綱的見解成了晚明三教合一論的基石，心學的開放性讓釋、道樂於親近，又逢遍習佛門諸宗、力主融貫的四大師與儒生頻繁往還，遂有三教合一、引人入佛的四書著作出現。

可惜經歷鼎革、身遭國破家亡之痛的遺民屢屢將覆滅之因歸咎心學，顧炎武（寧人，1613－1682）、王夫之（而農，1619－1692）兩大碩儒更是不遺餘力地大肆抨擊，以為陽明學造成士子束書不觀、游談無根、不為篤實之學，且清代仍奉程朱之說，四庫館臣便理所當然地將不合官學的典籍剔除，貶損此類著作摻雜老釋、一任己意、流於空談，晚明四書學因此無人聞問。歷代疏解四書的典籍多如牛毛，以晚明最豐富多樣、具備活力，不管就形式、內容分析，莫不充滿自覺自主意識，實乃四書學發展史上最奇異的一段時期。

---

[90]〔清〕永瑢等撰：《四庫全書總目》，上冊，卷37，〈《四書酌言》提要〉，頁313。
[91]〔清〕永瑢等撰：《四庫全書總目》，上冊，卷37，〈《四書測》提要〉，頁312。

參考文獻

〔宋〕朱熹：《四書章句集注》，臺北市：大安出版社，1999 年 12 月。

〔明〕王守仁撰，吳光、錢明、董平、姚延福等編校：《王陽明全集》，上海市：上海古籍出版社，2006 年 4 月。

〔明〕林兆恩：《論語正義》，《林子三教正宗統論》，收入《四庫禁燬書叢刊．經部》第 18 冊，北京市：北京出版社，2000 年 1 月。

〔明〕孫應鰲：《四書近語》，收入《續修四庫全書》第 160 冊，上海市：上海古籍出版社，2002 年 3 月。

〔明〕焦竑：《焦氏四書講錄》，《續修四庫全書．經部》第 162 冊，上海市：上海古籍出版社，2002 年 3 月。

〔明〕憨山老人撰，曹越主編，孔宏點校：《大學綱目決疑》，《憨山老人夢遊集》下，收入《明清四大高僧文集》第 3 冊，北京市：北京圖書館出版社，2005 年 1 月。

〔明〕蕅益大師撰，曹越主編，孔宏點校：《四書蕅益解》，《靈峰宗論》，收入《明清四大高僧文集》第 5 冊，北京市：北京圖書館出版社，2005 年 1 月。

〔清〕永瑢、紀昀等修：《四庫全書總目》，北京市：中華書局，1992 年 10 月。

中國科學院圖書館整理：《續修四庫全書總目提要：經部》，北京市：中華書局，1993 年 7 月。

朱曉鵬：《王陽明與道家道教》，北京市：中國人民大學出版社，2009 年 10 月。

江燦騰：《晚明佛教改革史》，桂林市：廣西師範大學出版社，2006 年 9 月。

佐野公治：《四書學史の研究》，東京市：創文社，1988 年 2 月。

林慶彰：《清初的群經辨偽學》，臺北市：文津出版社，1990 年 3 月。

吳伯曜：《林兆恩《四書正義》研究》，收入《古典文獻研究輯刊》5 編第 18 冊，臺北縣：花木蘭文化出版社，2007 年 9 月。

吳伯曜：〈陽明心學對晚明四書學的影響〉，《湖南大學學報》（社會科學版）第 20 卷第 2 期，2006 年 3 月，頁 31－37。

周國林、涂耀威：〈「四庫館」與明清四書學轉型〉，《古籍整理研究學刊》2009 年第 5 期，2009 年 9 月，頁 35－39。

唐大潮：《明清之際道教「三教合一」思想論》，北京市：宗教文化出版社，2000 年 6 月。

李紀祥：《兩宋以來《大學》改本之研究》，臺北市：臺灣學生書局，1988 年 8 月。

徐聖心：《青天無處不同霞：明末清初三教會通管窺》，臺北市：國立臺灣大學出版中心，2010年10月。

荒木見悟：《明代思想研究：明代における儒教と佛教の交流》，東京市：創文社，1972年12月。

陳永革：《陽明學派與晚明佛教》，北京市：中國人民大學出版社，2009年11月。

傅武光：〈四書學考〉，《國立臺灣師範大學國文研究所集刊》第18期，1974年6月，頁651－928。

閆春：〈論《四庫全書》收錄的明代《四書》著作〉，《蘭州學刊》，2008年第10期（總第181期），1974年6月，頁187－190。

聖嚴法師：《明末佛教研究》，收入《法鼓全集》第1輯第1冊，臺北市：法鼓文化事業公司，1999年12月。

蔡金昌：《憨山大師的三教會通思想》，臺北市：文津出版社，2006年6月。

簡瑞銓：《張岱《四書遇》研究》，收入《古典文獻研究輯刊》6編第9冊，臺北縣：花木蘭文化出版社，2008年3月。

簡瑞銓：《《四書蕅益解》研究》，收入《古典文獻研究輯刊》4編第28冊，臺北縣：花木蘭文化出版社，2007年3月。

羅永吉：《《四書蕅益解》研究》，收入《古典文獻研究輯刊》4編第28冊，臺北縣：花木蘭文化出版社，2007年3月。

經　學　研　究　論　叢
第　二　十　輯　　頁171～192
臺灣學生書局　2012 年 12 月

崔適《論語足徵記》與晚清今文經學

胡婉庭*

一、前言

民國以來的四書學研究，過去常將焦點放在臺灣、香港地區，尤其在一九四九年後的臺灣，在政治上為了與海峽對岸中國反傳統、馬列思想區分，臺灣方面自承是接繼孔孟以來的正統儒家文化，以朱子、陽明為主的講述「四書」心性義理之學尤盛。至一九六六年中共發動「文化大革命」，一九六七年則有臺灣政府支持推行的「中華文化復興運動」，又特以重視「四書」傳承孔孟思想的關係，於是落實於一般國、高中生的必讀教材中，「四書」也因此成為臺灣人民對於傳統中國文化最普及性的基本認知。❶

自從兩岸關係解凍後的今日，「民國」以來的四書學研究，就不再只侷限於一九四九年後以臺灣為主的研究範圍，因為許多的文獻資料，隨著兩岸的交流日益頻繁，還有許多學者們努力的辛勤耕耘之下，一九四九年以前的一些鮮為人知的民國經學文獻資料也已陸續付印出版，其中以林慶彰教授主編的《民國經學叢書》，蒐羅了許多且豐富而完整的民國經學文獻，而在書前的〈緒言〉，有云：「所謂『民

---

*　胡婉庭，政治大學中國文學系博士生。

❶ 關於民國以來（1949 年以後）「四書學」研究，可參考陳逢源：〈《四書》研究〉，收錄於林慶彰主編：《五十年來的經學研究》（1950－2000）（臺北：臺灣學生書局，2003 年 5 月），頁 225－251。

國時期』，是指民國元年（1912）至民國三十八年（1949）新中國成立前的時段。……晚近學者在描述這一時段的經學研究時，總以為五四運動已終結了經學，經學已『消亡』。既如此，還有什麼經學？……據他（案：指林慶彰教授）最新的統計，民國時期的經學專著，約有一千三百種。」❷這的確是令人感到驚訝的數字，因此面對過去受五四以來影響的偏狹而錯誤之民國經學觀，是促使筆者欲進行研究的最初動機。

崔適（1852－1924）❸，與章太炎（1869－1936）同受業於俞樾（1821－1907），治校勘訓詁學。後受康有為（1858－1927）《新學偽經考》的影響，專治今文學。其學生為民國初年錢玄同（1887－1939）、顧頡剛（1893－1980）等疑古學派大將。早在梁啟超（1873－1929）撰《清代學術概論》時，就已謂其在學術史中為「今文派之後勁也。」❹後有周予同認為他是「清末今文學派最後的經學家」❺，而黎錦熙也同樣稱崔適為「清代公羊學派最後的殿軍」。❻但關於其個人生平資料至今少之又少，研究其經學思想的學者，也是屈指可數。❼為什麼梁啟超等人

❷ 林慶彰主編：《民國時期經學叢書》第一輯，〈出版說明〉（臺中：文听閣圖書公司，2009年9月），頁9。

❸ 關於崔適的生平事蹟，目前僅見《民國人物大辭典》（增訂版）一書中，其內容如下：「崔適（1852－1924），字懷瑾，又字鮮甫，浙江吳興（今湖州）人，1852 年（清咸豐二年）生。初受業於俞樾，治校勘訓詁之學。後受康有為《新學偽經考》影響，專講今文經學。曾任國立北京大學文科教授。1924 年逝世。終年 72 歲。著有《春秋復始》、《史記探源》、《五經釋要》、《論語足徵記》等。」見徐友春著：《民國人物大辭典增訂版》（石家莊：河北人民出版社），2007 年 1 月，頁 1661。

❹ 梁啟超：《清代學術概論》（臺北：華正書局，1989 年 8 月），頁 57。

❺ 周予同：〈五十年來中國之新史學〉，朱維錚編：《周予同經學史論著選集》（增訂版）（上海：上海人民出版社，1996 年 7 月 2 版），頁 528。

❻ 黎錦熙：〈錢玄同先生傳〉，曹述敬編：《錢玄同年譜》（濟南：齊魯書社，1986 年 8 月），頁 184。

❼ 據筆者搜尋臺灣國家圖書館「全國博碩士論文資訊網」及「期刊資料索引」，大陸「中國博碩士論文全文資料庫（CNKI）」、「中國期刊全文數據庫（CNKI）」，僅有蔡長林著，《論崔適與晚清今文學》一書，此書為他碩士論文《崔適的經學思想研究》的前身。此外，也可參考劉斌：《民國四書文獻研究》，山東師範大學碩士論文，2005 年 4 月。此書以文獻學角度來探討民國「四書」的題錄、刊刻狀況，及新出土文獻、海外訪歸文獻的發現，是一

予以崔適在清代學術史上的今文學派一個重要地位，又其錢玄同、顧頡剛兩位學生在當時也頗負盛名，錢、顧兩人也不乏在他們的文章中，提及崔師對兩人治學的啟發❽，但觀民國以來的學術界，對其個人思想專門研究論著卻又是如此貧乏呢？這似乎是很可討論的議題。

崔適的著作除了《春秋復始》、《史記探源》已付梓出版外，《論語足徵記》是崔適另一部經學著作，原收錄於嚴靈峰編輯的《無求備齋論語集成》中，由臺灣藝文印書館出版，後再被收錄於《民國經學叢書》第一輯第五十一冊中，推測是礙於篇幅甚少之關係，不足以成書，僅能納入集書之中。另一方面，學術史上顯少有人特地去關注《論語足徵記》一書的內容及與晚清今文學的互動關係，甚而專門研究崔適學者蔡長林先生也謂：「崔適的經學觀點主要是體現在《史記探源》及《春秋復始》二書當中。」❾因此，至今並無人對《論語足徵記》一書作過專門的研究。觀蔡先生對於崔適的經學研究，乃從晚清今文學派的大脈絡底下，試圖廓清崔適在承襲今文學上的思想意義，另外，他更認為崔適是「傳承乾嘉漢學考證的傳統，並轉而應用於回復今文經學正統地位之企圖的學術性格。」❿這是頗具深入探究其治學手段的說法。如果我們據此標準來檢視《論語足徵記》，會發現崔適的治

本對欲研究民國四書學的後輩學者極有助益的參考之書。而在其書還專列討論「民國時期的四書辨偽——以《論語》為中心」一章，其內文中也提及崔適的「辨偽」立場，謂：「本今文學的立場，兼善古今文的手段，這是崔適《論語》辨偽的一大特點。」（頁 32）此說頗為公允。至於其它與之相關的史料，散佈在相關晚清學術史、經學史，還有其弟子們如錢玄同、顧頡剛的相關論述資料中。

❽ 據《錢玄同年譜》1911 年條，錢玄同是年 25 歲，「於故鄉吳興拜見崔適（字觶甫，又字懷瑾）『請業』，讀其所著《史記探源》稿本，又從崔適借閱康有為的《新學偽經考》。自此篤信『古文經為劉歆所偽造』之說。」見曹述敬編：《錢玄同年譜》，頁 17。又見顧頡剛說：「一九一六年，我進了北京大學文科中國哲學門。……教《春秋公羊學》的就是這位嚴守專門之學的壁壘的崔適先生。」（頁 3）「當時曾本崔適先生《史記探源》中所指出的劉歆利用了五德相生說來改造古史系統的各種證據，加以推闡，寫成〈五德終始說下的政治和歷史〉一文，刊入《清華學報》。」（頁 6）顧頡剛：《秦漢的方士與儒生》，〈序〉（上海：上海古籍出版社，1998 年 1 月），頁 3、6。

❾ 蔡長林：《論崔適與晚清今文學》（臺北：聖環圖書公司，2002 年 2 月），頁 21。

❿ 蔡長林：《論崔適與晚清今文學》，頁 19。

經方法的確是有嚴謹的乾嘉漢學考證的風範，但同樣的考據手法，為什麼至晚清會分出今、古文兩個派別，甚而有爭論產生？其關鍵乃在於思想的變異，當代學者王汎森先生也說：「他們（案：指晚清今文學者）傾向於將六經歸到孔子一人，既批判考據，又以考據成業。他們重大義，治學由樸轉奇，注意力亦漸轉移至『今』，批判政俗，復興政論。」⓫這意味著無論晚清各據那一門學派，事實上大家的同一目標，即是要「返回原典」，只是返回原典的過程中，大家「各自表述」，歧義於焉產生。而崔適受業古文大師俞樾門下，自有其深厚的古文訓詁、校勘等訓練，而俞樾本身治經也頗傾向於公羊學⓬，後再受康有為的影響，轉趨今文學，也以為劉歆曾經竄改古籍經文，因而認定《論語》有古今文之別，惟其古文《論語》是劉歆所竄亂，所以崔適欲進一步地辨別《論語》文本字句的真偽，再闡釋聖人的原意。

本文的研究進路，除了先從《論語足徵記》一文中，瞭解其主旨大意之外，再進行本文各條例的分析與理解，並作一番歸納整理的前製作業，期望能對崔適《論語足徵記》的經學內容與思想有些概略性的想法，接下來才是進入欲探討的主題。題目初定為〈崔適《論語足徵記》與晚清今文經學〉，主要是欲討論崔適的解經方法及其經學思想，而其經學思想又與晚清今文學有著密切的連繫關係，因此，本文將在前言中先探討前人的研究成果，包括他的生平、學術思想淵源，如何成為晚清今文學派的嫡傳學者，先作一概略性的介紹；再者，說明並分析其〈敘〉文中的主旨大意，以瞭解他對《論語》一書進行的解讀與考證的思維脈絡；接下來，在《論語足徵記》中，提出與今文經學較為重要相關的條例，並探討其辨駁與論證的內容，以闡述崔適的「今文經學」觀點；最後，歸納上述研究，總結其特色，並試圖提出《論語足徵記》在晚清今文學中的定位與其意義。

⓫ 王汎森：《古史辨運動的興起——一個思想史的分析》（臺北：允晨文化實業公司，1993 年 8 月 2 刷），頁 76。

⓬ 「俞樾治經的重點和學術成就雖以漢學為主，其立場和思想則偏重於公羊學。他不但於六經中最重《春秋》及其公羊之說，於公羊學說多有繼承和發揮，且將公羊思想貫注於對其他諸經的義理發揮和文字訓釋中。」見羅雄飛：《俞樾的經學研究及其思想》（北京：中國文史出版社，2005 年 12 月），頁 124。此亦是其北京師範大學歷史系博士論文，2002 年 12 月。

二、以考證彰顯義理的主旨大意

觀《論語足徵記》書名，「足徵」一詞，照字面解釋應為足以印證或徵實之意。自南宋朱子以下，《論語》被納入《四書》的行列，多數儒者為其傳注，總不乏圍繞於性命義理之學，雖其中不乏還是有為其版本、章句做考訂工作，但至清代考據學風氣日益興盛，始大力及全面性的從版本、訓詁、校對等方面著手，又夾雜以《論語》字義及其與諸子、史、傳等古籍互相參照之闡釋，也就是現代人常用的「援史入經」之說。而崔適一方面繼承清代校勘的方法學，一方面檢視《論語》的通假字，並以此分辨出何為「偽」古《論語》，何者為齊、魯《論語》。前已略有提及，蓋崔適因受康有為影響，也認定劉歆竄改古籍經書所致，因此，他以為古《論語》是劉歆所偽造，假託孔安國所傳，並摻入孔注《論語》中，就在這樣的前題之下，崔適有了其徵驗《論語》語句真假的基本概念。

循上述，「足徵」亦是要尋找沒有爭議、是可徵實的語句，這是崔適考證的原動力。但我們不禁想問，是什麼樣的情況下需要修改其內文？這當然涉及崔適的基本立意，而要瞭解其預設之想法，就要先清楚其敘文內容，因此，以下就其〈敘〉文探討之。〈敘〉一開始，云：

> 天地之生，材也。鳥排虛而空，而飛獸蹠實而走，向使天下無虛境，鳥無所飛矣，無實境獸無所走矣。學問亦然，義理排虛者也；考據，蹠實者也，一於義理而不及考據，是以虛虛天下之實，一於考據而不及義理，是以實實天下之虛。……然鳥有走時，獸無飛理，則虛實之失，視實虛而有甚焉。⓭

崔適首先以鳥獸為例，說明其在天地間自然的活動情況，接下來，再類比於做學問，而學問有兩種，一是義理，另一是考據。義理就如同「排虛者」；考據如同「蹠實者」，假設「義理不及考據」，就像鳥只會在地上走，也就是說，過度重視

⓭ 崔適：〈敘〉文，引自《論語足徵記》，收錄於林慶彰主編：《民國時期經學叢書》第一輯第 51 冊（臺中：文听閣圖書公司，2008 年 7 月，據民國五年北平北京大學排印本影印），頁 1。

實在的文字或字句，而把其中的道理或意義也用實在的考據方式來解釋與衡量，是不合理的事；又如果「考據不及義理」，就像獸在天上飛一樣，會使得實在的東西被虛空化，這就更不合情理了。因此，崔適又言：

> 然鳥有走時，獸無飛理，則虛實之失，視實虛而有甚焉。且夫得鳥者，羅之一目，而一目之羅不可得鳥，必張全羅，乃能得之。義理，羅之一目也；考據，羅之全體也，廢考據而言義理，猶欲以一目之羅得鳥也。《論語》，義理之府也，而不及考據，是使獸飛與欲以一目之羅得鳥之類也。⓮

由上所述，可以很清楚地得出崔適的主旨，意指鳥還可以在陸地上走，獸卻無法在天空飛，所以「義理」與「考據」的孰輕孰重，便可知矣。再者，崔適更引「一目之羅」的故事來說明，謂「義理」如同製作一張僅剩一個孔眼的網；「考據」卻是如整個的網羅，其重要性由此即可分辨出高下。順此，崔適觀察長久以來儒者們對於《論語》總是較偏重「義理」方面的探討，於是稱《論語》為「義理之府」，換言之，儒者們鮮少因《論語》而注意其考證方面的探究，這就如同使走獸能飛，及想用一張僅剩一個孔眼的網來抓鳥一樣，都是不正確的治學態度。

首先，從《論語足徵記》的著作年代來看，其寫成於一九一六年⓯，又據錢玄同於《新學偽經考》〈序〉中所言，證明崔適的《論語足徵記》，實受康有為《新學偽經考》的影響。⓰但崔適並非全然接受康氏的頗具創意的論述手法，周予同於

⓮ 崔適：〈敘〉文，《論語足徵記》，頁 1。

⓯ 案：崔適於〈敘〉文最後題日期為「丙辰」，推算應為 1916 年，也就是民國 5 年完成《論語足徵記》。

⓰ 案：「在三十年前，對於《新學偽經考》因仔細研究的結果而極端尊信，且更進一步而發揮光大其說者，以我所知，唯有先師崔觶甫（適）先生一人。崔君受業於俞曲園（樾）先生之門，治經本宗鄭學，不分今古：後於俞氏處得讀康氏這書，大為佩服，說它『字字精確』，『古今無比』，於是力排偽古，專宗今文。……崔君著《史記探源》、《春秋復始》、《論語足徵記》、《五經釋要》諸書，皆引申康氏之說，益加邃密。」見錢玄同：〈重論經今古文學問題〉，據方國瑜標點本：《新學偽經考》〈序〉，原載於民國二十一年六月，國立北京大學《國學季刊》第三卷，第二號，今收錄於顧頡剛編：《古史辨》第五冊（臺北：藍燈

〈五十年來中國之新史學〉一文中，亦云：「大概崔氏過於質樸，沒有康氏的識力和氣魄，因之理論的便給也遠不及康氏。」⓱周先生的說法，雖然點出崔適立論上的缺失，但並不否認其據有古文學家經注辨證、訓詁考訂的嚴謹方法訓練。試看以下二例：㈠**「崔子，魯讀為高」**⓲（**〈公冶長〉第五**）條例，崔適訓釋「崔子」，魯《論語》讀為「高子」，此「高」為假字，古《論語》易為本字，故作「崔」，至於崔、高有此異讀，或以族同，或以義近，或以聲轉，或曰讀者改其字，但皆不可通也。此條乃崔適引《經典釋文》魯、古《論語》異讀二十三條，其中有義異者三分之一，義同者三分之二，辨明其假借關係，也就是魯《論語》之「高」為假字，而古《論語》「崔」為本字，並證此為義異之字，「高」、「崔」二字無通義。㈡**「披髮左衽」**⓳（**〈憲問〉第十四**）條例，崔適引《漢書》〈終軍傳〉：「解編髮，削左衽」顏師古解：「編讀曰辮。」又依《漢書》〈西南夷傳〉：「編，音步典反。」以此推論「編」即「辮」音。再據《後漢書》〈西南夷傳〉直作「辮髮」，《華陽國志》〈南中志〉亦言「編髮左衽」，因此，得出「披髮即編髮，編髮即辮髮」⓴的訓解涵義。

由上述兩例，可看出崔適的確有「質樸」的考證工夫，但如果崔適僅是以考據方法來徵引訂正《論語足徵記》，那麼也就如前文主旨之言，缺乏「義理」，會如同鳥在地上走般的顯得過於膠著文字，而失去脈絡性的意義。

綜上述，可以歸納出崔適在〈敘〉文中幾個重點：一、「考據」與「義理」雖皆是不可或缺的治學途徑，但「考據」重於「義理」；二、在西漢宣帝先有《齊論》、《魯論》，西漢末始有《古論》，孔安國為之傳注，至東漢則有劉歆造偽假託之事，《古論》遂不可信；三、世皆謂《古論》版本比《魯論》更接近孔子年代，其運用〈六書〉造字法則的「假借」，證明《古論》多「本字」，《魯論》多「假字」，可見《古論》版本事實上比《魯論》晚出；四、因為古文皆為劉歆所竄

文化事業公司，1993），頁23－24。

⓱ 周予同：〈五十年來中國之新史學〉，《周予同經學史論著選集》，頁530。

⓲ 崔適：《論語足徵記》〈卷上〉，頁6。

⓳ 崔適：《論語足徵記》〈卷下〉，頁24。

⓴ 崔適：《論語足徵記》〈卷下〉，頁24。

亂，今本《論語》又經鄭玄混同今古文，所以要比較互證的參照文獻，也不可不辨，因此，列出先秦古書、西漢師說等書，說明其辨別真偽的依據。

三、《論語足徵記》的今文經學觀點

事實上，《論語》一書，是透過孔子個人與及其弟子的對話所建構而成的內容，《論語足徵記》在另一個面向上，也看得出崔適亦與前儒一樣，試圖勾勒出聖人的思想與圖像，如**「文王既沒，文不在茲乎？天之將喪斯文也，後死者不得與於斯文也；天之未喪斯文也，匡人其如予何？」**㉑（〈子罕〉第九）之條例，崔適引《公羊傳》隱公元年，曰：「王者孰謂，謂文王也。」說明孔子乃秉文王之法度，作《春秋》，所以說《春秋》之文，即文王之文，上天如果要滅亡自文王傳承下來的文化傳統，那就真沒辦法寫成《春秋》了。循此，亦可證《春秋》一書在孔子言論當下，尚未完成。又見**「述而不作」**㉒（〈述而〉第七）條例，崔適駁曰：「《集注》兼《周易》、《春秋》言之，贅矣。」意思是說朱熹應該以《春秋》為孔子之作即可，不必言及《周易》。崔適進一步論證，分以下兩點：㈠引孟子言：「孔子懼，作《春秋》。」孔子為什麼不言作《春秋》，乃因當時《春秋》具褒貶內容，不可寫諸於文章，遂口傳弟子。㈡「述而不作」，是指「子所雅言，詩書執禮是也。」崔適之說，似言只有《春秋》為孔子所撰作，其餘諸經皆為孔子的潤飾之作，也就是「述而不作」的意思。如此一來，這與今文學家專主六經皆為孔子所著的基本想法，產生了歧異，但也因為如此，崔適才敢將《論語》內文作些許微調、刪改字句的動作。但不管是孔子本身的著作，抑是其潤飾的述作，其實都不脫離孔子「託言」的想法，崔適認為《論語》同《春秋》一樣，隱含著聖人的微言大義，但是今本《論語》已混淆於古學，他要說明這個事實，並以此探求孔子《論語》的真義。

在周予同的《經今古文學》一書中，謂：

㉑ 崔適：《論語足徵記》〈卷上〉，頁 14。

㉒ 崔適：《論語足徵記》〈卷上〉，頁 8。

> 至於近時純粹的今文學者，除廖、康外，不能不推北大教授吳興崔適。崔繼康《偽經考》的研究，著《春秋復始》，說《穀梁》也是古文；又著《史記探源》，說《史記》是今文學，其所以雜有古文說，全是劉歆的羼亂，以為他自己主張古文經傳的根據。㉓

一般而言，民國以來論及崔適的今文經學思想，總是不外舉《春秋復始》、《史記探源》二書為例，而今《論語足徵記》的文獻收錄出版，適可為其經學思想再作一補充與探究之用，因此，以下將以《論語足徵記》為主，分析其經學內容，並輔之探討其與今文經學思想的互動關係。

㈠從文字論古《論語》為劉歆偽造

在崔適〈敘〉言中，謂：

> 《論語》之出也晚，漢宣帝時，自齊人王吉傳者曰《齊論》，魯人龔奮傳者曰《魯論》，西京之末始出《古論》，以蝌蚪古文作之，謂為先秦人書，欲以陵駕齊、魯論之為今文，實則劉歆所造，託之孔安國所傳，并為作注，以徵之爾。㉔

就上述所言，《論語》在西漢宣帝時，已有《齊論》與《魯論》之兩種版本，《古論》則在西漢末期才出現，因為是以蝌蚪文寫成，謂之「古文」，而據許多文獻記載㉕，孔安國是最早為《古論》作注解的人，而當崔適認定「古文」皆為劉歆所偽

㉓ 周予同：《經今古文學》，收錄於林慶彰主編：《民國時期經學叢書》第一輯第 5 冊（臺中：文听閣圖書公司，2008 年 7 月，據民國十八年十月，王雲五主編《萬有文庫》版本），頁 29。

㉔ 崔適：〈敘〉文，《論語足徵記》，頁 1。

㉕ 案：何晏《論語集解》〈敘〉謂：「《古論》唯博士孔安國為之訓解，而世不傳。」〔魏〕何晏集解，〔北宋〕邢昺疏，《論語正義》（據《十三經注疏》第八冊，臺北：臺灣商務印書館），頁 3。陸德明《經典釋文》〈序錄〉曰：「《古論語》者，出自孔壁中，凡二十一篇，有兩〈子張〉，篇次不與齊、魯論同，孔安國為傳，後漢馬融亦注之。」吳承仕：《經典釋文序錄疏證》（臺北：嵩高書社，1985 年 4 月），頁 139。此外，清人馬國翰《玉函山

造之時，實已有懷疑的念頭，也就是以為劉歆也偽造孔安國之注《古論》的嫌疑，因此，為了證明他的論點是正確的，也開啟了「辨偽」的工作，崔適是怎麼「辨偽」《古論》的呢？首先，從《魯論》與《古論》中的文字證其版本的先後，〈敘〉文曰：

> 今又得一考證，古者字少，一字恆箢數義，故多假字。後世各造本字分用之，故有古人用假字，後世易以本字者；未有古人用本字，後世易以假字者。魯古異讀，率魯用假字，古用本字。如可使治其賦也，魯讀為其傳，則傳假字，賦本字；吾嘗無誨焉，魯讀為無悔，則悔假字，誨本字，皆是。㉖

本段引文，主要在說明崔適所採用的訓詁方法，乃是根據許慎造字法則的「假借」而言，其言古者多用假字，後世多用本字，因為古代的字造得少，一個字可包含數個意思，所以常用假字，後來造字多了，就是本字，如「可治其賦」一句的「賦」字，魯寫作「傳」，古本寫作「賦」，而「賦」為本字，「傳」為假字；「吾嘗無誨焉」一句的「誨」字，《魯論》讀為「悔」，是假字，《古論》為「誨」，是為本字。崔適再以此進一步推論古今《論語》的版本先後次序問題，也就是說，既然《魯論》假字居多，又《古論》多本字，證明其一是《魯論》早於《古論》，其二是《古論》既名之曰為更早接近孔子時代的版本，卻多本字出現，可見其為「贗品」。

房輯佚書》中的《《論語》孔氏訓解》〈序〉更加詳解《古論》之流傳狀況，云：「僅見《集解》所引，輯其散佚，並以皇侃疏本、高麗本與邢昺疏本文字異者，參定以復其舊。《史記》、《說文》引稱皆古文，亦據採入，仍其篇目，為十一卷。後漢馬融亦為《古文訓說》，別輯比次，合二書而觀之，庶幾《古論》之學亡而不亡也。」〔清〕馬國翰輯，《玉函山房輯佚書》（二）（上海：上海古籍出版社，1990 年 12 月），頁 1585。此說亦與崔適對《古論》的理解頗為相同。推測或崔適有受此書影響，或自有定見，但皆可說明他即據此來辨析《古論》的偽造，而堅守《齊論》、《魯論》的正統地位。

㉖ 崔適：〈敘〉文，《論語足徵記》，頁 1。

㈡以西漢前期為主的古籍經傳回溯《論語》之「真」義

崔適認為「自張侯合魯於齊」㉗，形成齊魯不分的版本，又鄭玄合《齊論》、《魯論》於《古論》，造成三家混合不分的狀態，以上這些版本真偽問題，皆是崔適亟欲辨別的目標，但辨別標準為何？崔適言：

> 惟先秦古書，西漢師說，東京則班固、何休、高誘、王充之言，《集解》包注、《釋文》所載，鄭引魯讀而已，今疏通而證明之，竊取足徵之語於《論語》。㉘

觀以上所言，崔適認同之「真」古籍，較為相信的是西漢以前的著述，東漢則有其選擇性，東漢以下只認可的是《集解》包咸注、陸德明的《經典釋文》及鄭玄引《魯論》的部分。姑且不論其徵引的古籍，也同樣地存在是否具真實性的前題之下，經由這般的訂定標準，我們得以掌握崔適疏通《論語》字義與考證的基本依據。以下分別舉出幾個例證。

1.**「哀公問主於宰我」㉙（〈八佾〉第三）**

案：此條例，照一般《論語》的版本，原文應為「哀公問社於宰我」，崔適駁問「社」者，認為其應為古文也，今文《論語》並無「社」字。引《公羊傳》文公二年：「練主用栗」為例，下有何休《春秋公羊解詁》云：「夏后氏以松，殷人以柏，周人以栗。」又其疏曰：「出《論語》也。」乃「以經解經」的方式來訓釋，而駁鄭玄注曰：「社主」，乃古文《論語》，以證今文「問主」才是正確的。像崔適引《春秋》經文，以何休《春秋公羊傳》解詁作為引證及正解的條例，在《論語足徵記》中確實頗多。

2.**「夷狄之有君，不如諸夏之亡也。」㉚（〈八佾〉第三）**

㉗ 崔適：〈敘〉文，《論語足徵記》，頁2。

㉘ 崔適：〈敘〉文，《論語足徵記》，頁2。

㉙ 崔適：《論語足徵記》〈卷上〉，頁3。

㉚ 崔適：《論語足徵記》〈卷上〉，頁3。

案：此條例，按崔適先駁朱子《四書章句集注》：「程子曰：『夷狄且有君長，不如諸夏之僭亂，反無上下之分也。』」並前溯及皇侃《論語義疏》：「揆之春秋，內諸夏而外夷狄」之義，以為孔子並非欲以夷狄與當時華夏對比，來突顯出自己國家內部的人倫秩序之遭到破壞，乃有傷時之亂的感慨之意，而是以《公羊傳》㉛、《呂氏春秋》㉜文化優越概念，來證明「夷狄雖有賢君，而紀綱不立，不如諸夏無賢君，而猶守先王之遺法也。」㉝是以側重嚴明君臣之分際上，及自認華夏的人倫教化優於夷狄，也可見其華夏中心觀的公羊經學思想。

3.「子路曰：『桓公殺公子糾，召忽死之，管仲不死。曰：未仁乎？』」㉞

（〈憲問〉第十四）一

案：此條例，崔適重點在駁朱子《四書章句集注》引程子言桓公為兄，子糾為弟之誤解及其引申義。其證分述如下：㈠引《管子》〈大匡〉篇曰：「齊僖公生公子諸兒，公子糾、公子小白。」崔適以此推論子糾才是「兄」，而桓公（小白）是「弟」。㈡再引《公羊傳》〈莊公〉二十九年曰：「君存稱世子，君薨稱子某，既葬稱子，踰年稱公。」又引〈僖公〉九年等事，可知死後過一年的君王稱「公」，當年下葬的君王稱子。因此，證〈莊公〉九年之文，「即知《春秋》已成糾為君矣。是則糾實桓君，桓乃糾臣。」可知公子糾既為君王，公子小白是為其臣子。㈢據《說苑》〈善說〉篇、《論語》〈子罕〉篇、《春秋》（案：指《公羊傳》），說明管仲的自我貶低自己以行權宜之計，《公羊傳》〈桓公〉十一年曰：「管仲不死糾而相桓，以成一匡九合之功，猶蒙未仁之譏，此所謂自貶損以行權。」崔適認為管仲正如孔子所言是個「可與立，猶未可與權。」之人，孔子這句話的本意，指的是可與之立定志向，但未必可和他共同權衡事理輕重的人，這裡應是指就管仲的

㉛ 「案：春秋莊四年傳曰：『上無天子，下無方伯。』解詁曰：『有而無益於治曰無。』」崔適，《論語足徵記》〈卷上〉，頁3。

㉜ 引《呂氏春秋》〈驕恣〉篇「春居問於宣王曰：『荊王釋先王之禮樂而樂為輕，敢問荊國為有主乎？』王曰：『為無主，賢臣以千數而莫敢諫。』」下引高誘注云：「無主曰無賢主，無臣曰無賢臣，此云有亡。」崔適：《論語足徵記》〈卷上〉，頁3。

㉝ 崔適：《論語足徵記》〈卷上〉，頁3。

㉞ 崔適：《論語足徵記》〈卷下〉，頁22。

立場而言，尤其重在他的事功價值上，「而夫子特以『知權』許管仲」[35]此「權」，即指根據具體的狀況，採取合理得宜的通權達變之道，換言之，孔子認為管仲的行為有其「權變」的正當性。

4.**「豈若匹夫匹婦之為諒也，自經於溝瀆而莫之知也。」[36]（〈憲問〉第十四）**

案：此一條例，崔適駁曰：「應邵、徐幹，均以自經溝瀆為夫子貶召忽辭，固也。」稱其為僵固之想法。接下來，其證分二點論述：㈠引翟灝《四書考異》與《說苑》之說輔證，崔適認為管仲如果真當時為子糾盡忠而死，好比自縊於溝瀆中，即「舍一匡天下之功而死」，其死等於一般匹夫之死而已；反觀召忽之死，因為召忽在生前已赫赫有名，其為忠君而死，乃更名聞於天下了，怎會沒沒無聞呢？㈡據《管子》〈大匡〉篇言：「召忽之死也，賢其生也，管仲之生也，賢其死也。」意即召忽之死比其活著的好，而管仲卻正相反，亦讚揚了《管子》評價召忽的行為。

5.**「人也。」[37]（〈憲問〉第十四）[38]**

案：此則例，崔適先駁邢昺的《疏》「若言是人也。」次駁朱子《四書章句集注》也承繼邢昺，云：「人也，猶此人也。」最後批評朱子「則人也句無與稱美，於義儉矣。」[39]崔適認為朱子注解管仲，並沒什麼特殊的含意，而認為孔子此言「人也」，應該是有讚許管仲之意，崔適首先據揚雄《法言》〈淵騫〉篇云：「或問：『子，蜀人也，請人。』曰：『有李仲元者，人也。』」又引揚雄解此文曰：「謂如管仲者，可謂之人也。人為三才之一，與天地參。」再引陳同父（案：陳亮）曰：「天下大勢之所趨，天地鬼神不能易，而易之者人也。」綜上所言，得出「人」在世代變革中的重要性，崔適引申其意，云：「然則盡乎人之所為，非五常

---

[35] 崔適：《論語足徵記》〈卷下〉，頁 24。

[36] 崔適：《論語足徵記》〈卷下〉，頁 24。

[37] 崔適：《論語足徵記》〈卷下〉，頁 21。

[38] 案：依現今常見如《十三經注疏》之何晏《論語集解》的版本，原文應為「或問子產。子曰：『惠人也。』問子西。曰：『彼哉！彼哉！』問管仲。曰：『人也。奪伯氏駢邑三百，飯疏食，沒齒無怨言。』」

[39] 崔適：《論語足徵記》〈卷下〉，頁 22。

三王不足以當之，次如一匡九合之功，亦可謂之人耳。」㊵再次闡明管仲在歷史上「尊王攘夷」的功勞。另一方面，並據《論語集解》言鄭玄解為「伊人」、皇侃《疏》釋「伊人」，為「於焉逍遙，是美此人。」所以「此人」一意，乃孔子美言管仲之詞也。

綜上所引，很清楚地看出崔適詮釋《論語》的一個面相，也就是將孔子的言論與之《公羊傳》經文互相訓釋，又與《管子》、《說苑》等古籍內容相參照，是以西漢前期為主的古籍經傳，溯源《論語》的真實版本呈現及意涵。另一方面，三至五則中，依照公羊學的觀點，管仲輔佐齊桓公完成王霸事業，造就了當時華夏文化大一統的形成，並攘除夷狄，也突顯出其「尊王」功業的重大意義。

㈢以《公羊》之理裁決《論語》疑義

以公羊學大義來詮解《論語》，並非始於崔適。早在劉逢祿著《論語述何》時，他就已用公羊學之義例來注解《論語》。㊶以下兩個例證，即可看出崔適於《論語足徵記》乃以《公羊傳》何休注為唯一《春秋》經的「正版」，並以此作為解釋《論語》的內容及裁定其疑義的重要依據。

1.**「晉文公譎而不正，齊桓公正而不譎。」㊷（〈憲問〉第十四）**

案：此條例，崔適要反駁的觀點分為二：㈠認為馬融、鄭玄皆古文經學家，「據左氏注之，非經義也。」㈡按崔適謂何晏《論語集解》中所錄鄭玄注「晉文公譎而不正」的原由，根據筆者的考證，乃引《左傳》僖公二十八年記載云：「孔子曰：『以臣召君，不可以訓，故書曰：『天王狩于河陽。』』此外，馬融解「齊桓公正而不譎」的原由，乃引《左傳》僖公四年之事，曰：「伐楚以公義，責苞茅之

㊵ 崔適：《論語足徵記》〈卷下〉，頁 21。

㊶ 孫春在於《清末的公羊思想》一書中，曾說：「公羊學到劉逢祿的另一個轉折，就是用公羊傳何注的精神去重新詮釋《論語》一書。在清代，五經是考據家們的專業，而《論語》卻是士子必讀的書籍，……因此把公羊學的義例援引過來解釋《論語》，對當時的思想界具有重大意義。……在劉逢祿之後，公羊學者即將《論語》中的有關篇章納入了公羊學的體系之內。」可見劉逢祿在清代公羊今文經學的開拓中，自有其「先驅」的地位。見孫春在：《清末的公羊思想》（臺北：臺灣商務印書館，1985 年 10 月），頁 39、41。

㊷ 崔適：《論語足徵記》〈卷下〉，頁 22。

貢不入，問昭王南征不還，故正而不譎也。」以上皆引自《左傳》之敘述，所以崔適力反之。下面引證，亦分兩點說明：㈠崔適認為「春秋之事，主乎桓文，桓文之功，存乎會盟之義，大信時，小信月，不信日。惟信乃正，不信則不正。」此乃據《公羊》「時日月例」而來。順此，晉文公上告天子曰：「諸侯不可卒至，願王居踐土。」又謂諸侯言：「天子在是，不可不朝。」在與對周天子以卑下迎合的機心之外，另一方面，又對諸侯們施以威脅，於焉成就「踐土之盟」，並書寫下日期，這就是所謂「晉文公譎而不正」的實例。㈡崔適言齊桓公：「要盟可犯，而桓公不欺，曹子可讎，而桓公不怨。」（案：見《公羊傳》莊公十三年），其勇氣與度量令人欽佩，此謂「柯之盟」，經書因此記下時節，表示齊桓公的事跡令人信服。此即「齊桓公正而不譎也。」此處可見崔適對馬融、鄭玄據《左傳》經文的極力反對，並認為那不是孔子解釋《論語》的真義，因此，如何可得其正確的「經解」，崔適乃改依循《公羊傳》「因例以范事」之家法來解《論語》經文，因而有不同的經典解釋模式。比對《左傳》與《公羊傳》之歧異處，一方是敘述故事，另一方是說解經文，但指涉解讀「晉文公譎而不正，齊桓公正而不譎」之意涵卻皆可通，可見其持的立論參考點雖異，但確實各有所補充之處。

2.**「曰：『予小子履，昭告于皇皇后帝。』」㊸（〈堯曰〉第二十）㊹**

案：此一條例，崔適所駁，分三點析之：㈠按《論語集解》孔注引為「湯誓」，也就是盟誓之約，崔適卻認為「此湯禱雨，而以身代牲，為民受罪之辭也。」㊺因此，此條例應解為「祝辭」。㈡《論語集解》再引孔安國注曰：「殷家尚白，未變夏禮，故用玄牡。」崔適非之也。㈢引《呂氏春秋》〈順民〉篇謂「湯以身禱於桑林」、「以身為犧牲」，駁《墨子》〈兼愛〉篇用「敢用玄牡」句，認為此句與上下文意不通外，也臆測此句應是古文家之亂竄。其證如下：㈠魯、齊《論語》本無「敢用玄牡」句。㈡既然湯以自己為犧牲，就不會用玄牡來作犧牲。

㊸ 崔適：《論語足徵記》〈卷下〉，頁32。

㊹ 案：依現今常見如《十三經注疏》之何晏《論語集解》的版本，原文應為：「曰：『予小子履，敢用玄牡，敢昭告于皇皇后帝』。」

㊺ 崔適：《論語足徵記》〈卷下〉，頁32。

㈢「殷家尚白」，應該不會用尚黑的夏朝所用的「玄牡」來祭祀。㈣崔適結論：「有履字，無玄牡者，先秦及西漢齊魯本也。間入玄牡句者，劉歆偽託孔安國所傳古文本也。脫去履字者，季漢本也。」㊻㈤又據《三國志》〈蜀志〉、裴松之注〈魏志〉引獻帝傳、注〈吳志〉引吳錄，皆云「敢用玄牡」，崔適以為是漢朝君主祭天時一般常用的語言，非指其事實，再證此原為漢儒增竄之詞句。㈥古文家誤以為此乃敘帝王受命之事，遂以為這是伐桀之辭，不知這樣的祈雨請罪，是「民心所由歸往，此正王天下之事」。㊼由上述，可知崔適亦引先秦兩漢古籍互相考訂，來論證《論語》的文本的真偽問題，除了又見古文家劉歆的竄改說法之外，並可見其受公羊學派「三統說」的影響。

㈣「外王」重於「內聖」的經典理解

就一般言之，大多數人心目中的《論語》，應是孔子與其弟子的日常生活言行對話，但就崔適的解經脈絡看來，並非全然如此，在《論語足徵記》中，會發現對於「外王」的經世理念的諸多詮解，此即不同於朱子編《四書章句集注》而重視「內聖」修己工夫的說法，以下試舉兩例說明之。

1.**「君子和而不同，小人同而不和。」（〈子路〉第十三）**㊽

案：此一條例，崔適所駁的理由有二：㈠何晏《論語集解》曰：「君子心和，然其所見各異，故曰不同；小人所嗜好者同，然各爭利，故曰不和。」崔適認為「於和字無所發明，於同字義亦不備。」㊾㈡朱熹《四書章句集注》曰：「和者，無乖戾之心。」崔適批評：「則老氏和光同塵之和」、「同者，有阿比之意，但無乖戾之心，亦無阿比之意，以此為和而不同，鄉愿而已。」㊿因此，朱子之注解，在崔適看來「和」竟成為一個同流合汙、隨波逐流，及一味討好別人，卻不能明辨是非之人。崔適並進一步引證，引晏子曰（案：出自《左傳》昭公二十年）：「君所謂可而有否焉，臣獻其否以成其可；君所謂否而有可焉，臣獻其可以去其否。」

㊻ 崔適：《論語足徵記》〈卷下〉，頁33－34。

㊼ 崔適：《論語足徵記》〈卷下〉，頁33。

㊽ 崔適：《論語足徵記》〈卷下〉，頁21。

㊾ 崔適：《論語足徵記》〈卷下〉，頁21。

㊿ 崔適：《論語足徵記》〈卷下〉，頁21。

崔適解釋為「晏子所謂君所謂可，據亦曰可；君所謂否，據亦曰否。是也。」[51]其認同晏子「君」、「臣」能相對尊重與接納各別言論的講法，比較其駁《集解》、《集注》之論，崔適首先將《論語》常稱的「君子」、「小人」關係解為「君」與「臣」的對應關係；再者，以「和」與「同」兩條主線貫穿於「君」與「臣」的互動過程中，意指君王治理國家，能廣泛地傾聽不同的聲音；臣子亦可向君王建議興革，最後兩相補充、容受，並能相互啟發，應才是得孔子之原意。針對何晏、朱子的解經，竟造成崔適大力的抨擊，深究其中差異點，應是「君子」與「小人」的個人道德修養之別，對比於「君」與「臣」的政治上的名份與分際關係，也就是說，崔適的著眼點並不是像朱熹以討論個人行為修身為其思想主旨，而是從政治性的考量，關照君王與人臣的互動分際的問題。

2.**「巧言亂德，小不忍則亂大謀。」（〈衛靈公〉第十五）**[52]

案：此條例，崔適所持反駁的理由，如下：㈠引朱子《四書章句集注》云：「巧言變亂是非，聽之使人喪其守。」崔適謂其「是亂德言者之德矣」[53]，非也。㈡再次引《四書章句集注》云：「如婦人之仁，匹夫之勇。」與《詩經》〈大雅．蕩之什〉：「維彼忍心，是顧是復。」互相對照，解為彼殘暴之人，君王為之留戀、眷顧之意，那麼這樣的「忍」，就倒反聖人之意了。崔適引證說明，分述如下：㈠引邢昺疏，認為「巧言亂德，猶曰巧言鮮仁也，所鮮者是言者之仁，亂亦言者之德也。」觀崔適之意，指「巧言」、「亂德」皆是當事人所為，非如朱子言是當事人來影響別人之「德」。㈡崔適言：「『小不忍，則亂大謀。』乃魯之相忍為國之忍，猶曰：『一朝之忿，忘其身以及其親』也。」[54]意指是要顧全大局，尤其是此「忍」乃家國之忍，非只限於「忘其身」之忍。朱子之言，或僅侷於「忘其身」之忍，非也。可見崔適乃以魯為中心的天下觀。

以上兩條例中，可見崔適對《論語足徵記》的詮解，並不脫離今文學的立場，

[51] 崔適：《論語足徵記》〈卷下〉，頁21。
[52] 崔適：《論語足徵記》〈卷下〉，頁28。
[53] 崔適：《論語足徵記》〈卷下〉，頁28。
[54] 崔適：《論語足徵記》〈卷下〉，頁28。

換言之，這般在其解讀下的《論語》，就不再是一本學習孔子道德修養的典籍，而是探討孔子「微言大意」所在的另一本重要的聖典。

四、結論

前面曾引周予同認為崔適為「清末今文學派最後的經學家」的評論，現在引述較長的篇幅，如下：

> 直接受經今文學的啟示，而使中國史學開始轉變的，計有三人；一是梁啟超，二是夏曾佑，三是崔適。現在先述後者。崔適與其說他是轉變其的史學家，不如說他是清末今文學派最後的經學家較為恰當。……《史記探原》卻是以經今文學的見地推論到史部紀傳體第一部《史記》的本質問題。崔氏所以能取得清代今文學最後的經師的地位以此，崔適所以與轉變期的史學有關也以此。[55]

以上是從史學的角度言崔適的學術地位，周先生認為崔適考證《史記》的「本質問題」是涉及史學轉變，倒不如說是因為晚清經今文學派的辨偽疑古，與形成各人自我詮解經典以明聖人「微言」、「託古」之大義的雙重疑惑下，造就全面性經典詮釋的崩解，因此，經學遂被史學所吸納。蓋自有清以來，就以考據為其學術主流，章學誠曰：「六經皆史也，古人不著書，古人未嘗離事而言理，六經皆先王之政典也。」[56]這段話常備受關注的只是「六經皆史」一句，殊不知整段文意重點應是落在「六經皆先王之政典」一句，換句話說，「六經」是先王政制教化所依循的典籍。既然作為政制教化之用的「六經」，就不是現今指涉的「史料」而已，它依然還是傳統所謂「經」的涵意，但隨著考據成痞的風氣，在字字句句餖飣考證之下的文章，成了破碎斷裂的文本，而缺乏脈絡性的理解整體大意的能力，雖然亦有不少

---

[55] 周予同：〈五十年來中國之新史學〉，《周予同經學史論著選集》，頁 528。

[56] 〔清〕章學誠著，葉瑛校注：《文史通義校注》（上）卷一，內篇一，〈易教上〉（北京：中華書局，2000 年 1 月（3 刷）），頁 1。

清儒意識到此點，如崔適，但是「未常離事而言理」的基本治學方向，易促使他們走向經驗性的義理建構，如何「經驗」？怎麼「未嘗離事」？大抵就是落實於日常行為生活中，舉凡大至國家更替、戰爭之事，小至個人修身實踐，以上這些大小事的紀錄，即是以史書方式呈現。另一方面，晚清今文經學亦是在「通經致用」的經世理念下，欲連結「事」以創新「理」。順此，史學與今文學的興盛，是隨著「六經」在無法應付多變的世局中，及考證至極後，在晚清民初所應運而突顯出來的產物。

反觀《論語足徵記》，崔適依然未嘗離事言理，在其〈敘〉文中，即有很清楚的譬喻與說明，並造就崔適大量地據史事、史實來補充或解釋《論語足徵記》的基本論證體例。此外，就筆者的統計，在《論語足徵記》中，總共有三十四條例，辨駁朱子《四書章句集注》的就有十九條例之多，佔總數的一半以上，有部分是批評朱子字句上的盲目地跟隨，認為朱子沒有仔細審訂《古論語》與《齊論語》的真偽部分，但更多的質疑是在解經的方面，例如崔適認為朱子解經「語殊含混、無所發明」[57]，究其根本原因，乃在於兩人對經典詮釋上的歧異，也就是說，朱子是立基於其整體的天道性命觀點下來注解《論語》，是闡發聖人的人倫教化之道理及如何實踐的方法；而崔適卻是將孔子視為為「素王」，《論語》當中孔子的言論，儼然成為教化王功之道，此偏向於事功的義利觀，與朱子的追求自我內在超越的道德價值觀恰成悖反，這也不難理解崔適為何每每反駁朱子的言論了。另一方面，崔適引據的古籍，也多與「王霸」事業有關的先秦至漢初的諸子百家學說，諸如《管子》、《列子》、《墨子》、《晏子春秋》、《呂氏春秋》、《春秋繁露》等古籍，雖說他不如晚清今文學家的汲汲於參與政治上「通經致用」的改革行列，但也不失其對事功義理的闡揚，換句話說，崔適是在學術性格上堅守今文學派的立場，非如康有為等人將今文學派的經世改革放置於個人具體的行為實踐中。

蓋從崔適對《論語足徵記》的解經脈絡看來，的確，他把《論語》內容的文字考據問題擺在前位，其運用「假借」的造字法則來辨識今、古《論語》，及如百科全書般的旁徵博引古籍文獻，為的就是要證明他的古《論語》是劉歆造偽出來的立

[57] 崔適：《論語足徵記》〈卷下〉，頁19。

論點，但如果僅是認定古《論語》是劉歆竄亂的偽本書，也就比較好考證，但問題是如果自劉歆出生年代以後的古籍都算是劉歆造偽，那麼，自孔壁取出的古文（蝌蚪文）書籍，至劉歆的年代中間，其所流傳的如《論語》古本，如何考證其真偽呢？[58]且崔適認為《史記》是屬今文學之書，但其中不乏有劉歆的竄亂，但如何正確的掌握其中部分內容是劉歆改動過的字句呢？另外，崔適引春秋經文，皆以《公羊傳》為據，至於《左傳》所列之史事，崔適皆以為非，如言「《左氏》是，則《論語》、《史記》非也；《論語》、《史記》是，則《左氏》非也。《左氏》經劉歆竄亂，豈《論語》、《史記》比者。」[59]等等，可見其今、古文學派立場之壁壘分明。然而，這也是《論語足徵記》的局限，《左傳》的史事記載，如果皆是錯誤、偽造的話，那麼失去大量春秋時代的珍貴史料，有可能會「誤判」更多也說不定。

顧頡剛曾說：

> 那時別人多喜歡把《公羊》的話語結合當前的政治，在變法自強運動中起了大小不等的波瀾，獨有崔適，雖把《公羊》讀爛熟，卻只希望恢復《公羊》學的原來面目，自身未參預過政治運動。[60]

由上述，推究崔適如此捍衛今文學的觀點，探其本源，在於他所尊崇的聖人原本樣態，惟其認同孔子是「素王」，崔適的解經模式也自然會趨近於今文公羊學的思想。因此，如果說《春秋復始》是一本為了闡發孔子「託古改制」、「微言大意」

---

[58] 關於劉歆竄亂古文經的問題，可參考錢穆〈劉向歆父子年譜〉一文，今學術界已為定論。此外，錢穆亦有《先秦諸子繫年》一書，內容有諸多考證，可與之作為比對研究，如〈孔鯉顏回卒年考〉一文，適可與《論語足徵記》其中「顏淵死，顏路請子之車以為之槨。子曰：『鯉也死，有棺而無槨。』」（〈先進〉第十一）一則相對照比較，是可以開展的另一個論題。還有，周予同認為《史記探源》有許多待釐清的地方，也指出崔適《史記探源》出版未久，繆鳳林就撰《史記探源正謬》四卷了。詳見周予同：〈五十年來中國之新史學〉，《周予同經學史論著選集》，頁 530。

[59] 崔適：《論語足徵記》〈卷下〉，頁 27。

[60] 顧頡剛：《秦漢的方士與儒生》〈序〉，頁 3。

而辨證的著作，《史記探源》則是來補充說明公羊學的一部史料，那麼，《論語足徵記》就是考證與詮解孔子「素王」原意的最佳之書了。無論如何，崔適的學術思想始終是「經學」的，難怪學術史上要稱他為今文學的殿軍。接下來，因為今文學家批評古文學家的偽造，而古文學家也反過來質疑今文學家根本無法理解孔子的原意，錢玄同、顧頡剛兩人便是從崔適的考證辨偽觀點上再出發，而「清學」經驗、實證的精神卻弔詭式地體現在他們身上，換句話說，他們不相信、也不再試圖去理解聖人的本意，這些「聖典經書」最後化為一般的史料，僅剩一堆繼續「辨偽」的古籍文獻。

經　學　研　究　論　叢
第　二　十　輯　　頁193～208
臺灣學生書局　2012 年 12 月

書評：江慶柏《四庫全書薈要總目提要》——兼論各《提要》間差異

黃澤鈞*

一、前言

江慶柏《四庫全書薈要總目提要》❶一書，是第一本《四庫全書薈要總目提要》的點校本，本文將簡介江慶柏《四庫全書薈要總目提要》（以下簡稱本書）內容與特色。此外，亦論及《薈要提要》與《總目提要》、各閣本《提要》、分纂官提要稿之間的差異。關於各種《提要》內容有所不同，有許多學者已經指出，亦有學者深入比較各種《提要》之間的差異，如莊清輝《〈四庫全書總目．經部〉研究》有專章討論，❷江慶柏在本書〈概要〉中亦有論及。然而以上諸家只是舉出各種《提要》「兩兩比較」，而未全面性的舉出所有的提要一起比較。本文便將各種提要一起比較，可以發現其中各有不同，互有刪減。

* 黃澤鈞，高雄師範大學經學研究所碩士生。

❶ 江慶柏等整理：《四庫全書薈要總目提要》（北京：人民文學出版社，2009 年 11 月）。

❷ 莊清輝：《〈四庫全書總目．經部〉研究》（臺北：國立政治大學中國文學系碩士論文，1987 年）。

二、《四庫薈要》與《薈要提要》

《四庫薈要》在《四庫全書》開館後，乾隆恐《四庫全書》卷帙龐大，曠日耗時。因此又令館臣擷取全書精華，而成《四庫薈要》，以供御覽。《四庫薈要》取其精，《四庫全書》取其博。現存唯一一套摛藻堂《四庫全書薈要》存於臺北故宮，一九八五至一九八八年曾由臺北世界書局影印出版。在經部之前，另有《四庫全書薈要總目》與《四庫全書薈要提要》，本書便是以上二者的點校本。全書共有四六四篇提要，與《總目提要》三五〇〇餘篇相較，可知其精博之別。

「提要」一體之來源，《四庫薈要》凡例有言：「編纂《四庫全書》，悉仿劉向、曾鞏等序錄之例，每書標敘撰人姓氏、爵里、仕履及著作大旨，列於前端，茲《薈要》亦如此例。」劉向父子《七略》開創了中國典籍分類法，《四庫全書總目提要》則為傳統典籍分類法之集大成者。各篇提要是由分纂官所撰寫，後再經由紀昀刪訂。

三、本書體例

南京師範大學古文獻研究所江慶柏所點校之《四庫全書薈要總目提要》是第一本將《薈要提要》做全面性整理的書籍。全書使用新式標點符號，並與《四庫提要》相互對照，校勘異文。本書將《四庫全書薈要總目》與《四庫全書薈要提要》二書合併，替每一條編上號碼。並在每一條底下著錄武英殿本《四庫全書總目提要》所屬卷次、部類、圖書來源，以及中華書局一九六五年版頁碼、欄位；凡是書名不同亦在下說明，以便讀者查閱。另外在校勘上的問題，在各篇提要之下注明與《總目提要》或各閣《提要》的差異，在避諱字方面，改作他字者不另更動，缺筆字者則補回原字。另外本書之前，又有一篇江慶柏〈概述〉，介紹《四庫薈要》的內容、形式，討論《四庫薈要》、《提要》的學術價值，如《薈要》選書標準、版本選擇等，並比較《薈要提要》與《總目提要》、各閣《提要》間的差異問題，撰述態度上的差異等。書末附有書名筆畫索引、書名作者索引，以便讀者查閱。

四、《薈要提要》與各《提要》對比

由於《薈要提要》成書較早，吳哲夫在《四庫全書薈要修纂考》中認為，《薈要提要》較未受紀昀刪改，較能保持原提要的精神。❸目前所見之「提要」有：⑴浙本《四庫全書總目》❹（臺北藝文印書館 1974 年版《欽定四庫全書總目》，簡稱浙本《總目》）、⑵武英殿本《四庫全書總目》❺（臺北臺灣商務印書館 1983 年版《武英殿本四庫全書總目提要》，簡稱殿本《總目》）、⑶文淵閣《四庫全書》書前提要❻（臺北臺灣商務印書館 1983－1986 年版《景印文淵閣四庫全書》，簡稱文淵閣《提要》）、⑷文津閣《四庫全書》書前提要❼（北京商務印書館 2006 年版《文津閣四庫全書提要匯編》，簡稱文津閣《提要》）、⑸文溯閣《四庫全書》書前提要❽（北京中華全國圖書館文獻縮微複製中心 1999 年版《金毓黻手定本文溯閣四庫全書提要》，簡稱文溯閣《提要》），以上是目前所見各閣的四庫提要。

在編纂四庫提要的過程中，也有許多「提要稿」留了下來。其中大致可以分為二種，一是當時地方政府在採集遺書時，所編的「徵書目錄」，其中也會著錄各書作者、卷數，以及簡介等，如《浙江採集遺書總錄》、《江蘇採輯遺書目錄》❾等。分纂官各自所撰寫的提要，與四庫提要相較，內容上已有所出入。分纂官所撰寫的提要分別收在各自的文集當中，如翁方綱、姚鼐、邵晉涵、余集等。❿將分纂

---

❸ 吳哲夫：《四庫全書薈要修纂考》（臺北：國立故宮博物院，1976 年 12 月），頁 68。

❹ 〔清〕紀昀等纂：《欽定四庫全書總目》（臺北：藝文印書館，1974 年）。

❺ 〔清〕永瑢等纂：《武英殿本四庫全書總目提要》（臺北：臺灣商務印書館，1983 年）。

❻ 〔清〕紀昀等總纂：《景印文淵閣四庫全書》（臺北：臺灣商務印書館，1983－1986 年）。

❼ 四庫全書出版工作委員會編：《文津閣四庫全書提要匯編》（北京：北京商務印書館，2006 年）。

❽ 金毓黻輯：《金毓黻手定本文溯閣四庫全書提要》（北京：中華全國圖書館文獻縮微複製中心，1999 年）。

❾ 〔清〕沈初撰，盧文弨等校：《浙江採集遺書總錄》，〔清〕黃烈等編：《江蘇採輯遺書目錄》，二書皆收錄於張昇編：《〈四庫全書〉提要稿輯存》（北京：北京圖書館出版社，2006 年 10 月）。

❿ 其中有一部分被整理出來，如〔清〕翁方綱注，吳格整理：《翁方綱纂四庫提要稿》（上

官文集中的提要與閣本提要相比，可以發現被增修或是重寫的痕跡。

江慶柏在本書〈概述〉中，也提出了《薈要提要》與《總目提要》二者間差異的問題，他認為《薈要提要》與《總目提要》中的內容上的差異，可分為以下幾個部分：⑴與《薈要提要》原有的基礎相比，《總目提要》在內容上有許多增補。⑵《薈要提要》在表述上時見疏漏，《總目提要》則多作改正。⑶《薈要提要》與《總目提要》學術觀點、學術立場上的差異。⑷《總目提要》強化了對清朝皇帝、尤其對當今皇帝的頌揚。特別是在第三點學術觀點、立場上的差異中，作者認為《總目提要》有尊漢貶宋的傾向，而《薈要提要》則未然。例如元王天與《尚書纂傳》，在《薈要提要》中認為「義理」與「訓詁」如「左右配劍之相笑，其實各明一義，無可偏廢也。」然而在《總目提要》中卻只指出此書「所說於名物訓詁多所闕略，而闡發義理則特詳。」二種完全不同的評價。

本文將各種提要間的差異分為二種，第一是文字個別的差異，可能是異體字的差異，如「蓋」、「葢」、「盖」間的不同；有意近的差異，如「終始」與「始終」、「《宋史》本傳」與「《宋史・儒林傳》」等；有些是訛字的情形，如元胡一桂《易學啟蒙翼傳》，在《薈要提要》中引胡一桂自序云：「卜筮之數炳如丹青矣。」然《總目提要》及文淵閣《提要》均作：「卜筮之數灼如丹青矣。」，根據書中〈序〉作「卜筮之數炳如丹青矣。」可知灼乃炳之形誤。亦有書名或人名之誤，如宋傅寅《禹貢說斷》，《薈要提要》中有云：「朱彝尊《經義考》有寅所著《禹貢詳解》二卷。」《總目提要》在此作：「《禹貢集解》」，朱彝尊《經義考》亦作：「《禹貢集解》」。這些錯誤有可能是抄寫時的手民之誤，也有可能是撰寫時考證不精所造成。

第二是結構內容的差異。除了個別文字的差異以外，也有許多是整段文字的差異，比較這些差異可以發現提要在撰寫時被增修的痕跡。以下便試以表格分析之（以下兩個例子中殿本《提要》與浙本提要內容無甚大差異，為節省篇幅，便以殿本為例），以下先以《毛詩指說》一書六種提要比較之：

海：上海科學技術文獻出版社，2005 年 10 月）；張昇編：《〈四庫全書〉提要稿輯存》（北京：北京圖書館出版社，2006 年 10 月）。

	分纂官（余集）⓫	《薈要提要》	文淵閣《提要》	文津閣《提要》	文溯閣《提要》	殿本《提要》
A	右唐成伯瑜撰。	臣等謹案：《毛詩指說》一卷，唐成伯瑜撰。伯瑜爵里無考。	臣等謹案：《毛詩指說》一卷，唐成伯璵撰。伯璵爵里無考。	臣等謹案：《毛詩指說》一卷，唐成伯璵撰。伯璵爵里無考。	臣等謹案：《毛詩指說》一卷，唐成伯璵撰。伯璵爵里無考。	唐成伯璵撰。伯璵爵里無考。
B	書凡四篇：一〈興述〉，首明先王陳《詩》觀風之旨，孔子刪《詩》正雅之由。二〈解說〉，先釋《詩》義，而〈風〉、〈雅〉、〈頌〉次之，周又次之，《詁傳》、〈序〉又次之，篇章又次之，后妃又次之，終以〈鵲巢〉、〈騶虞〉。大略即舉〈周南〉一篇，隱括論列，以引申，及其餘篇也。三曰〈傳受〉，詳齊、魯、毛、韓四家之世次	書凡四篇：一曰〈興述〉，明先王陳《詩》觀風之旨，孔子刪《詩》正雅之由。二曰〈解說〉，先釋《詩》義，而〈風〉、〈雅〉、〈頌〉次之，周又次之，《詁傳》、〈序〉又次之，篇章又次之，后妃又次之，終以〈鵲巢〉、〈騶虞〉。大略即舉〈周南〉一篇，隱括論列，引申以及其餘。三曰〈傳受〉，備詳齊、魯、毛、韓四家授受世次	書凡四篇：一曰〈興述〉，明先王陳《詩》觀風之旨，孔子刪《詩》正雅之由。二曰〈解說〉，先釋《詩》義，而〈風〉、〈雅〉、〈頌〉次之，周又次之，《詁傳》、〈序〉又次之，篇章又次之，后妃又次之，終以〈鵲巢〉、〈騶虞〉。大畧即舉〈周南〉一篇，櫽括論列，引申以及其餘。三曰〈傳受〉，備詳齊、魯、毛、韓四家授受世次	書凡四篇：一曰〈興述〉，明先王陳《詩》觀風之旨，孔子刪《詩》正雅之由。二曰〈解說〉，先釋《詩》義，而〈風〉、〈雅〉、〈頌〉次之，周又次之，《詁傳》、〈序〉又次之，篇章又次之，后妃又次之，終以〈鵲巢〉、〈騶虞〉。大畧即舉〈周南〉一篇，櫽括論列，引申以及其餘。三曰〈傳受〉，備詳齊、魯、毛、韓四家授受世次	書凡四篇：一曰〈興述〉，明先王陳《詩》觀風之旨，孔子刪《詩》正雅之由。二曰〈解說〉，先釋《詩》義，而〈風〉、〈雅〉、〈頌〉次之，〈周南〉又次之，《詁傳》、〈序〉又次之，篇章又次之，后妃又次之，終以〈鵲巢〉、〈騶虞〉。大略即舉〈周南〉一篇，櫽括論列，引申以及其餘。三曰〈傳受〉，備詳齊、魯、毛、韓四家授	書凡四篇：一曰〈興述〉，明先王陳《詩》觀風之旨，孔子刪《詩》正雅之由。二曰〈解說〉，先釋《詩》義，而〈風〉、〈雅〉、〈頌〉次之，〈周南〉又次之，《詁傳》、〈序〉又次之，篇章又次之，后妃又次之，終以〈鵲巢〉、〈騶虞〉。大畧即舉〈周南〉一篇，櫽括論列，引申以及其餘。三曰〈傳受〉，備詳齊、魯、毛、韓四家授

⓫ 余集：《秋室學古錄》，收入張昇編：《〈四庫全書〉提要稿輯存》（北京：北京圖書館出版社，2006年10月），第五冊，頁287－288。

	，後儒之訓釋源流亦備著焉。四〈文體〉，三百篇中句法之長短，篇章之多寡，措辭之異同，用字之變化，皆臚舉而詳之，類劉勰《文心雕龍》之作。	，及後儒訓釋源流。四曰〈文體〉，凡三百篇中句法之長短，篇章之多寡，措辭之異同，用字之體例，皆臚舉而詳之，頗似劉勰《文心雕龍》之體。蓋說經之餘論也。	，及後儒訓釋源流。四曰〈文體〉，凡三百篇中句法之長短，篇章之多寡，措辭之異同，用字之體例，皆臚舉而詳之，頗似劉氏《文心雕龍》之體。葢說經之餘論也。	，及後儒訓釋源流。四曰〈文體〉，凡三百篇中句法之長短，篇章之多寡，措辭之異同，用字之體例，皆臚舉而詳之，頗似劉氏《文心雕龍》之體。蓋說經之餘論也。	受世次，及後儒訓釋源流。四曰〈文體〉，凡三百篇中句法之長短，篇章之多寡，措辭之異同，用字之體例，皆臚舉而詳之，頗似劉氏《文心雕龍》之體。蓋說經之餘論也。	受世次，及後儒訓釋源流。四曰〈文體〉，凡三百篇中句法之長短，篇章之多寡，措辭之異同，用字之體例，皆臚舉而詳之，頗似劉氏《文心雕龍》之體。葢說經之餘論也。
C			然定〈詩序〉首句為子夏所傳，其下為毛萇所續，實伯璵此書發其端，則決別疑似，於說《詩》亦深有功矣。	然定〈詩序〉首句為子夏所傳，其下為毛萇所續，實伯璵此書發其端，則決別疑似，於說《詩》亦深有功矣。	然定〈詩序〉首句為子夏所傳，其下為毛萇所續，實伯璵此書發其端，則決別疑似，於說《詩》亦深有功矣。	然定〈詩序〉首句為子夏所傳，其下為毛萇所續，實伯璵此書發其端，則決別疑似，於說《詩》亦深有功矣。
D	伯瑜尚有《毛詩斷章》二卷，見《崇文總目》。	伯瑜尚有《毛詩斷章》二卷，見《崇文總目》，稱其取《春秋》斷章之義，鈔取《詩》語，彙而出之。蓋即李石《詩如例》之類。	伯璵尚有《毛詩斷章》二卷，見《崇文總目》，稱其取《春秋》斷章之義，抄取《詩》語，彙而出之。葢即李石《詩如例》之類。	伯璵尚有《毛詩斷章》二卷，見《崇文總目》，稱其取《春秋》斷章之義，鈔取《詩》語，彙而出之。蓋即李石《詩如例》之類。	伯璵尚有《毛詩斷章》二卷，見《崇文總目》，稱其取《春秋》斷章之義，鈔取《詩》語，彙而出之。蓋即李石《詩如例》之類。	伯璵尚有《毛詩斷章》二卷，見《崇文總目》，稱其取《春秋》斷章之義，鈔取《詩》語，彙而出之。葢即李石《詩如例》之類。
E	《唐藝文志》載唐人說《詩》者，自孔氏《正義》而外，惟成氏二書					

	及許叔牙《纂義》十卷。今《斷章》、《纂義》皆不存。					
F	是書經熊克刻之泮林，故尚有傳本，吉光片羽，疏足珍惜。	宋熊克嘗與毘陵沈必豫欲合二書刻之，而《斷章》一書竟求之不獲，乃先刻《指說》。此本末有克〈跋〉，蓋即從宋本傳刻也。克即著《中興小曆》者，別見史部編年類中。其刻此書時，方分教于京口，故〈跋〉稱刻之泮林云。	宋熊克嘗與毘陵沈必豫欲合二書刻之，而《斷章》一書竟求之不獲，乃先刻《指說》。此本末有克〈跋〉，蓋即從宋本傳刻也。克嘗著《中興小曆》，別見史部編年類中。其刻此書時，方分教於京口，故〈跋〉稱刻之泮林云。	宋熊克嘗與毘陵沈必豫欲合二書刻之，而《斷章》一書竟求之不獲，乃先刻《指說》。此本末有克〈跋〉，蓋即從宋本傳刻也。克嘗著《中興小曆》，別見史部編年類中。其刻此書時，方分教于京口，故〈跋〉稱刻之泮林云。	宋熊克嘗與毘陵沈必豫欲合二書刻之，而《斷章》一書竟求之不獲，乃先刻《指說》。此本末有克〈跋〉，蓋即從宋本傳刻也。克嘗著《中興小紀》，別見史部編年類中。其刻此書時，方分教于京口，故〈跋〉稱刻之泮林云。	宋熊克嘗與毘陵沈必豫欲合二書刻之，而《斷章》一書竟求之不獲，乃先刻《指說》。此本末有克〈跋〉，蓋即從宋本傳刻也。克嘗著《中興小紀》，別見史部編年類中。其刻此書時，方分教於京口，故〈跋〉稱刻之泮林云。
G	伯瑜中山人，字爵未詳，朱彝尊《經義考》稱其于《詩》、《書》、《禮》皆有論著云。					
H	克字子復，建安人。					
I		乾隆四十一年三月恭校上。	乾隆四十六年三月恭校上。	乾隆四十九年三月恭校上。	乾隆四十七年十月恭校上。	

就個別文字上的問題，《毛詩指說》一書作者分纂官《提要》和《薈要提要》作「成伯瑜」，此外各閣本《提要》和《總目提要》皆作「成伯璵」（見 A）。在概

述全書內容第二部分時，分纂官《提要》、《薈要提要》、文淵、文津《提要》均作「〈風〉、〈雅〉、〈頌〉次之，周又次之」，而文溯閣《提要》和《總目提要》皆作「〈風〉、〈雅〉、〈頌〉次之，〈周南〉又次之」，根據原書內容應作「周又次之」（見B）。

關於篇章結構的問題，《毛詩指說》提要約可分為三種，第一是分纂官余集的提要，第二是《薈要提要》，第三是各閣本《提要》和《總目提要》三種。第二種和第三種差異也不甚大，主要分為三部分，首先說明作者（見 A），再敘述全書內容體例（見 B），最後說成伯璵的相關著作以及傳本（見 D、F）。不同的是是各閣本《提要》和《總目提要》比《薈要提要》多出一部分介紹《毛詩指說》的貢獻，此書指出〈詩序〉首句為子夏所傳，其餘為毛萇所續（見 C）。第一種分纂官余集的提要便顯得差異較大了，除了未提到〈詩序〉首句的問題之外，對於此書傳刻的記載也較為簡略（見 F）。最後又再補上成伯瑜及熊克的相關資料，顯得較為淩亂，類似筆記式的作法，若根據一般提要的習慣，這二段應該要提前（見 G、H）。

以下再舉宋倪天隱《周易口義》一書，六種提要分別為列舉如下：

	採書提要⑫	《薈要提要》	文淵閣《提要》	文津閣《提要》	文溯閣《提要》	殿本《提要》
A	右宋太常博士泰州胡瑗撰，或云其門人倪天隱所纂。	臣等謹按：《周易口義》十五卷，宋倪天隱述其師胡瑗之說也。	臣等謹案：《周易口義》十二卷，宋倪天隱述其師胡瑗之說也。	臣等謹案：《周易口義》十二卷，宋倪天隱述其師胡瑗之說也。	臣等謹案：《周易口義》十二卷，宋倪天隱述其師胡瑗之說也。	宋倪天隱述其師胡瑗之說。
B		瑗字翼之，泰州如皐人。	瑗字翼之，泰州如皋人。	瑗字翼之，泰州如皋人。	瑗字翼之，泰州如皋人。	瑗字翼之，泰州如皐人。
C		以布衣用范仲淹薦，拜校書郎。歷太常博士，致仕歸。	用范仲淹薦，由布衣拜校書郎，歷太常博士，致仕歸。	用范仲淹薦，由布衣拜校書郎，歷太學博士，致事歸。	用范仲淹薦，由布衣拜校書郎，歷太常博士，致仕歸。	用范仲淹薦，由布衣拜校書郎，歷太常博士，致仕歸。

⑫〔清〕沈初撰、盧文弨等校：《浙江採集遺書總錄》，收錄張昇編：《〈四庫全書〉提要稿輯存》（北京：北京圖書館出版社，2006 年 10 月），第一冊，頁 48。

		事迹具《宋本傳》。	事迹具《宋史・本傳》，天隱始末未詳。葉祖洽作〈陳襄行狀〉，稱襄有二妹。一適進士倪天隱，殆即其人。董棻《嚴陵集》載其桐廬縣令題名〈碑記〉一篇，意其嘗官睦州也。	事迹具《宋史・本傳》，天隱始末未詳。葉祖洽作〈陳襄行狀〉，稱襄有二妹。一適進士倪天隱，殆即其人。董棻《嚴陵集》載其桐廬縣令題名〈碑記〉一篇，意其嘗官睦州也。	事迹具《宋史・本傳》，天隱始末未詳。葉祖洽作〈陳襄行狀〉，稱襄有二妹。一適進士倪天隱，殆即其人。董棻《嚴陵集》載其桐廬縣令題名〈碑記〉一篇，意其嘗官睦州也。	事蹟具《宋史・儒林傳》，天隱始末未詳。葉祖洽作〈陳襄行狀〉，稱襄有二妹。一適進士倪天隱，殆即其人。董棻《嚴陵集》載其桐廬縣令題名〈碑記〉一篇，意其嘗官睦州也。
D		其說《易》以義理為宗，而不參以象數之說，明白曉暢，最為精粹。程子教人讀《易》，當先觀王弼、王安石及此書。	其說《易》以義理為宗。邵伯溫《聞見前錄》記程子與謝湜書，言讀《易》當先觀王弼、胡瑗、王安石三家。		其說《易》以義理為宗。邵伯溫《聞見前錄》記程子與謝湜書，言讀《易》當先觀王弼、胡瑗、王安石三家。	其說《易》以義理為宗。邵伯溫《聞見前錄》記程子與謝湜書，言讀《易》當先觀王弼、胡瑗、王安石三家。
E		朱子亦屢稱之，蓋北宋諸儒中言《易》之極純粹者也。				
F			三原劉紹攽《周易詳說》曰，朱子謂程子之學源於周子，然考之《易傳》，無一語及太極。於〈觀卦・彖辭〉		三原劉紹攽《周易詳說》曰，朱子謂程子之學源於周子，然考之《易傳》，無一語及太極。於〈觀卦・彖辭〉	三原劉紹攽《周易詳說》曰，朱子謂程子之學源於周子，然考之《易傳》，無一語及太極；於〈觀・卦詞〉云

			云，予聞之胡翼之先生，居上為天下之表儀；於〈大畜・上九〉云，予聞之胡先生曰，天之衢，亨，誤加何字；於〈夬・九三〉云，安定胡公移其文曰，牡于頄，有凶，獨行遇雨，若濡有慍，君子夬夬，无咎；於〈漸・上九〉云，安定胡公以陸為逵。		云，予聞之胡翼之先生，居上為天下之表儀；於〈大畜・上九〉云，予聞之胡先生曰，天之衢，亨，誤加何字；於〈夬・九三〉云，安定胡公移其文曰，壯于頄，有凶，獨行遇雨，若濡有慍，君子夬夬，无咎；於〈漸・上九〉云，安定胡公以陸為逵。	，予聞之胡翼之先生，居上為天下之表儀；於〈大畜・上九〉云，予聞之胡先生曰，天之衢，亨，誤加何字；於〈夬・九三〉云，安定胡公移其文曰，壯于頄，有凶，獨行遇雨，若濡有慍，君子夬夬，无咎；於〈漸・上九〉云，安定胡公以陸為逵。
G			考《伊川年譜》，稱皇祐中游太學，海陵胡翼之先生方主教導，得先生所試，大驚，即延見，處以學職。意其時必從而受業焉，世知其從事濂溪，不知講《易》多本於翼之也。		考《伊川年譜》，稱皇祐中游太學，海陵胡翼之先生方主教導，得先生試文，大驚，即延見，處以學職。意其時必從而受業焉，世知其從事濂溪，不知講《易》多本於翼之也。	考《伊川年譜》，皇祐中游太學，海陵胡翼之先生方主教道，得先生試文，大驚，即延見，處以學職。意其時必從而受業焉，世知其從事濂溪，不知其講《易》多本於翼之也。
H			其說為前人所未及，今核以《程傳》，良		其說為前人所未及，今核以《程傳》，良	其說為前人所未及，今核以《程傳》，良

			然，《朱子語類》亦稱胡安定《易》分曉正當。則是書在宋時，固以義理說《易》之宗也。		然，《朱子語類》亦稱胡安定《易》分曉正當。則是書在宋時，固以義理說《易》之宗也。	然，《朱子語類》亦稱胡安定《易》分曉正當。則是書在宋時，固以義理說《易》之宗也。
I						王得臣《麈史》曰，安定胡翼之，皇祐、至和間國子直講，朝廷命主太學，時千餘士日講《易》。是書殆卽是時所說。
J	按《宋藝文志》別有胡瑗《易解》十二卷，與此並載。李振裕謂即天隱所述《口義》，辨其本無二書。說見《經義考》。	《宋志》載瑗《易解》十卷、《周易口義》十卷。李振裕云瑗講授之餘，欲著述而未逮。	《宋志》載瑗《易解》十卷、《周易口義》十卷。朱彝尊《經義考》引李振裕之說云，瑗講授之餘，欲著述而未逮。	《宋志》載瑗《易解》十卷、《周易口義》十卷。朱彝尊《經義考》引李振裕之說云，瑗講授之餘，欲著述而未逮。	《宋志》載瑗《易解》十卷、《周易口義》十卷。朱彝尊《經義考》引李振裕之說云，瑗講授之餘，欲著述而未逮。	《宋志》載瑗《易解》十卷、《周易口義》十卷。朱彝尊《經義考》引李振裕之說云，瑗講授之餘，欲著述而未逮。
K		其門人倪天隱述之，以非其師手著，故名曰《口義》，後世或稱《解》，實無二書。	其門人倪天隱述之，以非其師手著，故名曰《口義》，後世或稱《口義》，或稱《易解》，實無二書。	其門人倪天隱述之，以非其師手著，故名曰《口義》，後世或稱《口義》，或稱《易解》，實無二書。	其門人倪天隱述之，以非其師手著，故名曰《口義》，後世或稱《口義》，或稱《易解》，實無二書。	其門人倪天隱述之，以非其師手著，故名曰《口義》，後世或稱《口義》，或稱《易解》，實無二書也。
L		晁公武《郡齋讀書志》亦云	其說雖古無明文，今考晁公	其說雖古無明文，然考晁公	其說雖古無明文，然考晁公	其說雖古無明文，然考晁公

		倪天隱所纂。	武《讀書志》亦云，胡安定《易傳》，盖門人倪天隱所纂，非其自著，故〈序〉首稱先生曰。其說與《口義》合，而列於《易傳》條下，亦不另出《口義》一條。	武《讀書志》亦云，胡安定《易傳》，盖門人倪天隱所纂，非其自著，故〈序〉首稱先生曰。其說與《口義》合，而列於《易傳》條下，亦不另出《口義》一條。	武《讀書志》亦云，胡安定《易傳》，蓋門人倪天隱所纂，非其自著，故〈序〉首稱先生曰。其說與《口義》合，又列於《易傳》條下，亦不另出《口義》一條。	武《讀書志》有云，胡安定《易傳》，蓋門人倪天隱所纂，非其自著，故〈序〉首稱先生曰。其說與《口義》合，又列於《易傳》條下，亦不另出《口義》一條。
M		《宋志》乃分為二書，皆以為瑗所自撰，亦殊失於考据矣。	然則《易解》、《口義》確為一書，《宋志》誤分為二，明矣。	然則《易解》、《口義》確為一書，《宋志》誤分為二，明矣。	然則《易解》、《口義》確為一書，《宋志》誤分為二，明矣。	然則《易解》、《口義》為一書，明矣。《宋志》蓋誤分為二也。
N		乾隆四十年五月恭校上	乾隆四十三年三月恭校上。	乾隆四十九年八月恭校上。	乾隆四十七年十一月恭校上。	

由上表可以看出，採書總錄最為精簡，《薈要提要》次之，文津閣《提要》又次之，其餘文淵閣、文溯閣《提要》、《總目提要》等大致相同。在個別文句上的問題，文淵、文津、文溯《提要》作「事迹具《宋史・本傳》」，《總目提要》作「事蹟具《宋史・儒林傳》」（見 C）文溯閣《提要》、《總目提要》作「得先生試文」，文淵閣《提要》作「得先生所試」（見 G）。

另外關於篇章結構的問題，採書總錄只引《經義考》中李振裕之說，認為《口義》與《易解》為一書，最為簡陋。然而採書總錄乃是為採書所記，作為上報朝廷之用，自不能和其他提要相比。此外各提要中，除了《薈要提要》之外，各本皆對於胡瑗、倪天隱的生平有較詳細的介紹（見 C）。文津閣《提要》並未介紹《周易口義》一書的解《易》特色，其餘提要皆明言《周易口義》以義理為主，可與王弼、王安石並列；《薈要提要》甚至引朱熹之言，認為《周易口義》最為精粹（見

D、E）。文淵閣、文溯閣《提要》、《總目提要》並論及胡瑗治《易》影響，與倪天隱關係等（見 F、G、H、I），最後所有提要皆辨析胡瑗《易解》、《周易口義》為一書，乃倪天隱所撰。其中文津閣《提要》較文淵閣、文溯閣寫定時間較晚，然而內容卻較為減省，或可視為遭刪削的結果。

《周易口義》六種提要約可分為四種版本，內容互有增減。另有一本舊題為宋陳則通撰《春秋提綱》，目前所見五種提要內容皆有所出入。

	《薈要提要》	文淵閣《提要》	文津閣《提要》	文溯閣《提要》	殿本《提要》
A	臣等謹案：《春秋題綱》十卷，宋陳則通撰。	臣等謹按：《春秋題綱》十卷，舊本題「鐵山先生陳則通撰」。不著爵里，亦不著時代，其始末未詳。朱彝尊《經義考》列之劉莊孫後、王申子前，然則元人也。	臣等謹案：《春秋題綱》十卷，宋陳則通撰。	臣等謹案：《春秋題綱》十卷，宋陳則通撰。	舊本題「鐵山先生陳則通撰」。不著爵里，亦不著時代，其始末未詳。朱彝尊《經義考》列之劉莊孫後、王申子前，然則元人也。
B	分門凡四：曰〈侵伐〉，曰〈朝聘〉，曰〈盟會〉，曰〈雜例〉。每門之中又區分其事，以類相從，題之曰〈例〉。然大抵參校事勢之始終，而考究其成敗得失之故。雖名曰〈例〉，寔非如他家之說《春秋》以書法為例者比。	是書綜論《春秋》大旨，分門凡四：曰〈征伐〉，曰〈朝聘〉，曰〈盟會〉，曰〈雜例〉。每門中又區分其事，以類相從，題之曰〈例〉。然大抵參校其事之始終，而考究其成敗得失之由。雖名曰〈例〉，實非如他家之說《春秋》以書法為	分門凡四：曰〈侵伐〉，曰〈朝聘〉，曰〈盟會〉，曰〈雜例〉。每門中又區分其事，以類相從，題之曰〈例〉。然大抵參校其事之終始，而考究其成敗得失之由。雖名曰〈例〉，實非如他家之說《春秋》以書法為例者比。	分門凡四：曰〈征伐〉，曰〈朝聘〉，曰〈盟會〉，曰〈雜例〉。每門中又區分其事，以類相從，題之曰〈例〉。然大抵參校事勢之始終，而考究其成敗得失之故。雖名曰〈例〉，實非如他家之說《春秋》以書法為例者比。	是書綜論《春秋》大旨，分門凡四：曰〈征伐〉，曰〈朝聘〉，曰〈盟會〉，曰〈雜例〉。每門中又區分其事，以類相從，題之曰〈例〉。然大抵參校其事之始終，而考究其成敗得失之由。雖名曰〈例〉，實非如他家之說《春秋》以書法為

		例者。			例者。
C	故其言閎肆縱橫，純為史論之體，絕無鉤棘字句、穿鑿附會，以破碎經義之失，亦宋儒中之獨成一家者也。	故其言閎肆縱橫，純為史論之體，蓋說經家之別成一格者也。	故其言閎肆縱橫，純為史論之體，盖說經家之別成一格者也。	故其言閎肆縱橫，純為史論之體，絕無鉤棘字句、穿鑿附會，以破碎經義之失，亦宋儒中之獨成一家者也。	故其言閎肆縱橫，純為史論之體，蓋說經家之別成一格者也。
D	陳應龍〈跋〉稱其如長江大河，浩汗澎湃，魚龍萬怪，出沒其間，諒矣。			陳應龍〈跋〉稱其如長江大河，浩瀚澎湃，魚龍萬怪，出沒其間，諒矣。	
E	其〈雜例門〉中論《春秋》為用夏正，不免局于舊解耳。	其〈襍例門〉中論《春秋》為用夏正，猶堅守胡安國之說。	其〈雜例門〉中論《春秋》為用夏正，不免拘於舊解。	其〈雜例門〉中論《春秋》為用夏正，不免局于舊解。	其〈雜例門〉中論《春秋》為用夏正，猶堅守胡安國之說。
F		然安國解文公十四年「有星孛于北斗」，解昭公十七年「有星孛於大辰」，全襲董仲舒、劉向之義。			然安國解文公十四年「有星孛于北斗」，解昭公十七年「有星孛于大辰」，全襲董仲舒、劉向之義。
G		則通〈災異例〉中獨深排漢儒事應之謬，則所見固勝於安國矣。	至其〈災異例〉中深排事應之說，則賢於董仲舒、劉向遠矣。	至其〈災異例〉深排事應之說，則賢于董仲舒、劉向遠矣	則通〈災異例〉中獨深排漢儒事應之謬，則所見固勝於安國矣。
H	乾隆四十年二月恭校上	乾隆四十四年二月恭校上	乾隆四十九年四月恭校上	乾隆四十七年四月恭校上	

個別字句的問題，如 B 部分諸本作「然大抵參校（其）事勢之始終」，文津閣《提要》作「然大抵參校其事之終始」，「始終」作「終始」，文淵閣《提要》、《總目提要》作「然大抵參校其事之始終」，缺一「勢」字；下一句文淵閣、文津

閣、殿本《提要》作「而考究其成敗得失之由」，而《薈要提要》、文溯閣《提要》作「而考究其成敗得失之故」，「由」字作「故」；D 部分《薈要提要》作「如長江大河，浩汗澎湃」，文溯閣提要作「如長江大河，浩瀚澎湃」等。

在全文段落、內容的差異中，《春秋題綱》五篇提要各有所不同，各提要一開始對於《春秋題綱》的作者便有不同意見了，《薈要提要》、文津閣、文溯閣《提要》皆題宋朝陳則通所撰，然文淵閣《提要》、《總目提要》依朱彝尊意見認為是元人作品（見 A），值得注意的是，寫於乾隆四十年的《薈要提要》認為是陳則通所撰，到了乾隆四十四年的文淵閣《提要》否認為陳則通，然在乾隆四十七年的文津閣《提要》與乾隆四十九年的文溯閣《提要》卻又認為是陳則通所撰。在論述《春秋題綱》一書特色時，《薈要提要》和文溯閣《提要》較另三本提要多了「絕無鉤棘字句、穿鑿附會，以破碎經義之失」，「長江大河，浩瀚澎湃，魚龍萬怪，出沒其間」這一類譬喻誇飾的描寫（見 C、D）。對於守漢儒、胡安國舊說的批評上，《薈要提要》、文津、文溯《提要》說「不免局於舊解」，文淵《提要》、《總目提要》則說「猶堅守胡安國之說」（見 E）；文淵《提要》、《總目提要》則順便批評胡安國之失（見 F）。對於《春秋題綱》有所開創之事，除《薈要提要》外另外四本皆有提到（見 G）。

五、結語

江慶柏《四庫全書薈要總目提要》的點校本，在與《總目提要》以及各閣《提要》的比較上作了許多功夫，實則貢獻良多。然而此工作千頭萬緒，不免百密一疏，有些如簡轉繁的漏失，如趙生群〈序〉的「御覽」就誤為「禦覽」等。此外本書在每則提要下皆有做校記，應是在校勘方面著力甚多，然而筆者卻發現明顯漏校之例。如上舉《春秋題綱》中，校記中只校出一條：《薈要提要》、文津閣《提要》作「侵伐」，文淵、文溯《提要》、《總目提要》作「征伐」。在上文中詳校各篇提要，出現「始終」作「終始」，「由」作「故」，「浩汗」作「浩瀚」，缺一「勢」字等問題，江慶柏在書中皆未校出。

本書是《四庫全書薈要總目提要》之點校本，在對於本書與《總目提要》以及各閣《提要》的差異理應列於校記之中。或許是礙於體例，本書之校記多記文字校勘，對於篇章段落的差異較少論及。如上文所述《周易口義》、《春秋題綱》等，其實各本提要間差異甚大，應對於《薈要提要》與《總目提要》以及各閣《提要》作全面性的比對。近聞中央研究院中國文哲研究所林慶彰先生，預計將聚珍版叢書《提要》、分纂官提要稿《薈要提要》、文淵閣《提要》、文津閣《提要》、文溯閣《提要》、文瀾閣《提要》等書點校出版。此舉省去學者於各書間檢索之勞，有助於比較各本間的差異，亦可了解《提要》在成書時被增補修改的過程，有惠於學界良多，期待此書的問世。

經 學 研 究 論 叢
第 二 十 輯　頁209～218
臺灣學生書局　2012 年 12 月

清末民初經學家徐天璋著述考

田　豐*

徐天璋，字睿川，一字曦伯，江蘇泰州人。清咸豐二年（1852）生。中年以前，功名止於諸生。光緒二十年（1894）至二十八年（1902）遊幕廣東，光、宣之交寓居天津。辛亥革命後，主要在揚州講學謀生，民國九年（1920）曾應聘赴曲阜講經大會講學。一九三六年卒，葬於揚州平山堂附近。

清中葉以降，揚州久為東南學術重鎮，以經學傳家鳴世者甚多。泰州徐氏家族受鄉邦風尚薰陶，重視讀經。徐天璋父徐昌齡，字眉卿，著有《釐訂大學章句》。其母通《詩經》，能以所學教子。天璋幼秉家學，及長，既無緣於仕途，益肆力經學。天璋治經，大體主張漢宋兼容，然前後亦有變化。前期主要歸宗宋學。光緒二十二年（1896）撰《四書箋疑疏證・自序》，認為《四書》為孔孟之正傳，朱子《集注》之精令人歎為觀止。值「智士爭奇，雜學並著，技藝才美日盛，仁義道德日湮」之際，講倡道德性命之學誠為當務之急。至於仿效漢儒考證經傳，正有助於鞏固儒學之地位。後期則漢宋並重。不僅繼續闡揚朱子《四書》之學，還鑽研群經注疏。《闕里講經編》所錄劄記，陳慶年〈序〉之「刊落群言，獨抒心得」。考釋之精，有高郵二王遺風。在清末民初之學界，徐天璋屬於思想守舊的學者，時人或目為「遺老」。但是，他堅持中華文化本位的立場，孜孜不倦地考釋群經，對於社會轉型時期傳統文化的傳承，仍具有積極意義。天璋一生著述豐富，茲就經眼書目，考述如下。

---

*　田豐，南京大學文學院博士生。

一、經部著述

㈠睿川易義合編　十八卷

該書之撰著，始於光緒十年（1884）冬，歷三十餘年，增刪改易凡十二次而定稿。孫殿起《販書偶記》❶記為正編十卷、副編六卷、續編二卷，民國十三年（1924）鉛字排印本。《泰縣著述考》記為八冊，刊於金陵。今傅斯年圖書館所藏本，冊數與《泰縣著述考》所載同、卷數與《販書偶記》所載同；版心刻書名，花口，不分欄；封面由韓國鈞題簽，卷首有辛酉（1921）五月夏至日於揚州猗園十畝園林南軒所作之自敘。

該書解經體例，取則先儒而有所改良。三編各有體例。「正編」之例則為：一曰卦旨，探爻畫；二曰提要，溯時事；三曰訓詁，釋文義；四曰象數，觀取譬；五曰變通，盡發揮；六曰義理，解意蘊；七曰音句，正字讀；八曰考證，辨淆偽；九曰品物，明格致；十曰占應，寓推測。「副編」之例則為：一曰集筮說，存古法；二曰集舊解，錄眾說；三曰默參酌，悟消息；四曰述德位，別貴賤；五曰釋比例，權進退；六曰觀對待，論互綜。「續編」，以「緒言」闡發易辭，以「圖說」演明象畫。其大旨謂：「《易》無虛象，其事皆信而有徵，其占則上合天宿，下盡物情。其道至大，其理至精，其實即殷周之史也。」

㈡尚書句解考證　不分卷

該書於清光緒二十七年（1901）冬完稿。一九三五年，因得韓國鈞、張惟明、胡筆江、朱幹臣出資，據雲麓山館藏版印行。書分六冊，卷首有天璋於廣州穗華書屋所作序。❷筆者所見為傅斯年圖書館藏本。

此書立意，在弘揚先秦古學以切世用。天璋不滿清末「士競維新，高談西學，幾於人誹堯舜，世薄湯武，謂中學無補於治，不若西學進于富強」，服膺乾嘉以來學者所主西學中源說，認為「五大洲中所學，無一不自我中華始」。謂《尚書》諸篇系孔子集群聖大成，據古史之可法者編纂，「實政治之基礎，西學之淵泉」，

❶ 孫殿起錄：《販書偶記》（北京：中華書局，1959 年），頁 12。

❷ 南京師範大學古文獻整理研究所編：《江蘇藝文志・揚州卷》（南京：江蘇人民出版社，1995 年），頁 1282。

「足以垂世立教」。其論《尚書》，於今文不泥舊說，於古文不主盡廢。其所證釋，考其時代，度其事情，玩其文辭，辨其句讀，息心探索，專志研求，期於「執兩用中，求同於異」，使「聖王經世宏規，如日月著明霄漢」。其書之價值，雖未必如作者自視之高，要之不失為深入淺出之《尚書》新注。

㈢詩經集解辨正　二十卷

徐天璋年纔弱冠，治《詩經》已有根底。光緒二十五年（1899），坐館於廣東興寧，生徒中有以注《詩》、《禮》請者，於是雙日注《禮》，單日注《詩》，當年成稿。其後兩年，有所修訂，至光緒二十八年（1902）改定。《泰縣著述考》署為二十卷，民國十二年（1923）金陵排印本。扉頁有民國十二年十一月韓國鈞題簽。卷首有丹徒繆潛序、周蓮序、天璋自序。序後附有《例言》，論述寫作動機和撰述方法。書後附有《經傳脫訛釐正》，由泰州袁祖范、徐濬仁重校。《販書偶記》著錄同此。❸《續修四庫全書總目提要》中著錄此書不分卷，但記其為活字印本。❹《民國泰縣誌稿》著錄為十二卷，誤。該書收入林慶彰師主編《民國時期經學叢書》❺第四輯二十一冊，據民國十二年（1923）排印本影印。

《詩經集解辨正》的主要特色與成就，在於考辯漢、宋舊說之不正。天璋《自敘》云：「予願為古人諍友也，不願為應聲蟲也。」又概述心得：「淑女、荇菜，即美人香草之思；琴瑟、鼓鐘，恰燕樂嘉賓之雅。二《南》為鄉樂，皆學校籥舞之歌。《國風》代史編，實列國治亂之政。《豳》吹田野，《雅》奏王庭。《周頌》皆清廟明堂之樂，《商》、《魯》悉廟宮祭祀之章。辨正在天文，『鶉奔』，星次也；辨正在地理，『野』，秦中也。人物有辨，渭陽舅氏，公子雍也；『郇伯勞之』，荀林父也。典禮有辨，『南仲大祖』，徧祖道也；『簡兮萬舞』，廟治兵也。他若『同車』，乃諸侯同盟；『同穴』，實兄弟族葬。『車轔』，美秦穆；『雞鳴』，刺齊襄。《鄶風》即是《鄭風》，《麟趾》別名《狸首》。餘若官職、器物、草木、蟲魚、密誓、陰謀、婚喪、災異，或證之於訓詁，或考之于歲時，逐

---

❸ 孫殿起錄：《販書偶記》（北京：中華書局，1959 年），頁 25。

❹ 王雲五主編：《續修四庫全書提要》（臺北：臺灣商務印書館，1971 年），頁 544。

❺ 林慶彰等編：《民國時期經學叢書》（臺中：文听閣圖書公司，2009 年）。

層釐說，更僕難終，惜不起古人共商榷焉。」其所糾駁，不避毛、鄭、朱子。繆潛《序》：該書「非惟訓詁義理考據精詳，且於人物典禮時事吻合，發古人所未發，洵說《詩》者之奇觀也」。

㈣論語實測　二十卷

該書之撰，五閱寒暑，稿凡七削，成於民國八年（1919）。《續修四庫全書提要》著錄為二十卷，無年月。❻《販書偶記》所著錄，為民國十三年（1924）鉛字排印本。❼《泰縣著述考》記其刻於南京。該書收入林慶彰師主編《民國時期經學叢書》第四輯四十六冊。扉頁有十三年八月韓國鈞題簽，卷首有自序。

天璋考釋《論語》，注重以孔門師弟言行與《史記》、《春秋》三傳、《管》、《晏》諸子、《大戴記》、《禮記》、《家語》等書參證尋繹，又博采漢、宋及清儒之說，並施以裁斷。其書題為《論語實測》，謂研究方法仿照郭守敬治天文學，「一一必躬求而推驗」。所謂「實」者，指經史子集顯有明徵；所謂「測」者，指比例參觀，若合符節。「實」以為注，「測」以為按。該書是民國學人總結以往《論語》學得失、推陳出新的力作。

㈤孟子集注箋正　十四卷

據天璋《自序》，該書之撰「星紀七周，稿成六削」，成於宣統二年（1910）春寓居天津時。《泰縣著述考》所著錄為一九三六年江都胡震排印本。是書十四卷，收於林慶彰師主編《民國時期經學叢書》第四輯五十一冊，據民國二十五年（1936 年）揚州簫聲館鉛印本影印，有「江都胡震顯伯校」之署名，亦即孫殿起所見本。

天璋認為，歷來《孟子》注家雖多，各有其病，如趙岐《注》「簡而不詳」，朱熹《章句集注》「其義詳矣，考猶未博」，清世名儒「博則博矣，義猶有漏」。於是「即朱子《集注》外，並采諸儒之說，著為《箋正》，仿鄭氏箋《詩》之例：凡《毛傳》闕者補之，疑者析之。辭取其達，詁取其精，無聚訟，無黨同。章節之分合，句讀之從違，人物之考證，時事之稽求，凡經人說者，不敢掠美；凡為己見

---

❻ 王雲五主編：《續修四庫全書提要》，頁 1229。

❼ 孫殿起錄：《販書偶記》，頁 47。

者，不敢臆造，必引古為援據焉」。天璋自信立論「不越於正」，既能得經文之正解，亦能發明《孟子》內聖外王之學，對於改變「邪說橫行」之世情也有裨益。

㈥四書箋疑疏證　八卷

該書撰成於光緒二十二年（1896）游幕廣州期間。《續修四庫全書提要》署為八卷，清徐天璋箋，徐浚仁疏。❽《江蘇藝文志・揚州卷》有按語：「金鉞《江蘇藝文志》作二卷，為徐昌齡及子天璋同撰。浚仁乃天璋子，是書為三代人完成，凡八卷。」❾《販書偶記》❿、《泰縣著述考》、《民國泰縣誌稿》同載此書，皆著錄為光緒二十二年中一堂刊本。

筆者所見臺灣大學圖書館藏本為八卷，二冊。扉頁署「中一堂藏版」。版心刻有書名、頁碼，花口，每頁八欄。首有天璋自序，第二冊末有徐浚仁跋。正文每卷題為《四書集注箋疑》，下有「泰州睿川徐天璋箋，男浚仁疏」。上冊四卷為《論語》箋疏。下冊四卷，第五卷為《大學》箋疏，後附有徐昌齡眉卿訂、天璋釋《大學章句釐訂》；第六卷為《中庸》箋疏；卷七、八為《孟子》箋疏。

該書以朱子《四書章句集注》為基礎，仿鄭玄衍《毛氏傳》之未盡者為《箋》，以輔《集注》。故於經注非逐句箋疏，而是有新義乃下筆，「物小必辨，名稱必當；非關大體，概從略焉」。有所疑，則博求古訓，確證他經，且涵泳本文，揣度時事情理，而後破舊立新。其著述宗旨，為尊聖賢、正紀綱、扶倫常、明典制、原性天、防流弊，體現出天璋的濟世情懷。

㈦中庸箋正　一卷

該書系天璋民國八年（1919）寓居揚州時撰著。同年刊行，今南京圖書館所存為澤存書庫藏「民國己未鉛印本」。封面由單毓斌題簽。版心刻書名、頁碼，花口。卷首有徐氏自序。正文部分對《中庸》逐句闡釋，重在意蘊之解讀。書末有《中庸序辨》及「經注訛字校正」六則。

該書表明，天璋此時已疏離宋學。關於《中庸》的作者，朱熹《中庸章句序》

---

❽ 王雲五主編：《續修四庫全書提要》，頁 1504。

❾ 南京師範大學古文獻整理研究所編：《江蘇藝文志・揚州卷》，頁 1283。

❿ 孫殿起錄：《販書偶記》，頁 59。

云：「《中庸》何為而作也？子思子憂道學之失其傳而作也。」而徐天璋援引《禮記》、《論語》、《韓詩外傳》、《尚書外傳》、《闕裏志傳》等書所載子夏言論，從義理、語言等方面與《中庸》進行比較，力證《中庸》為子夏所傳。在程朱理學體系中，禮居於性、理的從屬地位。天璋則認為「聖王之道非他，即禮樂也」，「致中和即致禮樂，道皆實踐者也」，「能致禮之極者，道在貫以至誠而已」。他在晚年似已回歸乾嘉漢學以禮代理的學術立場。

㈧古本大學說義　一卷

該書撰於宣統二年（1910）僑寓天津時。《江蘇藝文志・揚州卷》錄有兩種版本：甲、宣統二年（1910）泰州徐氏鉛印本。現蘇州圖書館有藏本。乙、一九二三年南京排印本。今南京圖書館有藏本。封面為韓國鈞題簽。版心刻書名、頁碼，花口。卷首有作者《序》，書末有「勘定訛字」六則。

天璋闡發《大學》義旨，最重內聖、外王之學的結合。他認為：「其道即倫常孝弟，以明德、親民、止善為綱，以誠、正、修、齊、治、平為目。」其新見在於援據《周禮》立論。《周禮・地官・大司徒》：「以鄉三物教萬民，而賓興之。一曰六德：知、仁、聖、義、忠、和。二曰六行：孝、友、睦、婣、任、恤。三曰六藝：禮、樂、射、御、書、數。」徐天璋指出「三物」非「器數之理」，而是「散見誠、正、修、齊、治、平之內，隱括明德、親民、止善之中」。因此，《大學》之教實即「三物之教」。

㈨闕里講經編　一卷

民國五年（1916）春，徐天璋應邀至山東曲阜講《十三經》。是書為講稿彙編。有嚴毅、王易丹、陳重慶、陳慶年、繆潛諸人為之作序。正文部分，首為徐氏講經前的演說，次以《易經》、《書經》、《詩經》、《周禮》、《儀禮》、《禮記》、《左傳》、《公羊傳》、《穀梁傳》、《論語》、《孝經》、《孟子》、《爾雅》經義劄記，復次為《性理》篇講論心性。篇末附〈贈鄧文湘〉詩。《江蘇藝文志・揚州卷》所著錄為一九二〇年雲麓山館刻本。⓫版心刻書名，頁碼，花口，每頁九欄。現北京圖書館、浙江圖書館有藏本。

⓫ 南京師範大學古文獻整理研究所編：《江蘇藝文志・揚州卷》，頁 1283。

徐氏此時主張把儒學升格為宗教，謂「列國各崇宗教，我中國宗教最古……如何振興宗教？一言以蔽曰：講經。」他認為經典各有側重，如「《春秋》、《左傳》為兵書、為刑書，為昔時公法。《職方》、《禹貢》為農學、為地學、為藝術」，但統而觀之，完全能夠滿足社會治理的需要。經學之廢興，關係民族興衰。徐氏此論，是有感而發。該書所存治經劄記，實為天璋經說之集粹，時人陳重慶認為編中若「防墓」、「閟宮」、「春王正月」諸義，「皆前儒所未發者」。

二、集部著述

楚辭葉韻考　五卷

光緒二十六年（1900）春，天璋游幕於廣州府，東道主施某建議他考定《楚辭》古音韻，使學者有所依憑。當時雖從其議，因箋注《書》、《易》，無瑕顧及。宣統三年（1911），辛亥革命爆發，天璋歸寓揚州，乃撰此書。卷首有天璋自序，書末題「門人沈世德本淵校」。書分四卷，附一卷《釐正前韻》。《江蘇藝文志・揚州卷》記其為傳抄本，杭州市圖書館藏。現今分別收於三書：甲、《四庫未收書輯刊》第十輯十三冊⓬，清鈔本。乙、《楚辭要籍選刊》⓭第十七冊，署為一九六四年揚州古舊書店抄本，分四冊，藏山東大學圖書館。丙、《楚辭文獻集成》⓮二十一冊，署為清宣統三年抄本。

天璋認為：所謂「《楚辭》者，上繼《葩詩》，下開詞賦，韻自天籟也。雖非拘四聲之中，實不越四聲之外」。其考辨《楚辭》音韻，注重區析古今聲韻之流變，值得後學參考。

以上所列徐氏著述總計十種，僅此已足見其為清末民初重要經學家。文獻所載而筆者未見之徐氏著述尚有十二種，其目如下：

1.《禹貢傳注圖考》，見《泰縣著述考》卷四。⓯

⓬ 《四庫未收書輯刊》（北京：北京出版社，2000 年），頁 165－205。

⓭ 文清閣編委會編：《楚辭要籍選刊》（北京：北京燕山出版社，2008 年）。

⓮ 吳平、回達強主編：《楚辭文獻集成》（揚州：廣陵書社，2008 年），頁 14825－14984。

⓯ 賈貴榮、杜澤遜輯：《地方經籍志彙編》（北京：北京圖書館出版社，2008 年），第十七冊，陸銓撰：〈泰縣著述考〉卷四，頁 149。

2.《毛詩傳箋考證》，見《民國泰縣誌稿》卷二十八《藝文志》⓰，不著卷數。

3.《三禮析義》，稿本。⓱

4.《夏小正通釋》，稿本，末有胡晉跋。⓲

5.《春秋明義》、《春秋三傳辨誤》、《春秋三傳箋疑》，皆稿本。⓳

6.《孝經古今章句考》。

7.《爾雅箋正圖考》。以上二種皆稿本，未刻。⓴

8.《徐氏雙孝錄》一卷，光緒二十八年自刻本。㉑

9.《理氣蒙求》四卷，宣統元年自刻本。㉒

10.《烏私集》三卷，《芻獻集》五卷，《既濟金鑒》一卷，《心性元旨》二卷、續編二卷，宣統元年刊本，「總名為《徐氏類編》」。㉓

11.《五行匯考》四卷，《江蘇藝文志・揚州卷》㉔著錄其版本為泰州市圖書館藏手稿本，今未見。

12.《皇極潛元演數》一卷，版本同前。

由於複雜的歷史原因，徐天璋的論著多有亡佚。筆者涉學日淺、聞見寡陋，即徐氏著述留存人間者，求之容或未備。衷心期待博雅方家匡我不逮！

⓰ 《中國地方誌集成・江蘇府縣誌輯》（南京：鳳凰出版社，2008 年），第 68 冊，單毓元等纂修：〈民國泰縣誌稿〉，頁 752。

⓱ 賈貴榮、杜澤遜輯：《地方經籍志彙編》，第十七冊，陸銓撰：〈泰縣著述考〉卷四，頁 150。

⓲ 同前。

⓳ 同前。

⓴ 同前，頁 151－152。

㉑ 南京師範大學古文獻整理研究所編：《江蘇藝文志・揚州卷》，頁 1283。

㉒ 同前。

㉓ 賈貴榮、杜澤遜輯：《地方經籍志彙編》，第十七冊，陸銓撰：〈泰縣著述考〉卷四，頁 152。

㉔ 同前，頁 1284。

參考文獻

孫殿起錄：《販書偶記》，北京：中華書局，1959 年。

王雲五主編：《續修四庫全書提要》，臺北：臺灣商務印書館，1971 年。

林慶彰等編：《民國時期經學叢書》，臺中：文听閣圖書有限公司，2009 年。

陸銓撰：《泰縣著述考》，賈貴榮、杜澤遜輯：《地方經籍志彙編》，北京：北京圖書出版社，2008 年。

單毓元等纂修：《民國泰縣誌稿》，《中國地方誌集成》，南京：鳳凰出版社，2008 年。

南京師範大學古文獻整理研究所編：《江蘇藝文志》，南京：江蘇人民出版社，1995 年。

文清閣編委會編：《楚辭要籍選刊》，北京：北京燕山出版社，2008 年。

吳平、回達強主編：《楚辭文獻集成》，揚州：廣陵書社，2008 年。

《四庫未收書輯刊》，北京：北京出版社，2000 年。

韓國鈞撰：《止叟年譜》，臺北：廣文書局，1971 年。

上海圖書館編：《中國叢書綜錄》，北京：中華書局，1959 年。

謝巍編撰：《中國歷代人物年譜考錄》，北京：中華書局，1992 年。

姜亮夫撰：《歷代名人年裏碑傳總表》，臺北：臺灣商務印書館，1937 年。

鐘碧容、孫彩霞編：《民國人物碑傳集》，成都：四川人民出版社，1997 年。

經學研究論叢
第二十輯　頁219～240
臺灣學生書局　2012年12月

王國維與巴蜀學人

彭　華*

王國維（1877－1927），字靜安（庵），又字伯隅，號觀堂、永觀等，浙江海寧人。近代中國享有國際聲譽的傑出學者，世人公允為國學大師。王國維一生涉獵廣泛，舉凡文學、哲學、美學、教育學、古文字學、文獻學、歷史學等均有專門研究，並且在如此眾多的學術領域都取得了不可磨滅的成就；誠可謂造詣精深、論著豐贍，巍然而為一代學術巨擘。

王國維與國內外學者有著比較廣泛的交往，但學術界所關注的僅僅是其中的少數諸人，比如國外的伯希和、藤田豐八、內藤虎次郎、鈴木虎雄、狩野直喜、神田信暢等，國內的吳昌綬、沈曾植、張爾田、繆荃孫、羅振玉、馬衡、陳垣、陳寅恪等；而關於王國維與巴蜀學人❶的交往，迄今尚未見系統梳理者。

在短短五十年的人生旅途中，王國維從未「乃眷西顧」（《詩經・大雅・皇矣》），巴蜀大地自然無緣領受大師之潤澤；但化澤所及，巴蜀學人實又有緣沾溉，而「後之學者，幸莫大焉」（胡順父〈南軒易說序〉）。茲謹枚舉十五人（其中附帶二人，旁及一人），稍加分類，略為陳說。

---

*　彭華，四川大學國際儒學研究院古籍整理研究所教授。

❶　本文所說的「巴蜀學人」，既包括現在的四川省籍學人，也包括現在的重慶市籍學人，還包括長期寓蜀的外省籍學人（如徐中舒等）。

前輩與時彥

前輩：王秉恩（附帶王乃徵，旁及王復禮）

王秉恩（1845－1928），字雪澂、雪澄、雪岑、雪丞、雪塵，一字息存，號茶龕，別署息塵庵主，晚號華陽真逸，室名元尚居、明恥堂、野知廠、強學簃、養雲館，華陽（今四川雙流縣）人。同治十二年（1873）舉人，張之洞（1837－1909）門生。後入四川省城尊經書院（1875－1902），與楊銳（1857－1898）、廖平（1852－1932）、宋育仁（1857－1931）等被張之洞推為院中所得「高才生」❷。

張之洞督粵日（1884－1889），王秉恩入其幕，協助創辦廣雅書院及廣雅書局，並充廣雅書局提調。1889 年，張之洞由兩廣總督調任湖廣總督，王秉恩亦隨同前往，主持漢口商務局。民國後，寓居上海兆豐路，與陳散原（1853－1937）、朱古微（1857－1931）並稱為「虹口三老」❸。

工書法，富收藏。每至一地，必重金購書。藏書有數十篋，書滿其屋，頗多善本、稿本。在杭州築有九峰書屋，收藏明末清初史籍稗乘之書極富，另多藏金石字畫。辛亥革命後，家境貧困，所藏書籍字畫多以易米。精於版本、校勘之學，曾手校《淮南子》數冊，「遍上下密行小字」，「自云一切異本，靡不迻錄」❹；又嘗手校《雲麓漫鈔》，是「一部未見著錄、不為人知，很有參考價值的校本」❺。長於目錄之學，曾對《書目答問》作了大量補正，是為「貴陽本」（光緒五年刊刻於貴陽）。惜乎貴陽本流傳不廣，柴德賡深以范希曾作《書目答問補正》時（1931年印行）未及見貴陽本而惋惜❻。留意地方史乘，曾與羅文彬合撰《平黔紀略》。另撰有《息塵庵詩稿》、《彊斆宧雜者》、《養雲館詩存》、《王母許猷夫人事

---

❷ 楊洪生：《繆荃孫研究》（上海：上海古籍出版社，2008 年），頁 128。

❸ 鄭逸梅：《藝林散葉》，《鄭逸梅選集》第三卷（哈爾濱：黑龍江人民出版社，1991 年），頁 78。

❹ 倫明：〈辛亥以來藏書紀事詩〉，《藏書紀事詩（附補正）・辛亥以來藏書紀事詩（附校補）》（上海：上海古籍出版社，1999 年），頁 37。

❺ 張雷：〈新見《雲麓漫鈔》王秉恩手校本〉，《中國典籍與文化》，2000 年第 4 期。

❻ 柴德賡：〈記貴陽本《書目答問》兼論《答問補正》〉，《史學叢考》（北京：中華書局，1982 年），頁 219。

略》、《平黔紀略》，編繪《光緒肇慶府屬基圍圖》，協修《廣東輿地圖說》，編寫《史學叢刊目》，留存《王雪澂日記》等著有《養雲館詩存》及手定《文稿》八卷、《讀書隨筆》數卷、《公牘稿》若干卷❼。子王文燾。

王秉恩與沈曾植（1850－1922）、羅振玉（1866－1940）、王國維均有直接交往，並互有書信往還。王國維尊之為前輩，在書信中稱王秉恩為「雪澄仁丈大人」、「雪澄先生大人」、「老伯大人」、「王雪老」、「雪老」等，而他本人則自稱「晚學」❽。寓居上海之時，王國維嘗往訪王秉恩（如 1916 年 12 月 13 日❾），王秉恩亦曾回訪王國維❿。但王秉恩時已老病，故王國維不忍多加煩擾，「海上藏書推王雪澄方伯為巨擘，然方伯篤老，凡取攜書籍，皆躬為之，是詎可以屢煩耶」（《丙辰日記》正月初二條）⓫。一九一六年夏，羅振玉嘗托王國維轉贈王秉恩金文拓片九十餘種，並扇面一葉⓬。又，某年王國維曾將「雪堂書稿抄出奉閱」於王秉恩⓭。一九一九年二月十九日，沈曾植招同人集寓所，在座者有鄭孝胥、王乃徵、王秉恩、繆荃孫、朱祖謀、陳衍、楊鍾義、劉復禮、王國維⓮。同座十人中，共有川籍人士三（王秉恩、王乃徵⓯、劉復禮⓰）。其中，王乃徵亦屬王

❼ 筆者另撰有〈華陽王秉恩學行考〉（待刊），全面考訂王秉恩之生平事蹟和著述學說。

❽ 吳澤主編：《王國維全集・書信》（北京：中華書局，1984 年），頁 455－456、355、325、113、160－161、229、247。

❾ 王國維：〈致羅振玉〉（1916 年 12 月 15 日），《王國維全集・書信》，頁 160－161。

❿ 1922 年 8 月 7 日，王國維致信王秉恩，「前蒙賁臨，有失迎候，罪甚」（《王國維全集・書信》，頁 324）。

⓫ 房鑫亮：〈王國維丙辰日記注考〉，《中華文史論叢》總第八十四輯，頁 5。

⓬ 王國維：〈致王文燾〉（1916 年夏），《王國維全集・書信》，頁 113。

⓭ 王國維：〈致王秉恩〉，《王國維全集・書信》，頁 456。按：該信無年月。據信中所云「閱後仍希寄還，以乙老尚欲一覽也」，可知該函當作於沈曾植 1922 年去世之前數年。

⓮ 許全盛：《沈曾植年譜長編》（北京：中華書局，2007 年），頁 476。

⓯ 王乃徵（1861－1933），字聘三，一字蘋三、病山，晚號潛道人，四川中江人。光緒十六年（1890）進士，十八年（1892）授翰林院編修。官至福建道監察御史、湖北度支使、貴州布政使。1912 年隱居春申江（今上海黃浦江），以賣字為生，艱難度日。喜書法，尤長北碑（李朝正編著：《清代四川進士徵略》〔成都：四川大學出版社，1986 年〕，頁 5）。著有《嵩洛吟草》、《天目紀游草》、《病山詩稿》等。

國維前輩（王國維稱之為「病老」），二人後「在津曾談數次」⑰。

並世學人，王國維少所稱許，王秉恩自不在稱許之列。一九二二年，王國維因擬撰《古監本五代兩宋正經正史考經》，於八月七日致信王秉恩。信中雖有諸如「祈賜教一二」、「並請賜示」之語，但在王國維的心目中，王秉恩恐怕主要為一介藏書家，「長者於經、小學書蒐羅最備，當有其書」，「如插架有趙刊《字樣》（筆者按：即趙意林所刊《九經字樣》），即擬趨候起居並一觀也」⑱。在另外一通致王秉恩的信函中，所談亦為藏書而非論學，「鄉先輩周松靄先生遺書篋中，無有其所撰《西夏書》十五卷，亦未刻入遺書中，《海昌備志》僅據寫本著錄，是未必有刊本也。長者見聞最博，曾見有此書否？」⑲由此，可以推想矣。

時彥：傅增湘

傅增湘（1872－1949），先字潤沅，後改字沅叔，號薑庵、姜弇，別署有「書潛」、「清泉逸叟」、「長春室主人」、「雙鑒樓主人」、「藏園居士」、「藏園老人」等，四川江安人。桐城古文家吳汝綸（1840－1903）弟子。光緒十四年（1888）舉人；二十四年（1898）進士，選翰林院庶吉士；二十九年（1903）散館，授編修。一九〇二年入直隸總督袁世凱幕府，後奉命在直隸創辦北洋女子公學、北洋高等女學和北洋女子師範學堂等。辛亥革命後，參加北方議和代表團，南下上海議和。和議未成，辭職返津。中華民國成立後出任公職，一度連任北洋政府教育總長（1917 年 12 月－1919 年 5 月）。五四運動爆發後，憤而辭職下野。隨後，即著力於典籍之收藏與研究。

傅增湘是民國以來最著名的大藏書家、傑出的文獻大家。他不但藏書甚富（時

⑯ 劉復禮（1872－1950），字洙源，號離明，出家後法名昌宗，又稱白雲法師，四川中江人。初入成都尊經書院，從廖平、王闓運學。旋進京師大學堂深造。後歸川，創辦離明書院，又在四川高師、成都大學、四川大學講授經學。初以經學揚名蜀中，後以佛學知名於世，而經學名聲反為所掩。佛學著作有《佛法要領》、《唯識綱要》、《華嚴經序》等，均刊行於世（唐振彬：〈精於經學和佛學的劉洙源〉，《四川近現代文化人物續編》，成都：四川人民出版社，1989 年，頁 258－263）。

⑰ 王國維：〈致蔣汝藻〉（1925 年 3 月 25 日），《王國維全集・書信》，頁 412。

⑱ 王國維：〈致王秉恩〉（1922 年 8 月 7 日），《王國維全集・書信》，頁 324。

⑲ 王國維：〈致王秉恩〉，《王國維全集・書信》，頁 455。

有「北傅南葉」之稱），而且校書尤精，又性喜刻書，在版本學、目錄學、校勘學方面取得了卓越成就，堪稱一代宗師⑳。著有《藏園群書經眼錄》、《藏園群書題記》、《藏園訂補郘亭知見傳本書目》，輯有《宋代蜀文輯存》、《明蜀中十二家詩鈔》，親手校畢《文苑英華》，另有《藏園老人遺墨：江安傅增湘先生自書詩箋冊》、《張元濟傅增湘論書尺牘》等。

王國維與傅增湘的間接交往，可以上溯至一九〇九年。這一年，時任學部圖書局編輯的王國維為陳敬如之事託諸羅振玉，羅振玉商之傅增湘（傅時任直隸提學使），「傅君滿口允許，但云不能立時報命，然暫恐無效」㉑。陳敬如其人不詳，所託之事亦不詳，或許與謀事有關。王國維與傅增湘的直接交往，基本上是圍繞著書（借書、校書）而展開的。而其最著者，一為《水經注》，一為《聖武親征錄》。

王國維一生校勘古籍達一百九十二種㉒，而《水經注》是其畢生用力最勤者之一。王國維之校勘《水經注》，始於一九一六年，終於一九二五年。王國維前後用以校勘《水經注》的本子，共計有八個：宋刊殘本，孫潛夫、袁壽階手校本，海鹽朱氏藏明抄本，吳琯《古今逸史》本，《永樂大典》本，黃省曾本，全祖望本，戴校聚珍本㉓。其中，宋刊殘本即借自傅增湘，時間是一九二三年㉔。宋刊《水經注》殘本不足十二卷（傅增湘云「通存卷十有二」，王國維云「凡十一卷有奇」），二人均推斷為南宋初刊本㉕。王國維《水經注》的原刊原校本，後由母校

⑳ 鄭偉章說：「傅氏（筆者按：即傅增湘）為近現代文獻大家，堪稱宗主。」《文獻家通考（清—現代）》（下冊）（北京：中華書局，1999年），頁1408。

㉑ 羅振玉：〈羅振玉致王國維〉（1909年6月28日），王慶祥、蕭文立校注：《羅振玉王國維往來書信》（北京：東方出版社，2000年），頁1。

㉒ 趙萬里：〈王靜安先生手批手校書目〉，《國學論叢》，第1卷第3號（1928年4月），頁145－179。

㉓ 吳澤、袁英光：〈王國維與《水經注》校勘〉，《王國維學術研究論集》（一）（上海：華東師範大學出版社，1983年），頁156－167。

㉔ 王國維：〈致蔣汝藻〉（1923年12月16日），《王國維全集·書信》，頁375。

㉕ 傅增湘：〈宋刊殘本水經注書後〉（1939年），《藏園群書題記》（上海：上海古籍出版社，1989年），頁235；王國維：〈宋刊水經注殘本跋〉（1924年），《觀堂集林》卷十

（華東師範大學）的袁英光、劉寅生兩位老師加以整理，以《水經注校》為名出版（上海人民出版社 1984 年版）。

王國維在其生命歷程的最後兩年（1925－1927），致力於蒙古史和元史研究，其突出貢獻在於「對有關資料進行了精審校勘和注釋，並作了精闢的考證」㉖。《聖武親征錄》一書因所記多蒙古開國時事，故王國維亦勤加校注。王國維最初所得乃桐廬袁重黎刻張穆、何秋濤校本，而起初用以對校的本子共計三個：一為傅增湘藏明弘治《說郛》本，一九二五年借校；一為陶湘藏萬曆抄《說郛》本，一九二六年借校（此本信息係由傅增湘提供）；一為汪魚亭家鈔本。「合三本互校，知汪本與何氏祖本同出一源，而字句較勝，奪誤亦較少；《說郛》本尤勝，實為今日最古最備之本」㉗。王國維後又據他本相互比勘、詳加考訂，於一九二六年夏以《聖武親征錄校注》為名刊入《蒙古史料四種校注》（清華國學研究院院刊叢書第一種）㉘，其後又收入《王國維遺書》第十三冊（上海古籍書店 1983 年據商務印書館 1940 年版影印）。

王國維雖然與傅增湘有著間接的、直接的交往，但僅視對方為藏書家，並不許可對方為學問家。《王國維全集・書信》收集書信五百餘種，無一通及於傅增湘。而在王國維與他人的通信中，舉凡涉及傅增湘者，亦無一語道及傅增湘之學術，所陳述者亦僅為古書之收購（如蘭雪堂活字本《白氏長慶集》）㉙、收藏（如澤存堂原《廣韻》本）㉚、借閱（如上文所述二書）以及藏書目錄之編制㉛而已。有人分

二，《王國維遺書》第二冊（上海：上海古籍書店，1983 年據商務印書館 1940 年版《海寧王靜安先生遺書》影印）。

㉖ 袁英光：《新史學的開山——王國維評傳》（上海：上海人民出版社，1999 年），頁 182。

㉗ 王國維：〈聖武親征錄校注序〉（1926 年），《觀堂集林》卷十六，《王國維遺書》第三冊。

㉘ 袁英光、劉寅生：《王國維年譜長編》（天津：天津人民出版社，1996 年），頁 456。

㉙ 王國維：〈致羅振玉〉（1916 年 10 月 25 日），《王國維全集・書信》，頁 137；《羅振玉王國維往來書信》，頁 176。

㉚ 王國維：〈致羅振玉〉（1917 年 10 月 21 日），《王國維全集・書信》，頁 225；《羅振玉王國維往來書信》，頁 303。

㉛ 王國維：〈致蔣汝藻〉（1923 年 12 月 16 日），《王國維全集・書信》，頁 375。

析說，當年（1938）余嘉錫為傅增湘《藏園群書題記》作序，余在序中「大罵黃蕘圃」，而在描寫作者傅增湘時，「又儼然使讀者看到了一位極精明的老書賈形象」；黃丕烈題跋之不足道，「也正是《題記》中弱點所在」（「多數只能說一些皮毛話，沒有真知灼見」）㉜。此或可為一大旁證。但高明學問家如王國維者，千慮一失亦時或有之。比如，〈覆五代刊本爾雅跋〉（《觀堂集林》卷二十一）認為八行十六字本的《周禮》、《禮記》、《孟子》等源出五代、北宋監本，此固精確不移；但云「前人皆誤以此為蜀大字本」，則不免失誤。因為從字體來看，它們「確實都屬於標準的蜀本風格」，「應是四川眉山重刻舊監本，前人以為蜀大字本不能算錯」㉝。又如，〈殘宋本三國志跋〉（《觀堂集林》卷二十一）認為傅增湘所藏《史記》是北宋監本；但研究表明，該本其實是北宋時江南重刻監本，南渡後又經補刊，而不是北宋監中原刻㉞。與此相對，博厚藏書家如傅增湘者，千慮一得亦往往有之。如上舉半頁八行十六字本的《周禮》，傅增湘即從字體斷為蜀大字本㉟。

弟子與後學

弟子：六人（周傳儒、杜鋼百、余永梁、謝星朗、黃綬、徐中舒）（旁及張昌圻）

本處所列舉的「弟子」，均出自王國維生前執教的清華國學研究院（1925－1927）。約略而言，清華國學研究院先後舉辦四屆，共計錄取七十七人（第一屆33人，第二屆30人，第三屆11人，第四屆3人），實際到校七十一人（第一屆29人，第二屆28人，第三屆11人，第四屆3人）㊱；其中，四川省籍學子六人

㉜ 黃裳：〈傅增湘〉（1983年），《珠還記幸》（北京：三聯書店，1985年），頁43。

㉝ 黃永年：〈論王靜安先生的版本學〉，《王國維學術研究論集》（二）（上海：華東師範大學出版社，1987年），頁306。

㉞ 同上，頁306－307。按：據頁307註1，黃永年此說來源於傅斯年〈北宋刊南宋補刊十行本史記集解跋〉、勞榦〈北宋刊南宋補刊十行本史記集解後跋〉（均刊《歷史語言研究所集刊》第十八本）。

㉟ 傅增湘：《藏園群書經眼錄》（北京：中華書局，1983年），頁44。

㊱ 關於清華國學研究院歷屆的錄取名額及報到人數，相關論著說法不一、互有差異。本處的統計數字採自蘇雲峰所著《從清華學堂到清華大學（1911－1929）：近代中國高等教育研究》

（第一屆 4 人，第二屆 1 人，第三屆 1 人），長期寓蜀的外省籍學子一人（均屬報到入學者），占實際到校者的百分之十弱。今簡略介紹於下：

周傳儒

周傳儒（1900－1988），號書舲，四川江安人。一九二五年入清華國學研究院，一九二六年畢業後又留校繼續研究一年。畢業後至上海暨南大學執教兩年，隨後赴瀋陽東北大學任教（1929－1931）。一九三二年留學英國，先入政治經濟學院，後入劍橋大學。一九三四年轉學至德國柏林大學，一九三六年獲博士學位。一九三七年畢業歸國，歷任山西大學、西北大學、蘭州大學教授。一九四五年任四川大學教授，一九五二年至瀋陽東北教育學院、瀋陽師院任教。一九五七年以後，度過了二十一年坎坷歲月，一九七九年回遼寧大學復職㊲。主要論著有《中國古代史》（講義）、《書院制度考》、《甲骨文字與殷商制度》、《意大利現代史》、《西伯利亞開發史》、〈糾正葉恭綽論中俄密約〉、〈李鴻章環遊世界與一八九六年中俄密約〉、〈史學大師梁啟超與王國維〉、〈史學大師王國維先生〉、〈蘭亭序的真實性與中國書法發展問題〉、〈戊戌政變軼聞〉等。

周傳儒在清華國學研究院的指導教師，應該是梁啟超和王國維二人。從周傳儒在清華的研究題目看（見下文），當時的直接指導者應當是梁啟超；而從其學術成果看（如《甲骨文字與殷商制度》），王國維實際上也是指導者；從周氏後來的自我陳述看，其指導者確實是梁啟超和王國維二人㊳。周傳儒第一年所登記的研究題目是「中國近世外交史」，畢業論文題目是「中日歷代交涉史」，成績是甲六；因

（北京：三聯書店，2001 年，頁 291－293），因其統計來自《清華周刊》（前二屆）和孫敦恒《清華國學研究院史紀事》（《清華漢學研究》第一輯，北京：清華大學出版社，1994 年）（後二屆），所據材料最為可信。

㊲ 以上關於周傳儒的簡歷，綜合參考以下二文：⑴周傳儒：〈周傳儒自述〉，高贈德、丁東主編：《世紀學人自述》第一卷（北京：十月文藝出版社，2000 年），頁 346－361；⑵曉吟：〈我國著名的歷史學家周傳儒教授〉，《遼寧大學學報》，1984 年第 3 期，封三。

㊳ 晚年的周傳儒深情回憶這一段求學經歷，有「在追隨梁王二師若干年中」諸語（〈史學大師梁啟超與王國維〉，《社會科學戰線》，1981 年第 1 期，頁 178），並尊稱梁、王二人為「梁任公師」、「王靜安師」，而對於陳寅恪、趙元任、李濟均不綴「師」字且直呼其名（〈周傳儒自述〉，《世紀學人自述》第一卷，頁 352－354）。

成績優良而獲獎學金（共計 16 人，每人 100 元）[39]。第二年的專修科目是「中國文化史」，專題研究題目是「中國教育史」（1927 年未排成績等級，也沒有發獎學金，僅舉行了成績展覽）。王國維逝世後，周傳儒曾作長詞「寶鼎現」一首，「悼王靜安師詞，寄調寶鼎現」[40]。

清華國學研究院的兩年求學，使周傳儒深自獲益（周氏自云「收穫甚豐碩」）。暮年的周傳儒，依然深情不忘這一段寶貴的求學經歷，在文中特意列舉住清華研究院的六點好處，認為這是「值得推薦的」；並概說成為一名學者的三大條件，而其中一個重要的條件就是機會，「包括著優良的時代、優越的環境、優異的良師益友」[41]。毫無疑問，清華國學研究院自然是首當其衝者（當然也包括他留學英德時期的劍橋大學和柏林大學）。周傳儒亦善自珍惜、勤加探研，在校期間即成果不菲，是「一位傑出的學生」[42]；而其後來所取得的成就，也證明他是清華國學研究院最著名的畢業生之一[43]。但周傳儒三十以後即不再專意於中國史，兼之時乖運蹇，故而未能「展盡底蘊無所隱」（《新唐書・魏徵傳》）。就此而言，周傳儒自又不可與姜亮夫、王力、徐中舒等同日而語。

杜鋼百

杜鋼百（1903－1983），原名文煉，字鋼百，以字行，四川廣安人。一九二〇年入國立成都高等師範學校文史部，並隨廖平研習經學。一九二四年赴北京，就讀於北京大學國學研究所。一九二五年考入清華國學研究院，從王國維、梁啟超研究

---

[39] 自此以下關於諸位弟子在清華國學研究院的學習情況，除特別說明者外，均採自以下二書：(1)孫敦恒編著：《清華國學研究院史話》（北京：清華大學出版社，2002 年），頁 54－79；(2)蘇雲峰：《從清華學堂到清華大學》，頁 295－304。

[40] 周傳儒：〈王靜安傳略〉，《中國現代社會科學家傳略》第一輯（太原：山西人民出版社，1982 年）。

[41] 周傳儒：〈周傳儒自述〉，《世紀學人自述》第一卷，頁 351－355。

[42] 蘇雲峰：《從清華學堂到清華大學》，頁 333，注釋 1。

[43] 蘇雲峰說：「他們在教學之外，也勤於研究，發表專書和論文眾多，尤以姜亮夫、姚名達、王力、王靜如、徐中舒、吳其昌、周傳儒、陸侃如、楊鴻烈、衛聚賢、謝國楨、蔣天樞等為最著名，是清華創校以來國學和人文教育的一項重大成就。」（《從清華學堂到清華大學》，頁 333。）

經史。一九二六年夏畢業，嘗往廬山拜謁康有為，相與談論經學。隨後返川，任四川省圖書館館長。一九二七年大革命失敗後離川東下，隱居於杭州西湖廣化寺，與熊十力、馬一浮遊，旋受聘為大學院著作委員會委員。次年赴武漢，任武漢大學教授兼武昌文華圖書專科學校教授。一九二九年秋，東遊日本。一年後回國，先後任廣州中山大學教授、上海暨南大學教授兼圖書館館長、上海中國公學教授。同時，還積極參加進步活動，曾任上海各大學教職員聯合會常委、中外文化協會副理事長等。抗日戰爭和解放戰爭時期，在重慶先後創辦草堂國學專科學校及東方人文學院，以研習經史為主要內容。期間，又與杜桴生等共同組織建國教育社等團體，同時與嚴郁文等發起成立重慶圖書館協會，任副理事長。建國後，任西南師範學院歷史系教授㊹。論著有《名原考異》、《先秦經學微故》（未發表）、《群經概論》、《經學通史》、《中庸偽書考》、《春秋講義》、《詩經研究》（未付印）、《老子章句述義》（未付印）、《通假字典》（未付印）、《三易考略》（未付印）、〈孔修春秋異於舊史文體考〉、〈公羊穀梁為卜高一人異名考〉、〈與馮友蘭論孔子哲學〉等。

杜鋼百在清華國學研究院所登記的研究題目是「佛（儒）家經錄之研究」㊺，畢業論文題目是「周秦經學考」，成績是乙十四。入王國維之門的巴蜀學人，絕大多數從事史學研究，惟有杜鋼百一人治經學。惜乎其經學著作多未正式出版，學術界亦未多加重視。

余永梁

余永梁（1904－？），字紹孟，四川忠縣人。一九二五年由東南大學考入清華國學研究院，一九二六年畢業。在清華所登記的研究題目是「古文字學」，畢業論文有三篇之多——「說文古文疏證」、「殷墟文字考」、「金文地名考」，成績是甲二；因成績優良而獲獎學金一百元。曾任清華國學研究院助教，後供職於中山大

㊹ 以上關於杜鋼百的簡歷，綜合參考以下文獻：⑴趙彥青：〈杜鋼百傳略〉，《中國當代社會科學家》第七輯（北京：書目文獻出版社，1986 年），頁 216－223。⑵四川省地方志編纂委員會編纂：《四川省志．人物志》（成都：四川人民出版社，2001 年），頁 941－942。

㊺ 《從清華學堂到清華大學》作「佛家經錄之研究」（頁 299），疑排印有誤，「佛家」當作「儒家」。

學語言歷史研究所。余永梁主要從事甲骨學、民族學研究，重要論文有《殷墟文字考》、《殷墟文字續考》、〈新獲卜辭寫本後記跋〉、〈西南民族的婚姻〉、〈西南民族起源的神話——盤瓠〉、〈易卦爻辭時代及其作者〉等。

不管是就研究題目及畢業論文而言，還是就同門之回憶而言㊻，余永梁毋庸置疑而為王門之標準弟子。王國維去世後，余永梁與程憬、楊筠如等會於廈門，擬創靜安學會，「以為先生永久紀念」㊼。

謝星朗

謝星朗（生卒年不詳），字明霄，四川梓潼人。一九二五年入清華國學研究院，一九二六年畢業。在清華登記的研究題目是「春秋時代之男女風紀」，畢業論文三篇——「春秋時代婚姻的種類」、「春秋時代的戀愛問題」、「春秋時代親屬間的婚姻關係」，成績是丙一。「素有志於新聞事業」，曾任北京《晨報》編輯、國聞通信社編輯、《大中華日報》總編輯，「隱然以監督政府、指導民眾之責自任」㊽。隨後從政，曾任四川剿匪總司令部秘書㊾、萬縣縣長（1932 年前後）㊿、四川省驛運管理處處長（1946 年）51。

黃　綬

黃綬（1888－1975），字元賁，四川西充人。一九二六年入清華國學研究院（補招），一九二七年畢業，在學業上主要是接受梁啟超的指導。在清華的專修科目是「中國史」，畢業論文題目是「中國歷代地方制度考」，完成著作兩部（見

㊻ 戴家祥說：「清華大學一二屆研究生共五十餘人，受先生專業指導者有趙萬里、楊筠如、徐中舒、劉盼遂、余永梁、高亨、何士驥、黃淬伯、趙邦彥、姜寅清、朱芳圃、戴家祥等。」（戴家祥、王季思：〈〈王國維先生墓碑記〉及其他〉，原載《隨筆》1986 年第 2 期；轉引自陳平原、王楓編：《追憶王國維》（北京：中國廣播電視出版社，1997 年），頁 305。）

㊼ 徐中舒：〈王靜安先生傳〉，《東方雜誌》，第 24 卷 13 號（1927 年 7 月）；轉引自《追憶王國維》，頁 190。

㊽ 以上引號內文字均為周傳儒語，見《清華學校研究院同學錄》，轉引自夏曉虹、吳令華編：《清華同學與學術薪傳》（北京：三聯書店，2009 年），頁 510。

㊾ 《清華同學錄》，轉引自《清華同學與學術薪傳》，頁 553。

㊿ 傅振倫編著：《七十年所見所聞》（上海：華東師範大學出版社，1997 年），頁 322。

51 吳宓著、吳學昭整理：《吳宓日記》第十冊（北京：三聯書店，1998 年），頁 30。

後）。曾經留學日本東京法政大學，歸國後任黃埔軍校政治教官。曾任《巴蜀日報》社長兼總編輯，二十軍部及二十一軍二師部高等顧問，後供職四川大學。隨後從政，任高等審判廳長（1946 年前後）52。著作有《唐代地方行政史》（北京：永華印刷局，1927 年）、《兩漢行政史手冊》（鄭州：中州古籍出版社，1991 年）；「前者曾蒙任公先生題寫了封面，後者也有任公先生的手批」53。另，編有《民國六年羅戴禍川紀實》（1917 年）等。

徐中舒

徐中舒（1898－1991），初名裕朝，後改名道威，字中舒，以字行，安徽懷寧（今安慶市）人。一九二五年入清華國學研究院，師從王國維。一九二六年畢業，後在中央研究院歷史語言研究所工作。一九三八年起執教於四川大學歷史系，直至一九九一年去世。徐中舒專攻先秦史，尤長於古文字學的研究，還博涉民族史、地方史、明清史、中國文學史等領域。主要著作有《巴蜀考古論文集》（主編）、《先秦史論稿》、《徐中舒歷史論文選輯》、《漢語大字典》（主編）、《甲骨文字典》（主編）等，重要論文有〈耒耜考〉、〈從古書中推測之殷周民族〉、〈殷周文化之蠡測〉、〈殷人服象及象之南遷〉、〈殷周之際史蹟之檢討〉、〈井田制度探源〉、〈論東亞大陸牛耕的起源〉、〈論周代田制及其社會性質〉等。

徐中舒在清華國學研究院所登記的研究題目是「古文字學」，畢業論文二篇——「殷周民族考」、「徐奄淮夷群舒考」，成績是甲八；因成績優良而獲獎學金一百元。王國維一九二七年去世後，徐中舒當年連撰三文以志悼念。它們是：⑴〈王靜安先生傳〉，《東方雜誌》第 24 卷 3 號，1927 年 2 月；⑵〈靜安先生與古文字學〉，《文學周報》第 5 卷 1、2 期（合刊），1927 年 8 月 27 日；⑶〈追憶王靜安先生〉，同上⑵。另有署名「史達」的〈王靜安先生致死之原因〉（出處同上⑵），以前多以為係徐中舒之作，其實屬張冠李戴54。徐中舒之追憶王國維，情

52 吳宓著、吳學昭整理：《吳宓日記》第十冊，頁 87。

53 徐中舒：〈兩漢及唐代地方行政史序〉，轉引自夏曉虹、吳令華編：《清華同學與學術薪傳》（北京：三聯書店，2009 年），頁 316。

54 徐亮工：〈徐中舒先生生平編年（未定稿）〉，《徐中舒先生百年誕辰紀念文集》（成都：巴蜀書社，1998 年），頁 317－318。

深意重，溢於言表，「余從先生游為時雖僅一載，然先生之人格與其治學精神，予我印象特深，驟睹此電駭愕已極，精神上之哀痛殆不可喻。追憶先生一年以前之聲音笑貌如在目前，因記其梗概以志哀悼云爾」（〈追憶王靜安先生〉）。

對於清華國學研究院的學生，梁啟超曾經說過一番語重心長的話，「顧我同學受先生之教，少者一年，多者兩年，旦夕捧手，飫聞負劍辟咡之詔，其蒙先生治學精神之濡染者至深且厚，薪盡火傳，述先生之志事，賡續其業而光大之，非我同學之責而誰責也」(55)。在治學方法上，王國維首倡「二重證據法」(56)，並且身體力行之，予後學以光輝的典範。有人指出，徐中舒「廣泛地應用人類學、考古學、民族學等新材料，從而擴大『兩重證法』為『多重證法』」(57)。又，徐中舒用力於古文字學且成果豐厚，此自當屬「述先生之志事，賡續其業而光大之」者。另外，晚年的王國維潛研西北史地和蒙元史學，而作為弟子的徐中舒後來著力於西南史地及南方民族之研究，此亦當屬「賡續其業」者之列。

另，張昌圻亦曾求學於清華國學研究院，但入校時王國維業已去世。為求完整，在此亦附帶介紹：

張昌圻（1903－？），後改名張弘，字弘伯，四川富順人。一九二六年畢業於北京大學哲學系，一九二七年考入清華國學研究院，一九二八年畢業，後留校繼續研究一年。在清華國學研究院所選的專題研究是「先秦倫理思想史」，畢業論文題目是「洙泗考信錄評誤」。後留學法國里昂大學（1930－1938），專門研習倫理學。所撰《洙泗考信錄評誤》於一九三一年由上海商務印書館出版，係「國學小叢書」之一。張昌圻認為崔述是「以理想化的聖賢作為辨古的根據或出發點」，因而其「考信」是不可信的。全書共舉崔書錯誤二十二條，分為緒論、分論、結論三章，書前列述胡適、顧頡剛、錢玄同等對《洙泗考信錄》一書的評論。

---

(55) 梁啟超：〈王靜安先生紀念號序〉，《國學論叢》，第 1 卷第 3 號（1928 年 4 月）。

(56) 王國維：《古史新證——王國維最後的講義》（北京：清華大學出版社，1994 年），頁 2－3。

(57) 斯維至：〈古文字學與先秦史學——為紀念徐中舒先生百年誕辰而作〉，《徐中舒先生百年誕辰紀念文集》，頁 2。

後學：一人（李思純）

李思純（1893－1960），字哲生，四川成都人。一九一二年就讀於四川公立法政專科學校，一九二〇年入法國巴黎大學主修法學，兼學史學。一九二二年轉入柏林大學學習，於此結識陳寅恪。一九二三年回國，經友人吳宓介紹，受聘於東南大學（至 1924 年夏為止）。一年後返川，楊森聘其為四川公立外國語專門學校校長。後楊森敗走洛陽，李思純再度離鄉，遠赴北京謀業。一九二五年，經友人汪懋祖、馬敘倫介紹，入北京師範大學、北京大學預科任教，與陳垣等過從甚密。期間，並被章士釗聘為北京國立編譯館特約編纂。一九二六年六月回川，從政之餘仍在川中高校任教。一九四一年受聘於四川大學，一九五〇年離開川大。次年奉調赴重慶「革大」學習，年底被聘為四川省文史館研究員。一九六〇年病逝於文史館任上[58]。著作有《元史學》、〈中國民兵考〉、〈成都史蹟考〉、〈大慈寺考〉、〈江村十論〉以及《康行日記》、《金陵日記》等，譯著有《史學原論》、《川滇之藏邊》等。在《學衡》發表論文、詩作多篇（首），在《四川官報》、《娛閒錄》、《四川群報》、《川報》、《星期日》、《少年中國》等發表政論和詩作。

旅京期間（1925 年秋至 1926 年夏），李思純在清華園會晤了吳宓等老友，並結識了梁啟超，深得任公賞識。一九二六年二月十四日下午二至三時，李思純在吳宓的引導下前往清華園拜謁王國維，徵求修訂《元史學》一書的意見[59]。一九二六年六月（舊曆五月），李思純又往清華園求見王國維，徵求修訂《元史學》一書的意見，「得到王國維的幫助」[60]。據云，王國維「不僅細心釐正書稿，且賦詩相

[58] 以上關於李思純的簡歷，參考了陳廷湘、李德琬編：《川大史學‧李思純卷》之〈前言〉（成都：四川大學出版社，2006 年），又結合李德琬〈吳宓與李哲生〉（《新文學史料》2002 年第 2 期）校核了時間，並且做了相應調整。

[59] 吳宓著、吳學昭整理：《吳宓日記》第三冊，頁 149。按：吳宓說李思純「以所著《新元史學》請正」，所說書名有誤。

[60] 李德琬：〈魚藻軒中涕淚長——記李哲生一九二六年晉謁王國維先生〉，《學術集林》第十一卷（繁體字本）（上海：上海遠東出版社，1997 年），頁 27。又，蔣天樞所撰《陳寅恪先生編年事輯》（增訂本）云：「（1926 年）秋七月，先生至北京，任清華學校國學研究院教授。……先生留德舊友李思純（字哲生）來清華園，並謁見梁（啟超）、王（國維）兩先生。均有詩」（上海：上海古籍出版社，1997 年），頁 61。按：此說時間有誤，因李思純已

贈，足見李氏在靜庵眼中非一般人物」(61)。當年六月，李思純途經上海返歸四川，遂將《元史學》交上海中華書局出版。李思純特意搦筆和墨，在〈元史學自序〉（1926 年 6 月作於北京）中記注如下數語，「此書雖無精詣，余亦頗以稿本從當世賢者商訂之。其曾經審酌材料，釐正訛誤者，有海寧王國維（靜安）、丹徒柳詒徵（翼謀）、新會陳垣（援庵）、海鹽朱希祖（逖先）諸先生，並致感謝」(62)。

根據新近公布的王國維手跡，當時王國維錄寫其癸丑年（1913 年）舊作〈昔遊〉五首（「我本江南人」）以贈李思純。手稿末尾作(63)：

> 昔遊五首癸丑年舊作丙寅五月錄奉
>
> 哲孫先生方家教正　　觀堂王國維書於京師西郊之僦廬

李思純得到王國維手書尺幅之後，異常珍惜，「珍藏為傳家之寶」(64)。為表達感激之情，李思純特賦詩一首——〈王靜安先生寫詩幅見貽賦呈一律句〉（1926 年）(65)。

一九二七年六月二日，王國維投湖自盡。九月底，李思純「聞王靜安先生蹈頤和園昆明湖死」，賦詩以表悼念。末二句云：「從今莫望西山綠，魚藻軒中涕淚長」(66)。

於此前 6 月 14 日離京，詳見《吳宓日記》第三冊，頁 178。

(61) 陳廷湘、李德琬：〈前言〉，《川大史學・李思純卷》，頁 2。

(62) 李思純：《元史學》，「民國叢書」第五編第六十四冊，上海：上海書店，1996 年 12 月（據中華書局 1927 年版影印），頁 1－2。此下正文所括注頁碼，即據此本。

(63) 李德琬：〈魚藻軒中涕淚長——記李哲生一九二六年晉謁王國維先生〉，《學術集林》第十一卷（繁體字本），頁 28。按：該文該頁將「哲孫」誤作「哲生」，此據《學術集林》卷十一扉頁「王國維手跡」更正。

(64) 李德琬：〈吳宓與李哲生〉，《新文學史料》，2002 年第 2 期，頁 108。

(65) 詩之內容，詳見《學衡》第 56 期（1926 年 8 月），頁 19。另，李德琬〈魚藻軒中涕淚長——記李哲生一九二六年晉謁王國維先生〉亦迻錄此詩（《學術集林》卷十一，頁 29），但將詩題誤作「王靜安先生書詩幅見貽賦謝一首」。

(66) 李德琬：〈魚藻軒中涕淚長——記李哲生一九二六年晉謁王國維先生〉，《學術集林》卷十根據李思純的自述，《元史學》一書係「採東西兩方蒙古史料披覽之」而成（〈元史學自序〉），此法實即王國維所倡導的「二重證據法」；更確定地說，李思純寫此書時所採用的方法，即陳寅恪所概括的「二重證據法」的第二種類型，「二曰取異族之故書與吾國之舊籍互相補正」(67)。但不可思議的是：通檢全書，正文雖然偶爾提及王國維之名，但全然未採王國維蒙元史學之說，僅在第一章〈元史學之鵠的〉援引王國維《宋元戲曲史》關於王實甫作品的一個推論（頁 45－46）；與此形成鮮明對照的是，全書多次提及陳垣之名，且多次援引陳垣之說。而所引陳垣之說卻有「以流為源」之嫌疑，如第四章〈元史學之將來〉云：「關於改造元史之事，吾曾聞陳垣（援庵）討論及之。陳氏於柯紹忞『改造全史』之事，不甚同意，而其意則傾向於『為舊元史作注作補』之法。」（頁 200－201）殊不知，王國維早有此說(68)。又，眾所周知，在一九二六年六月之前，王國維豐富的蒙古史（包括元史）成果已經問世。其時正執教於京城的李思純，於此當是瞭然於胸，而竟至影然不加採獲，個中緣由頗不易解。筆者在此不敢妄加猜測，謹恪遵孔子和王國維的「闕疑」精神，「多聞闕疑，慎言其餘」（《論語・為政》），「闕其不可知者，以俟後之君子」(69)。

其他學人

就筆者陋目寡聞所及，與王國維有直接交往的巴蜀學人，大致即為上述諸人。以下所述諸人，有的與王國維當互有耳聞，但實際上並無來往（如廖平）；有的應當與王國維有交往，但尚需進一步確認（如賀麟）；有的本當與王國維相識，但陰差陽錯而失之交臂（如郭沫若）。

廖平（1852－1932），字季平，四川井研人。近代學者、經學家。著作甚豐，主要作品被輯為《四益館經學叢書》，後又增益為《六譯館叢書》。識者云，「我

一（繁體字本），頁 29。

(67) 陳寅恪：〈王靜安先生遺書序〉（1934 年），《金明館叢稿二編》（北京：三聯書店，2001 年），頁 247。

(68) 袁英光：《新史學的開山——王國維評傳》，頁 191－192。

(69) 王國維：〈毛公鼎考釋序〉（1916 年），《觀堂集林》卷六，《王國維遺書》第一冊。

國治經之士，自明清以來，各標漢宋，聚訟紛紜，而能匯通百家，冠冕諸子，摧鄭馬之藩籬，窺古賢之堂奧，獨樹新幟，扶墜衰落者，惟廖平一人而已」(70)。但因其學術理路與王國維有霄壤之別，二人當互有耳聞，但實際上互不相與接聞，一如王氏之與康有為不通氣類(71)。

賀麟（1902－1992），字自昭，四川金堂人。哲學家、哲學史家、翻譯家；現代新儒學八大家之一，有「中國現代新儒家思潮中聲名卓著的重鎮」之謂(72)。《近代唯心論簡釋》、《當代中國哲學》、《文化與人生》是其「新心學」思想體系的代表作。

賀麟於一九一九年秋考入清華學校，一九二六年夏畢業後出國留學(73)。王國維與賀麟同在清華園有一年多的時間（即自 1925 年 4 月王國維移居清華至 1926 年夏賀麟離校），期間賀麟當與王國維有直接的交往（比如聽課或請教），只是目前尚未找到直接材料以證明這一推論。但筆者仍然堅信賀麟與王國維有直接的交往，這主要是基於以下考慮：⑴賀麟與研究院導師梁啟超有不少交往。在清華求學期間，賀麟曾經聽過梁啟超關於中國學術思想史的幾門課程，對學術研究產生了濃厚興趣。並曾執書單造訪梁啟超請做指導，後又在梁啟超指導下寫成〈戴東原研究指南〉一文（後發表於《晨報》副刊）。在清華畢業時，賀麟嘗請梁啟超書寫對聯一幅以贈父親賀松雲。⑵賀麟與研究院主任吳宓比較熟悉。吳宓曾為舊制留美預備部高年級學生開設選修課「翻譯」（外文翻譯），賀麟是該課為數甚少的選修者之

(70) 傅振倫編著：《七十年所見所聞》，頁 348。

(71) 早在 1905 年所發表的〈論近年之學術界〉中，王國維即認為康有為「之於學術非有固有之興味，不過以之為政治上之手段」。按：〈論近年之學術界〉原刊《教育世界》第 93 號，後收入《靜庵文集》，《王國維遺書》第五冊。

(72) 宋志明：〈賀麟學案〉，方克立、李錦全主編：《現代新儒家學案》（中冊）（北京：中國社會科學出版社，1995 年），頁 225。

(73) 以下關於賀麟的敘述，主要取材於拙文〈賀麟年譜新編〉。小文原載《淮陰師範學院學報》（2006 年第 1 期，頁 78－91），後全文收入《現當代學人年譜與著述編年》（上海：三聯書店，2007 年，頁 303－332）。另，筆者嘗有二文專論賀麟之學，亦不妨參看：⑴〈賀麟的文化史觀〉，《湖南科技學院學報》，2006 年第 3 期，頁 96－99；⑵〈賀麟與唐君毅——人生經歷、社會交往與學術思想〉，《宜賓學院學報》，2006 年第 8 期，頁 1－6。

一，與張蔭麟、陳銓並稱為「吳門三傑」。翻閱《吳宓日記》，其中關於吳、賀二人交往的記載很多。直至暮年，賀麟仍然深情緬懷梁、吳二師[74]。(3)賀麟熟悉王國維的哲學志業，並且有專門論述。在《當代中國哲學》（1947 年 1 月初版）一書中，賀麟多次提到王國維之名，並且有專門評論王國維的文字，其中一節徑直以「王國維與康德哲學」為題[75]。准此，賀麟在一九二五年四月至一九二六年夏之間當與王國維有直接的交往。

郭沫若（1892－1978），原名郭開貞，四川樂山人。其著作被整理為《郭沫若全集》，煌煌三十八卷，分為《文學編》、《歷史編》、《考古編》，分別由人民文學出版社、人民出版社、科學出版社出版。

郭沫若本可與王國維相識，但終究失之交臂。一九二一年，郭沫若自九州帝國大學休學半年，往返於上海、日本之間籌備出版文學刊物。該年夏天，郭沫若住在泰東書局的編輯所裡面，「為了換取食宿費，答應了書局的要求，著手編印《西廂》」，因此他參考過王國維的《宋元戲曲史》，並且認為這是「有價值的一部好書」。但郭沫若並沒有「更進一步去追求王國維的其它著作」，甚至連王國維究竟是什麼人，他「也沒有十分過問」，這便使二人近在咫尺而不相識。郭沫若說：「那時候王國維在擔任哈同辦的倉聖明智大學的教授，大約他就住在哈同花園裡面的吧。而我自己在哈同路的民厚南里也住過一些時間，可以說居住近在咫尺。但這些都是後來才知道的。」在郭沫若看來，這未必不好，「假使當年我知道了王國維在擔任那個大學的教授，說不定我從心裡便把他鄙棄了。我住在民厚南里的時候，哈同花園的本身在我便是一個憎恨。連那什麼『倉聖明智』等字樣只覺得是令人可以作嘔的狗糞上的霉菌。」[76]

雖然生前未曾謀面，但這絲毫無損於郭沫若對王國維的好感，而郭沫若對王國

---

[74] 賀麟：〈懷念梁啟超和吳宓兩位老師〉，《清華校友通訊》復 14 期，1988 年 10 月。

[75] 賀麟：《五十年來的中國哲學》（瀋陽：遼寧教育出版社，1989 年），頁 26－27、78、90－92、95。按：《五十年來的中國哲學》係《當代中國哲學》之再版本，不但改換了書名，而且「在不影響原書的體系及主要論點的前提下，作了適當的修改和補充」（〈新版序〉）。

[76] 以上引號內的文字，均採自郭沫若：〈魯迅與王國維〉（1946 年），《郭沫若全集》文學編第二十卷（北京：人民文學出版社，1992 年），頁 303。

維的讚譽亦未因此而削減半分。郭沫若說，王國維「研究學問的方法是近代式的，思想感情是封建式的」，「然而他遺留給我們的是他知識的產品，那好像一座崔巍的樓閣，在幾千年來的舊學城壘上，燦然放出了一段異樣的光輝」(77)；「我們要說殷墟的發現是新史學的開端，王國維的業績是新史學的開山，那樣評價是不算過分的」(78)；「在近代學人中，我最欽佩的是魯迅與王國維」，「我要再說一遍，兩位先生都是我所十分欽佩的，他們的影響都會永垂不朽」，《王國維遺書》和《魯迅全集》是「『雖與日月爭光可也』的一對現代文化上的金字塔呵」(79)。

郭沫若「生性浪漫」、治學善變（如在中國社會史分期討論上歷大變四、中變五、細變難以枚舉），因此而多有為世人所詬病者；但其關於卜辭、銘文的考釋，卻「為有關專家所推許」。如《兩周金文辭大系》之〈序說〉及〈圖錄〉之〈考釋〉三、四兩篇，其「創通條理，開拓閫奧」之功，「前可與王氏（按：即王國維）銘文考釋四例媲美，後足與董氏（按：即董作賓）甲骨斷代分派十條爭輝」(80)。此誠為沾溉王國維學術之顯例，洵然而為一大可觀者也。

贅　語

舉世之中外學人，或多目王國維為專家（古文字學家、古器物學家、古史考釋家等）；殊不知，王國維是「以通人之資成就專家之業」(81)。客觀而言，王國維之學說「或有時而可商」(82)，但他以文化為「終極關懷」（ultimate concern）之指

(77) 郭沫若：《中國古代社會研究・自序》（1929 年 9 月），《郭沫若全集》歷史編第一卷（北京：人民出版社，1982 年），頁 8。

(78) 郭沫若：《十批判書》（1944 年），《郭沫若全集》歷史編第二卷（北京：人民出版社，1982 年），頁 6。

(79) 郭沫若：〈魯迅與王國維〉（1946 年），《郭沫若全集》文學編第二十卷，頁 301、313－314。

(80) 許冠三：《新史學九十年》（長沙：岳麓書社，2003 年），頁 376－412。

(81) 許冠三：《新史學九十年》，頁 77－117。

(82) 陳寅恪：〈清華大學王觀堂先生紀念碑銘〉（1929 年），《金明館叢稿二編》（北京：三聯書店，2001 年），頁 246。

歸，則貫穿其生命之始終[83]。就此而言，自述與王國維「風義平生師友間」、「許我忘年為類氣」[84]的陳寅恪（1890－1969），亦復如是[85]。蒙文通（1894－1968，四川鹽亭人）雖然未曾親炙王國維之教澤，但又何嘗不是如此？[86]

中國文化之綿延賡續，與素重師承之傳統密切相關。儒佛之「道統」說，漢學之「師承記」、宋學之「淵源記」[87]，即其力證，故陳寅恪有「華夏學術最重傳授淵源」之說[88]。但令人扼腕嘆息的是，陳寅恪直至垂垂老矣，尚不免有「縱有名山藏史稿，傳人難遇又如何」之悲嘆[89]。兩相比較，若起王國維於地下，則斷不作斯語。僅就作為王國維弟子的巴蜀學人而言，如余永梁、徐中舒之於古文字學與民族史地之學，杜鋼百之於經學，誠可謂薪盡火傳、發皇光大者也；而周傳儒之於王國維學術志業、治學理路之總結，又誠可安慰先生於九泉之下者也。

---

[83] 筆者編有《王國維儒學論集》（「儒學大師文庫」之一），於 2010 年由四川大學出版社出版。另外，筆者撰有〈王國維之生平、學行與文化精神〉（《儒藏論壇》第四輯，成都：巴蜀書社，2009 年，頁 44－70），於王國維之文化關懷和學術創獲有宏觀闡述和細緻論述。

[84] 陳寅恪：〈王觀堂先生輓詞並序〉（1927 年），《陳寅恪詩集》（北京：三聯書店，2001 年），頁 17。

[85] 此前，筆者曾經發表過通論、專論陳寅恪思想及其學說的論文四篇：(1)〈陳寅恪「種族與文化」觀辨微〉，《歷史研究》，2000 年第 1 期；(2)〈陳寅恪的文化史觀〉，《史學理論研究》，1999 年第 4 期；(3)〈《華佗傳》、《曹沖傳》疏證——關於陳寅恪運用比較方法的一項檢討〉，《史學月刊》，2006 年第 6 期；(4)〈陳寅恪與佛教研究〉，《宗教學研究》，2006 年第 4 期。

[86] 比如，唐君毅（1909－1978，四川宜賓人）說蒙文通，「你每篇文章背後總覺另外還有一個道理」；丁山（1901－1952，安徽和縣人）亦云，「你每篇考據文章都在講哲學」；蒙文通自云，「這雖顯有推崇之意，卻也符合實際」。（蒙默編：《蒙文通學記》（增補本），北京：三聯書店，2006 年，頁 5。）蒙默云：「先君子文通公治學無藩籬，四部二藏，靡不窺探，唯其所重，則在思想。」（〈出版前言〉，蒙文通著：《先秦諸子與理學》，桂林：廣西師範大學出版社，2006 年，頁 1。）

[87] 清朝學者江藩（1761－1830），分別作過《國朝漢學師承記》和《國朝宋學淵源記》。

[88] 陳寅恪：〈論韓愈〉（1954 年），《金明館叢稿初編》（北京：三聯書店，2001 年），頁 285。

[89] 陳寅恪：〈有感〉（1965 年），《陳寅恪詩集》，頁 171。

經、史（包括輔翼經史之學的小學）為治學之基，亦為國學之本[90]，此本屬士人之共識與通識，但晚近以來則晦暗不明[91]。王國維之前諸人（如顧炎武、王鳴盛、戴震、陳壽祺、阮元、張之洞等）均有此說，姑在此存而不論；僅就本文所述群體而言，亦未出此軌則。辛亥東渡後，羅振玉力勸王國維「專研國學」，並告誡王國維治學要「先於小學訓詁植其基」[92]。王國維云，沈曾植「視經史為獨立之學，而益探其奧窔，拓其區宇，不讓乾、嘉諸先生」，「至於綜覽百家，旁及二氏，一以治經史之法治之，則又為自來學者所未及」，「夫學問之品類不同，而其方法則一。國初諸老，用此以治經世之學；乾、嘉諸老，用之以治經史之學，先生復廣之以治一切諸學」[93]。王國維與沈曾植過從甚密且服膺其學，此雖明述沈曾植之學，實亦王國維之自況。金梁云，「公於古今學術，無所不通，根底經史，由文字聲韻以考制度文物，由博以反約，由疑而得信，不偏不易，務當於理」[94]。專家云，「當代名家公認，王學的最大建樹在古史研究，古史研究的出發點在古文字學，立足點在小學。亦即由小學以通史，諸如乾嘉諸老之由小學以通經」[95]。個中要義，周傳儒深有領會，「作為歷史學者，必須對中國傳統文化，如經學、小學、史學，有堅實的基礎」[96]。

一九一一年，王國維作〈國學叢刊序〉，他在文中「正告天下」：「學無新舊

[90] 在〈宋育仁與近代蜀學〉（待刊）一文的開首部分，筆者將此表述為「經史為基，國學為本」，文字較此更凝練。

[91] 四川大學蒙默教授在重新編輯蒙文通《經學抉原》時，於此深有感觸，「經之為學，與世相忘久也。自清末以來，經學已漸若存若亡，迄於今日，近百年矣」（〈重編前言〉，《經學抉原》，上海：上海人民出版社，2006 年，頁 1）。

[92] 羅振玉：〈海寧王忠慤公傳〉（1927 年），《王國維先生全集》（附錄）（臺北：大通書局，1976 年影印），頁 5385。

[93] 王國維：〈沈乙庵先生七十壽序〉（1919 年），《觀堂集林》卷二十三，《王國維遺書》第四冊。

[94] 金梁：〈王忠慤公哀輓錄書後〉（1927 年），《瓜圃叢刊敘錄續編》，1928 年鉛印本；轉引自陳平原、王楓編：《追憶王國維》，頁 82－83。

[95] 許冠三：《新史學九十年》，頁 118。

[96] 周傳儒：〈周傳儒自述〉，《世紀學人自述》第一卷，頁 351。

也，無中西也，無有用無用也。」今借〈國學叢刊序〉末尾數語[97]，以結束本文：

> 以上三說，其理至淺，其事至明。……此志之刊，雖以中學為主，然不敢蹈世人之爭論，此則同人所自信，而亦不能不自白於天下者也。

二〇〇九年三月，初稿於成都

二〇一〇年四月，修訂於成都

[97] 王國維：〈國學叢刊序〉（1911），《觀堂別集》卷四，《王國維遺書》第四冊。

經 學 研 究 論 叢
第 二 十 輯　頁241～308
臺灣學生書局　2012 年 12 月

〈李源澄先生年譜〉補正

徐適端*

說明：

本文主要就王川先生的《李源澄先生學術年譜簡編》（下簡稱《學術年譜簡編》）進行補充，但著力補記李源澄先生的生平事蹟，故去「學術」而曰「年譜」。

本人所輯資料主要為解放以後有關李先生的工作檔案與其個人的人事檔案，以補充李先生在新中國成立以後的教務教學活動及歷次政治運動直至一九五七年被錯劃右派的經歷及一九五八年病逝等事蹟。

拙文所用資料多係原始檔案，故在補充《學術年譜簡編》（包括賴高翔與《犍為縣誌》中的〈李源澄傳〉）記載缺漏的同時，也對記載的錯誤給予相應的糾正，故名曰「補正」；其體例基本按王川先生《學術年譜簡編》，誤記者，則在相應之處以「案」形式予以訂正。

由於種種原因，資料仍有許多闕失，致使〈〈李源澄先生年譜〉補正〉缺憾仍多，故爾敬祈博聞君子續補正之。

一九〇九年　宣統元年（己酉）一歲

農曆五月二十一日（西曆 1909 年 7 月 8 日），李源澄先生降生於四川省犍為縣龍孔場李家碥，號浚清。

案一：李源澄先生的出生日期，據民國三十五年（1946）重修《李氏家譜》手

---

*　徐適端，西南大學歷史系退休教授。

稿❶第一六六頁載，「源澄，宣統元年己酉五月二十一日丑時生於李家碥」。又《李源澄檔案》❷內李源澄先生在一九五四年十一月〈自寫〉中云：「李源澄，四川省犍為縣龍孔場人，曾用浚清名，男性，出生於一九〇九年五月二十一日。」又一九七九年七月十一日中共西南師範學院委員會〈李源澄同志被錯劃為右派的改正結論〉載：「李源澄，男，一九〇九年七月生」。准此，根據中西曆法對照，李源澄先生應出生於西元一九〇九年七月八日，即農曆宣統元年五月二十一日。

案二：關於李源澄先生的「俊卿」之字，據所有檔案材料，包括公安局、人事處的外調材料以及源澄先生自己所填寫的各種履歷表格和自述，均寫作「號（或字、曾用名）浚清」，未有曾用「俊卿」一名記載。不過先生的師友間或有據其同音誤記作「俊卿」的，如其師蒙文通先生撰〈廖季平先生傳〉（《經學抉原》，上海世紀出版集團，2006 年版，頁 200）中即稱先生為「俊卿」。如此李源澄先生「又作俊卿」之說應係同音誤記。

以下為敘述方便，一律以「先生」之詞專稱之。

一九一〇年　宣統二年（庚戌）二歲

先生世居犍為縣龍孔場的李家碥。據先生胞弟李源委（號端深）的〈自傳〉云：「先祖以農為業，簡樸起家。至祖父時耕讀皆半，祖父是清朝的一個秀才」。❸

先生的祖父名李興隆，又名富春、鏡蓉，於清同治二年癸亥九月九日（1863 年 10 月 21 日）出生於丁家嘴。先生的祖父是一名「文生」，「入縣學，以文行，教於鄉里」❹，他在家鄉「曾擔任李氏祠堂的總管、族長、聯宗會長，還擔任團總

---

❶ 《李氏家譜》，民國三十五年（1946）重修，總編纂十二世孫李興廉、編纂十三世孫李培國、校正十四世孫李源澄。稿存四川省犍為縣河東觀音鄉鍾家村李氏宗祠，以下簡稱《李氏家譜》。

❷ 西南大學檔案館藏李源澄的人事檔案袋為《幹部檔案》正本，編號 SW0709－072。這是檔案中關於李源澄先生個人在各個時期所填寫的表格、履歷、自述以及其他有關調查資料等檔、文檔的專門檔案，只有一個檔案袋，編號也是唯一的，故以下文中引用時，直稱《李源澄檔案》，再標明檔案名或文檔名，不再標出檔案袋編號。

❸ 西南大學檔案館藏《李端深檔案》，編號：SW0709－078；袋內代號：38，編號：7843。以下簡稱《李端深檔案》。

❹ 賴高翔：〈李源澄傳〉，林慶彰、蔣秋華主編，黃智明、袁明嶸編輯：《李源澄著作集》

校長和縣議員」。(《李氏家譜》,頁 113)

先生的父輩是兩弟兄,都是有文化之人。父親李培基,號昌緒,清「光緒十七年辛卯十月二日(1891 年 11 月 3 日)辰時生;善地理學,本祠族長」。叔父李培欽,號昌期,清「光緒十九年癸巳十月十八日(1893 年 11 月 25 日)辰時生於長田灣;舊制高小畢業」。先生父親昌緒先生共育子女三人,先生居長。(《李氏家譜》,頁 140、166)

先生幼年時,家境尚可。據先生一九五一年〈我的簡單歷史〉云:祖父、父親都是讀書人,祖父教授於鄉里,「我的家庭是個小地主(校方一直定為「地主」),因為無勞動力」,土地均用於出租,「在我出生的時候,每年可收三十多石租」。(《李源澄檔案》)

先生「幼穎悟,祖愛之,使從己學」。(賴高翔〈李源澄傳〉,頁 1782)

一九一七年　民國六年(丁巳)九歲

這一年的西曆元月五日,先生的胞弟李源委降世。《李氏家譜》載:「源委,民國五年丙辰十二月十二日辰時生於李家碥」。(頁 166)先生胞弟源委,號端深。由於源委小先生近七歲半,故從生活到學習都自始至終受到先生的關心和照顧。

一九二二年　民國十一年(壬戌)十四歲

此年西曆九月十二日,先生的堂弟李源善聞世,《李氏家譜》載:「源善,民國十一年壬戌七月二十一日亥時生於李家碥」。(頁 166)

案:李源善是先生叔父李培欽(號昌期)唯一的兒子,並非先生胞弟。但因父輩未分家,依排行,先生為長,源委居次,對源善則呼為「三弟」。

此時,先生已在榮縣縣立中學讀書,「試輒高等」。(賴高翔〈李源澄傳〉,頁 1782)

一九二四年　民國十三年(甲子)十六歲

十月九日(民國十三年甲子九月十一日),先生的祖父興隆老先生去世,葬於

(四)(臺北市:中央研究院中國文哲研究所,2008 年 11 月版),頁 1782。以下所引簡注為「賴高翔〈李源澄傳〉」及在《著作集》中的頁碼。

紫云亭。(《李氏家譜》,頁 113)先生的父親與叔父並未因祖父的去逝而分家。

先生仍在榮縣中學讀書。其胞弟源委則在家讀私塾。(《李端深檔案》,1952 年 8 月 23 日〈西南區高等學校職員履歷表〉)

一九二五-二六年底　民國十四-十五年(乙丑-丙寅)十七-十八歲

先生仍在榮縣縣立中學讀書。此時,先生一家與叔父培欽一家組成的大家庭,上下人等大小已有十多口,經濟比較拮据,日子過得並不十分順暢。

據先生自述云:「我的學生生活,在中學一段過得太不好」。「父親一輩是兩弟兄,我又是兩弟兄,未分家」。因而每年收的三十多石租,「因我讀書賣了一半,還有十多石租」。當時先生因為「家庭環境不好,怕不能繼續升學,總想投考軍事學校或短期學校。可是機會錯過,事與願違」,「結果中學還是未曾畢業」。(《李源澄檔案》,1951 年〈我的簡單歷史〉)

這一年,按照舊習,父親昌緒先生作主為十八虛歲的先生娶了同鄉雙盛店的周觀澄女士為妻。夫人周觀澄(號碩君,先生所填諸表中有時又寫作「周觀成」)「光緒三十年丙午正月十八日(1904 年 3 月 4 日)寅時生於雙盛店」,比先生整整大五歲。(《李氏家譜》,頁 166)

一九二七年　民國十六年(丁卯)十九歲

先生考入公立四川大學中國文學院學習。先生說:「我在學校裏是專治經學,教師中對我影響最大的是蒙文通先生。」(《李源澄檔案》,1951 年〈我的簡單歷史〉)

一九二九年　民國十八年(己巳)二十一歲

蒙文通先生介紹先生到井研縣「從廖季平先生學經學」。先生說:「到井研從廖季平先生學春秋,廖先生已年近八十,不能多講,因為專一,所以能夠深入。但是家庭不願我離開學校,只好仍回原校,在井研住了半年多。」(《李源澄檔案》,1951 年〈我的簡單歷史〉)

一九三〇年　民國十九年(庚午)二十二歲

先生在成都公立四川大學中國文學院畢業,學生生活結束。先生自述說:「一九三〇年,我在中國文學院畢業,學生生活結束,我已是二十一歲了。我在經學上的根柢就在此時奠定,後來寫成了三部經注,一本《經學通論》,經學論文約二十

篇。（《李源澄檔案》，1951 年〈我的簡單歷史〉）

一九三一年　民國二十年（庚午）二十三歲

先生經向仙喬先生介紹在成都錦江公學作教員，教國文，教課以外，就從事寫作。研究經學諸子。（《李源澄檔案》，1951 年〈我的簡單歷史〉）此時，先生胞妹培華已出世，作為家中長子、長兄的先生，經濟壓力越來越大，先生說：此時家庭「止收十多擔租了。從一九三〇年以後，家庭生活大半靠我工資維持。」（《李源澄檔案》，1952 年〈李源澄個人歷史〉）從此，先生擔負起了家庭的生活重擔。

一九三二年　民國二十一年（壬申）二十四歲

先生因蒙文通先生（此時在河南大學任教）的介紹來到河南開封，在河南大學中文系從邵次公（邵瑞彭教授）先生學歷算陰陽五行和「齊詩」；同時應河南省圖書館館長井偉生先生之約，為《河南圖書館館刊》撰稿。

先生自述云：「我是學西漢今文學的，但對於讖緯之學，全未用過功，聞淳安邵次公先生深於陰陽五行曆算之學，於是找師友幫忙，到開封從邵先生學。在開封住了幾個月，覺得這種學問無好多意義，邵先生要供給我吃飯，我也不安。」於是萌發離去之念。（《李源澄檔案》，1951 年〈我的簡單歷史〉）

一九三三年　民國二十二年（癸酉）二十五歲

先生來到南京，入「支那內學院」，學習、研究宋明理學。對於此段經歷，先生自述云：

「南京內學院是歐陽竟無先生講學的地方，藏書頗多，也不限於研究佛學，四川人從歐陽先生學的人很多，我就在一九三三年到南京內學院學習、研究宋明理學。」（《李源澄檔案》，1952 年〈大專學校教職員簡歷表〉）

「歐陽先生對於寒士是供給的，我在那裏生活也就無憂了。但是我並不喜歡佛學，在舊來所學經子之外，專門讀理學書籍。我在南京時候，因為喜歡歷史，同柳詒徵、繆鳳林兩先生熟悉。」（《李源澄檔案》，1952 年〈李源澄個人歷史〉）

一九三四年　民國二十三年（甲戌）二十六歲

這一年，先生「因家庭生活困難，不能不謀一職業，其時四川同鄉伍非百、饒伯康兩先生在考試院作參事，介紹我到考試院參事處工作作科員（這科員是掛名領薪不辦公的），饒伯康是首席參事，偶然有收發文件的事，饒先生已代我做了，我在那裏住了七八個月，還是作研究工作」，「研究諸子與宋明理學」。此時，「胡適先生來南京，大講其與孔子，我當時在考試院聽了胡先生的講演，頗有種種疑竇」，於是思考撰寫商榷之文。（《李源澄檔案》，1951 年〈我的簡單歷史〉、1952 年〈簡歷表〉）

在南京考試院工作時，先生曾集體加入國民黨，未宣誓，也無黨證，即去蘇州，以後無任何關係。（《李源澄檔案》，1954 年 11 月〈自寫〉）

是年十一月二十日，胡適先生將講演撰為〈說儒〉一文發表。（載《中央研究院史語所集刊》單行本）

一九三五年　民國二十四年（乙亥）二十七歲

二月，先生發表了〈評胡適〈說儒〉〉一文（載《國風半月刊》，第六卷三、四期合刊），對胡適〈說儒〉之文提出異議。

九月，章太炎先生「以研究固有文化，造就國學人才為宗旨」，在蘇州創辦章氏國學講習會。先生應章太炎先生之邀，來到在蘇州的章氏國學講習會教經學，並從章太炎先生學史學。同時應唐文治先生（校長）之邀請在無錫國學專科學校兼課，講授諸子。

先生自述其與章太炎先生的關係云：「我從出川以後，即間或發表學術文章，因為發表〈公穀補證序例〉，就同章太炎先生討論經學問題，我曾去蘇州看過章先生。一九三五年，章先生在蘇州辦章氏國學講習會，約我去講『三禮』，我自己也想去從章先生問學，就到了蘇州，因為錢少，我又在無錫國學專科學校兼課。」（《李源澄檔案》，1951 年〈我的簡單歷史〉）

一九三六年　民國二十五年（丙子）二十八歲

六月十四日，章太炎先生去世，從此，先生便在無錫國學專科學校作專任教師，講授國學概論、國文等課，之餘繼續研究歷史；並創辦了學術刊物《論學》。（《李源澄檔案》，1952 年〈高等學校教師簡歷表〉）

先生在〈我的簡單歷史〉一文中說：「章先生在一九三六年去世，我就在無錫專任了。我教的還是國學概論、國文方面的課程。在這個時候，辦了一個刊物名叫《論學》，是純學術的刊物。」（《李源澄檔案》）

一九三七年　民國二十六年（丁丑）二十九歲

上半年，先生仍在無錫國學專科學校任教，業餘從事歷史研究，其所創辦的學術刊物《論學》月刊已先後出版了六期。

七七事變後，唐文治先生將無錫國專全校師生輾轉內遷到了桂林，先生便中止了該校的教學回到成都，《論學》雜誌也被迫停辦。先生回蓉後，在四川大學作講師，其間，先生因受排斥曾與國民黨督學四川大學校長黃季陸發生過激烈爭執，故只教了兩周課，便拂袖而去。離職後，仍在成都自修。對此，先生自述云：「一九三七年，七七事變，我回成都，在川大作講師。因為川大學校中多是舊日的老師，只好委屈，但是有一部分人還排斥我，我看川大不易處」，於是「離職，在成都自修，研究歷史、經、子。」（《李源澄檔案》，1951 年〈我的簡單歷史〉）

一九三八年　民國二十七年（戊寅）三十歲

先生受聘在成都錦江街蜀華中學教國文，課餘仍繼續研究歷史、經、子。先生自述云：「我雖然教中學，因為課程不多，每天晚睡，作事仍然不少。」（《李源澄檔案》，1951 年〈我的簡單歷史〉）

由於家鄉抓壯丁比較厲害，四月，先生胞弟源委先生「為了躲避鄉間抽壯丁太急，同表弟周光旭步行到蓉」，到蜀華中學找先生，「請代為找事以維持生活」。源委先生自述云：當時「因為工作一時不易找，余兄又即欲離蓉去浙大任教，他很想把我們安置在一個地方，適逢偽憲兵司令部來蓉招考憲兵，招考委員陳志渝是余一位同鄉（但不認識），我們經另一位同鄉介紹，便被錄取了。」（《李端深檔案》，〈自傳〉）

一九三九年　民國二十八年（己卯）三十一歲

先生應聘到內遷貴州遵義的浙江大學史地系任副教授，講授秦漢史、魏晉南北朝史和中國文化史；課餘則研究魏晉玄學。（《李源澄檔案》，1952 年〈高等學校教師簡歷表〉）

這是先生從事歷史學教學的開始。先生自述他當時的教學云：「一九三九年，我到浙江大學史地系作中國史副教授，這是我開始教史學的一天。我因為喜歡作研究工作，所以教課都是講我研究所得的東西，每週止上六小時課，但是每天作十二小時工作都應付不了。」（《李源澄檔案》，1951 年〈我的簡單歷史〉）

其間，先生一直很關注其胞弟源委先生，由於湖南芷江縣榆樹灣訓練生活很艱苦，源委先生說他多次想逃跑，先生「每次來信都告誡我不要逃跑，恐我闖出大禍，要我慢慢地請假應付」。（《李端深檔案》，〈自傳〉）

一九四〇年　民國二十九年（庚辰）三十二歲

八月，繆鉞先生應聘為浙江大學中文系教授，與先生成為同事，倆人關係非常好。直至五十年代初，繆先生回憶說：「抗戰期中，我在浙江大學教書，曾與李源澄同事，自從他離開浙大後，我們仍時常通信，有時也晤面」。並稱讚先生「是一個誠樸好讀書的人」，「他的生活一向很儉樸」，「他為人沈靜、誠實、坦率，治史學很用功，著述也不少，常與我討論學術」。（《李源澄檔案》，1953 年 4 月 1 日〈繆鉞先生寫給四川大學政治部人事科的調查材料〉）

一九四一年　民國三十年（辛巳）三十三歲

這一年的下半年，先生應張君勱先生之約來到大理民族文化書院，在那裏作教授半年，主要講授經學、史學，課餘研究歷史。（《李源澄檔案》，1952 年〈高等學校教師登記表簡歷表〉）

先生之所以從浙江大學來到大理民族文化書院，除了認同該院的辦學宗旨外，就是：先生一直想有一個相對安靜、能專門作研究的地方。對此，先生自述云：「一九三九年，我到浙江大學史地系作中史教授」，「我因為喜歡作研究工作，所以教課都是講我研究所得的東西，每週止上六小時課，但是每天作十二小時工作都應付不了。我十幾年來都非常刻苦用功的，在這個時候，身體感覺支持不了，總想得一個專門能作研究工作的地方。張君勱約我到大理民族文化書院去，當時學生不滿十五人，教授有七八個，又不上課，正合我的意思。一九四一年我就到了大理。」（《李源澄檔案》，1951 年〈我的簡單歷史〉）

是年，先生長女出生，取名知勉。

一九四二年　民國三十一年（壬午）三十四歲

先生在大理民族文化書院不到半年，書院就停辦了。先生應恩師蒙文通先生的邀約於本年上半年回成都，到四川省立圖書館任編纂兼研究部主任，業餘研究歷史。

從下半年起，先生重回四川大學任教授，教的是歷史、國文諸課。（《李源澄

檔案》，1952 年〈高等學校教師簡歷表〉）

對於這段歷史，據先生自述云：「張君勱到重慶被蔣介石扣留了，我到書院不到半年，書院就停辦了。書院停辦消息傳出後，有好幾個大學來約我教書，我都不願，蒙文通先生任四川圖書館館長，約我任編纂兼研究部主任。我覺得當時大學研究生（？）不夠維持生活，不能安心研究，也許研究部職員好點，就到了成都。這是一九四二年的事」。「到了四川圖書館一看，這些職員都不是作研究工作的人，住了幾個月，一無成績，止編了《圖書集刊》兩三期，不想幹了，這個時候，川大又來約我去教書，這時排斥我的人已不在了，川大又在峨嵋山，我素來好遊山水，就答應去了。」（《李源澄檔案》，1951 年〈我的簡單歷史〉）

先生在省立圖書館任編纂兼研究部主任期間，其同學陶元甘先生恰好在四川省通志館當組長，便常與先生「在一塊吃茶，我又常常到圖書館去找他（先生）談天」，先生曾勸陶元甘先生說，「學坐功可以使身體強健，又說他自幼學坐功，身體很好」，並「約我（陶）到中山公園側三桂街一個小橫巷內的善堂內去學坐功」。（《李源澄檔案》，1953 年 9 月 7 日〈陶元甘寫李源澄材料〉）熱心腸的先生極力推薦陶元甘先生去學坐功以強健身體之事，在解放後卻因此而受到多次的外調審查。

一九四三年　民國三十二年（癸未）三十五歲

先生在峨嵋山的學校住了半年後，於這一年的春天隨四川大學遷回成都。在四川大學作教授兼中國文學研究部導師，講授禮記、經學通論、周官、莊子、秦漢史、魏晉南北朝史等課。（《李源澄檔案》，1954 年 11 月〈自寫〉、1952 年〈高等學校教師簡歷表〉）

「這時物價飛漲，教員都不安心，學生多半是官僚地主子弟，很少真正讀書的人，所以川大文科研究室要我作部主任我都不幹」。先生說，當時「因為身體很壞，常在病中，知道非把身體弄好不可，在一九四三年，就從榮縣官榮三先生學養生之術，每天靜坐一二小時，並不費事，我的身體好轉，就在於此。這是古代道家的養生方法，加上了迷信的外衣，我雖然是學習靜坐，但是並不迷信。」（《李源澄檔案》，1951 年〈我的簡單歷史〉）

十一月十六日，先生的叔父李培欽（昌期）先生病逝。（《李氏家譜》，頁

140）此時堂弟源善才二十一歲，作為兩房的長子，先生的家庭擔子更重了。

一九四四年　民國三十三年（甲申）三十六歲

先生在四川大學共住了兩年，於本年的下半年，離開四川大學到南充西山書院任教，講授經學、諸子，研究歷史、諸子。（《李源澄檔案》，1952 年〈高等學校教師簡歷表〉）

先生自述云：「一九四四年，伍非百先生在南充創辦西山書院，請張表方（張瀾）先生來約我，我因為討厭大學教書生活，下半年就離開川大到南充。我幫他辦了半年，就回了成都。」（《李源澄檔案》，1951 年〈我的簡單歷史〉）

先生本不滿意胞弟源委的憲兵工作，本年春，便教源委先生以病為由申准退伍，南充西山書院學生入學一般不繳費，於是先生讓源委跟著他來到西山書院讀書。（《李端深檔案》，〈自傳〉）

一九四五年　民國三十四年（乙酉）三十七歲

春，先生在四川灌縣靈岩山自辦靈岩書院，講授經學、史學。（《李源澄檔案》，1952 年〈高等學校教師簡歷表〉）

先生對個人創辦書院的目的頗有自己的獨識：「一九四五年在灌縣靈岩開辦靈岩書院，我覺得學問這個東西，如其是為資格而來的就搞不好，不如在山中與少數青年朋友共學。」（《李源澄檔案》，1951 年〈我的簡單歷史〉）其間，先生也將自己的胞弟源委、胞妹培華一起接來靈岩書院就讀。（《李端深檔案》，〈自傳〉）

一九四六年　民國三十五年（丙戌）三十八歲

二月，梁漱溟先生乘飛機來到成都，專程找先生和葉石蓀先生商量，請他們幫助辦學之事。梁先生講：「政協閉幕後，我一連發表二文，決定退出現實政治，專搞文化研究工作。我那時總想成立一個文化研究機構，想找地點找人才。二月間，我就跑成都一趟，找葉石蓀和李源澄來一同搞。」（《梁漱溟先生年譜》，頁 203）

是年，先生仍在自辦的靈岩書院講授經學、史學。課餘潛心研究史學。

一九四七年　民國三十六年（丁亥）三十九歲

是年秋，因「時局不穩」，先生自辦的靈岩書院被迫停辦。先生說：「我在靈

岩住了兩年半，山上鬧匪，不能住了」，只好下山。（《李源澄檔案》，1951 年〈我的簡單歷史〉）

書院被迫停辦後，先生經錢穆先生介紹去昆明雲南大學和五華書院教書（《李源澄檔案》，1957 年〈傅平驤我所知的李源澄〉），任雲南大學教授兼五華書院教授，教經學通論、魏晉南北朝史，研究歷史。（《李源澄檔案》，1952 年〈高等學校教師簡歷表〉）

先生與錢穆先生的「關係非常密切，還在抗戰時期，他們在成都往來就很緊密。靈岩書院的時候，他請過錢穆上山講學。在雲大教書時，他還是經常和錢穆在一起。在那時，他最服膺的歷史學家便是錢穆，他給學生開必讀書，首先便是錢穆的《國史大綱》、《先秦諸子繫年》等書。（《李源澄檔案》，1957 年〈傅平驤我所知的李源澄〉）

據先生自述云，靈岩書院停辦後，當時有十多處地方約他，他都不願去。連好朋友「唐君毅在江南大學作教務長，錢穆作文學院長的時候，要我去作歷史系主任，當時待遇很高，我怕熟人多了擔誤讀書時間，並且不願幹系務，才到雲南大學去。」又說：「所以選擇了雲大是覺得昆明氣候好，熟人又少，可以自己用功。」先生在雲大仍然是教歷史。（《李源澄檔案》，1952 年〈李源澄個人歷史〉、1951 年〈我的簡單歷史〉）

這一年，先生將胞弟源委先生也帶到昆明雲南大學，在文史系作一名旁聽生。（《李端深檔案》，1952 年 1 月 26 日〈大專學校職員簡歷表〉）

一九四八年　民國三十七年（戊子）四十歲

春季，梁漱溟先生將勉仁國學專科學校遷至北溫泉的松林坡，與同人經數月籌備，於暑期（8 月）改建為勉仁文學院並開始招生。梁漱溟先生任董事長，除原有專科學生分別轉入文史兩系外，復添設哲學一系，共為三系，中國文學系系主任，暫由陳副院長亞三兼代，哲學系系主任由梁先生兼任；應梁漱溟先生之邀，李源澄先生到勉仁文學院擔任教務長兼歷史系主任，並作教授，教秦漢史、中國文化史等課。（梁漱溟學術研究會《會刊》第三期、《梁漱溟先生年譜》，頁 218）

作勉仁文學院教務長，對於一直想潛心讀書研究歷史的先生來說，要作出極大的犧牲。但先生與梁漱溟先生關係非常深厚，當時梁先生「手書疊催，非叫他去作教務主任不可（他那時還在雲大）」，為朋友，先生只得勉為其難。（《李源澄檔案》，1957 年〈傅平驤我所知的李源澄〉）先生也云：「我在雲大住了一年，梁漱溟先生在北碚創辦勉仁文學院，約我擔任教務長兼歷史系主任，我是不願幹學校行政工作的人，以朋友關係沒有辦法，只好擔任下來。」（《李源澄檔案》，1951 年〈我的簡單歷史〉）

先生隨時都關注著弟妹們的學業，此時，先生又把胞弟源委、胞妹培華接到北碚北溫泉的勉仁書院來讀書。（《李端深檔案》，1952 年 1 月 26 日〈大專學校職員簡歷表〉）

是年，先生的第二個女兒降臨世界，取名知方。兩個女兒都在犍為龍孔場先生夫人周觀澄女士身邊。

一九四九年　民國三十八年（己丑）四十一歲

上半年，先生在勉仁文學院期間，受四川省國立教育學院（下簡稱「川教院」）院長柴有恆先生❺之邀，同時在川教院兼課。（《李源澄檔案》，1952 年〈高等學校教師簡歷表〉）

九月，先生已經辭去了勉仁文學院的職務，正式遷到磁器口川教院作專任教授，兼史地系主任，教秦漢史、魏晉南北朝史。先生云：「我在勉仁搞了一年，覺得私立學校困難重重，就辭了一切職務。這個時候柴斯可到北碚來請我到川教院，柴斯可是川大同事，我同他原無交情，他到川教院，每年來找我，兩次到北碚來請我，止好答應他來教幾點鐘。」又說：柴斯可「三次找我教書，親身到北碚幾次，當時韓文畦先生又極力介紹，我在勉仁時，相輝都不肯兼課，還到川教院來兼課，主要是覺得他還尊敬我」。（《李源澄檔案》，1951 年〈我的簡單歷史〉、1952 年〈李源澄個人歷史〉）

先生到磁器口川教院後，同年十一月，將胞弟源委先生介紹到川教院圖書館當組員。

---

❺ 柴有恆又名柴斯可，四川內江人，北京師範大學教育研究科畢業，法國巴黎大學教育博士，回國後，曾任國立武漢大學教授、四川大學教授兼總務長。1947 年 7 月，四川省政府委派至四川教育學院接替顏歆作院長。1951 年任西南師範學院教育研究室教授。

十一月三十日，西南地區最大的中心城市重慶得到解放。人民政府——西南軍政委員會開始著手對文化教育工作進行清理和整頓。由重慶軍管會派出的聯絡員汪國楨，由西南軍政委員會文教部派出的聯繫員李志剛相繼進駐川教院，具體負責領導接管學院的工作。❻

一九五〇年（庚寅）　四十二歲

四月，經先生「介薦，得四川省立教育學院校務委員會主任委員周西卜、副主任委員賴以莊之聘」，吳宓先生成為川教院外文系專任教授；同時仍在重慶大學外文系做兼任教授。（《吳宓日記續編》第一冊，頁 17）

是年上半年，西南文教部初步決定女師院和川教院兩院合併，並各推代表三人與西南文教部代表一人組成並校委員會，著手進行並院工作。先生被推舉為川教院的三人代表之一。

八月十七日，西南師範學院籌備委員會成立，負責領導合校的工作。籌委會由川教院教育系周西卜教授擔任主任委員，李源澄先生被推舉為籌委會委員。並於當日召開了第一次籌備委員會會議，決定行政機構的設置和人員安排，系科班級與課程的調整，搬遷和校舍建築等問題（《校史》，頁 72）。並擬定具體四項決議，由文教部或新校委會決定。❼

九月二十七日，西南軍政委員會文教部向中央人民政府教育部提出了兩院合併的報告；並特此通知學校籌委會：「開學在即，學校領導機構亟待建立，為推進工作計，暫由本部派郭豫才暫行代理教務長職務，李源澄暫行代理副教務長職務，王元吉暫行代理總務長職務。」（《綜合檔案》，檔號 1950‧2）先生成為西南師範學院的第一任代理副教務長，從此走上了行政之路。

學校建校初期，行政管理是三級領導管理體制。在院籌備委員會之下，設教務處、總務處和生活輔導委員會。教務處作為一級領導制度要負責全校的教學工作，

❻ 《西南師範大學校史》編修組編：《西南師範大學校史》（重慶：西南師範大學出版社，2000 年 10 月第一版），頁 39。以下簡稱《校史》。

❼ 西南大學《綜合檔案》，檔號 1950‧2。在西南大學檔案館中，此類檔案的內容非常豐富，檔案袋數量也非常多，「綜合檔案」是它的總稱。文中只用與李源澄先生有關的教務工作、教職員人事變更等文件，故以下引用時寫一律作「《綜合檔案》」，再加上檔案袋編號。

即要領導各系科、政治課教學指導組、附中、附小、及教務處下設的註冊組、出版組與圖書館。（《校史》，頁 74）身為籌委會成員、副教務長職務的先生，其責任之重大、工作之繁重是可想而知的。從此，先生全身心地積極投入了一系列繁忙的教務和並校工作中。尤其是關於學院各系教師的聘任工作。當時，幾乎所有的聘函均由先生以籌委會或教務長的名義親自過問並簽字。

如：聘黎滌玄為西師政治課副教授兼教務處秘書、王詩農為國文系教授兼主任、張正東為外文系俄文助教、譚德海為史地系地理助教、金陶齋為史地系副教授，董時恒為體育科教授兼科主任、李觀芳為史地系專任講師，華北革大政治研究院王成敬、相輝學院、勉仁文學院的鄧子琴先生、朱寶昌先生為史地系兼任教授，曹荷影先生為生物系助教，曹慕樊先生為中文系副教授等等，均是先生以籌委會名義簽字的。（《綜合檔案》，檔號 1950・15）

十月五日，先生代表籌委會在上呈西南軍政委員會文教部的〈史地分系意見書〉上簽字。

十月六日下午三時，先生在西南師範學院籌委會辦公室參加重大、西師體育科合併問題座談會。（《綜合檔案》，檔號 1950・2）

十月十二日，中央人民政府教育部同意將原國立女子師範學院與四川省立教育學院合併，更名為西南師範學院（以下簡稱西師）。先生的胞弟源委先生也隨合校而成為西南師範學院圖書館的正式組員。

十一月二日，因學院已經開學，各項課業亟待推進，由西南軍政委員會文教部部長楚圖南、副部長任白戈親自簽署，批准了西師籌委會關於各系科負責人擬聘人選，先生被聘為史地系教授兼系主任。（《綜合檔案》，檔號 1950・39、1950・2）

十二月三日，經文教部批准，先生與周西卜、王元吉三人被籌委會推舉為代表組成工資評審委員會，對全院教職員工的工資進行級數評審。先生第一次的薪級為二十級，與吳宓先生同。（《綜合檔案》，檔號 1950・9）

十二月十八日，西師籌備設立教育研究室，先生與郭豫才先生兩位被推舉主持籌備事宜，並得到西南軍政委員會文教部一九五一年元月二日的同意批復。（《綜合檔案》，檔號 1950・39）

是年，先生身兼籌委會委員、副教務長、史地系主任數職，既要為西師的籌備組建忙碌，又要管理安排全校的教務工作，還要給歷史專業學生上中國通史、魏晉南北朝史等課，忙碌非常。但在此年《大專學校教職員簡歷表》中「本人對今後工作意見」一欄裏，先生填寫的是「願教書和研究工作」（《李源澄檔案》），可見繁重的行政工作並不是先生之志。然而，新中國的成立，重慶的解放，使先生和許多知識分子一樣，對新政權抱有一顆赤誠之心。為了學校的教育事業，先生毅然捨棄了自己平生所摯愛的學術研究，滿懷熱忱、兢兢業業地投入到西師的校務、教育工作中。

是年，先生同梁漱溟先生商量、寫信，勸時在香港、與他「交誼尤深」的唐君毅先生「回國學習改造」。（《李源澄檔案》，1952 年〈李源澄自寫社會關係〉）

是年，先生的胞妹李培華也在重慶投考了軍大。（《李端深檔案》，〈自傳〉）

是年合校以後，先生將大女兒知勉接至重慶，讓她進了磁器口西師附小念書；先生夫人與小女兒知方仍在犍為家鄉農村。

一九五一年（辛卯）　四十三歲

一月二十三日，下午二時半，先生主持第三次教務會議，討論春季開學事宜。主要討論：㈠擬定校曆，公決修正通過並提籌委會；㈡下學期課程如何規定；㈢本學期學生成績如何計算；㈣休學、復學問題如何處理等四項事宜。（《綜合檔案》，檔號 1951・24）

二月十六日，下午三時，先生主持召開第四次教務會議並作報告。（《綜合檔案》，檔號 1951・24）

三月三日，下午三時，先生主持召開第五次教務會議，他向會議報告：1.教學實習與參觀見習應如何辦理案；2.按文教部指示，普通體育教員授課時數多案；3.圖書館提案等。（《綜合檔案》，檔號 1951・24）

三月四日，晚七時半，先生同郭豫才、姚大非、王元吉、李志剛和周西卜等院籌委會成員共同召開了西南師範學院籌備委員會第十七次會議，討論了 1.關於整理磁器口附小案；2.派員參加附屬中學並校委員校會案；3.九龍坎女師院房地產及家俱如何遷移西藝案；4.教務處提請增加組員一人；5.修建委員會如何加強案等事項，並最後作出處理決議。（《綜合檔案》，檔號 1951・1）

三月二十四日，上午十時，先生主持召開了第六次教務會議，並向大會作了報告。（《綜合檔案》，檔號 1951・24）

四月二十六日，下午 3 時，先生主持召開了第七次教務會議，並向大會作了報告。（《綜合檔案》，檔號 1951・24）

這些教務會議，院長謝立惠先生都參加，有時還要作重要講話。

五月九日，下午，先生主持本校四年級師生土地改革座談會，吳宓先生也參加了此會。（《吳宓日記續編》第一冊，頁 133）

五月二十日，西南文教部鑒於西師籌備委員會已完成了它的歷史任務，決定撤銷籌備委員會，組成院務委員會。文教部長楚圖南親自簽署批准成立的院務委員會由物理學家謝立惠教授為副主任委員，委員由吳宓、賴以莊、周西卜、方敬、李源澄、王元吉、蔣程九、鞏毓賢、郭豫才、施白南、李濱蓀、龍贊翔等十二名教授組成。

同日，先生與方敬先生同時被文教部正式任命為西南師範學院副教務長，教務長由副主任委員謝立惠教授兼任；總務長為蔣程九先生，副總務長為席炤先生；他們共同負責主持全院工作，並於五月二十一日正式到職。（《綜合檔案》，檔號 1951・1）

院務委員會正式成立後，學校的行政管理體制仍是三級領導管理體制。教務處作為一級領導制度仍要負責全校的教學工作。（《校史》，頁 76）

本月，先生與其胞弟源委先生同時加入西師教育工會。（《李端深檔案》，〈自傳〉）

六月三日，上午，梁漱溟先生來西師先生家中，與先生、吳宓及當年勉仁學院的友人們會晤。❽

六月十六日，先生以副教務長身分簽字，再次打報告與軍政委員會文教部，要

❽ 《吳宓日記續編》第一冊，頁 146。《吳宓日記續編》共十冊（北京：三聯書店，2006 年 3 月第 1 版）。以下引用只注明冊數及頁碼。

求史地分系。（《綜合檔案》，檔號 1951・1）

七月十一日，上午，先生作為模範人民教師與吳宓、方敬等先生一道胸插紅花出席了西師主辦的「尊師遊藝會」。（《吳宓日記續編》第一冊，頁 170）

九月十一日，上午十時，先生主持召開了第十次教務會議，並向大會作了報告。（《綜合檔案》，檔號 1951・24）

九月二十二日，上午十時，先生主持召開了第十一次教務會議，並向大會作了報告（《綜合檔案》，檔號 1951・24）

十月十九日，根據教育部的指示，教職員的政治學習改由學校行政領導主持，於是在院務委員會領導下組織成立了西師教職員學習委員會，先生與謝立惠、方敬……等十七位先生被推選為學習委員會委員，謝立惠教授為召集人。（《綜合檔案》，檔號 1951・1）

十一月五日，下午三時，先生主持召開了第十二次教務會議，會上，先生以會議主席身分作了報告，並在會議記錄上批示：「不問政治傾向請各系科主任特別注意；體育教員調用太多，請學校當局反映文教部。」（《綜合檔案》，檔號 1951・24）

十二月十七日，先生因工作太繁忙，打報告請辭去史地系系主任的兼職，並建議請專任教授孫培良先生擔任該系主任，同時提請院務委員會第十四次會議決議同意，報部核示。西南軍政委員會文教部一九五二年元月七日批復同意。從一九五二年一月起，史地系主任由孫培良教授擔任。（《綜合檔案》，檔號 1951・1）

是年，學院行政組織及人員編制、本年的教師聘任、辭職等人事變動，多為先生親自簽署。先生除了繁忙的行政工作外，因是歷史專業的專任教師，還為歷史專業三年級上了魏晉南北朝史必修課（3 學分，周 3 學時）。（《綜合檔案》，檔號 1950・14）

是年秋，繆鉞先生因主編《工商導報》的「學術副刊」而邀請先生「寫過一篇〈學習毛主席實踐論對於歷史學的體會〉的文章，還相當好」，繆鉞先生稱讚先生說：「可見他學習馬列主義與毛澤東思想的新理論是頗努力的」。（《李源澄檔案》，1953 年 4 月 1 日〈繆鉞先生寫給四川大學政治處人事科的調查材料〉）

寒假，先生在知識分子思想改造的政治學習運動中，以〈我的簡單歷史〉為題，對自己的家庭經濟、求學經歷、學術研究和他對學習馬列主義毛澤東思想的體會，對新中國、共產黨的認識歷程，以及今後的政治學習計畫、努力方向等，作了一個較詳細的小結。他寫道：

「我的家庭是個小地主，因為無勞動力，也可以算小土地出租。在我出生的時候，每年可收三十多石租，因我讀書賣了一半，還有十多石租。父親一輩是兩弟兄，我又是兩弟兄，未分家。近二十年來，都靠我教書補助家庭用費。這是我的家庭經濟狀況。

我的學生生活，在中學一段過得太不好，主要原因是為家庭環境不好，怕不能繼續升學，總想投考軍事學校或短期學校。可是機會錯過，事與願違，在成都榮縣都進過中學，結果中學還是未曾畢業。後來考入公立四川大學中國文學院，即現在川大的前身。我在學校裏是專治經學，教師中對我影響最大的是蒙文通先生。在這個時候，又到井研從廖季平先生學春秋，廖先生已年近八十，不能多講，因為專一，所以能夠深入。但是家庭不願我離開學校，只好仍回原校，在井研住了半年多。一九三〇年我在中國文學院畢業，學生生活結束。我已是二十一歲了。我在經學上的根柢就在此時奠定，後來寫成了三部經注，一本《經學通論》，經學論文約二十篇。

一九三一年，我在成都錦江公學教國文，教課以外，就從事寫作。我是學西漢今文學的，但對於讖緯之學，全未用過功，聞淳安邵次公先生深於陰陽五行曆算之學，於是找朋友幫忙，到開封從邵先生學。在開封住了幾個月，覺得這種學問無好多意義，邵先生要供給我吃飯，我也不安。南京內學院是歐陽竟無先生講學的地方，藏書頗多，也不限於研究佛學，四川人從歐陽先生學的人很多，我就在一九三三年到南京，歐陽先生對於寒士是供給的，我在那裏生活也就無憂了。但是我並不喜歡佛學，在舊來所學經子之外，專門讀理學書籍。一九三四年，我因家庭生活關系，不能不謀一職業，其時四川同鄉伍非百、饒伯康兩先生在考試院作參事，介紹我到考試院參事處作科員，饒伯康是首席參事，偶然有收發文件的事，饒先生已代我做了，我在那裏住了七八個月，還是作研究工作。我從出川以後，即間或發表學術文章，因為發表《公穀補證序例》，就同章太炎先生討論經學問題，我曾去蘇州看過章先生。一九三五年章先生在蘇州辦章氏國學講習會，約我去講三禮，我自己也想去從章先生問學，就到了蘇州，因為錢少，我又在無錫國學專科學校兼課。章先生在一九三六年去世，我就在無錫專任了。我教的還是國文方面的課程，在這個時候，辦了一個刊物名叫《論學》，是純學術的刊物。一九三七年，七七事變，我回成都，在川大作講師，因為學校中多是舊日的老師，只好委屈，但是有一部分人還排斥我，我看川大不易處，一九三八年就到蜀華中學教國文，我雖然教中學，因為課程不多，每天晚睡，作事仍然不少。一九三九年，我到浙江大學史地系作中史教授，這是我開始教史學的一天。我因為喜歡作研究工作，所以教課都是講我研究所得的東西，每週止上六小時課，但是每天作十二小時工作都應付不了。我十幾年來都非常刻苦用功的，在這個時候，身體感覺支持不了，總想得一個專門能作研究的工作的地方。張君勱約我到大理民族文化書院去，當時學生不滿十五人，教授有七八個，又不上課，正合我的意思。一九四□年（此處原紙殘缺為空白）我到大理。張君勱到重慶被蔣介石扣留了，我到書院不到半年，書院就停辦了。書院停辦消息傳出後，有好幾個大學來約我教書，我都不願，蒙文通先生任四川圖書館館長，約我任編纂兼研究部主任，我覺得當時大學研究生不夠維持生活，不能安心研究，也許研究部職員好點，就到了成都。這是一九四二年的事。一看這些職員都不是作研究工作的人，住了幾個月，一無成績，止編了圖書集刊兩三期，不想幹了，這個時候，川大又來約我去教書，這時排斥我的人已不在了，川大又在峨嵋山，我素來好遊山水，就答應去了。住了半年，川大遷回成都，這次到川大共住了兩年，教的是歷史、國文功課。這時物價飛漲，教員都不安心，學生多半是官僚地主子弟，很少真正讀書的人，所以川大文科研究室要我作部主任我都不幹。我因為身體很壞，常在病中，知道非把身體弄好不可，在一九四三年，就從榮縣官榮三先生學養生之術，每天靜坐一二小時，並不費事，我的身體好轉，就在於此。這是古代道家的養生方法，加上了迷信的外衣，我雖然是學習靜坐，但是並不迷信。一九四四年伍非百先生在南充創辦西山書院，請張表方先生來約我，我因為討厭大學教書生活，就離開川大到南充，我幫他辦了半年，就回成都。一九四五年在灌縣靈岩開辦靈岩書院，我覺得學問這個東西，如其是為資格而來的就搞不好，不如在山中與少數青年朋友共學。我在靈岩住了兩年半，山上鬧匪，不能住了，一九四七年我到雲南大學，當時有十多處地方約我，我都不去，所以選擇了雲大是覺得昆明氣候好，熟人又少，可以自己用功。在雲大仍然是教歷史。我在一九三七年以前是喜歡思想史的，一九三七年以後才專力於歷史，我對一般歷史都有相當根柢，用功更多的是在秦漢到隋唐一段。在思想史上自己認為比較成熟的，是《先秦諸子與儒術》一書，這是繼我的《諸子概論》而加深的。在歷史方面，我出了《秦漢史》一書；專題研究論文發表的還有幾十篇。這時候我對於新的史學著作很反對，勸學生不要看，是我不瞭解他的政治意義，純從學術出發的原故。現在想來不知道阻礙了多少人的進步。解放以後，學習進步理論，才發現我的錯誤。好在我過去作的都是整理工作，史料整理依然有用，在新史學剛才萌芽的時候，如能使我有時間寫出來，以舊日的整理工夫，加上新的觀點立場，對史學不是全無補益的，或者也可以稍稍補過了。我在雲大住了一年，梁漱溟先生在北碚創辦勉仁文學院，約我擔任教務兼歷史系主任，我是不願幹學校行政工作的人，以朋友關係沒有辦法，只好擔任下來。勉仁是個中間路線，再加上我的超階級思想，這個學校真是十足地頑固保守，教學生死讀書，對於學運自然不願學生去參加，無知地作了反動派的幫兇。好在勉仁一堆朋友儘管政治覺悟不高，但還是有良心的人，對於學生絕無殘害。從動機看，我是無他，從影響看，我已是革命的罪人了。我在勉仁搞了一年，覺得私立學校困難重重，就辭了一切職務。這個時候柴斯可到北碚來請我到川教院，柴斯可是川大同事，我同他原無交情，他到川教院，每年來找我，兩次到北碚來請我，只好答應他來教幾點鐘。解放以後，我才遷到磁器口川教院。我從一九三四年以後，身體漸漸好，但是怕熱，去年暑假本要離開，以合校工作不能走，拖延到現在，這就是我教書的生活。

我有（是）一個富有熱情的人，最初因為專一於學問，不問世事。但是我並不是清高思想，我的民族意識極強。（這是受歐陽竟無先生和章太炎先生的影響。）我講史學表面上是完全在做考證，實在我心中還是有所探求，絕不是為學術而學術，不過我的思想系統未完成，表現出來的止是一堆考據文字罷了。因為沒有政治覺悟，我雖然痛恨反動派，我僅是從人看，不知提高到階級本質看，在這點就有參加反動派的可能，現在想來，真正可怕。我過的是教書生活，表面上是與政治比較疏遠，但是提高到政治，我依然麻痹了不少青年。解放以後，我眼見中華民族站起來了，我非常高興，這是我十多年治歷史苦思不得的。把我過去畏懼共產黨的心情，一變而為熱愛共產黨。後來我有四五個月專門讀馬列主義毛澤東思想，才知有中國化的馬列學說，深信世界人類必然得救，一切污穢必然肅清，自己雖然半生過著□（原紙殘缺）蔽生活，一旦得見光明，也就有路可走了。我的思想並不受美帝的奴化，封建毒素也並不深，因為學歷史肯用心思考問題，對於學習馬列主義，實在幫助不小，如何使他同民族歷史結合起來，這是我現在想努力的方向。」（《李源澄檔案》，1951 年〈我的簡單歷史〉）

此小結較真實地為我們展示了先生自新中國成立以來在歷經各種運動的心路歷程。

一九五二年（壬辰）　四十四歲

一月七日，西南師範學院院務委員會第十六次會議，成立聘任委員會協助院委會處理聘任升等諸人事問題。決議同意推定李源澄先生和謝立惠、方敬、蔣程九、劉尊一、劉克蘭、張華清等共七位先生為委員。院長謝立惠為召集人，並獲得文教部（文人〔52〕字第 409 號）同意的批復。

二月，多數人事變動，包括在校內升職、聘任、改調等，除人事科簽字外，均為教務處先生與方敬先生輪換簽字。

三月四日，先生在第二十次院務會上發言獻策，與會的吳宓先生私下評論先生此舉為：「『治亦進，亂亦進者，伊尹也』。而不知今之為國者，方大事清洗，必於經濟、思想各方面將全國上下之人完全滌清之後，而分別涇渭，但擇其完全同我者而用之，否則見遺或遭毀，不問才與不才、德與不德也。此時竭忠陳策，務遠圖功，徒遭厭棄與摧殘耳。」（《吳宓日記續編》第一冊，頁 302）由此可見先生的書生之氣和那顆赤子之心。

三月二十七日，上午十時，先生在本院會議室與吳宓、方敬等十位先生參加了西南師範學院院務委員會第二十一次會議（《綜合檔案》，檔號 1952．2）

四月二日，在教務處下設生活輔導組，先生以副教務長兼任生活輔導組主任。獲文教部二十二日（文人〔52〕字第 1329 號）批復。此「生活輔導組」直到一九五三年一月改為「生活福利組」後才移交總務處領導。（《綜合檔案》，檔號 1952．2）

四月十六日，晚八時，先生主持召開了第十四次教務會議，參加者十五人，會

上，先生以會議主席身分作報告。（《綜合檔案》，檔號 1952・39）

四月十八日，下午四時，先生出席重慶市衛生防疫委員會西南師範學院支會第一次會議，會議決議成立西南師範學院衛生防疫委員會，先生任辦公室主任。（《綜合檔案》，檔號 1952・2）

五月二十三日，午飯後，吳宓先生來到先生宅，報告自己的學習情形。先生「力勸宓多讀新書，以求完全瞭解並欣然接受新觀點，佩服共產黨之公而忘私，為全體人民而犧牲自己之高尚作風」。（《吳宓日記續編》第一冊，頁 354－355）

六月二十一日，晚八時，先生主持召開了第十五次教務會議，會上，先生以會議主席身分作會議報告。（《綜合檔案》，檔號 1952・39）

六月二十四日，下午三－六時半，西師教室大樓召開了主持校行政的謝立惠副主委、先生與方敬兩副教務長的自我檢討會。晚飯後，八－十一點，繼續開三人的自我檢討會，眾人對謝、李、方三人均提出了嚴肅的批評。（《吳宓日記續編》第一冊，頁 373）

先生在作思想檢查時，批判自己的「反動思想」，剖析自己說：「在我前半生，止有讀書、教書兩件事」，「我是擁護封建文化的人，所以三次離開大學到書院；我的思想是反動的，但未曾參加過何種活動，也未有反動政論文章和公開反動言論」，「一九四七年以後在雲大和勉仁文學院，當時學運頗多，我沒有政治覺悟，私下總是勸學生不參加，也就是多多少少有些破壞作用」。「靈岩書院是我個人在靈岩山上幹的，講的是封建文化」。（《李源澄檔案》，1952 年〈李源澄自述個人歷史〉）

七月六日，西南人民革命大學的郭一平（此人系原勉仁文學院的學生）給先生單位寫來一信，向先生提出三個問題：「⑴梁漱溟先生過去的主張以及創辦勉仁學院的宗旨，不管他主觀上如何的愛國，然而實際上既不贊成國民黨也不同意共產黨，反而把歷史看成盤旋不進，想推行儒家學說，並企圖從辦理勉仁來發展文化救國等主張，這樣對社會發展起了什麼作用，李先生當時是擁護梁先生的主張與辦學宗旨的，現在看法如何？⑵一九四九年「四・二一」爭溫飽學運時，勉仁當局公開出佈告禁止（旁的學校均無），並支使國專同學進行破壞，甚至於最後還默退了夏生本等十幾位同學，當時李先生也是主持人之一，這樣作法現在認為如何？⑶一九四九年下季開學時，勉仁當局正式規定學生入校必須填不准參加任何社會活動的志願書，否則不能進校，這是何用意？」「不悉李先生會檢查到沒有？」要求先生「從思想上作全面的系統的深入檢查」。

為此，先生不得不給「領導組織上」寫了「補充幾件事情」的檢查之文，就郭一平之問作了如下回答：「我在檢查思想的時候已經批判過我的反動思想，他提出以後我再深入檢查一下。首先要說明勉仁的態度，梁漱溟先生的政治態度是反對蔣匪幫而不贊成共產黨，在幾年以內不過問政治，專門從事學術文化的研究，我對於梁先生提倡東方文化是贊成的，他的鄉建理論我認為是書生之談。我在政治上找不著出路，願意終身沉埋於故紙堆中。我擁護的封建文化客觀上是維護反動階級，但是我當時是無知，現在檢查起來，是有阻礙進步力量的罪惡。我一貫不瞭解學運，只要學生讀死書。我離開雲大就是不滿意學運太多，所以勉仁不要學生參加學運，我是其中主張最力一個，勉仁在當時是受反動派仇視的，勉仁要學生安心學習，講他的一套封建文化，與反動派雖沒有勾結，其阻止學運的效果是一樣的」。「默退學生我不知道，一九四九年暑假中，我對學校事全不過問。這件事我不知道。不要學生參加社會活動是梁先生作院長時提出來的，這個作法與梁先生作風不大相同，不知是哪個人的意思。但是這種作法與我的看法完全一致，我當然贊成的。這幾件事情我在批判思想時說得不具體，認識批判是有的，現在補充於此」。

「因郭一平談到默退學生，我再補充一事，就是在一九四八年底，勉仁一年級學生約有十八人，平時任意曠課、不守校規，在開會時我主張照教務處規定退學，我現在想來完全是法西斯思想支配著我，解放前學生不安心學習原因甚多，無論怎樣，對於青年總應說服教育，當時止看見學校利益，不惜犧牲青年，這是很不該的」。（《李源澄檔案》，1952 年）

七月十一日，晚八時，先生在本院會議室參加了西南師範學院院務委員會第二十八次會議。會議主席、院務委員會副主任委員謝立惠教授作報告。（《綜合檔案》，檔號 1951・1）

八月三日，晚八時，先生在本院會議室參加了西師院務委員會第三次擴大會議。在會議主席謝立惠教授的主持下討論了 1.成立本院調查研究工作委員會；2.改組學習委員會、治安保衛委員會、聘任委員會、衛生防疫委員會等事項。形成決議後，均獲西南軍政委員會文教部批示同意。先生分別當選為調查研究工作委員會和改組後的學習委員會、聘任委員會委員。（《綜合檔案》，檔號 1951・1）

九月二十日，西師成立了院系調整委員會，院長謝立惠擔任主任委員，姚大非、方敬為副主任委員，先生為委員會委員，負責組織領導全校師生員工進行有關院系調整的學習、動員和院系調整的具體工作。與此同時，根據中共中央西南局和西南軍政委員會的決定，將設在北碚的原川東人民行政公署及川東區黨委的駐地作為西師的新校址，在院系調整過程中，從九月二十一日開始，西師的師生員工陸續由九龍坡、磁器口、沙坪壩搬遷到北碚。（《校史》，頁 81－82）

九月二十四日，西南文教部同意西師史地系分設為歷史、地理兩系，並於十一月二日獲得國家教育部批准。歷史系主任仍由原史地系主任孫培良教授擔任，地理系主任由趙廷鑒先生擔任。（《綜合檔案》，檔號 1952・2）

十月七日，上午九時，西師大禮堂召開全校師生員工大會，聆聽文教部派來西師主持遷校工作的工作組長兼西師院系調整委員會主委姚大非同志關於院系調整和遷校工作的演講。演講前，先生先將姚大非同志介紹與到會師生們見面，然後再當場作演講。

十月九日，先生隨院部行政機關及幹部遷至北碚。（《校史》，頁 82）

十月十日，西師正式在北碚新校址辦學。晚八時，先生就在新校址主持召開了第十六次教務會議。會上，先生以會議主席的身分向與會者報告了學校諸多搬遷事宜。（《綜合檔案》，檔號 1952・39）

十月三十一日，下午三時，先生又主持召開了第十七次教務會議，並以會議主席身分作會議報告。（《綜合檔案》，檔號 1952・39）

十一月一日，西師召開了慶祝院系調整和遷校勝利大會。在此次院系調整和遷校工作中，由於從川大、重大、川教院合併來的大部分老教師多是先生的老朋友，先生又有很豐富的辦學經驗，因而在副教務長這個崗位上，先生發揮了非常重要的作用。

十一月二十四日，中央人民政府批准，任命謝立惠為西南師範學院院長，姚大非為副院長。並按照教育部頒佈的《高等學校暫行規定》，撤銷了原有的院務委員會，重新設立一個院務委員會。先生被任命為新成立的院務委員會委員，其他委員有謝立惠、姚大非、方敬、葉誠一、孫述萬、李一丁、段喆人、張清津、孫培良、何劍勳、趙維藩、趙廷鑒、郭堅白、王季超、鄭蘭華、施白南、張宗禹、許可經、李季芳、朱挹清、郭豫才、嚴棟開、劉又辛、普施澤、黎滌玄、賴以莊、黃啟操、任代文等共二十九人。同時任命方敬為教務長，先生仍為副教務長。葉誠一為總務長，路春芳、鄧托夫為副總務長。（《綜合檔案》，檔號 1952・2）

十二月九日，吳宓先生在今天的日記中「〔補〕十二月六日佈告，奉中央教育部令，任命西南師範學院重要職員，院長謝立惠，副院長姚大非共黨，教務長方敬共黨，副教務長李源澄，總務長葉一誠共黨，副總務長路春芳、鄧托夫。尚有人事室主任李一丁共黨，茲未及，仍舊，但極重要」。（《吳宓日記續編》第一冊，頁 472）

案：由於今（2006 年 3 月）三聯書店出版的《吳宓日記續編》第一冊此處將「，」錯打在較小字型大小「共黨」之前，以至使人誤認為李源澄「先生在此之前，已經以民盟盟員的身分，加入了中國共產黨」。（王川《李源澄先生學術年譜簡編》，《李源澄著作集》（四），頁 1909）事實是，先生從未參加過中國共產黨，他的所有檔案材料，包括一九七九年西師黨委、重慶市委的平反檔也證實了先生只是民盟盟員。而《日記續編》中的「葉誠一」也誤印成了「葉一誠」，特此更正。

十二月二十六日，下午三時，在學校三樓會議室，先生主持召開了教務處助教工作會議，全校有七十三位助教參加會議。（《綜合檔案》，檔號 1952・38）

十二月三十一日，吳宓先生在日記中記載「此次文教部核定評薪結果」，外文系的方敬、趙維藩等先生與吳宓先生皆為七級，先生也評為七級，均每增薪四十萬元。（《吳宓日記續編》第一冊，頁 485）

是年，先生參加了中國民主同盟會，正式成為民盟盟員。

是年，先生胞妹李培華軍大畢業，任川東軍區警衛營文化幹事，並與川東軍區警衛營政委王自杭結婚。其妹夫王自杭是一名中共黨員。（《李端深檔案》，1952 年 8 月 23 日〈西南區高等學校職員履歷表〉）

是年五月，先生堂弟李源善作為復原軍人回鄉生產，其後在家鄉教小學。（《李端深檔案》，〈自傳〉）

直到此時，先生的家庭經濟狀況仍不是太好。先生說「自我出學校後，每月工資以一部分作家用，解放後父親病死，愛人在家已分田，有女孩二人，大的在重慶，小的在家，每月須寄錢回家。近二十年來，都靠我教書補助家庭用費。（《李源澄檔案》，1952 年〈高等學校教師登記表家庭經濟情況〉）

是年某日，蒙文通先生出差到重慶，先生聞訊，立即拜見恩師，並向恩師彙報了自己近年來的工作情況及思想改造學習的體會。對於先生的進步變化，恩師蒙文通先生非常感慨。

確實，自西師建校以來至今，先生經歷了「三反」、「五反」及知識分子思想改造等各種運動，在這一系列運動中，先生認真學習馬列主義毛澤東思想，自覺努力改造自己，他在一九五二年〈高等學校教師登記表〉內「現從事何種研究、譯著工作，今後計畫如何」一欄中填寫道：

「現正學習馬克思列寧主義——毛澤東思想，將來擬從事歷史研究」。

他在「經過各種學習運動（如三反運動等）以後對自己的認識」一欄中認真地填寫道：

「解放以前，我雖未參加過政治，以我的出身和所受的封建文化的關係，對反動政府雖不滿意，對反動政府所依靠的社會基礎是維護的，可以說我雖沒有反動行為，思想確實太落後了。因為我沒有進步的階級觀點，只有狹隘的民族立場，無論主觀上怎樣愛國，走不上真正愛國的道路，但是這一點狹隘的民族立場，在我還是可貴的，也就是我轉變的關鍵。

重慶解放，看見人民政府一切措施都很合理，解放軍和政府工作人員那種忘我的精神，更使我感動，當時曾這樣想，祖國是站起來了，不管我個人怎樣，終歸是好的。

開始學習了，我的錯誤看法，認為學習就是讀書，讀書是我童而習之的事，久已養成習慣，現在學習馬列主義就學習馬列主義好了，不管懂不懂，有時間就讀，經典著作，也讀得不少，說不上有什麼深刻體會，但就我個人來說，我對黨和政府的瞭解，對人民領袖毛主席的崇敬，多半是由書本上來的。我實在相信黨是為勞動人民的徹底解放而鬥爭，黨的組織紀律、黨的人民群眾路線，可以完成這個使命；兩種經濟制度形成的兩個陣營的前途怎樣，人類的前途怎樣，我充分有信念，肯定地說，十月革命，就是消滅人類悲慘歷史的開端，經過三反運動，我這些信念，更得到了保證。

我儘管熱愛人民領袖毛主席，熱愛共產黨，熱愛人民政府，可是我並不能以忘我的精神來參加工作。主要是由我的個人主義在作祟，政府對我的優待，一切出於我的希望以外，我並不覺個人有什麼衝突，還幻想著真是在為人民服務，我的工作動力是從個人出發的，在新社會覺得一切都要安排得很好，小資產階級的幻想得不著發展，我的工作動力也低了，小資產階級的自由散漫，與工人階級的組織性是衝突的，我感覺我的生活方式與組織有矛盾了，由這兩點有了矛盾，我才開始有了自覺，正是學習《武訓傳》和糾正不過問政治傾向的時候。

從此以後，我知道不僅有問題，而且問題很大，我非徹底改造不可，不是接受一部分新的，保存一部分舊的。這個時候，才真正瞭解社會革命與改朝換代究竟有什麼不同。首先是立場的轉變，立場轉變了，才能說其他。但是我的生活與我的舊意識分不開的，我有老的一套在跟隨我，容易以舊觀念看新問題，我把它沒有辦法，我開始苦惱了。我後來覺得沒有辦法，只有多讀理論書換腦筋，多參加活動鍛煉自己，這時候雖不苦惱了，又產生一種坐火車思想：不要忙罷，自然會改的。

三反運動開始，這些問題沒有去想。在『打虎』工作中，常常在說要以工人階級思想來領導運動，舊問題又來了，我才把我的一切檢查一下。以前的檢查具體一點，對我的工作態度、思想方法，作了一個比較詳細的檢查，知道真是不能等待了，感覺到作個新人又光榮又困難。在批判資產階級思想開始的時候，我總覺得我的問題我是認識到了，就是沒辦法；在檢查思想的時候，感覺到我的老一套在舊社會問題小，在新社會問題大，我為什麼以這樣的態度來對待新社會呢？不禁痛哭了，決心也有了，似乎是我自覺地轉變開始了，現在我的認識只能到這個階段。」（《李源澄檔案》，1952 年〈高等學校教師登記表〉）

對先生一顆赤誠之心，其恩師蒙文通先生有一段真實評價最確：「我覺得他一貫是教書和研究學術，他對反動政權蔣匪幫是不滿意的。他在解放後進步很快，他對祖國有深切的熱情，對黨的認識也深刻。我在 52 年到重慶時會見他，他對我說，『他想忘我真不容易』。這句話使我震驚，因為我是不敢想這一句話的，至今我還不敢考慮這一點，我覺得他是真正準備改造自己的。」（《李源澄檔案》，

1956年3月29日〈蒙文通寫給川大政治處人事科的調查材料〉）

是年，先生家住在西南師範學院文化村三十三號。

一九五三年（癸巳） 四十五歲

元月初，梁漱溟先生重返四川，他來到重慶北碚舊地重遊，並與先生、吳宓、鄧子琴等許多老友及原勉仁學院的學生多人見面，晤談甚歡。❾

一月五日，先生主持召開了第二十次教務會議（記錄：鄭祖慰秘書），他以大會主席身分向大會作報告，並討論學校在搬遷後物資清理工作及建立管理制度、教研問題等事項。（《綜合檔案》，檔號1953·12）

一月十五日，先生參加了教務處全體幹部會議，會議由教務長方敬先生主持，他向與會者報告全院組織機構調整情況。（《綜合檔案》，檔號1953·13）

一月二十八日，西師上報的行政負責人名冊中，先生排在院長謝立惠、副院長姚大非、教務長方敬之後，名列第四位，為「副教務長，民盟」。同日，學院上報系科名冊中歷史系名冊內，先生排在第一位，教授。（《綜合檔案》，檔號1953·44）

三月十三日，下午二點半，先生出席了在學校辦公大樓二樓會議室召開的第二十二次教務會議，會議主席方敬先生作報告，會議由二十人參加。（《綜合檔案》，檔號1953·12）

三月三十一日至四月二日，西師人事組委託四川大學人事組分別向蒙思明、徐中舒、繆鉞等先生調查先生解放前的政治面貌情況。幾位先生都本著實事求是的原則介紹先生。蒙思明介紹先生「解放前大概沒有參加過反動組織」，「他對反動政權是不滿的，生活是自由散漫，當時吸旱煙很利害，沒有旁的嗜好」。還介紹先生「平時接近的人」有周守廉、謝無量、伍非百、錢穆、彭雲生、湯用彤、熊十力、周輔成等，他們分別在大學、文史館、圖書館工作。繆鉞介紹先生「是一個誠樸好讀書的人。據我所知道的，他在解放前，沒有參加過任何組織（政治的與非政治的）。他家庭經濟情況，我不甚清楚，似乎並不富裕，他的生活一向很儉樸的。他

---

❾ 劉克敵著：《梁漱溟的最後39年》（北京：中國文史出版社，2005年4月第一版），頁58。

為人沈靜、誠實、坦率，治史學很用功，著述也不少，常與我討論學術。在解放前，他的思想受封建社會儒家學說的影響相當深」；「一九五一年秋，我主編《工商導報》的《學術副刊》，曾邀他寫過一篇「學習毛主席實踐論對於歷史學的體會」的文章，還相當好，可見他學習馬列主義與毛澤東思想的新理論是頗努力的。他是蒙文通的學生，關係很深，他契合的朋友，據我們知道的有吳宓、譚其驤等。蒙文通現任成都四川大學歷史系教授，吳宓現任重慶西南師範學院外文系教授，譚其驤現任上海復旦大學歷史系教授」。徐中舒先生說：「他參加何種組織我不知道，只知他學過道家的靜坐」。（《李源澄檔案》，〈川大人事組 1953 年 4 月 2 日公函〉）

四月十六日，下午二點半，先生出席了在學校辦公大樓二樓會議室召開的第二十三次教務會議，會議主席方敬先生作報告。（《綜合檔案》，檔號 1953・12）

五月二十七日，晚八時，先生作會議主席主持召開了一九五二－一九五三年度第二學期第三次教務會議，會上先生作了本學期的教務工作報告。院長謝立惠教授也參加了此會。會後，先生在「會議記錄」上附寫給未參加此會的李一丁（人事處長）、葉誠一（總務處長）同志，請他們一定看看會議報告記錄。其後二人看後還在報告上簽了名。（《綜合檔案》，檔號 1953・12）

九月七日，曾與先生於一九二八年同在四川國學專門學校（後之四川大學）同學的陶元珍之弟陶元甘先生也寫來證明材料，證明先生「不是偽青年黨分子」，並詳細說明先生約他在成都去學坐功的經過和純為「使身體強健」的目的。（《李源澄檔案》，1953 年 9 月 7 日〈陶元甘寫李源澄材料〉）

九月下旬，先生以西師副教務長身分去北京出席「第一次全國高等師範教育會議」。

十月中旬，先生出席「第一次全國高等師範教育會議」歸來，精神為之振奮。

十月三十日，先生在一九五三－一九五四年度第一學期第二次教務會議上發言，討論教學計畫的修改問題。（《綜合檔案》，檔號 1953・12）

是年秋，先生讓內弟將夫人周觀澄（碩君）及幼女知方從家鄉護送來北碚西師，從此先生全家得以團聚。

十一月一日，中午，吳宓先生應邀來到先生家拜訪，此時，先生「初歸自京，出席全國師範教育會議」。先生夫婦設家宴熱情招待了吳宓、金陶齋、曹慕樊等先生。席間先生「談此行所見所曆，深贊政府教育政策之穩定與明達，及主事者之精幹爽直」。（《吳宓日記續編》第一冊，頁 548）

十一月四日，先生出席教務處召開的深入重點聽課的討論會議，由教務長方敬先生作會議主席。（《綜合檔案》，檔號 1953・13）

十一月六日，先生出席了教務處召開的專業培養問題會議。（《綜合檔案》，檔號 1953・13）

十一月九－十一日，全校展開公開課聽評，作為副教務長的先生每天忙於參與各系的聽課評課。（《綜合檔案》，檔號 1953・13）

十一月二十日，先生出席了學校召開的全校重點教學組織負責人座談會，教務長方敬先生為會議主席。（《綜合檔案》，檔號 1953・13）

十一月二十一日，下午，先生向全校師生和職工作「第一次全國高等師範教育會議」精神的傳達報告。先生著重就「高等師範教育在國家建設中的地位和作用，高等師範教育的基本情況和今後發展的方針任務，教學計畫、教學改革、教材建設以及有計劃地大力發展高等師範教育，解決中學師資與培養提高高等師範學校現有師資，加強高等師範學校的領導等問題」進行傳達。（《校史》，頁 96）

十一月二十三日，先生出席了由方敬教務長為主席主持召開的一九五三－一九五四年度第一學期第三次教務會議。（《綜合檔案》，檔號 1953・12）

十二月，民盟西師總支（支部）成立，選舉第一屆委員會成員，先生被推選為副主任委員。主任委員：耿振華；委員：黎滌玄、漆宗棠、王正華、郭豫才、劉又辛等五人。

先生當選民盟西師支部副主委後，因工作關係與民盟主任委員潘大逵，委員舒軍、李康等市盟委負責人有了較多的接觸；特別是與市盟委的李康、舒軍的聯繫更多。通過接觸，舒、李二人覺得先生有才氣，又懂政治，十分器重先生，有事常找先生一起研究。（《李源澄檔案》，中共西師院委會〈李源澄同志被錯劃為右派的改正結論〉）

十二月九日，在（西人〔53〕字第 1992 號）上報行政負責人名冊第二頁，先生的工資是七百六十元，與當時表中副院長姚大非的工資同，僅次於院長謝立惠

（八百二十元），居第二。在「有何專長能擔任何種課程」一欄填寫的是「能擔任中國古代及中世紀史」（《綜合檔案》，檔號 1953・44）

十二月二十八日，教務長方敬先生主持召開了研究重點深入小組的工作會議，會上，先生發言，主要談歷史系的講議、教材問題。（《綜合檔案》，檔號 1953・13）

十二月二十九日，下午三時半，先生作會議主席主持召開了一九五三－一九五四年度第一學期第四次教務會議，並作報告；會議還商討了如何使用下學期的經費問題，先生強調經費使用與教學甚有關係⋯⋯（《綜合檔案》，檔號 1953・12）

一九五四年（甲午）　四十六歲

一月四日，教務處召開主題為「研究深入重點發現問題」的教務專業會議，會上，先生針對教學方面的問題發言說：「按教學計畫規定時間進行，不增加時間，教不完就算了。我們本著姚院長指示的原則結合具體情況去搞。」「學生忙亂現象，可另外組織力量搞一個班，要全面瞭解，有學問的老師不會教書，就專門請他們培養助教，作研究工作。」（《綜合檔案》，檔號 1954・17）

一月八日，上午，學院教務處召開行政會議，討論：⑴克服忙亂現象；⑵教學經驗交流；⑶教材問題等事項。先生針對歷史系中國史教材發言說：「範文瀾的觀點立場就是對的，歷史系基本上照範文瀾書作教本，怕觀點立場有錯誤。」（《綜合檔案》，檔號 1954・17）

同日午後三時半，在西師辦公二樓會議室，教務長方敬先生再次主持召開了一九五三－一九五四年度第一學期第五次教務會議，這是本學期的最後一次教務會議，參加者還有姚大非副院長和各系系主任。方敬先生報告教務處瞭解的各系教學與學生學習的情況、教學經驗交流問題和教材問題等三大事項。先生發言則談他對解決學生學習問題的理解，他說：「學習問題是主要的，並且是長期的。因這類問題是層出不窮的，以後必須使每個教師都注意這個問題，積極來想辦法，找出其下手處，一者為教材內容的改進；一者為學生的改進學習。此為學校教學的大問題。」（《綜合檔案》，檔號 1954・14）

二月十三日，先生參加了民盟重慶市第二次盟員大會，大會聽取了支部主委潘大逵所作的一九五三年支部工作報告和中共西南局統戰部彭友今處長講話、支部組織部長田一平的總結發言，大會審議通過了支部委員會一九五三年工作報告，確定第三屆支部委員會任期為兩年。（《重慶民盟》，頁 53）

二月二十五日，午後二時半，在西師辦公二樓會議室，教務長方敬主持召開了一九五三－一九五四年度第二學期第一次教務會議，姚大非副院長也參加了此次會議。先生發言說：「對附校的指導，教務處考慮到不知有多少力量可用，但未訂入日程。關於附校教學工作的指導工作，系科可訂入日程……目前只能是教學問題上的指導、聽課、參加教研組、作報告等方面……為批判資產階級思想，教學內容哪幾點是資產階級思想，是否指出來以為警惕……」「我們批判資產階級思想是重點，加強面向中學是重點，先是研究中學教本……資產階級思想蘇聯現在還在批判呢，我們是否可以找出幾個來作。」（《綜合檔案》，檔號 1954・14）

三月四日，教務處召開主題為「重點深入研究」的教務專業會議，由教務長方敬先生主持，要大家討論確定深入研究的重點、目的要求、工作任務以及如何組織力量的問題。先生發言說：「我們也只有在教學組織系科各方面取得經驗，才可以推廣。我們只有從計畫、檢查、總結方面去作，所以參加的人不必多。我們的幹部不夠用，雖然我們教學研究科人有這樣多，但工作生疏，若把幹部陷進去了，以後工作如何去作呢？」（《綜合檔案》，檔號 1954・17）

三月二十日，教務處由先生主持召開了教學經驗交流會，並在會上作報告。在分組討論交流時，先生出席了由歷史系、教育系、體育科、圖情科全體教師組成的第一組的座談，地點在區黨部會議室。先生謙遜地說：「這個會是第一次，組織工作是不夠好的，以後會好些，望提意見。以後我們不斷改進，總結經驗工作還在探索」。（《綜合檔案》，檔號 1954・17）

三月二十三日，下午二時半，在西師辦公二樓會議室，教務長方敬主持召開了一九五三－一九五四年度第二學期第二次教務會議，會上，先生就教學問題發言說：「超學時的現象是牽涉到全面的，我們時間的分配問題並不是機械的……學生都希望講得多，有的教師喜歡自己顯示一下本事，都有問題……」（《綜合檔案》，檔號 1954・14）

三月二十八日，教務處召開培養助教座談會，院領導、全體教師和有關行政幹部出席會議。會上，先生和大家一起著重討論了培養助教的意義、辦法、指導教師

的安排、進修內容和態度等問題。（《校史》，頁 110）

四月十一日，學校召開「期中學生學習檢查動員大會」，學校全體同學及有關教師出席大會，會上，先生作動員報告。（《綜合檔案》，檔號 1954・17）

四月十三日，下午三時二十分，在西師辦公二樓會議室，先生主持召開了一九五三－一九五四年度第二學期第三次教務會議，討論期中教學檢查和擬定五年教學工作計畫兩大問題，所以各系教學秘書、政治輔導員、政治輔導處有關學習工作幹部都列席了此會。先生在大會上作了詳細的工作報告，闡明今後的教學工作計畫中，主要是繼續穩步進行教學改革，逐步提高教學品質，以社會主義精神和先進科學知識教育學生。進一步樹立專業思想，加強師範性，培養合格的人民教師。（《綜合檔案》，檔號 1954・14、《校史》，頁 96）

六月一日，下午三時二十分，在西師辦公二樓會議室，先生主持召開了一九五三－一九五四年度第二學期第四次教務會議，這是一次擴大會議，總結本學期的教學工作。會上，先生對本學期的教務工作作了詳細的總結報告。（《綜合檔案》，檔號 1954・14）

六月二十七日，上午，吳宓先生來訪先生，先生勉仁學院時的學生譚壯飛先生在。先生向他倆「甚稱新中國威勢之日增」。（《吳宓日記續編》第二冊，頁 47）

七月六日，下午，先生派教務處秘書鄭祖慰同志到歷史系，與吳宓先生商量今年入學考試的閱卷事宜。吳宓先生主張：凡在校教師一律邀請閱卷。（《吳宓日記續編》第二冊，頁 52）

九月二日，下午三時四十分，在西師辦公二樓會議室，先生主持召開了一九五四－一九五五年度第一學期第一次教務會議，先生為會議主席作本學期的開學教學工作報告。（《綜合檔案》，檔號 1954・14）

是年秋天，學校根據教育部召開的六所直屬高等師範院校座談會精神，開始了行政改革，將學校原來的三級領導管理體制改為兩級領導管理體制。院長直接領導系科，直接領導教學，取消了教務處作為一級領導制度。（《校史》，頁 85－86）

十一月十四日，先生以民盟西師支部副主委身分參加了學院召開的各民主黨派座談會，討論如何保證完成制定和修訂教學大綱問題。先生表示，民主黨派要發揮本身的組織作用，結合組織生活、組織交流制定和修訂教學大綱的經驗，把編寫教學大綱的工作搞好。（《校史》，頁 100）

本月，先生在一次思想彙報時寫道：「李源澄，四川省犍為縣龍孔場人，曾用浚清名，男性，出生於一九〇九年五月二十一日，小地主家庭出身，本人成分為教育工作（者），漢族，健康狀況平常。經濟狀況：靠工資生活。妻周觀成，女李知勉、李知方同住西師。社會關係：蒙文通、繆鉞現在四川大學，吳宓、葉麐現在西師，熊十力、梁漱溟、湯用彤在北京。一九五二年參加民主同盟，一九五一年參加教育工會。」「一九三四年在南京考試院工作時，曾集（體）加（入）國民黨，未宣誓，也無黨證，即去蘇州，以後無任何關係，伍非百可以證明（伍現任四川圖書館館長）。解放後參加校內各種運動，校外參觀土改，經過思想改造、忠誠老實學習」。「解放前曾留心中國歷史，頗下工夫；解放以後不斷學習，改變觀點立場，願意從事教學工作，邊學邊教」。從中可以略窺先生當時的心境。（《李源澄檔案》，1954 年 11 月〈自寫〉）

十二月十六日，先生參與了學院召開的教務會議，專門討論培養助教的問題。（《校史》，頁 111）

本月，民盟西師總支換屆改選，先生仍被推選為第二屆委員會副主任委員。主任委員仍是耿振華先生；委員：漆宗棠、王正華、郭豫才、劉又辛等四人，曾昭穎任秘書。

一九五五年（乙未）　四十七歲

一月中旬，先生與方敬教務長赴蓉開會。

一月二十六日，今天是正月初三，吳宓先生隨同劉尊一先生到先生家訪謁拜年，才知先生在成都開會未歸，故未得晤面。（《吳宓日記續編》第二冊，頁 111）

一月二十九日，晚八點左右，吳宓先生偕營山縣中學俄文教師姜華國先生一同造訪先生於宅，先生熱情留他們「小飲」，並向他們盛讚「共黨以忠誠詳密，百事皆成功，其勢方蒸蒸日上」。吳宓先生與先生長談至十一點鐘方歸。（《吳宓日記續編》第二冊，頁 114）

二月十九日，重慶市政協選舉產生了第一屆委員會成員：主席曹荻秋，副主席蕭華清、李唐彬等共九人，秘書長楊松青。先生被推選為重慶市本屆政協委員。（《重慶民盟》，頁316）

三月十九日，先生參加了民盟重慶市第三次盟員代表大會，大會聽取支部副主委蕭華清所作的支部一九五四年工作報告和中共重慶市委統戰部楊部長的講話。改組重慶市支部委員會為重慶市分部委員會，隸屬四川省支部委員會領導。會議選舉產生了民盟重慶市第一屆分部委員會。（《重慶民盟》，頁54）

六月十二日，先生參加了民盟重慶市分部召開的重慶市第四次盟員代表大會，會期一天，大會作出了「提高警惕、分清敵我、堅決肅清胡風反革命集團和一切暗藏的反革命分子」的決議。（《重慶民盟》，頁54）

六月二十日，從此日起，西師開始進行肅清暗藏反革命分子的學習和鬥爭，動員有問題的師生員工進行交待，同時對發現的各種有政治歷史問題的人，組織力量進行內查外調。（《校史》，頁 88）來自舊社會的先生也受到了「內查外調」的困擾。❿

八月十七日，先生參加了民盟重慶市分部委員會舉行全市盟員代表會議。中共市委任白戈書記在會上作了「長期共存，互相監督」方針的宣講報告。（《重慶民盟》，頁58）

九月，新學期開學，在一九五五－一九五六年度第一學期教務處工作計畫中，整個九月份，先生直接負責㈠開學準備工作。具體為報到註冊並統一領導進行定課、排課和調整教室，必須在九月十二日以前完成；㈡佈置教學表格。佈置並要求系科按月檢查教學日曆及學生獨立工作進度表，書面向院長彙報，點名冊按周彙報，由教行科督促執行；㈢實習準備工作；以及制訂實習計畫並與實習學校及各系取得聯繫等工作。（《綜合檔案》，檔號1955・10）

九月二十三日，先生出席了高等教育部楊秀峰部長在重慶建築工程學院向重慶高等學校教師及有關幹部作「全國文教工作會議精神的傳達」報告會。（《校

---

❿ 《李源澄檔案》內 1955 年省委統戰部向伍非白的調查材料、中共南充地委轉付平驤的「檢舉材料」。

史》，頁 103）

十月教務處本月工作計畫中，教務處全體工作人員則學習「全國第一個五年計劃檔」一個月；與此同時，先生還要負責如下事項：㈠本期的實習準備工作。包括完成第一、二次實習工作會議的準備工作，以及完成所有實習準備工作。㈡清查處理胡風反革命集團骨幹分子編的教科書、教學參考書以及供教學參考的期刊、雜誌和一般書刊。由圖書館組成工作組，就圖書館流動書刊進行清理，由教務處督促有關係科並匯總書面報告。㈢完成根據教學計畫對教學表格進行初審的工作。㈣確定本學期考試考查的科目，向各系科收集簽具意見後報院長批准等。可見先生工作仍然很繁重。（《綜合檔案》，檔號 1955．10）

十一月二日，學院黨委主持召開了全院各民主黨派負責人的座談會，討論知識分子如何與工人、農民一道建設社會主義，興高采烈地迎接祖國社會主義經濟建設和文化建設的高潮。先生以民盟西師支部副主委的身分參加了此會，並和其他負責人一道，在會上熱情洋溢地發言，暢談他目睹社會主義祖國的各項建設欣欣向榮的欣喜心情，決心在黨的領導下為祖國的社會主義建設努力奮鬥。（《校史》，頁 89）

本月，先生負責制訂了細密的教務處工作計畫：㈠要求在本學期第十周內按照本屆教育實習工作計畫，完成檢查實習的準備工作和通過去實習學校瞭解並聽取彙報等方式進行檢查實習工作；㈡第十二－十三周內，負責翻印高教部頒發的有關教學表格的指示檔，並佈置後八種教學表格。㈢第十三－十四周內，要在原有學則草案基礎上提出修改有關學生讀課、升留級、補考、退學、考試等辦法的意見。㈣在十二－十四周期間，協助院長清理學生學籍，催促各系上報並提出初步意見。㈤繼續審核教學日曆並小結制訂情況，繼續初審十一月系教學日曆，並根據各系報告及在初審中到各系科瞭解的情況進行小結。（《綜合檔案》，檔號 1955．10）

十二月，教務處制定本月工作計畫，先生主要負責：㈠在本月底作出實習工作總結，提交一九五六年一月三日院委會討論通過；㈡佈置和檢查學期考試的準備工作，要在十二月十日前安排考試時間表；瞭解上期成績登記情況，印發考試考查辦法及參考檔；統一佈置考試準備工作，並檢查系科準備工作情況。（《綜合檔案》，檔號 1955．10）

十二月十三日，院務委員會正式通過了先生主持制定的《學生考試考查暫行辦法》。（《綜合檔案》，檔號 1955・10）

十二月十八日，在本日報教育部的「西南師範學院行政人員名冊」（西人函文1230 號）第二頁中，先生年齡：四十六歲；家庭出身：地主；本人成分：教育工作者；級別是七級，職務仍是副教務長（無兼職），現屬黨派：民盟；文化程度：大學。

在本年的「高等學校現任教授學銜試評名單表」（二）中「符合教授條件者」的行政單位人員只有四名，其中即有先生，另三位是院長謝立惠、教務長方敬和副總務長路春芳。（《綜合檔案》，檔號 1955・22）

本年春季，經歷史系鄧子琴先生介紹，先生胞弟李端深（源委）與在大明紡織廠（地址在北碚）基建科當材料核算員的熊家碧女士結婚。四月十日（星期日）晚上，舉行婚禮，吳宓先生親自到自由村二樓端深先生的新宅祝賀，並封送賀儀新幣四元。簽名於紅帛。在場還有李邦畿、曹慕樊、鍾博約等先生。（《李端深檔案》，「自述」、《吳宓日記續編》第二冊，頁 146）

案：《吳宓日記續編》中，一直將「熊家碧」誤作「熊家璧」。

一九五六年（丙申）　四十八歲

一月份，學院教務處工作計畫中，先生要負責㈠與方敬教務長共同完成⑴根據一月三日院務委員會的決定進行教務處學期工作小結；⑵完成第二學期工作計畫，並於一月十八日以前交院長審批。㈡檢查本學期期末考試工作。㈢佈置下期教學表格，要求下期開學前完成教學計畫的制訂工作。（《綜合檔案》，檔號 1955・10）

一月三十一日，下午，先生列席了歷史系系務委員會。

二月八－十日，學院黨委又召開了「充分發揮知識分子潛力問題」的座談會，院務委員會委員、各系科主任、各教研室主任、各民主黨派負責人、工會領導幹部及部分老教師六十六人出席會議。作為院務委員、民盟西師負責人的先生參加了座談會。會後，民盟西師支部委員會也根據上述問題召開了座談會。（《校史》，頁 90）

二月二十七日，先生與吳宓先生均參加了重慶市知識分子代表大會，聆聽任白戈市長講演。

二月二十九日，上午，先生在重慶市知識分子代表大會上發言，「所講二端，切實中肯，眾鼓掌歡迎。稿皆鉛印分發」。（《吳宓日記續編》第二冊，頁 384）此會開至三月一日才結束。

三月十七日，先生以院務委員的身分參加了學院召開的院務委員會擴大會議，討論教師如何向科學進軍及制定個人規劃問題。（《校史》，頁 108）

三月二十九日，西師人事處再次托四川大學人事處向蒙文通先生調查先生解放前的政治面貌。蒙先生一再證明先生「從官某學坐功是事實」，但決非一貫道組織，「因為一貫道到四川不早，官他們在成都傳功早在一二十年前的光景，長在成都的是嚴皋仙而不是官」，「嚴皋仙是品格很好的人，解放後，嚴被聘為文史館研究員，他們惟傳坐功，卻不斂財，也無政治意味，這樣的道門在成都未被認為一貫道的尚不止一處」。「李和官除坐功以外似不能說有什麼關係」，「李在南京的時候，章太炎約他到蘇州教過書，後來和戴季陶認識，我只知道如此」，我「不覺得他有什麼反動黨團組織關係」；並說先生「政治歷史一般表現，我覺得他一貫是教書和研究學術，他對反動政權蔣匪幫是不滿意的。他在解放後進步很快，他對祖國有深切的熱情，對黨的認識也深刻，我在五二年到重慶時會見他，他對我說：『他想忘我真不容易』。這句話使我震驚，因為我是不敢想這一句話的，至今我還不敢考慮這一點，我覺得他是真正準備改造自己的」。（《李源澄檔案》，1956 年 4 月 2 日〈川大人事處〉）

五月十九日，星期六，下午，先生命長女知勉來邀請吳宓先生「至澄宅晚飯」，客為教務處職員等，晚餐很豐盛。飯後客散，吳宓先生又留下來與先生敘談，他向先生「述熊十力近著之大旨。又述宓捐書事，及宓對文字改革之意見」。先生詢問吳宓先生「是否已申請入民盟？宓答否，且不欲加入」。（《吳宓日記續編》第二冊，頁 431）

六月，民盟西師總支換屆改選，先生仍被推選為第三屆委員會副主任委員。主任委員仍是耿振華，委員：黎滌玄、郭豫才、劉又辛等三人。

上半年，西師繼續進行肅清暗藏反革命分子的學習和鬥爭。先生不免再次受到各種「內查外調」衝擊。尤其對他當年採用「靜坐以祛病健身」的行為，有人強行附會為參加反動會道門，甚至一度被誣為參加了「一貫道」等反動組織。⑪

十一月二十四日，晚上，先生在方敬先生家與吳宓先生一起，談論依據「全國高校進行工資普調與教師定級」檔進行本校的工資改革方案，吳宓先生聽歷史系黨總支書記季平說，「已將宓與鄭蘭華（化學系教授）二人列入新貳級，將來當視重慶市委與中央教育部批准與否而已」，便托方敬先生，要求將自己列入新三級，並代陳院長。先生與方敬先生均「認為宓列入新二級決不能謂之過高，且眾意僉服，無或反對者」。不久，獲重慶市委與中央教育部的批准，西師一級教授一人：土化系侯光炯教授；二級教授六人：歷史系吳宓教授、副院長謝立惠教授、化學系鄭蘭華教授、土化系陳兆畦教授、土化系黃希素教授、副院長何文俊教授；三級教授三十一人，李源澄先生與方敬先生均被評為三級教授。⑫

十二月二十四日，下午，先生在西師會議廳主持歡迎新任森林部長、民盟中央副主席羅隆基先生。羅先生此行重慶是「以全國人民代表資格，來宣達中央德意，詢問知識分子之疾苦與意見」。由重慶民盟副主委李康陪同來校，歡迎會上羅隆基先生「先致辭。其談話中，敘及毛主席招食西瓜，周總理呼為『老羅』，有意無意中插入小小故事，說來亦莊嚴，亦自然，誠哉其為才士也。座客皆西師、西農之教授、主任」，大家一致推舉吳宓先生先發言，吳先生發言說：「黨與政府對知識分子之照顧已滿足，眾同深感激，惟使用知識分子多不當，或學非所用，或未盡其才，尚留缺憾。遂舉三例：⑴進修部周萸生為調配車輛管理交通運輸之長才，不當視為國文教師。⑵重慶臨江路五十五號蔡惠群醫師為精神病專家，醫治奇效，不宜久任醫校職員及翻譯中國古醫書之事。⑶川大中文系老教授劉朴，不應以其生活方面問題而解聘而不贊許他校聘請，其罰太重。」其後吳宓先生又第二次發言。其後，一向謹慎的吳宓先生深悔是日談話太多，「大悖慎言免禍之旨」。（《吳宓日記續編》第二冊，頁 586－587）

---

⑪ 《李源澄檔案》，1955 年 9 月 1 日中共南充地委提供的檢舉材料、1956 年 8 月 2 日中共武勝縣委提供的檢舉材料等，以及四川大學政治處人事科提供的李源澄未參加過「一貫道」的多人證明。

⑫ 《吳宓日記續編》第二冊，頁 563，西南大學檔案館、校史研究室主辦《西南大學記憶》2009 年第 1 期，頁 34－35。

是年，劉又辛先生因事到成都，並拜見了蒙文通先生，蒙先生趁此機會談了他對於先生由於繁重的教務工作不能專心治學的掛念，並讓劉先生轉告先生，「最好辭去行政職務，專心治學、教學」。劉先生回校將蒙先生此意轉達後，先生深感「確實為難，做學問和協助當時的領導辦好學校，這二者都重要」，便回答說，「再幹兩年，這時候還不好忽然撒手不幹」。⓭確實，解放初期，先生「看到舊社會的一些腐敗現象消失了，人民當家作主了，國家一天天地好起來，他深受鼓舞，精神為之振奮。於是把整個身心都投入了教育工作，連一生從未間斷過的學術論著也停止了。作為副教務長，除了上課之外，對學院課程設置，工作安排，以及教師待遇，家屬照顧，子女教育，無不關心。教師中有什麼困難或思想問題，便及時約他們茶敘，與之傾心交談，直到使之心情舒暢。他每月的工資，除必要的生活費外，多用於這類工作之中。凡朋友從外地去看望他，總要和友人一道漫步於西師校園，並一一指點介紹：『這是教學大樓，這是實驗大樓，這是運動場，……這樣宏偉的建設規模，在解放前是從來沒有的，共產黨辦教育真有氣魄，這才是真正的辦教育！』」⓮這是先生當時暫時放棄心愛的學術研究的最好注釋。

一九五七年（丁酉） 四十九歲

一月二日，上午，先生到吳宓先生家，特地告之自己即將赴北京開會，並勸吳宓先生要更加「開懷暢言，勿憂禁忌」。（《吳宓日記續編》第三冊，頁 4）

一月二十四日，午後，先生同院長張永青、副院長謝立惠、王逐萍等院務委員會成員一道乘車至重慶市府大禮堂，參加重慶市市長任白戈講「再論無產階級專政學習」報告會。

一月二十九日，先生參加了學院召開的院行政會議，會議專題討論、研究了提高教學品質問題，並提出調整任課教師、作出「讓有經驗的教師主講的決定」。（《校史》，頁 125）

二月，民盟西師總支換屆改選，先生當選為第四屆主任委員，耿振華先生被選

⓭ 劉又辛：〈史林一株參天樹——記李源澄先生〉，《縉雲山下一支歌》（第一輯），《縉雲山下一支歌》編委會編，西南師範大學出版社 2000 年 9 月第一版，頁 67。

⓮ 《犍為縣誌》，《李源澄傳》（四川人民出版社，1991 年版），頁 718。

為副主任委員。委員為黎滌玄、郭豫才、劉又辛、李麟征、尚莫宗、葉勝勇、高兆奎等七人。

先生被選為民盟西師支部主任委員後，與省盟負責人潘大逵，市盟負責人舒軍、李康的工作接觸更多起來；特別是與市盟委的李康、舒軍的聯繫更密切。由於先生的才識，他們常找先生一起研究盟內的問題，甚至動筆幫助撰寫一些重要發言稿。先生還積極為民盟組織發展優秀知識分子入盟。⓯

二月十五日，下午，先生專訪吳宓先生，勸其加入民盟，並邀請吳宓先生出席第二天的民盟座談會。（《吳宓日記續編》第三冊，頁 31）

二月十六日，上午十一點鐘，吳宓先生應邀出席了民盟在北碚街上的北碚公寓樓上客廳召開的知名人士座談會，「議各撰稿，交中央向臺灣廣播，勸在彼方之親友回國效力，以助成和平解放臺灣。重慶民盟副主任委員李康等為主人，在座共十七人」，作為民盟西師主委的先生自然也在場。中午，李康等民盟負責人在第一餐廳樓上宴請了所有與會者。先生與吳宓、蔣良玉等先生同席桌。（《吳宓日記續編》第三冊，頁 32）

三月十一日，先生以院務委員、副教務長身分參加院長辦公會議。會上，先生關於圖書館的管理問題發表意見，並建議說：「不管誰領導，圖書館應設置副主任，因為圖書館人多，任務性質改變，加重了負擔，要增加一人才能推動工作。」大家都認為先生說得在理，最後決定由謝副院長負責領導，原主任協助。（《綜合檔案》，檔號 1957．1）

三月十八日，先生出席了學院召開的院長辦公會議。會上，先生就教務工作方面談了三個問題：⑴實習工作：三月份討論教育實習大綱；四月份研究實習內容；五月份研究下期實習工作，教務處與總務處共同負責。⑵招生工作：認為此工作困難在人的問題；抽出人來容易，但校內沒有專人負責，而又必須有專人工作才行。⑶對附屬學校的領導，應注意教學工作，四月份應召集各系彙報聯繫附中的工作情況，研究如何加強聯繫。（《綜合檔案》，檔號 1957．1）

⓯ 《李源澄檔案》，1979 年 7 月 11 日中共西南師範學院委員會關於李源澄「原劃右派的依據和查證核實情況」。

四月十二日，在院長辦公會議上，先生提出了如何合理使用經費的問題，他列舉了：教學經費與行政費用的比例問題，科研經費，實習、實驗經費等等問題。（《綜合檔案》，檔號 1957·1）

五月三日，在院長辦公會議上，副院長謝立惠傳達教育廳、高教局會議精神；副院長王逐萍、教務長方敬和副教務長的先生參加了總結工作。（《綜合檔案》，檔號 1957·1）

五月四日，中共中央再度發出指示，組織黨外人士對黨和政府展開批評。毛澤東的竭誠邀請，重新激發了黨外老朋友的參政熱情。而中共提出的「長期共存，互相監督」和「百花齊放，百家爭鳴」的方針，以及中共「八大」的正確路線和開展整風運動的誠懇態度，受到了各民主黨派的擁護；大大激發了廣大民盟盟員參政議政的熱情，暢開了言路。緊接著，重慶市高校、文化系統展開了轟轟烈烈的「大鳴大放」運動。（《重慶民盟》，頁 59－60）

在此知識分子的春天裏，身處大西南的先生心情舒暢，躊躕滿志，特請人為自己拍了一張個人照片作留念，不料其後竟成為遺照。（《吳宓日記續編》第三冊，頁 541）

五月上旬，重慶市政協會議前，民盟市委委員舒軍、李康來西師請政協委員、民盟西師支部主委的先生和民盟西師支部委員劉又辛先生等人為市盟主委、市政協副主席蕭華清同志撰改發言稿，先生看了初稿後，「不同意初稿中的尖銳措詞」，他說：「這個稿子情緒很大，共產黨政權很穩固，碰不得」，「隨即又親自對全文進行了徹底修改，使後來提交的報告語言很平和」。⓰

五月十一日，在市政協大會上，先生又被推舉為重慶市政協第二屆委員會委員。（《重慶民盟》，頁 316）

市政協會議期間，市盟委副主委李康在重慶心心咖啡店向先生談及取消黨委制的問題時，先生說：「看問題要從實際出發，黨委制是取消不得的。」市盟委員舒軍也到重慶賓館先生下榻處與先生談取消黨委制、民主黨派參加管理學校等問題。

⓰ 《李源澄檔案》，1979 年 7 月 11 日中共西南師範學院委員會關於李源澄「原劃右派的依據和查證核實情況」。

先生不同意舒軍的看法，認為「高等學校領導工作繁重萬端，取消黨委制後，誰也不敢去承擔這個擔子」。⓱

五月二十一日，《重慶日報》第一版以大標題登載了〈本市整風運動開始〉的文章；並同時登載〈民盟重慶市委號召全體盟員大放大鳴幫助共產黨整風〉一文。

不過，處世一向比較謹慎的先生卻不同意盟市委發通知到基層動員盟員起來鳴放的做法。他對盟市委領導李康說：「在鳴放中要穩，將基層與黨的關係搞壞了不好處，這一點市盟委要抓緊，出不得問題。」⓲

同日，先生以院務委員身分參加了學院召開的院務委員會第二十八次會議，會議討論通過了晉升二十三位助教為講師。（《校史》，頁148）

五月二十七日，從此日開始，中共西師黨委也邀請民主黨派代表舉行座談會，徵求他們對進一步「放」「鳴」的意見和對黨的批評。在民主黨派負責人座談會上，先生發言說：「黨能不能領導科學呢？我自己認為是能夠領導的」；「不是不能領導，而是如何領導的問題」。還說：「今天並沒有懷疑黨中央的文教政策，而是指的工作上的缺點」。⓳

從六月三日起，西師黨委開始邀請系主任和行政部門處長以上的非黨幹部舉行座談。在座談會上，先生發言說：「知識分子是很愛國的，對於德才兼備的幹部政策是擁護的。當然也有脫離政治的傾向，但是這個矛盾不是不可克服的。」還說：「今天大家對人事方面的意見最多，不是反對德才並重，而是反對重德輕才。才不稱職，能夠把工作搞好麼？」又說：「今天教師感到信任不夠，系主任感到有職無權，這是什麼原故？這是從黨委到黨支部犯不結合教學來空談政治的毛病，所以動機和效果恰恰相反。」「最近毛主席的談知識分子的問題，不分黨內外，這種提法給知識分子最大的鼓舞，我們知識分子一定聞風而起，不負毛主席的教導。我看要發揮知識分子作用，必須把知識分子的地位擺端正，一點宗派主義都來不得。」⓴

⓱ 同上。

⓲ 同上。

⓳ 同上。

⓴ 同上。

六月八日，中共中央發出了關於「組織力量反擊右派分子的倡狂進攻」的指示，同日的《人民日報》發表了《這是為什麼？》的社論，號召全國人民對右派分子進行反擊。

細心的先生認真閱讀了《人民日報》此篇「社論」後，覺得與前一段時間黨中央竭力鼓勵鳴放的政策相左，於是私下裏認為此「社論」的發表「有礙鳴放」，是「黨中央受不了批評」。便從愛護盟員的角度出發，在民盟西師支部決定不要盟員教師同學生混在一起鳴放，以免吃虧。㉑

六月九日《重慶日報》以頭版頭條全文轉載了《人民日報》社論《這是為什麼？》，重慶地區的反右派鬥爭也全面開展起來。西師自然不例外，且批評的對象嚴重擴大化。

六月十四日，吳宓先生也察覺到「近日『鳴放』之情勢及方向驟變，各地工人及民主黨派一片檢討斥責之聲，斥責章伯鈞、儲安平、葛佩琦、董時光等『右派分子』為反黨、反工人階級、反社會主義，要求懲辦。即本校教授如陳東原、羅容梓等，主張校內可不設黨委會領導者，亦橫遭非議」。（《吳宓日記續編》第三冊，頁 108）

六月二十日，民盟重慶市委舉行幹部會議，要求撤銷章伯鈞、羅隆基在盟內的職務。同時，在盟內進一步深入展開對民盟重慶市支部委員舒軍、李康的揭發批判，嚴厲指責舒軍、李康在會上的檢查是耍花腔、丑表功。

與此同時，「《重慶日報》刊登了一條消息，報導重慶市民盟智囊團在五月中旬向黨提交了一份攻擊黨對知識分子政策的報告。文中涉及到先生，說他是重慶民盟市委智囊團的核心分子，指稱該『報告』是先生參與撰寫的。西師黨委立即派盟員李運益先生去調查此事，並取回了『報告』的原草稿和修訂稿交給學校。」學校將原稿和經先生修改後的「報告」兩相對比，才發現經先生親自對全文進行徹底修改後的報告，雖然仍屬向黨提意見，但言詞確實變得很平和（李運益先生的回憶）。但此時，民盟西師支部的反右派鬥爭已迅速開展起來。由於先生平日「勇於任事，伉直敢言，深為忌者所嫉惡」，此刻嫉惡先生者趁機「造作言語，深文羅

㉑ 同上。

織」，使民盟西師支部主委的先生在劫難逃，並最先受到盟內的嚴厲批判與指責。

六月二十一日，民盟重慶市委舉行擴大會議，繼續揭發批判舒軍、李康的「野心」活動。民盟西師支部副主委耿□□發言說：我是西師民盟支部副主任委員，實際負責民盟支部的工作。鳴放中西師的右派分子非常囂張、正義不能申張。他質問李康、舒軍，「到西師來，為什麼不找我呢？」「你們是什麼企圖？為什麼對右派分子這樣猖獗的情況熟視無睹？」暗將矛頭指向先生。民盟西師支部委員李□□在發言中不點名地揭發批判先生在西師發展「反黨思想是很嚴重的」陳東原先生為盟員的問題，批判先生未按照組織手續，逕由民盟市委與支部主任委員個別聯繫就批准發展陳東原了。方□先生發言並質問先生：「為什麼不惜破壞組織手續來發展發表反黨言論的陳東原呢？！」

會議暫告結束時，民盟重慶市支部副主任委員李嘉仲總結說：民盟內部右派分子的錯誤言行是嚴重的。民盟市委決定明天召開幹部會議，繼續揭露盟內右派分子的言行。（《重慶日報》，1957 年 6 月 22 日第一版）

當日下午五時，中共西師黨委書記兼院長張永青在大禮堂作「本校的鳴放與整風」報告。號召全院師生積極參加對右派分子的政治鬥爭，他說：「對於別有用心的人，借幫黨整風的名義，向黨進行惡毒攻擊，對他們的錯誤意見必須堅決予以駁斥。」（《重慶日報》，1957 年 6 月 25 日第一版）

六月二十五日，作為基層組織的民盟西師支部召開了全體盟員大會，會上，先生以主任委員的身分首先向大會認真作了整風反右運動以來的支部工作檢查報告，並一再申明支部的工作並沒有接受李康、舒軍的影響。然而，先生的真誠解釋並未獲得盟內的理解。

六月二十七日，上午，民盟西師支部召開支部委員會，商討召開支部全體盟員大會的有關事宜。會上，先生提出是否等支部委員內部先把問題討論清楚、檢查好了再開大會，並提出在大會上，希望盟員主要針對本支部的問題提意見，這樣問題集中一些。但是，先生這些意見遭到了副主任委員耿先生的堅決反對，要求今天必須召開盟員大會。於是，先生又提出是否將盟員大會放到今天晚上來開，說明這樣準備時間也相對充裕一些。但同樣遭到強烈反對。於是，本日下午，民盟西師支部舉行盟員大會。會議一開始，鬥爭的目標便直指身為支部主任委員的先生，對以先生為代表的支部委員會的所謂曖昧態度和舒軍、李康等的「陰謀活動」進行揭發和批判。

曹□□很憤慨地說：「支部在鳴放開始時，多方鼓勵大家大鳴大放；但是反右派鬥爭開始後，支部卻不找我們說話了。請問這究竟是為了什麼？有人說，現在西師反右派鬥爭展不開，就是因為盟員態度不明。他要求盟支部揭開蓋子，交代什麼時候開始接受舒軍、李康的指揮的。」李□□則認為，先生在二十五日盟員大會上作的工作檢查報告中，申明沒有接受舒軍、李康影響，這是根本不可能的。劉□□還質問先生道：「西農都動起來了，但我們這裏卻不動，這是不是想拖過目前反右派鬥爭的高潮？」黎□指責先生說：「支部只說揭露舒軍、李康，自己卻不表明態度，這是想蒙混過關。」支部副主任委員耿□□則進一步煽動說：「這次大會也是經過鬥爭才開成的」，並把支部反右派鬥爭「難產」的責任全部推到先生身上。並說他「同意大家意見，支部委員應該帶頭起來檢查揭發舒軍、李康和其他問題」。

許多人在發言中，對先生領導的民盟西師支部最近的態度表示極大不滿。認為民盟重慶市委內部展開反右派鬥爭後，民盟全市最大的基層組織——民盟西師支部，一直動向不明，這是執行舒軍、李康指示的具體表現，說明盟組織在反右派鬥爭中軟弱無力。特別是在發展組織上，指責先生說：「我們學校盟支部接受陳東原（此時已作為右派受到批判）入盟是根本不合手續的，這次鳴放中，陳東原的反社會主義言論是與儲安平等的言論一脈相承的。他入盟才不久，舒軍、李康就提出他出席市政協」，說明西師民盟支部是積極執行了舒軍、李康的「大發展」指示的。

李□□等還揭露說：「在盟市委幹部會議上有人揭發舒軍、李康搞智囊團，也提到我們學校的同志。智囊團是什麼？在北碚有什麼活動應該交代。」暗指先生就是舒軍、李康智囊團成員之一。劉□□揭發說：「羅隆基到重慶來時，曾經到西師來過，還召開過會，但我們沒參加，我還是前天才聽說的。究竟開了什麼座談會，指示了什麼，應該向大家談清楚。」

會議進行得十分激烈，最後，把矛頭直接指向《重慶日報》所報導的先生參與所謂重慶市民盟智囊團修改攻擊黨對知識分子政策報告的事情，並不顧事實地上綱上線，這使先生大為震驚，深感有口難辯。（《重慶日報》，1957 年 6 月 28 日第一版）先生由此獲罪矣。

六月二十八日，民盟西師支部繼續舉行盟員大會，對先生領導的支部委員會進行批判。

七月一日，《人民日報》發表毛澤東親自撰寫的社論〈《文匯報》的資產階級方向應當批判〉，指出：「民盟在百家爭鳴過程和整風過程中所起的作用特別惡劣。有組織、有計劃、有綱領、有路線，都是自外於人民的，是反共反社會主義的」；「整個春季，中國天空上突然黑雲亂翻，其源蓋出章羅同盟」。

於是，全國到處挖「章羅同盟」的「分店」、「軍師」、「謀士」、「代理人」和骨幹，打開了反右擴大化的缺口，民盟受害尤深。西南師範學院、重慶大學、西南農學院等院校盟組織，均受到極大衝擊。（《重慶民盟》，頁 70）

七月二日，《重慶日報》載，西師一教師「攻訐曹慕樊先生與李源澄先生朋比為奸」。（《吳宓日記續編》第三冊，頁 122）

下午，院長張永青在大禮堂向全院教職員工作「西南師院反擊右派分子運動」的動員報告。動員大家起來「必須與右派劃清界限，此乃一大階級鬥爭。彼右派有完全組織——民盟中之章羅同盟，其十條指示，李康、舒軍在西師已有人代為執行成功（即指先生等右派分子）。」並宣佈與全省大專院校同步，「停課兩周至七月十五日，對右派鬥爭。望師生員工積極投入戰鬥」，「每人必須表明立場」。指出：右派分子的出路有兩條，要麼「速即改邪歸正」，要麼「自取滅亡」，兩者自擇其一。（《吳宓日記續編》第三冊，頁 121－122）

七月三日，下午四點半，西師民盟繼續召開反右派鬥爭大會。批判會上，人們不顧事實地將先生與潘大逵、李康、舒軍的工作關係，誣衊說成先生「是民盟潘大逵右派集團在重慶的三條黑線之一的骨幹分子，是重慶市盟內右派集團智囊團的核心分子」；對先生因工作需要徵求中文系代理主任曹慕樊先生（當時已作右派分子批判了）關於該系主任人選意見的事情，說成他「企圖取消黨對高等學校的領導，篡奪西師領導權」；而對先生按照民盟省、市委的佈置在西師進行組織發展工作，也誣衊成了他是在「貫徹執行章、羅聯盟招兵買馬的大發展計畫」；而先生去年十二月二十四日在西師會議廳，主持歡迎民盟中央副主席羅隆基先生的民盟座談會，如今更成了無可辯白的鐵罪。更有甚者，有人趁機無中生有，肆行報復，惡意誣衊說先生「攻擊黨對知識分子的政策」，誣指先生說「從報紙上看，中國大局要有變化，黨委制將來可能取消，取消後，民主黨派就可以當家了」，以及「（黨委）已經手忙腳亂了，學生鬧盡他鬧，歪風只好聽他歪，鬧得越凶，收穫越大」等等，諸多查無實據之詞，猶如一盆盆的污水鋪天蓋地向先生身上潑來。真乃「欲加之罪何患無辭」！㉒

重慶市政協副主席、市民盟主任委員蕭華清參加了此次大會，並在大會結束時宣稱，李源澄等人之「罪甚重，勞動改造猶不足蔽其辜」。（《吳宓日記續編》第三冊，頁123）

七月四日，學校內已貼出了不少聲討、責難曹慕樊、羅容梓先生的大字報；而董時光已完全確定為右派分子，陳東原也已大體確定為右派分子。此時，先生心情十分沉重，他憂心忡忡地要其胞弟源委先生告訴老友吳宓先生，「戒其勿往見，為避嫌」。（《吳宓日記續編》第三冊，頁124）

七月七日，晚飯時，學校利用廣播批判西師民盟支部的李源澄、教育系的陳東原、中文系的曹慕樊等先生，斥責他們的反動言論、右派罪行。

七月十日，晚間，吳宓先生坐在院壩中與郭豫才、普施澤二位先生閒談許久，才知道此次劃作右派之章伯鈞、羅隆基以至四川省之潘大逵、重慶的舒軍、李康等，乃至本校的董時光、陳東原和先生等人的行事、書函、交際和談話，共產黨、國家、學校「當局皆早有諜報，全部洞悉」。發起反擊右派運動，為的是逼使他們「供認其罪狀，藉以考察各人的真實從違，由此加強全國人的階級觀點之思想改造和教育罷了」。吳宓先生還談及與先生、熊正倫先生之間的關係和此刻自己的心情。（《吳宓日記續編》第三冊，頁128）

很快《重慶日報》將先生列為「右派分子的骨幹」進行批判。（《李源澄檔案》，1957年8月1日〈傅平驤寫我所知的李源澄〉）

半個月來，不管先生如何辯白、檢討，均得不到諒解，相反，認為他是在敷衍、狡辯、未觸及本質，還張帖他的大字報、畫他的漫畫，污言穢語對先生給以人格上的侮辱。先生已成了西師「最大之罪人」，「以為渝中諸大專院校正言訕上

㉒ 《李源澄檔案》，1979年7月11日中共西南師範學院委員會關於李源澄「原劃右派的依據和查證核實情況」；《重慶日報》1957年7月4日第一版。

者，皆出君（先生）指揮」。（《吳宓日記續編》第三冊，頁 152、賴高翔〈李源澄傳〉，頁 1783）

「突然而來的『反右』風暴，徹底打破了李源澄先生辦好學校和研究史學這兩個美夢，一個學者，一個對新社會對新中國的前途抱著無限希望的學者，做夢也沒有想到這風暴竟會落在他頭上」；滿懷熱忱、忠心耿耿、任勞任怨地為學校工作的先生，竟然成了一名「右派分子的骨幹」！「他感到迷惑不解，他感到誠而見疑、忠而被謗的冤屈與悲哀」，㉓極度憤懣、屈辱，對於剛直的、對新政權抱著一顆赤誠之心的先生，這種精神的折磨和打擊實在太沉重！「冤苦痛酷，告訴無門」的先生，突然間，神經錯亂而癲狂了，他的精神徹底崩潰了！

先生「在被逼瘋後，曾坐於西師大校門石梯上痛哭怒吼：『張院長呀，我沒有反黨呀！』」見到其胞弟源委先生也怒斥之曰：「汝亦來打擊我乎？」，可見先生鬱結於心靈深處的冤屈之情。（李弘毅《論李源澄之死》手稿）

先生精神失常後，學校命源委先生護送先生就近到北溫泉休養，並陪伴他住了一星期。

七月二十二日，晚上，吳宓先生從中文系教授賴以莊先生那裏才得知先生已被逼得瘋疾，吳宓先生不禁感慨云：「嗚呼，經此一擊，全國之士，稍有才氣與節概者，或瘋或死，一網打盡矣！」（《吳宓日記續編》第三冊，頁 135）

本月下旬，先生盲腸炎病發，學校命其胞弟源委先生將他送往北碚街上重慶市第九人民醫院治療，但醫生檢查出先生血壓很高，未敢割治，只好送回家服藥緩解。

七月三十日，副院長謝立惠召開院長辦公會議，研究教輔人員工資問題。此時先生已無法再出席此會議了。（《綜合檔案》，檔號 1957・1）

八月六日，中共南充師專總支寄來傅平驤先生所寫揭發先生的材料，傅先生寫道：「從報上看見李源澄是右派分子的骨幹，本於除惡務盡之義，特將他的複雜而微妙的社會關係介紹出來，供審查他的歷史的參考」。傅先生與先生「從一九三五年在蘇州章太炎的講習會訂交，直到一九四九年，我們又在勉仁文學院共事，其間

㉓ 劉又辛：〈史林一株參天樹——記李源澄先生〉，頁 67。

交往有十多年的歷史」，現雖迫於反右鬥爭形勢，傅先生不得不將先生過去的師友、同事關係重述、批判一番，但他也不可否認先生的真實為人。他在文中說「說老實話，解放前的朋輩中，我最敬重的只有李源澄。解放後，我在綿竹辦中學，雖與李源澄音訊疏闊，但對他的印象還是不壞」。（《李源澄檔案》，1957 年 8 月 1 日〈傅平驤寫我所知的李源澄〉）

八月十日，吳宓先生在日記中記道：連日校內獲罪者益多，……宓細察此次定罪之徑路及範圍，要以全國各地章、羅之黨羽、民盟之活動為主；故在西師，以李源澄為中心首犯，象教育系的葉麐、外語系的熊正倫、中文系的劉又辛、曹慕樊、趙德勳以及歷史系的黎滌玄、趙彥青等，皆視為李源澄民盟活動（謀逆）的從犯。其他，除系主任報復私仇外，均未波及，……只批判其思想之錯誤而已。（《吳宓日記續編》第三冊，頁 148）

八月十六日，拂曉，吳宓先生夢見在本校某會中，先與姚院長閒談，接著看見先生隨諸首長進入會場，準備著檢討。見先生穿著工作服，面色灰黯若死，精神頹喪的樣子。醒後，吳宓先生「深覺其不祥」，因為「澄今為本校最大之罪人」。（《吳宓日記續編》第三冊，頁 152）

八月十九日，謝副院長召開院長辦公會議，該會討論反右派運動期間的諸多問題。其問題之一，就是調整「問題處理委員會」。因為原有的三十二個委員，下分六個組，「現在發現八名右派分子，一向不在學校」，「取掉右派以外」，決定補充 7 位，共計二十九人，……直接對謝副院長和院委會負責，處理鳴放中提出的問題。先生已不再是該委員會成員，更不能參加此會議了。（《綜合檔案》，檔號 1957・1）

八月二十六日，謝立惠副院長召開院長辦公會議，此次，先生的位置已換成了人事處長李一丁，從此，先生再也不能走進這個會議室履行他校務委員、副教務長的職責了。（《綜合檔案》，檔號 1957・1）

整個八月，先生一直受著精神病的折磨。據先生胞弟源委先生講述：先生常常一個人在家焚香，見人就叩頭；一會兒又喊人設筵宴招待客人，其實根本無一人來，其神志恍忽如此。有一次，先生獨自前往北溫泉去，其弟源委發現後立即報告學校，學校叫他騎自行車前往尋覓，卻未找著，才派吉普車偕同源委先生再去找。

不料，先生在其夫人陪同下已經慢步走了出來，經過勉仁中學時，因是山路，夫人牽著先生手，以防掉到崖下去。會合後，大家認為先生喜歡這林木掩映幽靜之處，便陪同到北溫泉的柏林樓，為先生租了一間房，可先生卻不肯入住，獨自在樓外徘徊笑歌，直到半夜兩點才將先生載回學校家中。

目睹先生的病情，學校準備派校車將他送往西南醫院精神病科診治，已與醫院商量妥貼，但先生堅持不肯前往，只好作罷。

隨著時間的推移，先生的精神病越來越嚴重了。他平日在校內獨來獨往，有時獨坐校門口，常常自言自語。有時見人也能認識，但特別容易動怒，甚至對胞弟也常常發怒，說源委到學校來工作對他不利。又常說「張院長沒良心」、「某某有叛黨之嫌，將獲罪，何足道？」一會兒又哀呼浙江大學女生王先謙、王某二人（二人是共產黨員，因被國民黨捕殺了），希望其重生。有一天，先生還獨自健步如飛地走出校門，到天生橋小茶館，一口氣吃了四碗面，經家人尋找到後才回來。（《吳宓日記續編》第三冊，頁 184）然而，在人人自危的形勢壓力下，誰也不敢去探視先生病情，甚至他的至親好友也不敢給他以開導與撫慰。

九月二十三日，晚，吳宓先生造訪孫培良先生。孫先生向吳宓先生談近日歷史系反右之內容，他說，先生「實一誠厚之人，並無大罪，僅以其所居職位，為以上諸民盟之人牽率而陷於罪戾，無法自白。黨內領導亦盡知，而弗能為之開脫；故近日劉又辛為大字報痛斥，而未有明文責澄者，職是故也」。（《吳宓日記續編》第三冊，頁 180）

此次反右鬥爭，民盟遭到了前所未有的打擊。重慶市盟員因此而被劃為右派分子的達一六五人，占當時盟員總數的百分之十九點二五。（《重慶民盟》，頁 70）

西師的反右鬥爭也嚴重擴大化。全院教職工和學生，先後被錯劃為「右派分子」共六一二人，占全院師生總人數的百分之十以上，誤傷了許多好人，嚴重影響了他們在社會主義事業中積極性的發揮，造成了嚴重的不幸後果。（《校史》，頁 116－117）

九月二十九日，上午，源委先生到吳宓先生處，特地向他詳細講述其兄源澄先生自七月中旬以來的精神病情況。源委先生憂心忡忡地說：先生患病期間，體力異於常人，承重力特大，步履也極健，食量極好，不料卻遭到教務長方敬的懷疑，誣說先生的病全是裝出來的，是想裝瘋狂以回避招供。因此，儘管自己是奉學校之命陪伴兄長，也遭到一些人的攻擊詆毀，以至近一個月的時間未敢前往探視，只能由家中的婦女來傳述情況才知道目前的病情，非常令人擔憂。吳宓先生聽後，深深地自責道：當初在一九五一年張宗芬（雪）在鎮反運動中被疑為「特務」而丈夫又被打為反革命而患瘋疾時，「宓猶能挺身而出，為求醫，治之愈，且護其兒，多方援助，不恤人言，不畏嫌疑。今於交久誼深之澄，宓乃不敢至其家一探視，亦不能延蔡醫（精神病專家）為之診治，足見今日法網之密、禁令之嚴，亦可見宓之衰老畏法，見義無勇，自視實毫無人格，有生如死者矣」。（《吳宓日記續編》第三冊，頁 184）

九月三十日，國家教育部發文（〔57〕教機字第 40 號）令全國各高校上報右派分子名單和數字。（《綜合檔案》，檔號 1957・33）

十月一日，上午國慶日集會遊行，吳宓先生請假未從往。十點以後，吳宓先生「欲往訪澄探病，復懼禍及，而止。」擬先見教務長方敬，再見王逐萍院長表達其意，請求「准宓往勸說澄，一以探其病之真情，一以速其悔罪輸誠云云」。然而終未敢成行。（《吳宓日記續編》第三冊，頁 185）

十月三日，先生唯一的親侄兒、端深（源委）先生的兒子出生，取名弘毅。可惜，先生已無法象正常人那樣享受這新生命降臨的喜悅了。（《李端深檔案》，「高校教師履歷表」）

十月十六日，晚，吳宓先生造訪了已定為右派分子的曹慕樊先生，商談是否可以去探視先生的問題。曹先生「認為宓可往訪澄。澄見宓必感慰，且得知外間情形，諸『右派分子』實況，其心可安，其氣得舒，病必隨之輕減」。惟有吳宓先生在向教務長方敬或王逐萍副院長「商談請命時，必須站穩立場，只說宓此行之目的，為⑴察知澄瘋病之真偽，⑵勸誘澄速交代一切，俾學校早日了結澄案云云」，才合符他們的要求。但是，此次商議最終仍未能成行。（《吳宓日記續編》第三冊，頁 187）

十月二十九日，西師向國家教育部報送了本院右派分子名單和數字（惜未見其具體人員姓名）。（《綜合檔案》，檔號 1957・33）

十一月七日，（發文〔57〕字第715號）封發往國家教育部、四川省教育廳、市委文教部、四川高教局備查的「西南師範學院院科級以上行政人員名冊」中，第二頁（第一頁是正副院長、人事處長）記載先生的本人成分是教師，級別仍是教授三級，職務仍是副教務長（無兼職），現屬黨派為民盟。（《綜合檔案》，檔號1957・36）

一九五八年（戊戌）　五十歲

一月七日，下午，學院召開院務委員會，會議由黨委書記孫泱副院長主持，主要討論⑴第一批勞動下放問題；⑵鞏固整改之成果；⑶籌慮對右派分子的處理，擬先定若干典型人物交院務委員們研究；⑷二年級學生人數太多的處理問題。

一月八日，晚飯時，先生胞弟源委先生來見吳宓先生，談關於先生的病情，並特別說到目今先生的頭髮已大多白了。吳宓先生決計致信蔡醫生約他會晤，以便詳細敘說先生在醫院的病況。（《吳宓日記續編》第三冊，頁 225）但不知何故，仍未成行。

及至本月，全國的反右派鬥爭基本結束，各民主黨派按照中共中央的要求制定了《各民主黨派中央關於處理黨派內部右派分子的若干原則規定》，開始對本黨派中央機構和地方組織中的「右派分子」作出組織處分。

一月二十九日，國務院第九十六次全體會議通過了《關於在國家薪給人員和高等學校學生中的右派分子處理原則的規定》，並於本月三十日將其發給全國各地黨政機關執行。文件把「國家薪給人員」中的右派分子根據情節輕重和認罪態度劃為六類處理辦法。具體規定如下：

（甲）國家各機關單位中的右派分子：

第1類，情節嚴重，態度惡劣的，實行勞動教養，態度特別壞的，還要開除公職；

第2類，態度好或情節不十分嚴重的，撤職送農村或農場監督勞動，生活上酌予補助；

第3類，情況與前兩種相似，但本人學術、技術上有專長，工作需要的，或年老體弱不能勞動的，撤銷原職，留用察看，並降低待遇；

第4類，情節較輕、態度較好，或在社會上有相當影響需要給予照顧的，撤銷原職，分配待遇較低的工作；

第 5 類，情節較輕、態度好，或在社會有較大影響，或學術、技術上有較高成就的，實行降職降級降薪，原兼職過多者，應撤銷其一部分或大部分職務；

第 6 類，情節輕微、態度好的，免於處分。㉔

一月三十一日，學校依據上述中共中央、國務院「對右派分子處理原則的規定」，對本校第一批「右派」教職工進行了處理。據學校人事處所記錄的西南師範學院受處分教師的「登記名單」（鋼筆用藍色墨水記錄於「西南師範學院稿箋紙」上）看，第一批處理的「右派分子」共計四十二人，按國務院檔分為六類。先生被列為第三類，撤銷原有職務，留用察看，由教授三級降為八級。（《綜合檔案》，檔號 1958・44）

二月三日，學院第一批下放勞動鍛煉的教職工一二四人。先生胞弟源委先生也在其下放勞動鍛煉之列。

二月十五日，吳宓先生在拂曉時，夢見先生「面容肥圓而紅潤，修飾整潔，已留須，發光可鑒物，自言『思想已改進，一切今皆明白』云云。」吳宓先生懷疑此夢不祥。（《吳宓日記續編》第三冊，頁 244）確實，此時的先生病情已越來越嚴重，已被學校送往歌樂山市立精神病院了。

二月十七日，源委先生將梁漱溟先生從北京致先生的信交給吳宓先生看，說梁先生很關心先生的病情。（《吳宓日記續編》第三冊，頁 245）

三月，學校派人將先生由歌樂山市立精神病院召回，準備作處理。經過前段時間的治療，此時先生「已甚清醒，曾函上張院長認罪，並願改造，勉作歷史教師。在家掃地，勞動，讀史書及新教本」。（《吳宓日記續編》第三冊，頁 281）先生似乎「看清」世事，準備徹底退隱，重新潛心研究自己所鍾愛的史學。

四月以來，先生一直在家中撰寫「檢討書」，認真而詳細地回顧了自己從少年時代開始，約半個世紀以來的生活、讀書、尋師、訪友、學術研究、任教等經歷。

四月二十一日，這一天，學校黨委當面向先生宣讀其「右派處分決定」。「決

㉔ 何東昌主編：《中華人民共和國重要教育文獻 1949－1997》（上）（海口：海南出版社 1989 年版），頁 794－795。

定」中指出先生的右派言論與罪狀：⑴是民盟潘大逵右派集團在重慶的三條黑線之一的骨幹分子，重慶市盟內右派集團智囊團的核心分子；⑵整風期間貫徹執行章、羅聯盟招兵買馬的大發展計畫；⑶企圖取消黨對高等學校的領導，篡奪西師領導權；⑷攻擊黨對知識分子的政策；⑸鳴放期間，散佈說「高等學校幾年來的過程是這樣的：開始是『學生專政』，繼之是『秘書專政』，現在是『黨支部書記專政』。」「人民日報社論《這是為什麼？》發表後說：『人民日報社論有礙鳴放』，『反右鬥爭是黨中央受不了批評。』」並為右派勢力「打招呼，策劃退卻」等等，並向先生正式宣判劃為右派，「撤銷一切職務和政治安排，實行留用察看，並降低原有待遇（由教授三級降為學校行政十二級）」的處分決定。㉕

現實竟是如此殘酷！突如其來的宣判，猶如晴天霹靂！這是天真而古道熱腸的先生萬萬沒有想到，也是萬萬不能接受的，它使對上級、對今後的選擇還抱有一線希望的先生徹底崩潰、徹底絕望了。秉性剛直的先生無論如何再也承受不起這致命的一擊，本來就虛弱的身體，一下多種疾病相繼復發，情狀急轉直下。先生的「檢討書」也再無法繼續寫下去了。

四月三十日，下午，西師大禮堂聽姚大非副院長作本年五一節「國內外形勢及社會主義建設」的講話，吳宓先生與教育系葉麐先生同座，葉先生給吳宓先生看熊十力先生的書函。此時，吳宓先生才聞說先生已經回校，傳說「其罪則甚重」。（《吳宓日記續編》第三冊，頁 278）

五月二日，先生「忽云不適。先請市中某中醫」，服藥後未見起色，且病情急劇惡化；其胞弟源委先生「因畏威又許久不敢往見其兄」，先生夫人周觀澄女士又是沒文化之家庭婦女，兩女又且年幼。精神上極端孤獨而痛苦無援的先生，此刻早已斷了求生之念，但求速死。

五月三日，家人扶先生到本校衛生科就診，校醫見狀，立即用校車將他送至北碚街上的重慶市第九人民醫院，經醫生檢查，診斷為「肝臟僵縮（已小如拳）之症」，並且說其病發生已久，歌樂山精神病院只管治療精神病，未對先生作全面檢

㉕《李源澄檔案》，1979 年 7 月 11 日中共西南師範學院委員會〈李源澄同志被錯劃為右派的改正結論〉。

查，是以致延誤，今只有十分之一的生存希望了。（《吳宓日記續編》第三冊，頁281）

五月四日，下午二時二十五分，先生在家中含恨離世，是時還差兩月才滿四十九歲。病逝時，先生「全身虛黃，口中流出血甚多，污染衣被」。先生臨終時，只有長女知勉一人在身邊，先生最後的遺言就是要「知勉往見吳伯伯（宓）陳述一切」。先生去世以後，學校才將下放農村勞動的源委先生從鄉間召回，給了治喪費一百元，並派兩名校工幫助料理喪葬之事。此時，已經兩個月未給右派分子發薪了。（《吳宓日記續編》第三冊，頁281）

五月五日，上午，先生胞弟源委先生至北碚街上花六十元買來一具未漆縫口的棺材（現因無漆棺材縫口的漆工），簡簡單單地將先生遺體棺殮，隨即葬於陳家山上北碚區公墓，喪事辦完還剩下六七元，便立即交還了學校。

傍晚六時，吳宓先生參加歷史系整風學習會歸舍，看見源委先生與妻熊家碧女士在舍坐候。見吳宓先生歸來，兩人流著眼淚陳述了兄長源澄先生病歿的情形。源委先生述時悲淚不止，「蓋雖畏威久不敢往見其兄，性本長厚人也」。（《吳宓日記續編》第三冊，頁282）

吳宓先生得此噩耗，悲憤無比，且十分自責：「自反右迄今，宓未敢一訪澄，亦未通音問，澄遺命知勉謁宓，是知宓者。」當即告訴源委先生：「今後決每月以人民幣十元交付委收，為知勉學膳費。」「又與委約，農假日，委來此，導宓上山祭澄墓」。聽說先生「家尚存百餘元，及書籍不少」，源委先生打算將書籍移置吳先生住處，「徐圖出售」，吳宓先生立即答應幫忙。吳宓先生還考慮到「澄妻年五十五，鄉愚無識，與次女知方不願回籍」，便教源委夫婦前往勸說其妻，「決即在北碚近鄉安家落戶，永為此地農民，可由學校介紹前往。若一時學習為農未成，所得不足自活，則暫由弟與友津貼補足」。（《吳宓日記續編》第三冊，頁283）

晚上，吳宓先生的男僕開桂從先生夫人處帶回一幀先生於一九五七年五月照的遺像，交吳宓先生保存。（《吳宓日記續編》第三冊，頁541）

連日來，吳宓先生心境難平，他在日記中對先生之死寫下了很長的一段感想：

「竊念澄之為學，素為宓所欽佩。惟有才而不能下人，喜獨樹一幟。故抗戰以來，歷各大學（浙大、川大、雲南），參加或自辦書院（民族文化、靈岩、五華、勉仁），犧牲個人之薪金地位，辛苦自營，不可不謂有志之士、特立而獨行者。解放後，得為西師副教務長，並援引勉仁諸同事先後至西師安居授課，亦極能熱心助友者。惟其人『才太高，跡太近』，與本院王院長過從甚密，而與方教務長爭權。宓早嫌其仕進之心太熱，有為之念太重，但亦喜其在校能主張正學，扶植善類。不圖澄仍以報效共產黨、報效人民中國之誠心忠悃，銳志厲進，攬權怙位，多所主張，多所布劃，多所接納，正與其在勉仁之心與跡同。然在勉仁不慊於漱溟先生之重用門弟子，吾儕尚可以蘇軾《賈誼論》規之；（宓未進此言），而在今共產黨治下，則有如清初之貳臣，如陳之遴等，小則獲罪遣戍，大則成吳三桂及耿精忠等，叛起而終於滅族。蓋皆以柳下惠『治亦進，亂亦進』之心與行，自不免於受禍。宓固早憂之，而以年來跡較疏，亦未能戒之也。及右派鳴放事起，澄遂被牽系，徒以身為西師民盟主任委員，不能自明，諸罪所歸，謂為陰謀欲篡奪西師而自為院長云云。群議如此，竊意院長、黨委未必信之。故始終未在校內公開『鬥爭』澄。而據六日晨普君告宓，聞耿振華言，學校黨委原擬處罰澄甚輕，云云。惜澄之遽死也！雖然，澄剛性人，過剛則折，歷屆運動中，其受屈而自殺者，如席朝傑等，無一非剛直之人。儒佛之學，未能使澄外榮辱而小天地，身與境俱空，而更以忠心為共黨之故，有屈原、賈生之痛，宜其以怨憤鬱怒傷肝而死也。嗚呼傷哉！顧以澄之性情，處今之境，早死實澄之福，況『五十之年』，與王靜安先生自沉之壽五十一歲略等，亦可無所惜矣。」（《吳宓日記續編》第三冊，頁 282－283）其時，吳宓先生還不知道先生之速死的真正直接原因。

事後，先生的莫逆之友賴高翔先生也不無感慨地說：「君（先生）勇於任事，信直敢言，深為忌者所嫉惡」。「君（先生）本懷濟世之志，時時欲有所為。予嘗諷以徐儒子所言，以為大廈將傾，非一木所能持，何為棲棲不遑寧處。君怫然謂此乃玩世不恭，非聖賢憂世饑溺之意」，對先生之罹罪致死深感遺憾。又自責云：「嗟夫！使予徇君往教，休戚是同，當不可為之時，說之以文明柔順之道，濡溺謙下之旨，雖未必遽戢君邁往之心，免其亢龍之悔，而相從患難，洵濡相資，亦庶幾散其郁陶，箴其尤怨，以期剝極之復。」然悔之晚矣！（賴高翔〈李源澄傳〉，頁 1784）

五月十八日，先生長女知勉含淚來見吳宓先生，說「今日侍母移家至自由村，校給一室，與委、璧夫婦同住」。吳宓先生也告訴知勉：「上午重慶古舊書店彭時雍來，翻看澄遺書，擇定其所要者，開示肯給價目（約共得三百五十至四百元之間）單存，宓答以須問澄夫人作主，俟後復」，並「命知勉稟母及叔」。（《吳宓日記續編》第三冊，頁 292）

五月十九日，上午，西師召開全院教師繼續「交心」，批判資產階級個人主義大會。會議休息時，吳宓先生與方敬先生商量先生所遺圖書的售款納稅問題，黨委書記孫泱指示方敬先生，應納稅。與此同時，彭時雍再次來吳宓先生家，重新檢閱先生所遺圖書，「所取者更少，而以大部之書有缺一冊者，給價更比昨少，總計只得一百一十元」。中午，吳宓先生回宿舍得知此事後，為慎重起見，於傍晚散會時，以「彭二次給價之書目」托人帶交圖書館鄭祖慰先生代為審查。（《吳宓日記續編》第三冊，頁 293）從此，吳宓先生履行諾言，一直堅持負責幫助源委先生代售先生所遺圖書。

五月二十六日，晚，歷史系世界史教研室繼續召開「向黨交心」小組會，會上，同事就吳宓先生與右派分子李源澄的關係，責問他的立場、感情，曰：「澄之死，由於澄不肯放下右派包袱，不早認罪以求自脫，而宓猶為之惜也——如其臨終命知勉謁宓云云，宓所感如何？」吳宓先生毫不諱言地回答：「宓覺澄能知我，知我至少是一舊式無原則之好人，勉來謁宓必能助之，他人未必能助也。」（《吳宓日記續編》第三冊，頁 309）事實上，自先生病逝，吳宓先生便堅守諾言，長期負擔先生長女李知勉的生活費，直至她走上工作崗位、結婚、生子，一直未間斷過。

七月十九日，先生長女知勉來告訴吳宓先生，先生遺孀周觀成女士「勢將回籍」。（《吳宓日記續編》第三冊，頁 418）

十月十九日，先生遺孀周觀成女士準備為先生立墓碑。（《吳宓日記續編》第三冊，頁 500）

十二月十八日，傍晚，李儒門來購去先生所遺木刻本《西藏民族政教史》（共二冊），面付書值一元，吳宓先生立即命開桂送交先生夫人收，並表示「澄夫人回鄉後，宓願負責供給李知勉之全部費用」。（《吳宓日記續編》第三冊，頁 541）

十二月二十一日，先生長女知勉「以附中師生指其為『右派分子之女』時加譏辱，欲效某某同學私走蘭州，改入技術學校」，吳宓先生不同意此行，竭力勸阻。

「知勉又欲此寒假即往遼寧鞍鋼其姑處，轉學」。此時先生之妹李培華與其丈夫王自杭均已從部隊轉業在鞍鋼工作。吳宓先生以其姑家子女多，知勉已初中三年級了，轉學之事一定要慎重，並「命其先稟姑商定各事，尤其轉學，已允收乃去」。還告訴知勉，「至到姑處後，宓年助學費若干，也應函商議定」才行。吳宓先生還批評知勉「怕鬼，不敢上其父澄墳山」，是幼稚行為。（《吳宓日記續編》第三冊，頁 543－544）

是年，先生堂弟李源善獲悉先生病逝噩耗後，曾來電報招先生遺孀周觀澄女士回鄉居住，但因各種原因未成行。

一九五九年（己亥）

四月四日，全國政協委員梁漱溟先生隨視察小組來到了重慶北碚。在正式視察活動開始之前，他來西師尋訪原在勉仁文學院的親朋好友，並在侄女婿黎滌玄先生家約見了吳宓先生。吳宓先生詳細為他講述了「（源）澄獲罪右派及病歿情事」。此時，先生已去世一年，未能見面，梁先生感到十分遺憾與傷感。（《西南大學記憶》2009 年第 1 期，頁 54）

七月五日，早飯後，先生長女知勉來到吳伯伯家，吳宓先生仍勸她報考普通高中。（《吳宓日記續編》第四冊，頁 121）

七月二十五日，晨，先生長女知勉來告訴吳宓先生已經填寫了「升學志願表」，第一志願填的是普通高中，第二志願是幼兒師範，共填了三個學校。吳宓先生認為讀普通高中一定要首選附中。知勉走後，吳宓先生不放心，早飯後便約附中語文教師兼教研室主任鍾博約先生來舍，因為鍾先生是原勉仁文學院的教員，是先生好友，因此兩位老友共同認真討論起先生的「病歿及知勉讀書問題」。鍾先生非常贊成吳宓先生對先生之事的看法；但對知勉升學一事則認為，「因今各中學當局，實重階級政治，極力勸告工農子女投考普通高中，知勉為『右派分子』之女，若堅持上進，恐遭歧視而有不利，故宜填報幼稚師範，聽候指派為是」。同時建議「澄夫人早應回鄉入公社勞動，若逗留此間，人將責疑我輩以供給知勉讀書之資，兼為右派家屬不勞而食之用，實屬不合」。「聞澄夫人現參加某種手工合作組」，鍾先生還前往調查，說「若確已勞動而有收入，則止。否則仍應由知勉勸諫其母還鄉」；並出主意說「今後應由諸友組織一委員會，訂立公約，監護知勉，凡宓及他人所賜給知勉之費用，及澄書畫出售所得之款，並存入銀行，立專折，知勉隨時支取，而由該委員會審核其出入，俾澄夫人不得挪用，云云」。吳宓先生也很贊成鍾先生的意見。（《吳宓日記續編》第四冊，頁 134－135）

九月十九日，中共中央下發〈關於摘掉確實悔改的右派分子的帽子的指示〉，於是各單位開始分批摘掉一些「右派分子」的帽子。

十月十九日，吳宓先生給先生胞妹培華女士回信，考慮到先生夫人的地主成分、右派家屬身分和身體健康狀況，勸培華「不必接澄夫人至鞍山家中充任保姆即女僕，但當多寫信教導澄夫人其寡嫂及知勉」。（《吳宓日記續編》第四冊，頁 199－200）

是年秋季，先生長女知勉順利考入重慶市電力技術工人學校，被分在三十二班。該校位於重慶市九龍坡區的黃桷坪。

一九六一年（辛丑）

七月二十一日，上午，吳宓先生將先生所遺之「大木箱中之書籍、函件、字畫、古玩（硯、壺、墨水匣等）一一分類編置，陳列於內室之空床上，以備展覽」，直至傍晚才結束，希望能幫助先生夫人將這些遺物順利賣掉，以接濟其生活。又將「騰出之空木箱於二十二日夕由開桂與溫業彬（學生）抬往自由村交付澄夫人收，由其自售出」。並將先生遺書中自著的《秦漢史》和《經學通論》二部中之一部「代贈（鄭祖）慰存讀」。吳宓先生因此得以讀到先生打成右派後，「自撰作而未完之檢討書，乃得悉澄少年之生活及讀書、尋師、著作、訪友、任教之詳細經歷」。（《吳宓日記續編》第五冊，頁 120）

八月十七日，晚上，吳宓先生在宿舍與開桂將先生所遺「書畫、古玩、文稿、信函等，分類用紙整包，或分入木箱中」保存。（《吳宓日記續編》第五冊，頁 140）

八月十八日，大約上午十一點鐘，吳宓先生將先生「所遺文件有關副教務長職務者一包，親送至教務處收存，備（方）敬檢閱，分別收歸公檔或銷毀」。（《吳宓日記續編》第五冊，頁 140）

八月十九日，晚飯後，吳宓先生親自將先生當年保存的「民盟文件一包與耿振華」。（《吳宓日記續編》第五冊，頁 142）

九月二十九日，下午，學院「召開『右派分子』會議，宣佈葉麐、熊正倫、羅容梓三教授及學生七十余人『摘去右派帽子』之名單」。吳宓先生感歎云：「存者幸得釋，而歿者長已矣！」暗為先生歎惋、不平。（《吳宓日記續編》第五冊，頁195）

十月，中共西師院黨委為去世的先生摘掉了「右派分子帽子」。[26]

一九六二年（壬寅）

八月十九日，早上，先生夫人周觀澄女士來告訴吳宓先生，她必須趕八月底回到犍為縣的家鄉，現正在售賣粗重之物以還債。吳宓先生告訴她「回鄉全數旅費，當由宓籌給，似乘輪舟行較便，並告以昨晚宓對端深所談」。（《吳宓日記續編》第五冊，頁403）

十月四日，上午，圖書館孫述萬館長來吳宓先生住處商談圖書館事，孫館長「力勸（吳宓先生）勿談及右派分子李源澄及淩道新之功績與才學，以免自招禍患」。（《吳宓日記續編》第五冊，頁437）

是年，先生夫人周觀澄女士回抵本籍犍為後，不久便在家鄉貧病交加而逝。（《吳宓日記續編》第十冊，頁238）

一九六七年（丁未）

六月，在西師校內發生了嚴重的「六五－六八」武鬥事件。（《校史》，頁170）

六月五日，下午三－六點，吳宓先生開「始整理（亦同分別存毀）李源澄所遺函件、文稿地上一大包」。（《吳宓日記續編》第八冊，頁147）

六月六日，下午二－九時，吳宓先生繼續整理先生「所遺之書函（來信）完：其中有⑴章太炎論學之親筆書函四封，羅庸論學、論道之書函數封，實不忍焚棄，乃另編存，將以交付曹慕樊保藏（已於六月二十二日交付訖焉）；⑵蒙文通論史函數封，亦認為可貴，故編存之，將以寄還蒙君云」。（《吳宓日記續編》第八冊，頁148－149）

---

[26] 《李源澄檔案》，1979 年 7 月 11 日中共西南師範學院委員會〈李源澄同志被錯劃為右派的改正結論〉。

一九六八年（戊申）

五月二十一日，上午吳宓先生在芝芳、汝嫻的扶掖陪同下登上陳家山為其亡妻掃墓。「及抵蘭墓舊地，尋墓與碑皆不見，蓋在文化大革命中（1966 秋冬）已被掘毀、砸碎矣！」再細觀附近各塚墓，發現「西南師院之李源澄君」的墓及碑並皆不存，「不勝悲傷」。（《吳宓日記續編》第八冊，頁 454）

一九七八年（戊午）

九月十七日，中央批轉中央五部門《貫徹中央〈關於全部摘掉右派分子帽子的決定〉的實施方案》（中發〔1978〕55 號），指出：「對於過去錯劃了的人，要做好改正工作。有反必肅，有錯必糾，這是我黨的一貫方針。已經發現劃錯了的，儘管事隔多年，也應予以改正。」改正錯劃右派工作由此得以在全國迅速推開。

一九七九年（己未）

春季，西師院黨委根據黨中央的指示精神，成立了「落實政策辦公室」，採取一系列措施，按照中央的指示和政策規定，開展了撥亂反正、平反冤假錯案的工作。（《校史》，頁 192）

三月，西師的各民主黨派先後恢復了活動。

七月十一日，中共西南師範學院委員會上報重慶市委「關於〈李源澄同志被錯劃為右派的改正結論〉」，其全文如下：

李源澄，男，一九〇九年七月生，四川犍為縣人，家庭出生地主，本人成分教師，原西南師範學院副教務長，民盟西師支部主任員委、重慶市政協委員，一九五八年四月二十一日被劃為右派，受「撤銷一切職務和政治安排，實行留用察看，並降低原有待遇（由教授三級降為學校行政十二級）」的處分。一九五八年五月病逝。一九六一年十一月摘掉右派分子帽子。

一、原劃右派的依據和查證核實情況。

1.關於「李是民盟盟潘大逵右派集團在重慶的三條黑線之一的骨幹分子，重慶市盟內右派集團智囊團的核心分子」問題。經查證：李源澄作為民盟西師支部主委，與省盟負責人潘大逵有過工作關係；與市盟負責人舒軍、李康聯繫較多。舒、李對李源澄十分器重，認為他有才，懂政治，有事常找他一起研究。鳴放中，李源澄對舒軍、李康取消黨委制等也是不同意的，因而不能把李源澄視為右派集團的骨幹分子和核心分子。實際上在重慶民盟內部並不存在智囊團這樣一個組織。

2.關於貫徹執行章、羅聯盟招兵買馬的大發展計畫問題。經查證：關於民盟在西師發展組織問題，李源澄是按照民盟省、市委的佈置進行的，屬於盟內正常工作，不應視為右派活動。

3.關於「企圖取消黨對高等學校的領導，篡奪西師領導權」問題。經查證：李在一九五七年五月院黨委召開的民主黨派負責人座談會上的發言，沒有原則錯誤，不應結論為企圖取消黨對高等學校的領導。五七年春，李曾向當時代理中文系主任的曹慕樊同志徵求過關於該系主任人選的意見。屬於正常工作，不應視為篡奪西師領導權問題。至於李對曹說的一些話，是外語系根據（趙××）一人揭發整理的，現查無實據，應予否定。

4.關於「攻擊黨對知識分子的政策」問題。經查證：李在五七年座談會上說「知識分子是很愛國的，對於德才兼備的幹部政策是擁護的。當然也有脫離政治的傾向，但是這個矛盾不是不可克服的。」還說：「今天大家對人事方面的意見最多，不是反對德才並重，而是反對重德輕才。才不稱職，能夠把工作搞好麼？」他又說：「今天教師感到信任不夠，系主任感到有職無權，這是什麼原故？這是從黨委到黨支部犯不結合教學來空談政治的毛病，所以動機和效果恰恰相反。」還說：「最近毛主席的談知識分子的問題，不分黨內外，這種提法給知識分子最大的鼓舞，我們知識分子一定聞風而起，不負毛主席的教導。我看要發揮知識分子作用，必須把知識分子的地位擺端正，一點宗派主義都來不得。」據查，李康揭發稱：「李認為高等學校幾年來的過程是這樣的：開始是『學生專政』，繼之是『秘書專政』，現在是『黨支部書記專政』。」這種看法是錯誤的。綜上發言，是給黨提的關於知識分子問題的意見，雖有認識上的片面性，但不是右派言論。」

5.關於「人民日報社論《這是為什麼？》發表後說：『人民日報社論有礙鳴放』，『反右鬥爭是黨中央受不了批評。』」並為右派勢力「打招呼，策劃退卻」問題。經查證：李在人民日報社論發表後，私下認為有礙鳴放，黨中央受不了批評，屬於認識片面，不是攻擊性言論。社論出來後，西師民盟支部曾決定不要盟員教師同學生混在一起鳴放，以免吃虧。李曾向陳東原（右派已改正）講過，屬於民盟內部事務等等，不屬於右派活動。

二、復查意見。

李源澄同志在鳴放期間說過一些錯話，但還不是右派言論，根據中共中央【1978】55 號檔精神和一九五七年中央劃分右派分子的標準，李源澄同志在一九五七年鳴放中的言行，不是從根本上反對黨的領導或社會主義制度，屬於錯劃右派，應予改正，撤銷原處分，恢復政治名譽。其家屬與子女檔案中的有關材料應予銷毀。

中共西南師範學院委員會（蓋章）

一九七九年七月十一日

八月七日，中共西師院委員會將上報重慶市委關於〈李源澄同志被錯劃為右派的改正結論〉的文件當面讓先生的長女李知勉親自過目並簽字。（《李源澄檔案》）

八月二十五日，中共西師黨委上報重慶市委的〈李源澄同志被錯劃為右派的改正結論〉獲得了批准。其中共重慶市文教衛生辦公室黨組檔（市文黨摘【1979】083 號）「關於李源澄同志被錯劃為右派的改正結論的批復」全文如下：

中共西南師範學院委員會：

你們於一九七九年七月十一日報來關於李源澄同志被錯劃為右派的改正結論，經我們討論認為，李源澄同志在一九五七年鳴放中說過一些錯話，但還不是右派言論，原劃右派屬於錯劃，應予改正，撤銷原處分，恢復政治名譽。其家屬子女檔案中涉及問題的材料，應予銷毀。

中共重慶市文教衛生辦公室黨組

一九七九年八月二十五日

先生的冤案終於得以平反昭雪。然而，先生已辭世整整二十一年了。（《李源澄檔案》）

一九八六年（丙寅）

四月五日，清明節，原來深為「浚公（先生）之歿，臨穴無由」的曹慕樊先生，如今獲得「右派」平反後，終於可以理直氣壯地去為先生掃墓了。歷經各次運動，先生之墓無人敢祭掃。此刻曹先生「往尋其墓，時荒煙蔓草，亂塚縱橫。莫知埋骨處，吞聲而返」。只好用詩來表達對先生的無限懷念：

不謂中郎沒，盲詞唱尚多。遺書難汗簡，傾淚欲成河。
嬌女啼應數，孀妻老見訶。不須披宿草，駿骨已消磨！

又悼浚公

徒有清如水，空嗟直似繩。運斤人已去，彈鋏客何能！
熱腹承嚴譴，寬腸置物嗔。途窮非所痛，頭白負中興。㉗

西師自一九七九年初成立「落實政策辦公室」以來，對學院一九五七年反右派鬥爭劃「右派」的六一二人；一九五八年拔「白旗」、一九五九年至一九六〇年反右傾、一九六二年反擊翻案風，受到批判和處分的一九二人；一九六五年「四清」運動中受到組織處分的七十五人；「文革」中立案審查的三〇一人和建國以來因歷史或現實問題受到處理的歷史老案四十五件，都一一進行了復查。截至一九八六年底，對屬於落實政策範圍的一二二〇件案件，已全部復查結案。（《校史》，頁192）

二〇〇〇年（庚辰）

九月，西南師範大學慶祝建校五十周年，出版了一部紀念文集《縉雲山下一支歌》，先生被列入「名師風采」一欄，紀念文章由他當年的盟友劉又辛先生親自撰寫，文名《史林一株參天樹》。文中，劉先生盛讚源澄先生的學問、人品「頗為當時人所稱許，當時名流如梁漱溟、吳宓、熊十力、錢穆、顧頡剛諸先生，都對他有較高的期許」，並以先生遺著《秦漢史》中對秦始皇的評述為例，對先生的學術成就給予了很高的評價，說「他在研究中國歷史的過程中，對於上古歷史的一些關鍵性問題和重要歷史人物的觀點和評價，有不少極為精闢的獨特見解，至今讀來，仍不禁令人拍案叫絕」，稱道先生是一位真正具備「史識」與「史德（著書者之心術）」二者相結合的史學家；先生「不僅是個史學家、學者，而且是個很有見識的教育家」。（《縉雲山下一支歌》，頁64－67）

㉗ 重慶詩詞學會主辦《重慶詩詞》第二輯，1993年12月重慶嘉陵印刷廠印，頁9。

十月，西南師範大學出版社又出版了一部《西南師範大學教授名錄》，先生名列其中。《名錄》中介紹了先生的求學、辦學、教學、科研、行政工作諸簡歷，以及主講課程、出版著作等；介紹先生「從 1950 年八月起，任西南師範學院教授，曾任史地系主任、副教務長、民盟西南師範學院支部主委，重慶市政協委員」。㉘

二〇〇九年（己丑）

西南大學檔案館、校史研究室主辦的《西南大學記憶》2009 年第 1 期出版，先生與吳宓先生一併列入刊中的《西南大學二十世紀五、六十年代知名教授名錄》。（頁 34－35）

主要參考資料

(1) 李源澄《幹部檔案》正本，編號 SW0709－072　西南大學檔案館

(2) 西南大學《綜合檔案》　西南大學檔案館

(3) 《李端深個人檔案》，編號：SW0709－078　袋內代號：38，編號：7843　西南大學檔案館

(4) 民國三十五年重修《李氏家譜》手稿　稿存四川省犍為縣河東觀音鄉鍾家村李氏宗祠

(5) 《西南師範大學校史》　《西南師範大學校史》編修組編　西南師範大學出版社 2000 年 10 月第一版

(6) 《重慶民盟》　《重慶統戰政協文史資料叢書》編委會編　重慶出版社 2002 年 5 月第一版第 1 次印刷

(7) 《重慶政協》　《重慶統戰政協文史資料叢書》編委會編　重慶出版社 2001 年 6 月第一版第 1 次印刷

(8) 《重慶統一戰線》　《重慶統戰政協文史資料叢書》編委會編　重慶出版社 2002 年 9 月第一版第 1 次印刷

(9) 《風雨同行——民主黨派在北碚的發展歷程》　《風雨同行》編委會編　西師教材印刷廠 2003 年 12 月 28 日印（內部發行）

(10) 梁漱溟學術研究會《會刊》（第三期）　重慶市北碚梁漱溟研究會編　1997 年 10 月（民間重印）

(11) 《西南師範大學教授名錄》　《西南師範大學教授名錄》編寫組編　西南師範大學出版

㉘ 《西南師範大學教授名錄》（重慶：西南師範大學出版社，2000 年 10 月第一版），頁 108。

社 2000 年 10 月第一版

(12)《西南師範學院院刊》　重慶北碚西南師範學院院刊室出版

(13)《縉雲山下一支歌》（第一輯）　《縉雲山下一支歌》編委會編　西南師範大學出版社 2000 年 9 月第一版

(14)《西南大學記憶》2009 年第 1 期　西南大學檔案館、校史研究室主辦（自印）

(15)《重慶詩詞》（第二輯）　重慶詩詞學會主辦　1993 年 12 月重慶嘉陵印刷廠印

(16)《重慶日報》　1957 年 6 月

(17)《中國共產黨歷史》第二卷，上、下冊　中共中央黨史研究室著　中共黨史出版社 2011 年 1 月重慶第 1 次印刷

(18)《建國以來毛澤東文稿》第六冊　中共中央文獻研究室編　中央文獻出版社 1992 年第一版

(19)《中華人民共和國重要教育文獻 1949－1997》（上）　何東昌主編　海南出版社 1989 年第一版

(20)《吳宓日記續編》（共十冊）　生活・讀書・新知三聯書店出版 2006 年 3 月第一版

(21)《梁漱溟先生年譜》　李淵庭、閻秉華編著　廣西師範大學出版社 2003 年 7 月第一版

(22)《梁漱溟的最後 39 年》　劉克敵著　中國文史出版社 2005 年 4 月第一版

(23)《梁漱溟傳》　鄭大華著　人民出版社 2001 年 1 月第一版

(24)《犍為縣誌》　四川人民出版社 1991 年第一版

(25)《李源澄先生學術年譜簡編》　王川編著　林慶彰、蔣秋華主編，黃智明、袁明嶸編輯《李源澄著作集》　（四）附錄：《李源澄研究資料彙編》一・傳記資料，頁 1823－1945　臺北市：中研院文哲所，2008 年 11 月初版

經　學　研　究　論　叢
第　二　十　輯　　頁309～312
臺灣學生書局　2012 年 12 月

培養國學的讀書種子
——武漢大學國學院簡介

孫勁松*

「國學」作為一個現代高等教育學科，形成與二十世紀二〇－三〇年代。當時北京大學的國學門、清華大學的國學研究院、燕京大學的國學研究所及無錫國專等紛紛成立。之後，由於中國傳統學術在「文史哲藝」諸學科分別發展，整體性的國學研究勢力漸微。二十世紀九〇年代以來，現代學術呈現出明顯的交叉、融合趨勢，本來就強調義理、經世、考據、辭章並重，文史哲藝融通的「國學」研究與教學出現了新的熱潮。中華民族在政治、經濟等方面的崛起，也使社會各界對傳統文化由漠視轉向推崇，這也為新一輪國學學科的復興創造了較好的外部環境。武漢大學自二〇〇一年起在中國大陸率先創辦國學本科試驗班；二〇〇五年開始，國學掛靠相關學科招收碩士生；二〇〇七年，正式掛靠哲學一級學科設立國內首個國學博士點與碩士點，並報國務院學位辦備案批准。在十年人才培養與學科建設的基礎上，武漢大學於二〇一〇年三月正式成立了國學院。武漢大學國學院與其他國學院最大的不同是，該院同仁以悉心培養國學的讀書種子為唯一宗旨或目標。

一、完整的國學人才培養體系

武大國學院是目前中國大陸僅有的「國學」本科、碩士、博士完整培養體系的

*　孫勁松，武漢大學國學院院長助理。

教學研究單位。

㈠國學本科人才培養

國學本科試驗班已連續十一年招生，該班旨在培養一批對我國傳統經學、史學、子學、文學、小學的基本知識、基礎典籍和治學門徑有深刻理解，能熟練閱讀中國古典文獻，至少掌握兩門外文，且熟悉當今世界人文學科走向的複合型人才。二〇一〇年十二月，「國學」專業作為全校唯一的人文學術實驗班納入武漢大學「基礎學科拔尖學生培養實驗計畫」，成立「弘毅學堂」國學班。該班秉承「根基經典，回歸傳統，面向現代」之教育理念，標舉「知識與價值並重」的傳統，奉行學術精英化教育。國學試驗班百分之五十以上的畢業生可被推薦免試攻讀碩士學位或碩博連讀。

武大國學試驗班探索一種新的人文學人才的培養道路，在教學模式上參酌中國古代書院和牛津、劍橋等國際名校導師指導閱讀及討論的方法；在教材選用上力求直接採用原典原著；在考核方法上採用閉卷與課程論文寫作相結合的形式；在師資的聘用方法上儘量採用靈活的方式，邀請校內外、國內外名家授課或作專題講座。

國學本科實驗班的主要課程有：國學通論、國學研究方法論、文獻學及目錄學、四書、老子及莊子、左傳、國語、詩經（附楚辭）、周易、荀子、史記、漢書、後漢書及三國志、文選選讀、訓詁學、文字學、音韻學、中國通史專題、世界史專題、中國哲學史、西方哲學史、柏拉圖理想國、中國文學史專題、唐詩及宋詞、四通考、二程朱熹王陽明研究、清代小學研究、近現代語言文字學、語言學概論、文字資訊處理、儒學專題、道家專題、佛學專題、外國文學、邏輯學、美學、心理學、中國古代文學批評史、國際漢學、書法等課程。還有英語、日語等。

㈡碩博士人才培養

國學本科試驗班的創辦是我國大學培養國學人才的有益嘗試，也是培養跨學科人才的有力舉措。但是，由於國學學科的特性，學生的學習和研究也有其特定的系統性和連續性，不可能在本科期間一蹴而就。為了進一步推動國學研究和教學，同時為有志於國學研究的學子提供繼續深造的專業平臺，武漢大學於二〇〇七年底自行增列了國學專業的碩士點與博士點，於二〇〇八年上報國務院學位委員會備案，二〇〇九年正式招生。目前，武漢大學國學碩士、博士點下設有： 1.經學研究方向；2.子學研究方向；3.史部典籍研究方向；4.集部研究方向；5.佛教與道教研究方向。武漢大學國學碩士、博士點的特色主要表現在兩個方面：

第一，多學科交叉。在設置研究方向和配備師資上努力打破原有的文、史、哲學科劃分的限制，根據國學學科自身的特點，初步確定了五個研究方向，橫跨文學、歷史學、哲學、宗教學、藝術學五大學科，實現了諸學科的真正的交叉融合。在師資方面，該校組織有實力的專家擔任國學點碩、博士生導師，並擬進一聘請海內外知名專家加盟該博士點，聯合指導。對碩、博士生也擬採取適當「走出去」的方式，加強校際、國際學生交流。

第二，強調原著經典的創造詮釋。原著經典是我們研究國學的生命力和創造力的根源，國學碩、博士點擬在突出小學訓練和古文獻訓練的基礎上，加強外語、中外學術之方法學訓練與國學典籍的創造性詮釋，重視海外中國學成果的研討，重視啟發學生的問題意識，訓練學生創造性詮釋與研究的能力。

二、校內外結合的師資隊伍

武大國學院集中了包括唐明邦、郭齊勇、陳偉、徐少華、徐水生、吳根友、王兆鵬、陳文新、程水金、楊逢彬、楊華、于亭、何德章、謝貴安、丁四新、俞汝捷、景海峰教授在內的近三十位學者，承擔本科生課程，並分別在經學、子學、史部典籍、集部、佛教與道教五個研究方向擔任博士生和碩士生導師。

國學專業設置以來，我們還先後聘請南京大學周勳初、復旦大學章培恒、臺灣學者黃俊傑、龔鵬程、林慶彰、蔣秋華、李明輝、唐翼明、林安梧、美國哈佛大學杜維明、夏威夷大學安樂哲（Roger T. Ames）、成中英、德國特里爾大學蔔松山（Karl-Heinz Pohl）、德國波恩大學顧彬（Wolfgang Kubin）、美國芝加哥大學夏含夷（Edward L. Shaughnessy）、日本東北大學中嶋隆藏、挪威奧斯陸大學何莫邪（Chritoph Harbsmeier）教授等海內外專家為國學專業的本科生、研究生上課或演講。

三、取得的成績與存在的問題

武漢大學國學班的創建與實踐的經驗不僅在武漢大學得到推廣，並且在全國範圍內產生了較大的反響。二〇〇六年，教育部本科評鑒專家組在對武漢大學進行評估考察後指出：「武大國學試驗班在國內是首創。」武大國學院教學研究專案「武漢大學國學班的創建與實踐」獲二〇〇九年度湖北省政府頒發的優秀教學成果一等獎、教育部頒發的國家級優秀教學成果二等獎。中國人民大學國學院、復旦大學國學班等國學教育機構在創辦過程中也都參考了武漢大學國學試驗班的本科人才培養模式及其課程設置方案。

近年來，中國大陸有十餘所高校成立了國學研究院或者國學院，掛靠哲學等一級學科辦起了國學本科、碩士、博士專業，對中國傳統的經史子集以及學術思想進行綜合研究。目前，武漢大學國學院以及中國大陸國學學科發展面臨的最大的問題就是學科體制問題。「國學」或者「經學」還沒有作為一個正式學科被納入《學位授予和人才培養學科目錄》。

中國大陸的《學位授予和人才培養學科目錄》由國務院學位辦發佈，全國及省市級重點學科、各級重點研究基地、碩士博士學位授予權、全國和地方各類縱向基金的評審以及政府各級學術獎的設立等等，都以《學科目錄》作為基本的分類標準。在現有體制下，如果一個學科不能進入《學科目錄》，就很難獲得重點學科、科研基金的評審機會；除非有自行設置二級學科許可權的少數高校，一般高校也不能設置國學本科、碩士、博士專業；即便是擁有自行設置二級學科許可權的少數大學，也不會在專職教師編制、教學研究機構設置等方面給予「國學」一般學科的平等待遇，這是國學學科發展所碰到的瓶頸。目前，國內各高校同仁正在努力爭取、積極呼籲，期望在今後數年能將「國學」或「經學」納入《學位授予和人才培養學科目錄》，實現國學學科在體制內的良性發展。

經學研究論叢
第二十輯　頁313～320
臺灣學生書局　2012年12月

崔觶甫先生評傳*

汪大曼撰、吳怡青整理**

崔適字觶甫號懷瑾，別號觶廬，浙江吳興菱湖鎮人，清咸豐二年壬子五月十日生（1852 年 6 月 27 日），民國十三年甲子（1924）八月二十日卒。享年七十有三。俞曲園弟子，著史記探源，春秋復始，論語足徵記，觶廬經說，四禘通釋，五紀釋要等書，頗見稱於世。邑諸生，先生幼年喪父母，中年喪妻子，命運坎坷達於極點，老年介然一身之外，無他物，貧苦無以為生，依其弟，得不死。其弟名達，字六芬，為小本經營業之雜貨商人，茅茨一間，方桌一張，飲食睡眠於其間，先生寄居於此，除每日幫助其弟料理零星瑣事及買賣外，即著手編著觶廬經說，四禘通釋等書。後其弟營業不佳，生活極難維持，先生仍以百折不罔之精神，勸之慰之，每日一餐，或終日不餐，在含酸茹炭中著春秋復始。其忍艱耐苦，異於常人，故其成就聲名亦異於常人。民國初元，江浙學者，無人不知先生為一代大經學家也。故有章字（太炎先生之小學）崔經之對稱。

辛亥（1911）冬，全省學者擬組織同學會，請太炎先生講學，崔氏亦被延聘。後太炎先生因事未及，保舉陽譽龍先生與崔觶甫先生代替，終以經濟關係，未能實現。

民二癸丑（1913）先生至滬上謀生，擢某校國文教員，一腹經綸，莫由一展，鬱鬱不得志。適沈尹默、馬浴藻、錢玄同諸先生均至北京，京都雖為百傑所薈，以

* 原載《新東方》雜誌第三卷第 1 期，上海：新東方雜誌社，民國三十一年（1943 年）。

** 吳怡青，故宮博物院文創行銷處助理研究員。

經學而驚人者殊尠，諸先生乃邀崔氏至京講學。民三甲寅（1914）秋，先生遂北來，至北京大學授經學，當年即完成春秋復始，繼又著史記探源。京都學界，黨派紛爭，此僕彼興，衰盛不長，機牙捭闔，奸譎窮奇，先生處此，頗覺苦楚，至民九庚申（1920）遂被裁。失業一年，無家可歸，移住北平半截湖北會館，生活尤難。民國十一年壬戌（1922）馬幼漁任北大國文系主任，邀先生擔任北大預科國文教員。先生口吃，不宜教授初級生，頗遭青年反對，教授中清濁間出，工拙難同，便巧者，則群斥其蠢，於是可愕可笑可悲可泣之事，層見迭出，先生斷難應付。民國十二年癸亥（1923）萬不得已先生乃專改預科作文，不再上課，事與願違，當無佳況也。

當此之時，北大適有增加經學通論之議，先生為最得體之人才，惟馬幼漁主張不分今古，先生堅持崇今文，乃未蒙邀請，終聘陸祖谷擔任，陸未至，又請陳漢章代，先生乃又告失業矣。自此以後，先生久住胡州會館，一貧若洗，衣食無繼，獨編五經釋要一書，未至完稿，即歸道山，先生一生，艱苦卓絕，鬱鬱未能盡其懷素，又因世態炎涼，人情如紙，其學未彰，其人不傳，良可悲哉。

錢疑古先生云：在三十年前對於新學偽經考，因仔細研究之結果，而極端尊信，且更進一步發揮光大其說者，以我所知，唯有先師崔觶甫先生一人。崔君受業於俞曲園先生之門，治經本宗鄭學，不分今古，後於俞氏處得讀康氏此書，大為佩服，稱為字字精確，古今無比，於是力排偽古，專宗今文，先生於一九一一年（辛亥）二月二十五日與錢疑古書謂新學偽經考字字精確，自漢以來，未有能及之者。三月中又書云康君偽經考作於二十年前，專論經學之真偽，弟向服膺紀（昀）阮（元）段（玉裁）俞（樾）諸公書，根據不確鑿，過於國初（指清初）諸儒，然管見所及，亦有可駁者，康書則無之，故以為古今無比，若無此書，則弟亦兼宗今古文，至今尚在夢中也。又云：知漢古今偽自康君始，下走之於康，略如攻東晉古文尚書者惠定宇於閻百詩之比，雖若「五德」之說與穀梁傳皆古文學，「文王稱王」、「周公攝政」之義並今文說，皆康所未言，譬若自秦之燕，並乘康君之舟車至趙，亦不能徒步至燕也。疑古於一九一一年二月謁先生請業，始得借讀新學偽經考細細籀繹，深覺先生對於康氏之推崇，實不為過，疑古自此亦篤信古文經為劉歆所偽造之說，認為康崔兩君推翻偽古著作在考證學上之價值，較閻若璩尚書古文疏證，猶遠過之。自辛亥（1911）至民國二年（1913），此三年中，疑古時向先生質疑請益。民國三年（1914）二月，以劄問安，遂自稱弟子（見重印新學偽經考序）。康氏見到史記被劉歆增加部分，但未暇深究，僅引其端，附史記經說足證偽經考之末。先生繼康氏而專門考證，發見尤多，撰成史記探源一書。關於此點，幾無餘蘊矣。朱祖謀為之序曰：甚哉，古文學家之亂經學以亂政學，賴此書出而救正之也。古者天生民而樹之君，所以保民，非為君而生民，藉以衛君也。故堯讓天下如釋重負；舜視天下之朝覲訟獄歸已，則履天下之位，而不辭；文王稱王，周公攝王，其道亦由是也。古文學家生於專制政成之世，尊君如天，故不許呼籲，絕無由上聞，而坊川一潰，動成伏屍百萬，流血千里之巨禍，此其蔽也。明王記災異，不記祥瑞，所以資修省而不啟驕盈也。古文學家，脂章性成，造為嘉禾書序，托之周公，而堯時蓂莢之說轉由是出。沈約作宋書，創為符瑞志，而宋真宗以改年號，明世宗以賞佞臣矣，此又其蔽也。五德之說，誣秦為不當，五行之序，劉歆用以帝莽，班固轉藉以閏新，於是正統閏統鬻言，帝魏帝蜀之異議自習鑿以下，紛撓不止，不知以先朝之血胤為正統乎？秦漢以下，力強勢大者，為帝耳。曹氏固魏之逆臣，劉季非秦之亂民乎。以統一九州為正統乎？趙宋未嘗一日一統而得為正統，王新一統十五年，顧不得為正統，又其蔽也。分野之說，以五星二十八宿，為禹貢九州。周家十二建國所割據，豈大九州諸國不共戴天乎。即以周之建國言之，春秋之初，尚百餘國，何以與十二國外，皆不應星象，應星象者眾，見凶祥當修德之禳之。然則不應星象者眾，遂可滔天虐民乎？且大樑分趙分野，東井為秦分野，舉周之秦趙受封之歲：歲星所臨而言，然則於石趙姚秦何與，而勒之興，泓之亡，亦應其象耶，又其蔽也。是皆古文家說啟之，今文無是也。是言今文則於古今中外政理無所不通，言古文則無所不閡。太史公時未有古文，是書證其所本有，辯其所本無，豈惟有功於史學，其有功於經學政學何如哉。

為述其大略，質之天下後世之知言君子，先生遍考史記所載；關於堯典、禹貢、洪範、微子、金滕諸篇之說，可證其為今文與今文說者凡二十二條，無一眾古文說者，議論極精核，考辯最精詳，是亦近代不可多得之經史家也。

茲將其史記探源這序證，介紹如下：

㈠要略

史記者，五經之橐籥，群史之領袖也，乃漢書已云其缺，於是續者紛起，見於本書者，曰褚先生，見於七略者，曰馮商，見於後漢書班彪傳注及史通者，有劉歆等十六人，案漢書亦有自言出自劉歆者，藝文志曰錄七略，律曆志曰三統曆，是也。乃儒林言經師受授，與七略相表裏，律曆志言六曆五德，與郊祀志張蒼傳相牽屬，天文地理志言分野，與五德相印證，皆可知其為歆作。（黃省曾西京雜難記序，謂班固漢書，全取劉歆，則不必然。五行志上曰：歆治左氏傳，其春秋意已乖矣。與藝文志專稱左氏傳為得春秋真意相反，豈歆說乎。白虎通義多主今文說，惟今文家無，乃取古文說補之。則五行志乃班固所自作明矣。後漢書本傳曰：固著漢書，自永平中始受詔，潛精積思二十餘年，至建初中乃成。豈有積思二十餘年所成之書，不著一字，而襲取前人者乎？當由歆固各有漢書，後人雜錄兩家之言，遂成今之漢書，乃至宗旨歧出爾。）

史記之文，有與全書乖，與此合者，亦歆所續也。至若年代懸隔，章句割裂，當是後世妄人所增，與鈔胥所脫，其倖免乎此，又有誤衍誤倒誤解諸弊，要不若竄亂之禍為劇烈，故下文專釋之。

㈡竄改

劉歆之續史記，非不足於太史公也。亦既顛倒五經，不得不波及龍門以為佐證，而售其為新室典文章之絕技也。其所以顛倒五經者，劉向在成帝世，刺取春秋災異，作洪範五行傳，端緒雖紛，要以譏切世卿，比例王氏為宗旨。歆主翊戴新室，務與向說相反，於是奪孔子之春秋，而歸之魯史。自造書序百篇，而托之孔子。說皆詳下。如是則孔子之宗旨頓渝，而劉向之傳說皆謬矣，又須多造古文經傳，廣樹證據，而辭繁旨博，非歆一人之力所能勝任也。乃徵天下有通逸禮古書毛詩周官爾雅天文圖讖鐘律月令兵法史篇文學者，皆詣公車。至者前後千數，皆令記說廷中，將令正乖謬，壹異說云，此文王莽傳。適案歆所謂正乖謬者，即正其向之乖謬；壹異說者，以齊魯韓詩歐陽夏侯氏書為異說，而壹之於所托之孔安國主公云爾。逸禮以下書名，亦劉歆所造，此千數人者，孰不仰體國師嘉新公之意旨，向壁虛造妖誣之言，以備採納；於是群經皆受其竄亂，而史記為正經門戶，則亦不得不竄亂矣。

㈢春秋古文

史記儒林傳曰：言春秋，於齊魯自胡毋生，於趙自董仲舒，太史公自序曰：昔孔子何為而作春秋哉。余聞董生云。是太史公之於春秋，一本於董生，即一本於公養，其取之左氏，乃國語矣。自序曰：左丘失明厥有國語，可證是時無所謂左傳也。劉歆破散國語，並自造誕妄之語，編入春秋逐年之下，托之出自中秘書，命曰春秋古文，亦曰春秋左氏傳。今案其體有四：一曰無經之傳。姑即使隱公篇言之，如三年冬鄭伯之車僨於濟也。是夫傳以釋經，無經則非傳也。是國語也。二曰有經而不釋經之傳。凡傳以釋經義，非述其事也。如五年九月初獻六羽。公羊傳曰：何以書？譏始僭諸公也。是釋其義也。左傳但述羽數，此與經同述一事耳，豈似傳體？以上錄自國語居多，亦有劉歆竄入者，詳下。三曰釋不書於經之傳。如元年五月費伯帥師城郎，不書，非公命也。夫不釋經而釋不書於經，則傳書者不當釋黃帝何以非典，傳詳者不當釋黃旁何以非典，傳詳者不當釋吳楚何以無風采？彼傳不然，則此非傳也。四曰釋經之傳，務與公羊氏董氏司馬氏劉向之說相反而已。如隱三年書尹氏卒，譏世卿，為昭二十三年立王子胡張本也。宣十年書齊崔氏出奔，譏世卿為襄公二十五年弒其君張本也。雖使春秋三傳束高閣，獨抱遺經究終始者讀之，當無異議矣，左氏改尹為君，謂之隱公之母，於崔氏出奔曰：非其罪也，凡以避世卿之譏，但庇王氏而已。此皆劉歆所改竄。故放公孫祿劾其顛倒五經，毀師法。班固曰：歆治左氏傳，其春秋意已乖也。史記之文，凡與左氏傳同，有真出自左邱明者，列國世系及政事典章之屬是也。出自劉歆者詳下五節。

㈣始五德

劉歆欲明新之代漢，迫於皇天威命，非人力所能辭讓，乃造終始五德之說，托於鄒衍，說詳孟荀列傳，又增呂氏春秋二十紀，……

㈤十二分野

春秋所記災異，劉向以為某事之應者，劉歆必指無事可考之國以當之，入五行志、又托為他國他事之應，入之左傳……

㈥變象互證

說卦曰：觀變於陰陽而成八卦，發揮於剛柔則生爻。又曰：易六畫而成卦，至於成卦之後，不言六爻有變象，有互體也。杜土預始發此例，則是說之出晚矣。故鐘會論易，王弼作注，皆無互體，為程子所深取。……

㈦告則書

左傳謂春秋本魯史，魯史本赴告，告則書，不告則否。然春秋褒貶之權，全秉於赴告者之手，孔子何為以竊取共之議，知我罪我，自任乎？……

㈧官失之

孔子據各史記而作春秋，筆之削之，斷自聖心，無所謂官之也。……

劉歆欲奪春秋於孔子而歸之魯史，故於桓公十七年冬十月朔日有食之，竄其說入左傳曰：不書日，官失之也。又竄入史記十二諸侯年表也。

㈨古文尚書

劉歆假託古文經傳之所出，於尚書為獨詳今依其說折之。……

㈩書序

此亦劉歆所作，托之孔子，然亦穿鑿史記，以窟宅其鬼域也。

⑪古文

七略曰：古文尚書及論語孝經，然則論語孝經而書以古文，亦當曰古文論語，古文孝經，必與經名相屬，始見其為何經之古文。乃五帝旁本經贊曰：總之不離於古文者還是。仲氏弟子傳贊曰：則論言弟子籍，出孔氏古文近是。太史公自序曰：年十歲則誦古文，此等古文，謂何經耶？惟說文解字有此名，別於小篆籀書也。此又非其例也。真不成語矣。此不通文理者，所增竄，不當歸咎劉歆矣。

⑫傳記寓言

又有誤認傳記寓言為實錄，附錄之以期詳備，至文與上下文相沖決者，亦史記之累也。寓言之類有三：曰託名，曰托言，曰托事……

⑬漢書

凡史漢文同，有漢錄史者，有竄漢入史者。……

⑭麟止後語

凡此皆可為至獲麟止之徵，逾此者，據漢書竄入者也。

先生著春秋復始，其序證頗精確，介紹如下：

1.公羊傳當正其名曰春秋傳

2.穀梁氏亦古文學

3.左丘明不傳春秋

4.以春秋為春秋

孟陬里安李笠著史記訂補八卷，謂近人歸安崔適著史記探源，勇於疑古，而疏於考證；亦有無證，而憑臆刪消者，又校改史文，（其書非專為校正史記而作，但關於校訂者，亦不少）多襲前人成說，不加檢核。冒為已有；自用之病，蓋無諱矣。惟全書義例森嚴，不無可取。蓋史記一書，上踵六經，下蒙群史，六經自西漢而還，承學之士，奉為圭臬，箋疏論述，代有達人，是以大義微言，更數千年而不墮。班氏因史公義例，斷代為書，而當時宏晢，便為之作注，迄於唐代無慮數十家，顏監之注至集荀悅服虔等三十餘家之說，發明義蘊，披覽煥然。始知太史公修史記，以繼春秋，其述作依乎經，其議論兼乎子，遂為史家之宗矣。後人因踵事之密，而議草創之疏，此固不足以為史公病，又以謗書短之，不知史公著述，意主尊漢，近黜暴秦，遠承三代，於諸表微見其詣；後世深者見深，淺者見淺，似無足輕重矣。觶甫先生，少好太史公書，綴學之暇，常所讚仰，在百三十篇中，愆遠疏略，觸處滋疑，疑古非古，無證考證，使金鍮罔別，鏡璞不完，良可閔歎。然其一生坎坷，治學獨不畏難，蓽路藍縷之精神毅力，又豈常人所敢望其向背矣。

經學研究論叢
第二十輯 頁321～356
臺灣學生書局 2012年12月

近一百年日本研究《周易》概況——1900－2010年之回顧與展望

加藤真司*

前言

《周易》在日本流傳已久，❶其哲理不僅吸引了許多日本漢學者，也吸引了許多其他領域的學者，如科學者、醫學者和建築學者等。在民間，《周易》的占卜判斷為人們所接受。因此在日本易學的形成發展過程中，許多的日本人對《周易》有種種的興趣，並嘗試作出新的闡釋。

對日本易學的流傳、形成、展開的過程，長谷部英一認為：「《周易》在日本的傳播及基於這種傳播而展開的文化接受和學術影響過程，大致可以分為三個時期：㈠《周易》傳入並在文化上發生廣泛影響和作用時期，❷經奈良朝到平安朝，

---

* 加藤真司，日本北海道大學大學院文學研究科專門研究員。

❶ 根據日本較早的史籍《日本書紀》記載，繼體天皇七年（513），始傳《周易》。《日本書紀》卷第十七曰：「七年夏六月，百濟遣姐彌文貴將軍、洲利即爾將軍、副穗積臣押山，貢五經博士段楊爾。」

❷ 天智天皇時（676）設立大學寮，元正天皇於養老二年（718）修「養老令」，大學寮以九經為教材，分必修與選修，云：「凡經，《周易》、《尚書》、《周禮》、《儀禮》、《禮記》、《毛詩》、《春秋左氏傳》各為一經。《孝經》、《論語》，學者兼習之，而《周易》居九經之首。」同時對《周易》的註本作了具體規定：「凡教授正業：《周易》、鄭玄、王弼注。」

大約由公元五一三年至一一九二年；㈡具有日本學術特徵的傳統易學（或可稱為日本漢學系統的易學）形成與發展時期，❸由鎌倉時代經吉野、室町時代到德川幕府時代，即一一九二年至一八六七年；㈢近現代，即明治以後從屬於日本中國學《周易》學術研究時期，由一八六七年的明治維新至當代。」❹

但是，明治以來，隨著「經學」在日本的終結，《周易》在文化上的影響已經不再像德川時代那樣佔據崇高的「經書」地位。對易學的占筮術，也開始有更多的人從科學的立場對其提出批判。❺

在了解了以上關於明治時期以前的日本《周易》研究史的基礎上，本文將對近一百年的日本《周易》研究進行回顧，並闡述日本《周易》研究的現狀並展望今後的課題。在日本關於《周易》的論著內容繁多，短時間內難以全面涉及。故本文將主要介紹在各分野中，筆者認為比較重要的論著。當然，對論著的選取難免有疏漏之處，敬請各位讀者批評指正。

一、《周易》的和刻本與日譯本

本章將介紹《周易》的和刻本和日譯本。在此之前，首先對日本的註釋書誕生之前的文化歷程進行簡單的概述。

平安時代四百年間是日本文化。全盤接受中華文化轉向較自覺的借鑒創造的階

❸ 清原業忠（1409－1467）《周易啟蒙講義》是研究朱子易學的著作，是以講義形式編著的。其孫子清原宣賢（1475－1550）有《周易抄》、《易啟蒙通釋抄》，都在朱子學派的立場上。

❹ 長谷部英一：〈日本傳統易學概述〉，收於楊宏聲編著：《本土與域外——超越的周易文化》，第三章〈《易經》在古代日本的傳播與日本傳統易學〉（上海：上海社會科學院出版社，1995 年 7 月），頁 147。又長谷部先生曰：「江戶時代整個日本學術思想的發展和學派消長大體可以分為三個小階段：第一階段（1603－1735）為朱子學勃興的時期；第二階段（1736－1778），為古學派崛起與朱子學相抗衡的時期；第三時期（1789－1867），是陰陽學隆盛與朱子學相對立的時期。」楊宏聲編著：《本土與域外——超越的周易文化》，頁 156。

❺ 依據長谷部英一：〈《易傳》在古代日本的傳播與日本傳統易學〉，楊宏聲編著：《本土與域外——超越的周易文化》，頁 147－161。

段，由此引起各個領域的「國風化」傾向。這種新的文化風氣的形成對日本易學的發展產生了重大的影響。其中特別值得注意的是在漢字基礎上創造假名及假名文字逐漸被推廣應用，這種應用從最初文學的創作進至經學研究，對易學的日本化是起了作用的。在假名發明與經書和讀方式採用之前，日本學者只能受制於漢字的思想表達方式。由於沒有自己的文字，理解的過程就比較被動，這樣就必須閱讀漢字寫成的中國經典，而更注重章句解讀而忽視義理。

平安時代後期（約自十二世紀中期至十三世紀初）是中國古典易學在日本獲得初步研究時期。這一新的學術動態，可以藤原頼長為標誌。頼長鑑於當時詩文流行，乃專心經史，立志復興經義。他師事藤原成傳，在《易經》鑽研上化了很多的功夫。康治二年（1142）十二月，向陰陽師安信泰親習《周易》，與師成兩人自頭至尾通讀並參照孔穎達《周易正義》加以句點。

自鎌倉時代至德川幕府的建立是日本傳統易學的形成時期。這一時期，日本《易經》研究在兩個相關的方面體現了學術發展的新動向，這就是「和訓」的方法應用於《易經》研究，使宋易的日本化及專門研究宋易的學術著作的出現。

漢唐易著傳入日本之後，在很長的時間裡，日本學者完全是依照中國人的讀音讀法來閱讀的，其間雖有吳音和唐音的變換，但都是漢文的直讀。因此，只有具備了相當深厚的中國語言文學修養的學者，才能從事這種研究。而「漢籍和訓」即是在把原著翻譯為日文之前，克服漢字讀音困難的變化。所謂「漢籍和訓」就是在漢文原著上，按照每一漢字的訓詁意義，標註上日本假名，從而使不懂漢文或漢文程度不高的人，也能理解原著內容。實際上就是變「漢文直讀」為「漢文譯讀」。又由於「和訓」不是按照漢字和讀音注釋假名，而是根據註釋者理解的意義註釋假名。因此這種研讀方法開始於在平安時代，但真正形成為系統的方法並應用於《易經》研究，則是十六世紀（室町後期）的事。薩南學派的文之玄昌（1555－1616）通過「和訓」和「倭點」的方法，著《周易傳義訓點》和《周易大全倭點》二書，對宋明代表性的易著作了系統的訓釋。

江戶時代，京都朱子學派的藤原惺窩（1561－1615）編纂了《周易倭訓》（收入《四書五經倭訓》）。以日語並用朱子學的觀點註解《易經》。又林羅山（1583－1657）對《周易注疏》、《周易程傳》等易著加以句讀，並進而對《周易註

本》、《周易大全》、《周易傳義》施加和文訓點。❻

如上所述，江戶時代的諸多儒者對《周易》進行了註釋或者訓點，其後，也就是從明治時期末開始到昭和時期戰前為止的時間內，漢籍的日語翻譯，比如漢文叢書等相繼出版。其中有榊原篁洲《易學啟蒙諺解大成》；❼根本通明《周易講義》；❽谷川順祐《周易本筮指南》；❾真勢中州❿解、松井羅州補《周易釋故（上、下）》；⓫宇野哲人《國譯易經》。⓬另外長期連載發表的論文中，特別引人注目的是安井小太郎與荒木蒼太郎的《周易講義（1－33）》。⓭第一回到第六回由安井小太郎負責撰寫，第七回到三十三回由荒井蒼太郎負責，從一九二七年一直連載到一九三〇年。

如上所述以外，還有許多《周易》的譯注書。在第二次大戰以前，《周易》解釋的特徵是以著者自己的觀點解釋的著書很多，集中在從一九二〇年代到一九三〇年代之間。

戰後的日譯本以單行本居多。按照發表順序來看，公田連太郎《易經講話》⓮

❻ 對從前頁「平安時代……」的段落到本頁「江戶時代……」的段落，因為長谷部英一於楊宏聲編著《本土與域外——超越的周易文化》（頁 148－161）中簡單明瞭地整理了，所以拔粹適當的部分而引用。

❼ 收於《漢籍國字解全書》（東京：早稻田大學出版部，1911 年 5 月），第 3 卷。

❽ 根本通明：《周易講義（全二冊）》（東京：近田書店，1918 年 5 月）。這本書不是漢文叢書，然而著者是在明治時代中研究《周易》的代表人物。

❾ 收於《漢籍國字解全書》，第 3 卷。

❿ 關於真勢中州之易解釋的論著，有磯田英一《真勢中州の易哲學》（東京：紀元書房，1944 年 7 月）。

⓫ 收於《漢籍國字解全書》（東京：早稻田大學出版部，1911 年 5 月），第 3 卷，以及 1911 年 8 月，第 4 卷。

⓬ 收於《國譯漢文大成（經子史部）》（東京：國民文庫刊行會，1936 年 6 月），第 1 卷第 1 輯，頁 225－351 以及《國譯漢文大成（經子史部）》（東京：東洋文化協會，1956 年 4 月），第 2 輯。

⓭ 《東洋文化（東洋文化學會）》第 35 號（1927 年 3 月）－第 37 號（1927 年 5 月）、第 40 號（1927 年 8 月）、第 42 號（1927 年 11 月）、第 47 號（1928 年 4 月）－第 67 號（1930 年 1 月）、第 71 號（1930 年 5 月）－第 76 號（1930 年 10 月）。

⓮ 公田連太郎：《易經講話（全五冊）》（東京：明德出版社，1958 年 7 月－1959 年 12

的文風頗類講義風格，通俗易懂。鈴木由次郎《易經》⓯只對四卦卦爻辭進行了譯註，而省略了十翼。其解說依據的是疑古派高亨等的易說。但是鈴木由次郎《易經（上、下）》⓰未選取高亨等的學說，而是根據明何楷的《周易頂詁》，廣泛整理諸家學說，予以通釋。本田濟《易》⓱以《周易折中》為解說的重點，並廣收諸家學說。其中，該書首次介紹了王船山的易解說。但是本田氏認為「對初讀原典之人而言，程頤的《易傳》應較為易讀」。此書於一九七八年出版了文庫版（上、下）。高田真治和後藤基巳共著《易經》⓲根據《程氏易傳》、《周易本義》等宋易進行了簡潔的翻譯。福永光司《易》⓳為節譯，但譯文明晰。今井宇三郎《易經（上、中、下）》⓴以宋易為中心進行了解說。三浦國雄《增訂易經》㉑倡導回歸原義，吸取了出土文獻的研究成果進行闡釋。該書是一九八八年出版的《易經》（角川書店）的增補版，增加了〈繫辭傳〉的譯註。近年出版了本田濟《易經講座　程氏易傳を讀む　上（一、二）》、《易經講座　程氏易傳を讀む　下（全二冊、附錄一冊）》。㉒這本譯注書是本田濟給日本的政治家與經濟界的人講授《程氏易

月）。

⓯ 收於《明德全書》（東京：明德出版社，1964 年 4 月）。

⓰ 收於《全釋漢文大系》（東京：集英社、1974 年 5 月），9、10 冊。

⓱ 收於《新訂古典選》（東京：朝日出版社，1966 年 2 月）。

⓲ 高田真治、後藤基巳共著：《易經（上，下）》（東京：岩波書店，上卷，1969 年 6 月；下卷，1969 年 7 月）。

⓳ 收於《世界文學全集》（東京：筑摩書房，1970 年 9 月），第 3 卷。

⓴ 卷上，收於《新釋漢文大系》（東京：明治書院，1987 年 7 月），23 冊；卷中，收於《新釋漢文大系》（東京：明治書院，1993 年 12 月），24 冊；卷下（今井宇三郎、堀池信夫、間嶋潤一共著），收於《新釋漢文大系》（東京：明治書院，2008 年 11 月），29 冊。

㉑ 三浦國雄：《增訂易經》（東京：東洋書院，2008 年 6 月）。對戰後出版的各譯注，請參考三浦《增訂易經》，頁 438－439。

㉒ 本田濟：《易經講座　程氏易傳を讀む　上（一、二）》（東京：斯文會、明德出版社，2006 年 7 月）；《易經講座　程氏易傳を讀む　下（全二冊、附錄一冊）》（東京：斯文會、明德出版社，2007 年 3 月）。近年，明德出版社出版了塘耕次的《蘇東坡の易》（東京：明德出版社，2010 年 11 月）。但是，這本書不是完整的譯本，因為該書沒有對《文言傳》、《繫辭傳》、《序卦傳》、《雜卦傳》和《說卦傳》的日文翻譯。

傳》的。又本田濟的《易》一書作為《周易》研究的入門書是非常合適的。

最近，除了對《周易》本身的譯注以外，有對《周易正義》的譯注。例如宇野茂彥有〈周易正義序釋注〉。㉓宇野茂彥這樣談到他的著書動機：「雖然現在常見各種《易》的註釋，但似未見〈正義序〉之譯。」另外有福田真吾、野村純代《《周易正義》乾卦譯注稿（1）》、㉔播本崇史《《周易正義》乾卦譯注稿（2）》等。㉕

如上所述，《易》的譯註時有出版，特別是近年的譯註，吸收了「馬王堆帛書」《周易》等出土文獻的研究成果，出現了盡量追求原意的傾向。

二、《周易》的文獻學研究

關於《易》的成立時期和作者，現在已經確定不是聖人之作，但對《周易》研究者來說這依然是時有爭議的對象。不僅中國大陸，在日本也不例外。在江戶時代，就已經出現了關於十翼作者的論著。

比如，中井履軒（1732－1816）研究經書，他的著作《七經雕題》、《七經雕題略》、《七經逢原》，都對《易經》有解說。㉖在他的經學研究中批判宋儒的經書解釋及其思想。他又認為所以《易》十翼非孔子所作。在當時這都是相當大膽的論斷。㉗伊藤仁齋（1627－1705）也主張十翼不是孔子之作。

十翼不是孔子之作這一主張，由北宋的歐陽修而始，㉘關於十翼的作者和成立

㉓ 宇野茂彥：〈周易正義序譯注〉，《名古屋大學文學部研究論集》第 96 號（哲學 32）（1986 年 3 月），頁 71－84。近年，野間文史開始《周易正義》的訓讀，已發表了〈周易正義訓讀—序、八論—〉，《東洋古典學研究》第 28 集（2009 年 10 月），頁 185－197；〈周易正義訓讀—乾卦—〉，《東洋古典學研究》第 30 集（2010 年 10 月），頁 191－216。

㉔ 福田真吾、野村純代：〈《周易正義》乾卦譯注稿（1）〉，《白山中國學》第 14 號（2008 年 1 月），頁 49－62。

㉕ 播本崇史：〈《周易正義》乾卦譯注稿（2）〉，《白山中國學》第 15 號（2009 年 1 月），頁 153－165。

㉖ 懷德堂記念會刊刻出版了中井履軒的《周易雕題》（大阪：大阪大學懷德堂文庫復刻刊行會，《懷德堂文庫復刻叢書》，第 10 冊，1997 年 3 月），也採錄《周易逢原》。

㉗ 對中井履軒的觀點，請參考楊宏聲編著《本土與域外——超越的周易文化》，頁 158。

㉘ 宋歐陽脩〈易童子問〉卷三有：「何獨繫辭焉，文言、說卦而下，皆非聖人之作，而眾說淆

時期等問題，現在也是爭議的對象，並出現了各種各樣的說法。

對於明治時期以後的研究者的研究方法問題，長谷部英一氏認為：「經過明治四十多年的發展，到了大正時期，日本近代中國學已有相當發展。」㉙也就是說，他認為相關見解是多種多樣的。

本章將對這一百年間日本的《周易》研究者所提出的有關《周易》成立時期和作者等問題的見解予以簡單介紹。

但是，由於明治時代以後，有關《周易》成立時期和作者等問題的見解非常多，㉚比如宇野哲人〈周易に就て〉、㉛武內義雄〈易の成立について〉、㉜鈴木由次郎〈易經の成立について〉等，㉝因此本稿將重點介紹具有代表性的研究者。

㈠有關卦爻辭的研究

內藤湖南只有一篇論文〈易疑〉。㉞這篇論文在當時很有影響。內藤湖南力求證明，從語言學的觀點來看，《周易》的爻辭中已包含戰國時代末至漢代初期的語法。他從爻辭的特徵推論，戰國時代《周易》不是現在的形式，《周易》的原來形

亂，亦非一人之言也。」今據《中國古典文學基本叢書・歐陽脩全集》（北京：中華書局，2001年3月），第3冊，卷78。

㉙ 楊宏聲編著：《本土與域外——超越的周易文化》，頁163。

㉚ 有關《周易》成立時期和作者等問題的論著，追溯以前有末松謙澄：〈周易の起源（1）〉，《東洋學藝雜誌》第3卷57號（1886年6月），頁555－565以及〈周易の起源（2）〉，《東洋學藝雜誌》第3卷58號（1886年7月），頁599－611。最近另有玉置重俊：〈《易經》の成立について〉，《北海道情報大學紀要》第15卷第1號（2003年8月），頁1－14。

㉛ 宇野哲人：〈周易に就て〉，《哲學雜誌》第31冊419號（1922年1月），頁37－44。

㉜ 武內義雄：〈易の成立について〉，《文化》第1卷1號（1934年1月），頁58－84，後改題為〈易の起源とその發達〉，收於《易と中庸の研究》（東京，岩波書店，1943年6月）頁139－168以及《武內義雄全集》（東京：角川書店），第3卷，頁99－118。

㉝ 鈴木由次郎：〈易經の成立について〉，《漢文學會會報（東京文理大學學會）》第8號（1938年），頁55－66。

㉞ 內藤湖南：〈易疑〉，《支那學》第3卷第7號（1923年12月），頁1－16，後收於《研幾小錄》（東京：吉川弘文堂，1928年4月），頁61－79以及《內藤湖南全集》（東京：筑摩書房，1970年2月），第7卷，頁38－47。

式並不是每卦六爻，是由五爻組成的。就是說，《周易》的總體形式也可以說不是由六十四卦組成的。㉟

田口福司朗〈周易に於ける卦爻の成立に就て〉㊱由卦爻的成立推測《周易》的成立。筮法與卦爻完成於周初，當周代易筮開始與龜卜並用，爻辭也就隨之逐漸完善起來。並且，雖然爻辭是在戰國末期才最終完成的，但其根本部分在周初已大致確定了。春秋戰國時代的主要成果在於如十翼等理論的成熟，可以說《易》在周代大肆盛行，而其主體也完成於這一時代。另外，田口福司朗認為《周易》的作者為周王朝的史官，認為在諸侯及民間盛行的占卜就是《連山》、《歸藏》。

戸田豐三郎〈左、國の易筮記事管見〉㊲比較研究了《左氏傳》和《國語》中所見的易筮記錄，考察了《易》的發展。他認為，古筮法就算重疊三爻的經八卦、加卦辭，再重疊六爻卦，為了維持三爻卦的框架，也只能讓位於《周易》。《周易》的特色在於重疊六爻卦、觀前後的爻的變易，對一爻的變易加以爻辭。另外，他指出，易筮的內容中占卜個人的記錄有所增多。並且他推測，現行的《周易》上下的經文成立於襄公末期。最後，關於《周易》的名稱，《周易》的「周」字，實際上是漢代以後，為了將其與文王聯繫在一起而追加的。在《史記》中，可以看出修辭的特徵，但在《漢書》中，則顯示出明確的區別。

《周易》與《春秋左氏傳》的卦爻辭的字句既有相同之處，又有相異之處，由其異同可以摸索兩書的關係、作者和成立。另外，本田成之〈作易年代考（續）〉㊳認為《周易》和《春秋左氏傳》的作者是同一人物。津田左右吉認為，在《春秋左氏傳》中存在當今《周易》中沒有的內容，這些內容當是編者所作。㊴武內義雄認為

㉟ 關於內藤湖南的觀點，引用楊宏聲編著《本土與域外——超越的周易文化》，頁165。

㊱ 田口福司朗：〈周易に於ける卦爻の成立に就て〉，《秋田大學學藝學部研究紀要（人文、社會、教育）》第3號（1952年12月），頁119－128。

㊲ 戸田豐三郎：〈左、國の易筮記事管見〉，《支那學研究》第16號（1957年2月），頁1－11。

㊳ 本田成之：〈作易年代考（1）〉，《支那學》第1卷2號（1920年10月），頁16－31；〈作易年代考（2）〉，《支那學》第1卷3號（1920年11月），頁24－39。

㊴ 津田左右吉：〈周易〉，《儒學の研究一》（東京，岩波書店，1950年3月），頁81－126，後收於《津田左右吉全集》，第16卷（東京：岩波書店，1965年1月）。

《春秋左氏傳》僖公十五年以前的筮占的辭，嚴格來講與並不一致，而僖公二十五年以後則可以與之《周易》卦爻辭相對應，他著眼於這一點，推測現行的《周易》的編寫應於僖公十五年到二十五年之間。㊵

近年，日語翻譯有夏含夷著、和田敬典譯〈《周易》元亨利貞新解——並びに周代の習貞の習慣と《周易》卦爻辭の形成について論ず〉。㊶

㈡有關《易傳（十翼）》的研究

《易傳》研究的主要問題是《易傳》的體系結構問題，特別是《易傳》十篇的作者問題。《易傳》歷來被視為孔子之作，但是，自從江戶時代伊藤東源認為「十翼」非孔子之作以來，被許多日本《易》學者所接受。㊷在今日「十翼」不是一人所作，乃是多人經過多年的訂纂的觀點，似乎已成了日本學術界的共識。

又從五〇年代到六〇年代，有關十翼的形成時期、形成順序、其作者的問題成為最有爭議的論點，重新被提了出來。

井上哲次郎在〈《易》哲學に關する疑義〉中，首先考慮到《中庸》為子思所著，並將《中庸》與十翼比較，提出了關於十翼的七個疑義。第一，「〈十翼〉的文字誠為日星河嶽之大文字，能書如此大文字者非其時代傑出之人不可。如是，推量諸事，則此人非子思不可。」第二，「《中庸》中頗見類《易》之思想。」第三，「整體觀之，《中庸》貴道德、重至誠。此乃貫穿《中庸》首尾之主義主張，而《易》亦如是。」第四，「孔子平生不談鬼神之事。」第五，「《易》與《中庸》皆重夫婦之道。」第六，「應看到，以生生為主之處，兩者全然一致。」第七，「至慎機微之精神，兩者可謂如符節相合。」井上哲次郎認為不僅《中庸》的文章，在思想上兩者的共通點也是非常多的，因此很有可能出自子思之筆。㊸

㊵ 武內義雄：〈彖辭象辭の成立〉，《易と中庸の研究》，頁146－168，後收於《武內義雄全集》，卷3，頁104－118。

㊶ 夏含夷著、和田敬典譯：〈《周易》元亨利貞新解——並びに周代の習貞の習慣と《周易》卦爻辭の形成について論ず〉，《中國哲學》第36號（2008年8月），頁1－30。

㊷ 例如宇野哲人：〈易の十翼に對する疑問〉，《狩野教授還曆記念支那學論叢》（京都：弘文堂書房，1928年2月），頁523－530等。

㊸ 井上哲次郎：〈《易》哲學に關する疑義〉，《哲學雜誌》第671號（1943年1月），頁1

田口福司朗的《《周易》の起源》㊹中，推論十翼形成的順序時代如下：在春秋中期《大象傳》形成，從春秋末期到戰國中期《彖傳》、《小象傳》、《說卦傳》三章以下形成，在戰國中期《文言傳》的一部分形成，在戰國末期《說卦傳》一、二章形成，從戰國末期到秦代《文言傳》的一部分和《繫辭傳》形成。田口福司朗針對本田成之、武內義雄等關於十翼非孔子之作、孔子沒有見過《周易》之說，提出了自己的觀點。他認為十翼是否為孔子所作雖未可確知，但即使不是孔子所作，十翼編纂開端也是自孔子之始。他認為《序卦傳》、《雜卦傳》歷來看似淺薄，但是實際上內含深刻的道理。由此可知，田口福司朗對《周易》的評價是非常高的。

福田襄之介〈周易の彖、象傳成立に關する一考察〉㊺中認為，比起有無儒家思想、有無押韻、有無象等等，應是按照《小傳》→《彖傳》→《大象》的順序成立的。關於成立時期，福田襄之介認為，從與儒家思想的關聯性推測，儒家將易作為儒家經典以前，《小象》成立之後《彖傳》與《大象》成立。具體而言，春秋末期，以儒家思想的形成為契機，之前《小象》成立，之後《彖傳》、《大象》成立。但是，山下靜雄的〈十翼の成立をめぐって——福田氏との論爭の焦點——〉㊻持有與福田襄之介完全相反的見解。山下靜雄在〈十翼の成立に關する研究〉㊼

—22。「第一、《十翼》の文字は誠に日星河嶽の大文字で，斯かる大文字を書く人はなかなか其の時代に傑出した人でなければならぬ。」，頁 17。「第二、《中庸》に餘程《易》に似たやうな思想がある。」，頁 18。「第三、全體的に《中庸》は道德を貴び、至誠を重んずるものである。」「第四、孔子は平生鬼神などといふことを云はなかつた。」，頁 19。「第五、《中庸》には夫婦の道を重んじる。」「第六、兩者の生々を主とする點に於て全然一致することを看取すべきである。」，頁 21。「第七、機微に慎む精神に至つては兩者符節を合するが如しと謂ふべきである。」，頁 21。

㊹ 田口福司朗：《《周易》の起源》（東京：明治書院，1960 年 10 月）。關於田口福司朗的觀點，引用楊宏聲《本土與域外——超越的周易文化》，頁 169－170。

㊺ 福田襄之介：〈周易の彖、象傳成立に關する一考察〉，《斯文》第 11 號（1954 年 12 月），頁 1－10。

㊻ 山下靜雄：〈十翼の成立をめぐって——福田氏との論爭の焦點——〉，《斯文》第 11 號（1954 年 12 月），頁 11－30。

㊼ 山下靜雄：〈十翼の成立に關する研究〉，《日本中國學會報》第 5 集（1953 年 10 月），

中就已論證，十翼成立的相對時期是按照《說卦》第十一章中→《大象》→《小象》→《彖傳》的順序，㊽並闡明了其《周易》思想的發展。他還推論，《大象》早在公元前五四〇年就已成立。山下靜雄根據自身的研究成果，對福田說的論據逐一進行了檢驗批判。他主張「不能只關注共通思想的存在，而要努力取得其思想發展的直接相關的實證方可。」㊾

山下靜雄在〈左傳國語における周易思想〉㊿中進一步強化了上面這一看法。其中論述到，《左傳》、《國語》的易筮思想與《大象》同時或者更早，全無前漢末的漢儒持有的卦的觀念，不可能晚於《小象》和《彖傳》。並且認為《大象》成立於春秋戰國時代也是完全有可能的。

順便說一下，集山下靜雄一系列研究成果為大成的論著，應為《周易十翼の形成と展開》。51這篇論著是七〇年代對《易傳》展開系統考察和闡釋的專著。

山下靜雄的研究成果可以歸納如下。最大研究成果是確定了十翼形成的相對年代。山下靜雄對研究的基本態度是，首先對各個《傳》獨立地進行精詳的分析，以弄清各傳的總體結構。然後再確定各傳相對形成的順序。又他的著作附有十翼形成年代圖，詳細地推斷各傳各部分相對形成的順序。在七〇年代他的十翼研究可以說是當代日本最精彩、最有系統性的研究之一。

頁 23－42。

㊽ 對《十翼》的成立過程，山下靜雄認為如下：《說卦傳》的第十一章（由朱子分章）是最老形成的，利用《說卦傳》才作出了《大象傳》。其次是《小象傳》。繼《大象傳》後編集了《雜卦傳》。利用《雜卦傳》作出了《彖傳》。《彖傳》後展開了乾坤二元論，這就是《繫辭上傳》，再把乾坤二元論提高到一元論。《說卦傳》是最後形成的，但其中包括了從最老的東西到最新的東西。而《序卦傳》是最後被寫的。

㊾ 原文：「共通の思想の存在を指摘するだけでなくその思惟の展開の直接的關係の實證へと一步前進せねばならない。」〈十翼の成立をめぐって——福田氏との論爭の焦點——〉，頁 426。

㊿ 山下靜雄：〈左傳國語における周易思想〉，《哲學（廣島哲學會）》第 6 集（1956 年 3 月），頁 15－37。

51 山下靜雄：《周易十翼の形成と展開》（東京：風間書屋，1975 年 12 月）。在本文中《周易十翼の形成と展開》的要約，引用楊宏聲編著《本土與域外——超越的周易文化》，頁 170－171。

戶田豐三郎嘗試對《繫辭傳》、《文言傳》、《序卦傳》、《雜卦傳》的成立進行考察。關於《周易・繫辭傳》成立的過程，有〈周易繫辭傳考〉。[52]他考察了《繫辭傳》的成立情況，同時闡述了自己對《易》的成立時期的想法。通過對「繫辭」語例的驗證，推測《繫辭傳》可能本來是針對爻辭的傳。關於現在的《繫辭傳》，他推測，可能是秦漢的傳易諸儒傳承，或者追加的斷簡詩論，收集附加於《文言傳》之後的。並且，他還認為，當今的《繫辭傳》，從其內容推測，應與《文言傳》同等看待。他推定《易》的整理時期在石渠會議前後。[53]

關於《序卦傳》、《雜卦傳》的成立，戶田豐三郎在〈周易文言序卦雜卦考〉[54]中有如下推測。《序卦傳》，即《淮南子》所引的序卦說，有可能在昭帝宣帝時期，作為孔子易傳之一被收入了《周易》。關於《雜卦傳》，由於《史記》中沒有相關記載，則其成立應晚於《史記》，而其名亦不見《漢書》，則有可能是被並於序卦之中的關係。

本田濟在《易學》[55]一書中將十翼的內容及其形成過程作了如下的分類。

本田濟認為《說卦傳》的後半、各《大象》的前半與儒家沒有聯繫，《象傳》的大部分和《彖傳》才開始把《周易》與儒家教義相結合，並引進陰陽學說。《說卦傳》的前半、《繫辭傳》、《文言傳》把《周易》作為秦漢的政治規範的實用理論，並予以經典化，故其形成在秦漢期。《序卦傳》與《雜卦傳》則是漢初的經學家、占筮者之作。

赤塚忠在〈《易經》と中國思想〉[56]中對十翼的形成時期作了如下的推論。

---

[52] 戶田豐三郎：〈周易繫辭傳考〉，《支那學研究（廣島支那學會）》第 18 號（1957 年 10 月），頁 1－39。

[53] 關於《繫辭傳》、《文言傳》的論文另有岡澤鉦次郎〈繫辭傳文言傳につきて〉，《東亞之光》第 5 卷 7 號（1910 年 7 月）；大島順三郎〈繫辭傳の三大矛盾〉，《東洋哲學》第 18 篇 5 號（1911 年 5 月）等。

[54] 戶田豐三郎：〈周易文言序卦雜卦考〉，《支那學研究（廣島支那學會）》第 23 號（1959 年 12 月），頁 34－40。

[55] 本田濟：《易學》（京都：平樂寺書店，1960 年 11 月）。關於本田的觀點，請參考楊宏聲編著《本土與域外——超越的周易文化》，頁 170。

[56] 赤塚忠：〈《易經》と中國思想〉，《中國古典文學大系・易經、書經》（東京：平凡社，

《彖傳》與《繫辭傳》幾乎是同時完成之著作。《大象》是《周易》被定為經書的漢代之作。《小象》似有模仿《彖傳》的內容，《小象》與《大象》完成的時期相近。《繫辭傳》完成時期是從秦始皇初期到漢代初期。《文言傳》與《繫辭傳》是同時期的著作；《說卦傳》與《大象傳》完成的時期相近，兩書中包含易博士之說。《序卦傳》在《周易》被標榜為官學時才有；而《雜卦傳》則在《周易》被標榜為官學以後。

赤塚忠認為重要的是《彖傳》、《繫辭傳》及《文言傳》的主要部分在被編入漢帝國的經學典籍之前就已經成立，一般認為與此同時《十翼》已近完備。

《說卦傳》成立的相關論文有服部武〈周易說卦傳の作者について〉。[57]這一論著響應了上述井上哲次郎的論著。他也推定十翼的作者為子思。關於《說卦傳》，則推論為子思或者其門人所作。他的研究方法是，比較檢證《說卦傳》中與《中庸》中的相同語句，具體為：一、關於道德的語句；二、「盡性」；三、「任意」；四、「性命」等概念。

除如上所述以外，高田真治運用民俗學的方法分析伏羲的傳說，以解釋《周易》的起源。[58]

㈢有關卜筮的研究

如上所述的研究方法以外，有從卜筮的起源與理論研究檢證《周易》起源的學者。如根本通明、貝塚茂樹、田口福司朗等是代表人物。

根本通明的易學著作有《周易講義》、[59]《周易象義辨正》兩部。[60]根本通明

1972 年 6 月），頁 614－647，後收於《儒家思想研究》（東京：研文社，赤塚忠著作集，第 3 卷，1986 年 11 月），頁 169－221。有關赤塚的觀點，請參考楊宏聲編著《本土與域外——超越的周易文化》，頁 168－169。

[57] 服部武：〈周易說卦傳の作者について〉，《哲學雜誌》第 675 號（1943 年 5 月），頁 58－71。

[58] 高田真治：《易の思想》，載於《岩波講座・東洋思潮》，第 7 卷下（東京：岩波書店，1935 年 8 月）。

[59] 根本通明：《周易講義》（東京：近田書房，1918 年 5 月）、《周易象義辨正》都是在大正年間，死後由他的兒子與學生出版的。就根本通明的著作介紹，請參考楊宏聲編著《本土與域外——超越的周易文化》，頁 163。

研究了「周易復古三十六變筮法」，認為以前的筮法（十八變筮法）是錯誤的。因為此筮法僅是由三爻組成的六爻之卦，若要得封六爻而得大成之卦必須進行三十六變筮法。

貝塚茂樹〈龜卜と筮〉(61)詳細地分析了一八九九年在河南省安陽縣發現的殷墟卜辭，提出卜辭具有與爻辭相同的特徵。貝塚茂樹弄清殷代曆法的基本週期與周代曆法的基本週期不同。殷代曆法的基本週期為十天，在占卜時，去掉最後一天，對九日進行占卜。周代曆法的基本週期成為七天，在占卦時，去掉最後一天，對六日進行占卦。於是在改編殷代筮術之書時，分為四爻與五爻，再補充，以由六爻組成為卦。這是現在的《周易》。從而貝塚茂樹闡明由殷代過渡到周代之中，曆法的基本週期亦發生變化的根本原因。這是在以往的研究中沒有的一種新的研究方法。

田口福司朗在《《周易》の起源》(62)中考察了周代廢除龜卜，《周易》廣泛流傳的原因。他的研究成果可以歸納如下。龜卜包含許多人為的東西，從經濟和時間的觀點來看，是不方便的，而且判斷的依據沒有合理性。另一方面，筮占沒有人為的東西，又很簡便。因為其判斷也運用數學方法整理，所以更為合理。就是說，殷文化包含著以神為主的不合理性，但是《周易》廣泛流傳，因而避開了陷入迷信的弊病，趨向以人及聖人為主的合理的道德文化。

三、《周易》思想研究

㈠概論

戰前有很多學者對《周易》的整體思想進行了研究，現重點介紹當時的具有代表性的研究者。(63)

---

(60) 根本通明：《周易象義辨正》（鷹巢町（秋田縣北秋田郡）：私家版，1937年10月）。

(61) 貝塚茂樹：〈龜卜と筮〉，《東方學報（京都）》第15冊4號（1947年6月），頁25－86。

(62) 田口福司朗：《《周易》の起源》（東京：明治書院，1960年10月）。請參考楊宏聲編著《本土與域外——超越的周易文化》，頁168。

(63) 如下所述的學者，武內義雄、山路愛山、津田左右吉、本田成之、宇野哲人、赤塚忠的研究介紹，請參考楊宏聲編著《本土與域外——超越的周易文化》，頁165－167。

武內義雄是實證主義學派(64)發展時期的代表，對於中國古典與日本傳統漢學進行強烈指責，尋求以新的方法來研究中國文化。武內義雄的《易と中庸の研究》(65)是體現實證主義學派觀點的著作。他將《周易》與《中庸》相比較，展開文獻原典批評，而且對《易》思想構成的前後關係、形成時期及與《中庸》思想的相互關係進行分析。他認為，《中庸》的前半部分，近似於子思的文章，後半部分，是秦以後子思學派的著作。又基於這一點，子思學派有尊重《易》的傾向，所以《易》的經典化，又是子思學派思想觀念發展的必然結果。

山路愛山《孔子論》(66)中就孔子與《周易》的關係進行批判性的分析。他認為先秦文獻中，唯有《詩》、《春秋》、《論語》較可信，而對《易》作為孔子之作的見解則不可信，《易》的「十翼」無疑也不是孔子作的。在《孔子論》出版後，他又發表《支那思想史》，在這部書中他提出《易》是一種「包容性的哲學」。山路愛山認為，孔孟之學與老莊之學結合，便形成了一種「包容性的哲學」。這種思想在《易》、《大學》、《中庸》、《禮記》諸篇中有所表現。

津田左右吉在〈易に關する一二の考察（上、下）〉(67)中提出，《周易》形成於戰國時代。《易》以前的龜卜都是以龜裂的花紋為基礎的。《周易》是以六十四卦為基礎的，是抽象觀念的象徵。這種象徵並不是民俗的產物，而是知識分子新創造的。津田左右吉認為，《易》體現了中國人的思考和學問方法。其特點是：羅列外界種種事物現象，注重於其外形組織的調和。對於自然及人事的情況，以獨特的思維，按某種觀念，制定對外的規則。津田左右吉的研究並不是有限的《周易》本文，進而對古代中國人的思考方法及特點進行闡釋，是有見識的。

---

(64) 對實證主義學派，請參考楊宏聲編著《本土與域外——超越的周易文化》，頁165。

(65) 武內義雄：《易と中庸の研究》，後收於《武內義雄全集》，卷3。

(66) 山路愛山：《孔子論》（東京：民友社，1906年2月）。

(67) 津田左右吉：〈易に關する一二の考察（上）〉，《東洋學報》第14卷第2號（1924年9月），頁198－249；〈易に關する一二の考察（下）〉，《東洋學報》第14卷第3號（1924年11月），頁295－356，後加以大幅補充改正而以〈易の研究〉為標題，收於《儒教の研究》，第1卷（東京：岩波書店，1950年3月）以及《津田左右吉全集》，第16卷（東京：岩波書店，1965年1月），頁81－182。

本田成之對《周易》成書年代持批判態度。本田成之〈作易年代考〉[68]中認為《周易》包含剛柔、陰陽二元論的世界觀，以功利主義為思想根源。因為孔孟時代沒有二元論的世界觀，功利主義也是與孔孟的教義相違背的，所以《周易》原本不屬於儒家。概言之，《周易》的經文是從以前各種卜法的卜辭、爻辭中選擇和歸納而成的。

宇野哲人從哲學史的角度考察《周易》，曾在戰前的《支那哲學概論》、[69]《支那哲學の研究》[70]等著作，對《周易》的思想意義作了闡釋。宇野哲人認為《易》的「朴素的思想產生了萌芽於上古，成為哲學的體系是在孔子的時代。《周易》包含處世術及倫理觀。儒家的倫理觀亦大半包含其間。《易》之成為六經之一的理由可以說由於此。此外，《老子》中類似於《周易》的內容，亦在不少。他認為，孔子喜《易》尚能置信，《易傳》的作者不僅滿於陰陽二元論，闡述太極一元論，完成了「十翼」的哲學。[71]宇野哲人在戰後著《中國哲學史》、《中國近世儒學史》等，其著作對《周易》繼續有所論述。

赤塚忠的〈《易經》と中國思想〉運用宗教學的方法，分析《周易》起源與其思想意義。赤塚忠認為，《易經》成立的精神史是非人格化的泛神論轉變為人格化的，中國原始信仰展開於道德的教義的經過。又伏羲是該世精神的象徵。伏羲「是以先天性的超越性的神祕性的必然規律為前提的，從而構成其基本的思想性質」，[72]這是《周易》作為「命運之書」的根本原因。文王作卦辭、爻辭的傳說推廣了《周易》的「人文社會建設之書」，孔子作十翼的傳說，推廣了「道德教義之書」。為此赤塚忠認為有關《周易》的「人更三畾、世歷三古」的傳說，是為推廣宣傳《周易》而作的。

---

[68] 本田成之：〈作易年代考（1）〉，《支那學》第1卷第2號（1920年10月），頁16－31；〈作易年代考（2）〉第1卷第3號（1920年11月），頁24－39。

[69] 宇野哲人：《支那哲學概論》（東京：支那哲學叢書刊行會，1926年）。

[70] 宇野哲人：《支那哲學の研究》（東京：大同館書店，1920年4月）。

[71] 今據《支那哲學概論・前篇・第一章》。

[72] 原文：「先天的な超越的神秘的必然律を前提にし、それへの隨順を基本的性格とする。」〈《易經》と中國思想〉，頁623。

㈡形而上學

探究《周易》中「道」的思想構造的論稿，有佐藤貢悅〈《周易》における「道」について——經を中心として——〉。(73)如副題所示，將經與傳（十翼）分開，對經，即卦爻辭中的「道」進行考察。特別是，小畜卦初九爻辭中的「道」。佐藤貢悅認為，卦爻辭中的「道」「並未超越與人相關諸事即人倫世界中的規範這一意義」。該論稿中僅表明了對經中所見的「道」的看法，正如佐藤貢悅自己所說，若不表明對傳中所見的「道」的看法，那麼對「道」的思想全體的解析就是不充分的。因此，他又在別的論文中，對傳中所見的「道」進行了考察。這篇論文就是〈《周易》繫辭傳における道の根本思想〉。(74)這是有關《繫辭傳》中的道的論稿。其中指出，對於道的解釋，從來有兩種看法，一是將道看成變化本身，二是將道看成原理－法則。並且，將聚焦於實踐論的理論基礎的存在論上面，對處於其中心位置的道的根本思想進行考察，得出了道即是天－地－人一貫的原理－法則這一結論。

㈢政治思想

《繫辭傳》在《周易》的十翼中無疑是最有思想性的。這節介紹板野長八及內山俊彥對《繫辭傳》思想的研究成果。

板野長八有〈易の聖人と形而上の道〉(75)，是從政治學的觀點，對《易傳》的思想史意義探討的。他認為，《繫辭傳》反映了荀子的思想，提出《周易》中所稱的「聖人」是指「埝咒者」，這與孔子的聖人像顯然是不同的。最有意思的是板野長八在分析了《繫辭傳》所描述的聖人像之後，提出《繫辭傳》的思想與當時秦漢帝國權力主義觀念相接近。

---

(73) 佐藤貢悅：〈《周易》における「道」について——經を中心として——〉，《倫理學》第2號（1984年3月），頁41－52。

(74) 佐藤貢悅：〈《周易》繫辭傳における道の根本思想〉，《倫理學》第4號（1986年3月），頁37－48。

(75) 板野長八：〈易の聖人と形而上の道〉，《廣島大學文學部紀要》第25卷第1號（1965年12月），頁152－172。請參考楊宏聲編著《本土與域外——超越的周易文化》，頁173。

關於《繫辭傳》研究而言，內山俊彥有〈陰陽、太極、聖人〉。(76)內山俊彥認為，《繫辭傳》是依據孟子的立場，並包含陰陽家、道家等的思想。《繫辭傳》的自然觀是「一陰一陽之謂道」的宇宙法則，它以本原的「太極」說作為天地萬物的形成及人間道德性的內在根據。但運用這樣形而上學的觀點，論證聖人和君主的位置和作用，也就是《繫辭傳》所描述的「聖人」就成為神祕化了，並含有君主的權力主義的性質。總的來看，內山俊彥從自然觀、其與社會及政治思想的相關性上，考察《繫辭傳》的內容、性質。

其他有鵜澤總明〈周易より見たる政體の本質〉(77)及〈周易に於ける政治體系〉、(78)今村完道〈周易の政治思想〉(79)等。

㈣卦變說

關於卦變說的論述，首先有荒木蒼太郎的〈周易卦變論〉。(80)該論文並未完成，其中介紹了儒者對卦變說的見解。另外，花崎隆一郎對卦變說有諸多論述。〈荀爽の卦變說について〉，(81)花崎隆一郎根據張惠言《荀氏九家義》的說法，並參照了孫臺、馬國翰的《荀氏注》和李鼎祚的《集解》，考察了荀爽的卦變說的本質。〈卦變の源流について〉，(82)這篇論文討論了孟喜、焦延壽、京房的卦變說，並考察了卦變說的產生及來源。〈虞翻の卦變說について〉，(83)這篇論文論述了普

(76) 內山俊彥：〈陰陽、太極、聖人〉，《荒木教授退休記念中國哲學史研究論集》（福岡：葦書房，1981 年 12 月），頁 7－24。請參考楊宏聲編著《本土與域外——超越的周易文化》，頁 173－174。

(77) 鵜澤總明：〈周易より見たる政體の本質〉，《服部先生古稀祝賀記念論文集》（東京：富山房，1936 年 4 月），頁 171－182。

(78) 鵜澤總明：〈周易に於ける政治體系〉，《漢學論叢》第 1 輯（1936 年 5 月），頁 83－98。

(79) 今村完道：〈周易の政治思想〉，《臺北帝國大學文政學部哲學科研究年報》第 7 輯（1941 年 12 月），頁 45－91。

(80) 荒木蒼太郎：〈周易卦變論〉，《東洋文化》第 69 號（1930 年 3 月），頁 95－98。

(81) 花崎隆一郎：〈荀爽の卦變說について〉，《日本中國學會報》第 34 集（1982 年 10 月），頁 48－69。

(82) 花崎隆一郎：〈卦變の源流について〉，《中國哲學》第 11 號（1982 年 8 月），頁 37－58。

(83) 花崎隆一郎：〈虞翻の卦變說について〉，《中國哲學》第 13 號（1984 年 9 月），頁 50－

遍認為由荀爽初次提倡的卦變說，是如何被虞翻完善了的發展過程。〈朱子卦變說について〉，[84]所謂「朱子卦變」有三種。第一種是，《易本義》中為解經論述的十九條「卦變說」。第二種是，上述《本義》首篇中出現的說明卦象成立的「卦變圖」。第三種是，作為筮佔用的卦變圖、即附於《易學啟蒙》「考變佔」。第四，結尾的「三十二圖」。這篇論文只論及第一種，並對其論理、意義以及性質的要點進行了論述。而花崎氏則主張，對朱子的卦變說，應該在荀爽、虞翻以來傳統卦變說的範圍內進行論述。〈《易本義》、卦變圖攷〉[85]等。花崎隆一郎的論文，均將卦的變化用表具體明示，對理解卦變說大有幫助。

㈤爻辰說

小澤文四郎〈爻辰說に就いて〉[86]對漢代的爻辰說進行了論證。漢代學者有《易》是以氣為基礎的想法。這一想法，與當時的天人觀一致，也就是研究天文曆日，並嘗試根據其變化預測人生的吉凶禍福。小澤文四郎認為，爻辰說在漢易中與天人觀關係最深，可成為漢易研究的指標。

㈥各卦分論

田口福司朗〈蠱の卦義的考察〉，[87]對照人類社會的種種事象的同時，對蠱的卦辭及其《象傳》、《彖傳》等進行了解說。田口福司朗認為，所謂蠱之道，即利用《象傳》「君子以振民育德」，而獲得的振民這一人類愛和育德這一自我修養。該篇論稿發表的時期，既是日本戰後逐漸復興的時期，又是正要進入高度成長期的時期。所以其中表現了他對需要去克服前所未有的事態的日本人的關懷之情。

關於謙遜思想還有川井義次的〈十七世紀イエズス會士の《易》解釋——《中

87。

[84] 花崎隆一郎：〈朱子卦變說について〉，《中國研究集刊》總第8號（1989年11月），頁20－33。

[85] 花崎隆一郎：〈《易本義》、卦變圖攷〉，《日本中國學會報》第44集（1992年10月），頁130－140。

[86] 小澤文四郎：〈爻辰說に就いて〉，《斯文》第20編5號（1938年5月），頁20－44。

[87] 田口福司朗：〈蠱の卦義的考察〉，《秋田大學學藝學部研究紀要（人文學科）》第9輯（1959年2月），頁15－22。

國の哲學者孔子》の〈謙〉卦をめぐる有神論性の主張——〉。[88]其中闡明，耶穌會會士，為了在中國佈教，曾試圖從《易》中找出有如基督教的神的存在。並指出耶穌會會士在六十四卦中特別重視謙卦。

宇野哲人有〈易の中孚に就いて〉[89]一文。但並非是分析中孚卦本身，而是將中孚卦的「中孚」分解成「中」和「孚」，進而與《中庸》中的「中」、「誠」進行比較論證，最後探討了兩書的製作年代。

大野裕司有〈《周易》蒙卦新解——上海博物館藏戰國楚竹書《周易》尨卦に見る犬の民俗〉[90]一文。他用上海博物館藏戰國楚竹書《周易》再檢討了對蒙卦的解釋。

關於復卦的論文有白井順〈復卦の思想：李翺の「性」論と易〉[91]與〈復卦の諸相（宋代篇）：復卦象傳「復其見天地之心乎」と邵雍の「冬至吟」〉。[92]

(七)先後天圖

武田時昌在〈黃宗羲の圖書先天學の批判〉[93]中指出，黃宗羲根據數理機能分析和意象數考，對圖書先天學進行了批判，他的批判為先儒中沒有的、具有獨創性。他認為，黃宗羲的批判精神給了漢易研究很大的影響。

其他還有古賀登〈先天八卦、後天八卦の構成法について〉。[94]其中探討了先

---

[88] 川井義次：〈十七世紀イエズス會士の《易》解釋——《中國の哲學者孔子》の〈謙〉卦をめぐる有神論性の主張——〉，《日本中國學會報》第 48 集（1996 年 10 月），頁 224－235。

[89] 宇野哲人：〈易の中孚に就いて〉，《斯文》第 9 編 8 號（1927 年 8 月），頁 1－12。

[90] 大野裕司：〈《周易》蒙卦新解——上海博物館藏戰國楚竹書《周易》尨卦に見る犬の民俗〉，《中國哲學》第 33 號（2005 年 3 月），頁 21－44。

[91] 白井順：〈復卦の思想：李翺の「性」論と易〉，《中國學志》第 14 號（1999 年 12 月），頁 55－78。

[92] 白井順：〈復卦の諸相（宋代篇）：復卦象傳「復其見天地之心乎」と邵雍の「冬至吟」〉，《人文論叢》29 號（2001 年 3 月），頁 49－70。

[93] 武田時昌：〈黃宗羲の圖書先天學の批判〉，《日本中國學會報》第 37 集（1985 年 10 月），頁 205－219。

[94] 古賀登：〈先天八卦、後天八卦の構成法について〉，《中國史學》第 10 卷（2000 年 12 月），頁 149－166。

天八卦的形成，並與《帛書》作了比較論證，還考察了先天八卦卦名的成立。

㈧太極圖

今井宇三郎〈《無極而太極》について〉，[95]根據朱子的理解，對太極圖說的首句「無極而太極」這五字進行了考察。

關於太極圖說的解說的論稿，有菊池秀吉〈太極圖說に就て〉。此論文本為畢業論文，直接總結了太極圖說的哲學。

關於太極圖說成立的論稿，另有大西晴隆〈太極圖說成立考〉、[96]吾妻重二〈太極圖の形成——儒佛道三教をめぐる再檢討——〉。[97]

㈨河圖、洛書

在日本，關於河圖、洛書的研究不太多。關聯論著有原田正己〈河圖洛書の一考察〉、[98]川原秀城〈律暦淵源と河圖洛書〉、[99]白杉悅雄〈九宮八風圖の成立と河圖、洛書傳承——漢代學術世界の中の醫學〉、[100]本間次彥〈河圖洛書の問題圈——圖、象數、王夫子〉[101]和溪水社編輯部編《河圖洛書》[102]等。

㈩《連山》、《歸藏》

關於《連山》、《歸藏》的論攷，有今井宇三郎〈連山歸藏の二易について〉。[103]從

---

[95] 今井宇三郎：〈《無極而太極》について〉，《日本中國學會報》第4集（1953年3月），頁50－63。

[96] 大西晴隆：〈太極圖說成立考〉，《懷德》第39號（1968年10月），頁33－62。

[97] 吾妻重二：〈太極圖の形成——儒佛道三教をめぐる再檢討——〉，《日本中國學會報》第46集（1994年10月），頁73－86。

[98] 原田正己：〈河圖洛書の一考察〉，《東洋文學研究》第16號（1968年3月），頁32－58。

[99] 川原秀城：〈律曆淵源と河圖洛書〉，《中國研究集刊》第16號（1995年4月），頁1－21。

[100] 白杉悅雄：〈九宮八風圖の成立と河圖、洛書傳承——漢代學術世界の中の醫學〉，《日本中國學會報》第46集（1994年10月），頁16－30。

[101] 本間次彥：〈河圖洛書の問題圈——圖、象數、王夫子〉，《東方學》第81輯（1991年1月），頁87－101。

[102] 溪水社編輯部編：《河圖洛書》（東京：溪水社，1985年4月）。

[103] 今井宇三郎：〈連山歸藏の二易について〉，《宇野哲人先生白壽祝賀記念東洋學論叢》

《周禮》周官－大卜的記述來看，一般認為，《連山》－《歸藏》－《周易》為夏殷周三代之易。而相對於占卜變的《周易》，《連山》－《歸藏》被認為是占卜不變的。今井宇三郎認為，由《左傳》中所見的占斷檢驗論證《連山》－《歸藏》的實際形態，結果是未能確認其存在。

其他還有川村潮的〈《歸藏》の傳承に關する一考察〉，[104]其中探求了《歸藏》的傳承歷史，他認為被當作魏晉時代偽書的《歸藏》，實際上是假託為殷代的易的偽作。

㈩帛書

近年，馬王堆漢墓帛書被發現以來，未知文獻不斷出土，關於出土文獻的研究也日益豐富起來。

其中有近藤浩之〈馬王堆漢墓帛書《周易》研究概說（上）——帛書《周易》研究二十年の動向〉、[105]〈馬王堆漢墓帛書《周易》研究概說（中）——《帛書周易》研究の現狀と課題〉、[106]〈馬王堆漢墓帛書《周易》研究概說　下——《帛書周易》研究の現狀と課題〉。[107]這些論文集結了從一九七四年的《馬王堆漢墓帛書・周易》的發現到一九九八年為止的研究成果，論證了研究者們的見解的異同，並將研究現狀進行了分類整理。

在《馬王堆漢墓帛書・周易》中，有《六十四卦》和《易傳》，即《繫辭篇》、《二三子問篇》、《易之義篇》、《要篇》、《繆和篇》、《昭力篇》這七篇。

（東京：宇野哲人先生白壽祝賀記念東洋學論叢記念會，1974年10月），頁211－226。

[104] 川村潮：〈《歸藏》の傳承に關する一考察〉，《早稻田大學大學院文學研究科紀要（第4分冊）》第52號（2007年2月），頁55－70。又川村氏，關於《歸藏》成立的論文，有〈『歸藏』成立の要因について〉，《史觀》第156號（2007年3月），頁141－142。

[105] 近藤浩之：〈馬王堆漢墓帛書《周易》研究概說（上）——帛書《周易》研究二十年の動向〉，《中國哲學研究》通號8（1994年7月），頁1－69。

[106] 近藤浩之：〈馬王堆漢墓帛書《周易》研究概說（中）——《帛書周易》研究の現狀と課題〉，《中國哲學研究》通號11（1998年3月），頁1－115。

[107] 近藤浩之：〈馬王堆漢墓帛書《周易》研究概說（下）——《帛書周易》研究の現狀と課題〉《中國哲學研究》通號12（1998年11月），頁1－95。

關於《要篇》的論文，有池田知久的〈《馬王堆漢墓帛書周易》要篇の研究〉⑩⑧和〈《馬王堆漢墓帛書周易》要篇の思想〉。⑩⑨前者主要復原了要篇「經文」，並附上「釋文」。後者以討論《要篇》的思想為主。其他還有將池田知久在〈《馬王堆漢墓帛書周易》要篇の研究〉中發表的「釋文」和一九九三年在中國本土發表的要篇「釋文」進行比較、論證的文章。

關於《二三子問篇》的論文，有近藤浩之〈無小と無大，善と不善——《帛書周易》二三子篇に關する考察二則〉⑪⓪與〈《馬王堆漢墓帛書易傳》二三子篇の龍〉、⑪①渡邊大〈馬王堆帛書《二三子問》の構成について〉。⑪②

李承律在〈馬王堆漢墓帛書《周易》の謙遜思想とその思想史的意義〉⑪③一文中，明確總結為兩點。第一，首見於《荀子》的謙遜思想，在郭店《五行》、《唐虞之道》中被梳理，並被固定為儒家最高德目之一的過程中，《周易・繆和篇》起了決定性的作用。第二，此篇乃是最早將《易》的謙卦賦予了上古聖王之名權威的文獻。

《馬王堆漢墓帛書周易》以外的出土文獻的研究論文有淺野裕一〈戰國楚簡《周易》について〉。⑪④

---

⑩⑧ 池田知久：〈《馬王堆漢墓帛書周易》要篇の研究〉，《東洋文化研究所紀要》通號 123（1994 年 2 月），頁 1－105。

⑩⑨ 池田知久：〈《馬王堆漢墓帛書周易》要篇の思想〉，《東洋文化研究所紀要》通號 126（1995 年 1 月），頁 1－105。

⑪⓪ 近藤浩之：〈無小と無大，善と不善——《帛書周易》二三子篇に關する考察二則〉，《中國哲學》第 30 號（2001 年 12 月），頁 1－23。

⑪① 近藤浩之：〈《馬王堆漢墓帛書易傳》二三子篇の龍〉，《東方學》第 96 輯（1997 年 7 月），頁 16－29。

⑪② 渡邊大：〈馬王堆帛書《二三子問》の構成について〉，《筑波中國文化論叢》第 18 號（1998 年 3 月），頁 109－128。同號中另有辛賢：〈帛書易傳と象數、義理〉（頁 91－107）。

⑪③ 李承律：〈馬王堆漢墓帛書《周易》の謙遜思想とその思想史的意義〉，《人文科學》第 11 號（2006 年 3 月），頁 113－137。

⑪④ 淺野裕一：〈戰國楚簡《周易》について〉，《中國研究集刊》第 29 號（2001 年 12 月），頁 38－46。

四、《周易》研究史

五〇年代後期以來，有關易學史的著作開始出現，多半是斷代易學研究的專著。今井宇三郎《宋代易學研究》，[115]以象數論、太極圖（或太極）、二氣五行為關鍵詞而論述宋代易學的特徵。其後鈴木由次郎《漢易研究》[116]和小澤文四郎《漢代易學の研究》[117]出版了，都是有關漢代易學史研究的著作。但是，戶田豐三郎《易經註釋史綱》[118]是一部總括性的注釋史著作。[119]在日本類似這樣的有關易學史的著作只有屈指可數的的幾部著作。

(一)概述

關於《周易》註釋史概述的著作有戶田豐三郎《易經註釋史綱》。他的著作分成各個朝代即「易經的形成」、「從後漢到魏初易學的變遷」、「王弼易注」、「宋代的易學」、「明清的易學」等項目，較詳細地敘述了《周易》解釋的特徵。[120]但是他把重點放在漢易和宋易論述，沒有對隋唐的易學的項目，對明清的易學的論究亦與漢易和宋易相比其論述的量不多。這樣的現象表現出了關日本《周易》研究的論文之數。

(二)先秦

舘野正美在〈中國古代における運命論の統合——荀子を經て《易傳》へ——〉[121]中，考察了戰國後期以來的宿命論在經歷了荀子之後被統合到《易傳》中的過程。山下靜雄〈左傳國語における周易思想〉、戶田豐三郎〈左、國の易筮記事管見〉也涉及到了《周易》思想史的分野，但是筆者由論點判斷，歸入了十翼研究。

---

[115] 今井宇三郎：《宋代易學研究》（東京：明治圖書出版社，1958年3月）。

[116] 鈴木由次郎：《漢易研究》（東京：明德出版社，1968年3月）。

[117] 小澤文四郎：《漢代易學の研究》（東京：明德出版社，1970年11月）。

[118] 戶田豐三郎：《易經註釋史綱》（東京：風間書房，1968年12月）。

[119] 請參考楊宏聲編著：《本土與域外——超越的周易文化》，頁171。

[120] 參考楊宏聲編著：《本土與域外——超越的周易文化》，頁173。

[121] 舘野正美：〈中國古代における運命論の統合——荀子を經て《易傳》へ——〉，《東洋の思想と宗教》第4號（1987年6月），頁206－219。

㈢兩漢

鈴木由次郎《漢易研究》的特徵是闡述漢易象數學的思想意義。整體來說，在漢代思想研究方面，他的漢易研究有重要意義。鈴木由次郎認為，象數易與漢代的思想文化有關係。象數易雖容易陷入牽強附會，但是包含自然法則與倫理法則相統一的學說，而且也包含政治準則。武內義雄以漢易的理論作為災異說，但是鈴木由次郎評價了漢易的思想意義及漢易的象數學。[122]

其他論著有《太玄易の研究》。[123]主要是《太玄人經》（第二部）的譯註，但在第一部中對《太玄易》的構造、思想、筮法和揚雄進行了解說。

另外，關於漢代易學的研究著作還有小澤文四郎《漢代易學の研究》。[124]小澤文四郎認為，漢代易學是實用科學的。前漢易學的形成與天文歷學有關係，與陰陽災異說及天人感應說相吻合，把經術應用於種種實際的人事。後漢易學則深入地研究《周易》的結構及內容，又究明卦爻的義例。從學問方法來看，可以說是實用科學的。小澤文四郎的研究目的，主要是說明漢代《周易》研究的歷史事實的。他的《周易》研究，在歷來的《周易》研究中，可以說是從來沒有的研究。[125]

辛賢認為，《京氏易傳》中的積算法沒有被充分分析。鈴木由次郎著《漢易研究》也談到，其中雖然提到積算法，但並未進行真正的論證。鈴木由次郎指出，如果不剖析清楚京房易中的積算法，是不能搞清楚京房易的整體結構的。辛賢參考臺灣徐昂氏的《京氏易傳箋》，[126]在〈京房《八宮積算法》試論〉[127]一文中，嘗試了

---

[122] 鈴木由次郎《漢易研究》的介紹，參考楊宏聲《本土與域外——超越的周易文化》，頁172。

[123] 鈴木由次郎：《太玄易の研究》（東京：明德出版社，1964年10月）。

[124] 小澤文四郎有關西漢易學的論文另有〈前漢易學の研究〉，《東洋文化研究所紀要》第4輯（1962年12月），頁25－51。關於東漢易學全般的論文，僅有辛賢〈後漢易學の終章——鄭玄易學を中心に〉，《東方學》第107輯（2004年1月），頁20－34。

[125] 小澤文四郎《漢代易學の研究》的介紹，參考楊宏聲編著《本土與域外——超越的周易文化》，頁172。

[126] 徐昂：《京氏易傳箋》（《無求備齋易經集成》173所收，臺北：成文出版社，1976年）。

[127] 辛賢：〈京房《八宮積算法》試論〉，《筑波中國文化論叢》第21號（2001年3月），頁23－43。

積算法的剖析。關於京房易中的積算法的性質，她推測「《京氏易傳》的八宮六十四卦的卦序構成實際上，是在一種叫『積算』的無限的時間循環構造之上被制定的，以其時間變化的規則性為基礎構築起來的占候法，有可能原本是納甲法」。

戶田豐三郎〈費氏易と馬融、鄭玄、荀爽三家の易に就いて〉、[128]〈漢志六藝略易家の一考察〉[129]主張，費氏易於後漢初衰微，馬融等並未將其傳承下去。但是，田所義行〈易傳と鄭玄〉[130]在承認戶田豐三郎的主張的可能性的同時，[131]又談到「就算馬融與鄭玄充分傳承了費氏易，但將其一成不變地教傳給後世，則是違反馬融和鄭玄的學風的。他們是漢學問的集大成者。所謂集大成，不是單純的積累。而必須將積累的東西進行梳理、並形成一門無懈可擊的學問方可。如此而成的學問纔是馬融的學問、鄭玄的易學。」[132]田所義行一方面承認鄭玄的易學的成立受到了費氏易的影響，又進一步指出了緯書之學的影響。他認為，鄭玄吸取了當時漢社會流行的、易緯乾鑿度的思想，作為《周易》的根本性構成理論，引入了不易的理。他進而指出，董仲舒的賢良對策的思想的影響也是有的。[133]

近年有渡邊義浩編《兩漢における易と三禮》，[134]這個內容是在國際專題研討

---

[128] 戶田豐三郎：〈費氏易と馬融、鄭玄、荀爽三家の易に就いて〉，《廣島大學文學部紀要》第 4 號（1953 年 12 月），頁 61－77。

[129] 戶田豐三郎：〈漢志六藝略易家の一考察〉，《廣島大學文學部紀要》第 1 號（1951 年 7 月），頁 194－206。

[130] 田所義行：〈易傳と鄭玄〉，《東京女子大學論集》第 12 卷 1 號（1961 年 10 月），頁 1－20。

[131] 田所義行：〈易傳と鄭玄〉，頁 2。

[132] 田所義行：〈易傳と鄭玄〉，頁 7。

[133] 田所義行：〈易傳と鄭玄〉，頁 17。

[134] 渡邊義浩編：《兩漢における易と三禮》（東京：汲古書院，2006 年 9 月〕。就《周易》研究的論文而言，第一部〈國際シンポジウム「易と術數研究の現段階」〉中有蕭漢明著、白井順譯：〈基調報告：漢代易學の基本的な特徵について〉，頁 7－36；川原秀城：〈基調報告：術數學——中國の術數〉，頁 37－58；近藤浩之、大野裕司：〈《日書》より見た《周易》卦爻辭の用語、語法に關する考察（講評：池田知久）〉，頁 59－82：辛賢：〈易緯における世軌と《京氏易傳》（講評：三浦國雄）〉，頁 83－124；劉樂賢：〈一種の注目に值する古代天文文獻——緯書《河圖帝覽嬉》新考（講評：小林春樹）〉，頁 125－

會中被發表的基調報告與研究發表等。

四魏晉南北朝

魏晉南北朝時期易學的相關論稿中，最多的可說是王弼的易學。加賀榮治〈魏晉における古典解釋のかたち——王弼の《周易注》について——〉[135]試探討了王弼的學問立場與態度本質和作為精神世界反射的古典解釋的形式。王弼的學問立場和態度，在對《易》的解釋中，對「易」之道的把握有著毋庸置疑的統一性和明晰。王弼認為，易乃語「天人相關」之「道」，通過把握更根源，更本質的「道」才能真正被剖析，並求之於《老子》之「道」。在王弼的古典解釋中，沒有對其他解釋的折衷綜合。易解釋史的義理的立場，王弼旗幟鮮明，至宋－程子的《易傳》而確立起來。此論文的續篇，考察《王弼注》和《韓康伯注》關係的論文，有加賀榮治〈王弼から韓康伯へ——王弼の《周易注》について——〉。[136]其中試圖闡明，站在時代思潮潮頭者，王弼時以《老子》為重，而到了韓康伯時則以《莊子》代之。他們的理論分別為迴避現實之論、保身之辭。本來應以最儒家的正統思想闡釋《易》的解釋，它王弼開始崩塌，至韓康伯則崩塌又更進一步。究其根由則必須去了解社會構造的推移。

西川靖二從易解釋的觀點出發，考察了在《周易略例》中，王弼所論體例與《周易注》的關係。首先，〈王弼の《易》解釋における「卦主」について（上、中、下、續）〉，[137]將《周易略例》明象的卦義分為三種情況進行分析，再按照不

156，又第三部〈兩漢における易と三禮〉採錄池田知久：〈《周易》研究の課題と方法〉，頁329－366。

[135] 加賀榮治：〈魏晉における古典解釋のかたち——王弼の《周易注》について——〉，《人文論究（北海道學藝大學函館人文學會）》第8號（1953年1月），頁1－33。

[136] 加賀榮治：〈王弼から韓康伯へ——王弼の《周易注》について（續）〉，《人文論究（北海道學藝大學函館人文學會）》第9號（1953年3月），頁22－35。

[137] 西川靖二：〈王弼の《易》解釋における「卦主」について（上）〉，《龍谷紀要》第24卷第2號（2003年3月），頁1－19頁；〈王弼の《易》解釋における「卦主」について（中）〉，《龍谷紀要》第25卷第2號（2004年1月），頁1－15；〈王弼の《易》解釋における「卦主」について（下）〉，《龍谷紀要》第26卷第1號（2004年9月），頁1－19；〈王弼の《易》解釋における「卦主」について（續）〉，《龍谷紀要》第26卷第2號

同情況對《周易注》中的卦主的體例一貫性和問題性進行討論。其結論是，王弼從解釋《周易》中導出的體例沒有一貫性，大多場合都是抽出適當體例。〈王弼易學における「上下卦の體例」について（Ⅰ、Ⅱ、Ⅲ）〉[138]與上述論稿密切相關，分析了《周易注》中的「上下卦的體例」。以對象傳的上下卦的論述方法為基準，將六十四卦分成四個部門，進行詳細地分析論證。

在王弼的《周易略例》中，以《繫辭傳》的文章為基礎的表達很多，可以認為一直以來《繫辭傳》對王弼易學的影響是很大的。因此，在日本的學術界中，很多研究者都指出了這一點。比如，加賀榮治談到〈王弼より韓康伯へ——王弼の《周易注》について（續）〉，「原本王弼的《略例》就是揭示自己在易解釋上的原則的著述，可以說其根據幾乎都在《繫辭傳》中，其文章也以很多取自《繫辭傳》中的語句構成。」[139]借西川靖二之言，戶田豐三郎指出「繫辭傳和王弼的《周易略例》之間存在思想的不一致」。[140]

西川靖二在〈王弼易學における彖傳と繫辭傳の意義——《周易略例》中の「彖」「彖辭」の解釋を中心として〉[141]中，指出學者們一直認為《周易略例》明彖中論及的體例是沿襲了《繫辭傳》的思想的，對此西川靖二提出了疑義，並對這一問題進行了重新的考察。他的結論是，《周易略例》明彖的體例並不是由《繫辭傳》中導出的，而是由《彖傳》中導出的，王弼為了保證《彖傳》的重要性和權威而巧妙地利用了《繫辭傳》的表達。也就是說，按照他的想法，在王弼的易解釋

（2005年1月），頁1—19。

[138] 西川靖二：〈王弼易學における「上下卦の體例」について（Ⅰ）〉，《龍谷紀要》第29卷第2號（2008年3月），頁21—34；〈王弼易學における「上下卦の體例」について（Ⅱ）〉，《龍谷紀要》第30卷第1號（2008年9月），頁1—18；〈王弼易學における「上下卦の體例」について（Ⅲ）〉，《龍谷紀要》第30卷第2號（2009年3月），頁1—16，另有〈王弼易學における「上下卦の體例」について（Ⅳ）〉，《龍谷紀要》第31卷第1號（2009年9月），頁1—13，但筆者未得見。

[139] 加賀榮治：〈王弼より韓康伯へ——王弼の《周易注》について（續）〉，頁22—35。

[140] 戶田豐三郎：《易經注釋史綱》，頁309。

[141] 西川靖二：〈王弼易學における彖傳と繫辭傳の意義——《周易略例》中の「彖」「彖辭」の解釋を中心として〉，《龍谷紀要》第28卷第1號（2006年9月），頁1—17。

中，《繫辭傳》的作用僅在於說明《彖傳》的重要性。西川靖二的這些精心的研究都是值得注目的。

(五)隋、唐

關隋唐時代《周易》的研究相對於其他時代的比較少。例如論著有高橋進〈《周易正義》中孔穎達的思想〉、[142]野間文史〈廣島大學藏舊鈔本《周易正義》について〉[143]及〈廣島大學藏舊鈔本《周易正義》攷附校勘記〉。[144]

(六)宋

關於宋代易學研究的專著有今井宇三郎的《宋代易學の研究》。這本著作的特徵是把重點放在宋儒思想的綜合性敘述上。今井宇三郎認為，宋代易學是宋學思想的根源。周濂溪展開的《太極圖》是宋代易學的新主題，太極思想是絕對的。在漢魏易解釋的思想根源是陰陽與五行，而在宋代興隆的新易學的思想根源是太極。[145]關於易學是在其時代中思想根源的看法而言，今井宇三郎與鈴木由次郎雖研究的時代不同，但是可以說兩者的看法相近。

今井宇三郎通過對宋代易學與《周易正義》的研究，試圖證實由基於中國實在觀的存在論轉向認識論這一變化是在儒家的主體性權威下確立起來的。

戶田豐三郎〈伊川易傳攷〉[146]對《伊川易傳》的體裁、內容進行了考察。其中認為，關於《伊川易傳》的體裁，《二程全書》收《易傳》四卷，實為六卷。文中

---

[142] 高橋進：〈《周易正義》中孔穎達的思想〉，《大易集成》（北京：文化藝術出版社，1991年2月），頁242－247。

[143] 野間文史：〈廣島大學藏舊鈔本《周易正義》について〉，《日本中國學會報》第47集（1995年10月），頁106－119。

[144] 野間文史：〈廣島大學藏舊鈔本《周易正義》攷附校勘記〉，《廣島大學文學部紀要》第55卷（特輯號1）（1995年12月），頁1－95。這篇論文收入野間文史：《五經正義の研究：その成立と展開》（東京：研文出版，1998年10月），頁211－267。

[145] 今井宇三郎的《宋代易學的研究》的介紹，參考楊宏聲編著《本土與域外——超越的周易文化》，頁172。對「綜合」的語句，長谷部英一說明為：「所謂綜合是指在儒家的傳統思想中與原典相立的道家思想、佛教思想的異同關係。」，頁172。

[146] 戶田豐三郎：〈伊川易傳攷〉，《支那學研究（廣島支那學會）》第24、25合併號（1960年10月），頁178－188。

指出伊川使用了王弼注本作為底本，並認為，之所以繫辭傳以下未加註釋，是因為參照了王弼底本的關係。關於《伊川易傳》的內容，文中認為，重視經傳，視之為聖人之書，並未超出經學的傳統範圍。伊川的著述目的在於聖人之道，或者其道中包含的義理即「理」的解析。戶田氏給出了如下評價，伊川將《周易正義》中註疏的老莊色抹去，開闢了儒家哲學。[147]但是，他又認為關於卦變說的部分是不充分的。

《周易本義》卷首附有九幅易圖。對此易圖，清代王懋竑在〈易本義九圖論〉、〈易本義九圖論後〉（《白田草堂存稿一》）中主張非朱子之作。針對王氏之說，戶田豐三郎氏在〈坊刻周易本義の考察と原本本義の成立年代〉[148]中逐一進行了反駁。其結論是，《周易本義》上繫第十一章「是有太極」一節有「詳見序例啟蒙」，朱子應該是打算取《易學啟蒙》大略概括成序例的，只是並未完成，最終只留下了易圖而已。（此處參考了吾妻重二〈朱子の象數易思想とその意義〉[149]中的概括。順便一提，吾妻重二對戶田豐三郎的看法表示了讚賞）另外，戶田豐三郎還有〈朱子の易經觀と周易本義の特質〉。[150]戶田豐三郎指出，從《周易本義》開始，朱子的易經觀相當傾向於老莊。

關於朱子易學乃至宇宙原理認識中的「理」的把握方法，吾妻重二在〈朱子の象數易思想とその意義〉中闡述道：「與其認為朱子原原本本地繼承了伊川『理』的思想並將其作為自己思想的根底，不如認為，道學的大成者朱子的，包含自然界與人間界的『理』的意義在於綜合了濂溪、康節的『象數』立場和伊川、明道的『義理』立場之處，還比較接近真相。而且濂溪、康節、朱子的『象數』思想，可以認為是與道教系相同立場的。」並且他認為，這些思想都與道家思想有淵源。

---

[147] 戶田豐三郎：〈伊川易傳攷〉，頁 185。

[148] 戶田豐三郎：〈坊刻周易本義の考察と原本本義の成立年代〉，《廣島大學文學部紀要（哲學）》第 23 卷 1 號（1964 年 8 月），頁 69－83。

[149] 吾妻重二：〈朱子の象數易思想とその意義〉，《PHILOSOPHIA》第 68 號（1980 年 12 月），頁 146。

[150] 戶田豐三郎：〈朱子の易經觀と周易本義の特質〉，《廣島大學文學部紀要（日本、東洋）》第 26 卷 1 號（1966 年 12 月），頁 136－156。

㈦明

佐藤錬太郎〈王畿の《易》解釋について〉⑮中，例舉了王畿所著《大象義述》一卷及《龍溪先生全集》二十卷中所見的《易》解釋，重點考察與良知說的關聯性，並明確了其特色。王畿將大象解釋為君子的修養論，並將「太極」解釋為良知，這一解釋是很有獨創性的。王畿的易說基本上是敷衍王守仁的易說而成的，其《易》解釋的特色在於根據《易》展開了良知說，即以《繫辭傳》的存在論為基礎展開了良知說。

關於王畿易學的論文還有永富青地〈王畿の易學と丁賓——大象義述を中心として——〉。[152]永富青地簡述了《大象義述》的成立，王畿易學的簡單介紹及龍溪全集的編集者丁賓收錄《大象義述》的經緯。

關於朱子的卜筮說的論文，有三浦國雄〈朱晦庵と《易》—その卜筮說をめぐって〉。[153]這篇論文闡述了朱子的《周易》觀、版本的再編成、《程傳》批判、朱子的象數思想、朱子說卜筮說的意圖。

㈧清

戶田豐三郎〈清朝易學管見〉[154]是一篇列舉顧亭林、黃梨洲兄弟、焦里堂、毛西河、惠定宇等人，並介紹他們的易學特徵，總括清朝易學發展的論攷。其中認為，清朝的易學以批評朱子易圖為端。關於清朝考證學，另外指出，儘管為經書作了新疏，但易經終無，唯《易經》成果遜色。關於焦里堂的論攷，有〈焦里堂の易學〉。[155]

---

[151] 佐藤錬太郎：〈王畿の《易》解釋について〉，《陽明學》第 10 號（2000 年 3 月），頁 63－78。

[152] 永富青地：〈王畿の易學と丁賓——大象義述を中心として——〉，《東洋の思想と宗教》第 6 號（1989 年 6 月），頁 53－65。

[153] 三浦國雄：〈朱晦庵と《易》—その卜筮說をめぐって〉，《東方學報（京都）》第 55 冊（1983 年 3 月），頁 211－258。

[154] 戶田豐三郎：〈清朝易學管見〉，《廣島大學文學部紀要（哲學）》第 22 卷 1 號（1963 年 3 月），頁 99－128。

[155] 戶田豐三郎：〈焦里堂の易學〉，《東洋文化（無窮會）》復刊第 24 號（通卷 258 號）（1970 年 12 月），頁 14－27。

關於清王夫之的《易》解釋的論述頗多。吉田健舟多有論著，其關於王夫之的易解釋的論著中，側重於對關於王夫之的易的著書的介紹。

吉田健舟在〈周易內傳發例について（一）〉[156]中，對王夫之的《周易內傳》如此評價，「無論其規模還是其內容，都可以稱之為集王夫之易學之大成的精心著作。因此，《發例》首先為《內傳》的綱領，同時稱其為王夫之易學的綱領也不為過。」並且，他還以「乾坤並建」、「錯綜合一」、「象爻一致、四聖一揆」為中心，考察了《發例》的一部分。

另外，吉田健舟在〈周易大象解について〉[157]中，對關於王夫之的大象的專解進行了解說。他論述到「讀周易大象解，即是在學習王夫之對人之活法，君子人之處身之方的志向。」他還談到，《周易大象解》中所顯示的王夫之的思想特色在於特別重視乾坤，並將其視為周易之根本，這一點於《周易大象解》也是一樣的。另外他指出，王夫之的關心更多的在於人道一面。具體而言，王夫之認為正常的情欲的顯現是符合人道的，打勝與人慾的戰爭乃是第二義，復禮才是君子的第一義的課題。而這一想法是值得關注的。本田濟的〈王船山の易學〉[158]中也指出，將對政治的關心，寄托於易而吐露。王船山的易學的特徵在於肯定欲望，並且肯定現世，是一種進步的歷史觀。

吉田健舟在〈周易稗疏について〉[159]中指出，《周易稗疏》「克服了漢易和邵雍的、形式的、決定論式的易解釋，出朱子的周易本義之不備，程傳比較寬容，而張載則意外地一字未提」。

順便一提，二〇〇〇年，高田淳《王船山易學述義（上、下）》[160]出版。該書

---

[156] 吉田健舟：〈周易內傳發例について（一）〉，《哲學（廣島哲學會）》第 43 集（1991 年 10 月），頁 168－178。

[157] 吉田健舟：〈周易大象解について〉，《哲學（廣島哲學會）》第 40 集（1988 年 10 月），頁 249－263。

[158] 本田濟：〈王船山の易學〉，《人文研究》第 14 卷 7 號（1963 年 8 月），頁 71。

[159] 吉田健舟：〈周易稗疏について〉，《哲學（廣島哲學會）》第 36 集（1984 年 10 月），頁 122－135。

[160] 高田淳：《王船山易學述義（上、下）》（東京：汲古書院，2000 年 3 月）。

是以《周易外傳》、《周易內傳發例》、《周易大象解》的譯解為中心編纂的大部頭著作。

㈨日本

濱久雄〈伊藤東涯の易學〉⑯認為，東涯在《易經》中發現了古學的儒教精神，將基於宇宙原理的自然變化的諸現象與人事百般相聯繫，排除了占筮，強調儒教的實踐哲學的一面，嘗試沿著《論語》、《孟子》中顯示的原始儒家思想的線路，實現統一性的把握。

關於伊藤東涯的論文，還有伊東倫厚〈伊藤東涯の《周易》十翼批判〉，⑯認為東涯在《周易經翼通解》裡，提出十翼非夫子之所作的說。他雖然贊成歐陽修的看法，但是並沒有提出與歐陽修同樣的看法。又他的批判不是對十翼本體的批判，是對後儒（具對地指宋儒）解釋《繫辭傳》、《說卦傳》的方法進行的批判。

閻茁〈熊澤蕃山の《周易》解釋における獨自性——「太極」をキーワードに——〉⑯認為，熊澤蕃山的思想不是朱子學的，也不是陽明學的，而是神道學的，他的經典解釋，是主張對儒教原典的直接解釋。

田中佩刀〈《周易》四德に關する佐藤一齋の解釋（上、下）〉⑯是以佐藤一齋《周易進講手記》中「四德（元亨利貞）之說」為尋入口，探討佐藤一齋對《周易》的理解的論文。

村上雅孝〈近世易學受容史における鷲峰點《易經本義》の意義〉，⑯在訓點

---

[161] 濱久雄：〈伊藤東涯の易學〉，《東洋研究》90（1989年1月），頁1－32。濱久雄另有〈荻生徂徠の易學思想〉，《東洋研究（無窮會）》第161號（2006年11月），頁57－79。

[162] 伊東倫厚：〈伊藤東涯の《周易》十翼批判〉，《日本中國學會報》第55集（2003年10月），頁276－287。

[163] 閻茁：〈熊澤蕃山の《周易》解釋における獨自性——「太極」をキーワードに——〉，《日本思想史學》第31號（1999年9月），頁78－95。

[164] 田中佩刀：〈《周易》四德に關する佐藤一齋の解釋（上）〉，《大倉山論集》第33集（1993年3月），頁1－25；〈《周易》四德に關する佐藤一齋の解釋（下）〉，《大倉山論集》第36集（1994年12月），頁47－70。

[165] 村上雅孝：〈近世易學受容史における鷲峰點《易經本義》の意義〉，《文藝研究》第100

的世界中考察了鷲峰的易學研究。村上氏評價，鷲峰是近世易學研究中文本批判的先導，鷲峰的訓點為訓讀的簡化開辟了道路。

以上是日本學者易學研究中的具有代表性的著作，反映了日本學者對歷代易學文獻的整理和疏證工作的一丁側面進行，估計今後將有進一步的拓展。

(十)海外

日本《周易》研究中有與外國哲學進行比較的研究。例如山口久和〈C. G. ユングと易經——共時性（Syncronizitat）をめぐる比較思想的考察〉、[166]鈴木由次郎〈伏羲六十四卦方位圖とライプニッツの二進法算術〉[167]等。

結　語

以上我們回顧了日本近一百年間《周易》的研究成果。日本的《周易》研究以某一時期為分界線發生了很大的變化。這一時期就是太平洋戰爭。也就是說，戰前、戰後的研究者的興趣發生了變化。從明治末期到戰前的日本的《周易》研究，總的來說，提出了關於《周易》的一系列新見解、新課題，並有將其系統化的傾向。比如，井上哲次郎〈《易》哲學に關する疑義〉可以說是其中的典型。並且，對於井上的這一疑義，服部武發表了〈周易說卦傳の作者に就いて〉，田所義行發表了〈易言析義（1、2）〉，[168]披露了自身的見解。也就是說，戰前的《周易》研究可以稱之為《周易》思想的研究。

另一方面，戰後的《周易》研究者的研究興趣拓展到各個方面。比如，《周易》的起源、十翼的成立和發展、《周易》的思想意義等問題。特別應該注目的

號（1982 年 6 月），頁 79－88。

[166] 山口久和：〈C. G. ユングと易經——共時性（Syncronizitat）をめぐる比較思想的考察〉，《東方宗教》第 60 號（1982 年 10 月），頁 69－86。

[167] 鈴木由次郎：〈伏羲六十四卦方位圖とライプニッツの二進法算術〉，《宇野哲人先生白壽祝賀記念東洋學論叢》（東京：宇野哲人先生白壽祝賀記念會，1974 年 10 月），頁 595－617。

[168] 田所義行：〈易言析義（1）〉，《哲學雜誌》第 682 號（1943 年 12 月），頁 71－92；〈易言析義（2）〉，《哲學雜誌》第 683 號（1944 年 1 月），頁 68－91。他以子思為十翼之作者。

是，易學史的研究有了很大發展。實際上，在本文第四章中，按照時代介紹了諸多論文，其中大多數都是出自戰後的研究者之手。也就是說，戰後的《周易》研究可以稱之為《周易》思想史的研究。

近來日本的《周易》研究產生了新的思潮。

一是，一九七〇年代以後出土文獻的相繼發現，引起了對現行經書的再檢討。這並不僅限於《周易》。因為發現了，在當今經書中沒有的文獻成立年代等眾多方面對當今研究者給予了影響。

另一方面是，除漢學者以外的研究者開始對《周易》感興趣。

現代日本易學研究中，具有創新研究的就是應用現代知識和科學方法論對《周易》展開闡釋。由於《周易》的實用性重新引起當代日本人的興趣，對《周易》展開多學科的現代闡釋可說正方興未艾。關於民俗學而言，吉野裕子將《周易》應用於日本民俗的解說，她的兩部專著有《〈易〉と日本の祭祀》[169]和《陰陽五行と日本民俗》。[170]吉野裕子根據《周易》及與其相關的陰陽五行思想把握日本民俗的構造。在醫學方面，山上秀治〈周易と歯科學（その一）〉，[171]從齒科學的立場解釋了六十四卦。在建築學方面，西垣安比古〈朝鮮の「すまい」に於けるマルとマルダン　風水地理說を通して〉[172]，用《易》解說了一部分朝鮮的建築樣式。在社會學方面，徐送迎〈真の共生社會についての思索——東アジアの日本、中國、韓國を中心に——〉，[173]進行了在東亞中如何實現共生社會的試論。

如上所述，在《周易》被應用於其他學界的背景下，可以看出，眾多學者被《周易》本身所具備的深邃哲理所吸引。可以說，將來的《周易》研究還潛藏著眾

[169] 吉野裕子：《〈易〉と日本の祭祀》（京都：人文書院，1984年11月）。

[170] 吉野裕子：《陰陽五行と日本民俗》（京都：人文書院，1983年6月）。

[171] 山上秀治〈周易と歯科學（その一）〉，《日本歯科醫史學會會誌》第7卷第4號（通卷25號）（1980年），頁1－3。

[172] 西垣安比古：〈朝鮮の「すまい」に於けるマルとマルダン　風水地理說を通して〉，《日本建築學會計畫系論文報告集》第379號（1987年9月），頁158－165。

[173] 徐送迎：〈真の共生社會についての思索——東アジアの日本、中國、韓國を中心に——〉，《櫻美林論集》第36號（2009年3月），頁209－228。

多的可能性。

最後需要說明的是，在執筆這一日本《周易》研究史之際，筆者具在楊宏聲編著《本土與域外——超越的周易文化》的第三章〈《易經》在古代日本的傳播與日本傳統易學〉及第四章〈明治以來日本對《易經》的研究〉[174]的基礎上，或重新組織或予以參考。

參考文獻

林慶彰主編：《日本研究經學論著目錄（1900－1992）》（臺北：中央研究院中國文哲研究所，1993年10月）。

楊宏聲編著：《本土與域外——超越的周易文化》（上海：上海社會科學院出版社，1995年7月）。

[174] 楊宏聲編著：《本土與域外——超越的周易文化》，頁147－177。該部分是長谷部英一所擔任的。

經 學 研 究 論 叢
第 二 十 輯　頁357～424
臺灣學生書局 2012 年 12 月

近一百年日本《周禮》研究概況——1900－2010 年之回顧與展望*

工藤卓司**

前　言

眾所周知，歷史上《周禮》走過來的路並不平坦。西漢武帝（前 156－前 87）早就批判《周禮》為「末世瀆亂不驗之書」，❶東漢何休（129－182）亦謂之為「六國陰謀之書」，❷其後《周禮》往往受到排斥。《四庫全書總目》即曰：「《周禮》一書，上自河間獻王。於諸經之中，其出最晚。其真偽亦紛如，聚訟不可縷舉。」❸《周禮》文獻學上的問題更為複雜，主要是因有古文、今文學派的鬥爭。西漢末期的劉歆（？－23）表彰《周禮》、《春秋左氏傳》等古文學，引起今文學派激烈批判。此後一直到清末民初的廖平（1852－1932）、康有為（1858－

---

* 本文是國立臺灣大學中文系李隆獻教授民國 99 年度主持，國家科學委員會研究計畫「清代復仇觀的省察與詮釋」之一部分。筆者寫作此文章時，承蒙李隆獻老師的指教，在此謹誌謝意。

** 工藤卓司，日本廣島大學文學博士，致理技術學院應用日語系助理教授。

❶ 〔唐〕賈公彥：〈序周禮廢興〉，《十三經注疏・周禮注疏》（臺北：藝文印書館，1960 年），卷 1，頁 8。

❷ 同前註。

❸ 〔清〕紀昀等：《欽定四庫全書總目》（臺北：藝文印書館，1974 年），頁 398。

1927）等學者，持續對《周禮》提出質疑。《周禮》在文獻上的問題，實難有定論。不僅如此，還有政治上的問題。現代學者彭林指出：「關於《周禮》的爭論，又往往帶有學派鬥爭和政治鬥爭的複雜色彩。」❹劉歆以《周禮》作為王莽施政的基礎，北宋王安石（號介甫，1021－1086）、明建文帝（1377－1402）都依據《周禮》施政，卻皆以失敗告終。因此，《周禮》雖是經書之一，多數學者對其評價並不高。不過，《周禮》面世以來，也吸引不少知識分子的關注，東漢鄭玄（字康成，127－200）就以《周禮》為中心而構築三禮的一大系統，而日本德川時代的學者布施維安（字子定，別名蟹養齋，？－1778）《讀書路徑》云：

> 此《周禮》，漢末王莽時始行於世，故有並非古代之書的懷疑。王莽、宋王荊公、明建文帝皆根據《周禮》為政，使國民困難，引起亂逆。因此，疑是者益多。然王莽、荊公、建文帝實誤用《周禮》，並非《周禮》之咎。此書詳審縝密，無疑是聖人之作。❺

如此《周禮》一方面既成為眾矢之的，另一方面始終仍是「聖人之作」。

那麼，日本人如何看待《周禮》？本文擬從三個部分簡述近百年日本人研究《周禮》的成果：一、《周禮》和刻本與日譯；二、《周禮》文獻學研究；三、《周禮》內容研究，最後並將展望未來的《周禮》研究。

---

❹ 彭林：《《周禮》主體思想與成書年代研究（增訂版）》（北京：中國人民大學出版社，2009年11月），頁1。

❺ 長澤規矩也：《江戶時代支那學入門書解題集成》（東京：汲古書院，1975年7月），第1集，頁439。原文：「此周禮、漢ノ末王莽カ時ヨリ、世ニ行ルル故、古ノ書ニテアルマシキトノ疑アリ、王莽、宋ノ王荊公、明ノ建文帝ミナ周禮ニヨリテ政ヲナシテ、國民ヲ苦シメ、亂逆ヲマ子リ、ヨツテ是ヲ疑フ者マスマス多シ、然レトモ王莽荊公建文帝ハ、周禮ヲヨク用ヒサル誤リニテ、周禮ノ咎ニ非ス、コノ書ノ詳審縝密、聖人ノ作レルコト疑ナシ。」

一、《周禮》和刻本與日譯

《周禮》何時傳到日本，與其他經典相同，未有明確的證據。天平寶字元年（757）所施行的《養老律令・學令》有：「凡經，《周易》、《尚書》、《周禮》、《儀禮》、《禮記》、《毛詩》、《春秋左氏傳》，各為一經。《孝經》、《論語》，學者兼習之。」又云：

> 凡教授正業：《周易》，鄭玄、王弼注；《尚書》，孔安國、鄭玄注；《三禮》、《毛詩》，鄭玄注；《左傳》，服虔、杜預注；《孝經》，孔安國、鄭玄注；《論語》，鄭玄、何晏注。

> 凡《禮記》、《左傳》各為大經，《毛詩》、《周禮》、《儀禮》各為中經，《周易》、《尚書》各為小經。通二經者，大經內通一經，小經內通一經。若中經即併通兩經。其通三經者，大經、中經、小經各通一經。通五經者，大經並通。《孝經》、《論語》皆須兼通。❻

可知當時《周禮》在大學「明經」科目之中，與《毛詩》、《儀禮》並列於「中經」。天長十年（833）所編撰的「令」解說書《令義解》中，引用了一百四條的《周禮》相關（包括只引書名之處及注疏等）之文。《禮記》有關的引文有八十五筆；《儀禮》則有十二筆，《周禮》不但是三禮之中最多，在《令義解》所引諸經中也最多。❼古代日本大致模仿唐朝的律令制度，既然唐朝律令制度基於《周禮》，日本的律令制度無疑也受到《周禮》的影響。❽

---

❻ 惟宗直本：《令集解》，卷 15，收於《新訂增補　國史大系》（東京：吉川弘文館，1943 年 12 月），卷 23，頁 447－449。

❼ 據奧村郁三編：《令義解所引漢籍備考》（吹田：關西大學出版部，2000 年 3 月）。《毛詩》，七十五筆；《尚書》，八十一筆；《周易》，三十一筆；《春秋》，九十一筆；《論語》，六十九筆；《孝經》，五十九筆；《爾雅》，一百三筆。

❽ 請參閱曾我部靜雄：〈律令の根源としての周禮〉，《日本上古史研究》第 1 卷第 3 號（1957 年 3 月），頁 53－54。另外，六九〇年開工的藤原京（新益京）是從持統天皇八年

不只如此，依據內野熊一郎《日本漢文學研究》，可知從奈良時代到平安時代，《周禮》擁有相當多的讀者。內野認為，七二〇年成書的《日本書紀・仁德紀》有「額田大中彥皇子將來其氷，獻于御所，天皇歡之，自是以後，每當季冬必藏氷，至春分始散氷也」，可能即是根據《周禮・天官》「凌人掌冰，正歲十有二月，令斬冰」及《禮記・月令》等而來。七九七年編纂的《續日本紀・孝謙紀》云：「詔曰，朕覽《周禮》，將相殊道，政有文武，理宜然」。八二七年的《經國集・栗原年足對策》「候彼五年之間，先祫後禘，合其昭穆，序其尊卑，來百璧於助祭」也是本於《公羊》與《周禮》（《說文》所引）「三年一祫，五年一禘」之說。此外，《本朝文粹》所收錄的小野篁（802－852）〈令義解序〉「隆周三典，漸增其流」是據《周禮・大司寇》三典說；八四〇年的《日本後紀・仁明紀》「《周禮》曰，旄人掌樂」亦是引用《周禮・大司樂・旄人》「旄人掌教舞散樂舞夷樂」。❾與《禮記》相比，引《周禮》極少，但可以看出仍有不少人關注《周禮》。藤原佐世（847－897）《日本國見在書目錄》著錄《周官禮》十二卷（鄭玄注）、《周禮義疏》十四卷、《周官禮抄》二卷、《周禮義疏》六卷（冷然院）、《周官禮義疏》卌卷（汴重撰）、《周官禮義疏》十卷、《周官禮義疏》十九卷、

（694）至元明天皇和銅三年（710）的平城京遷都，總共三代十六年間的日本首都，中村太一：〈藤原京と《周禮》王城プラン〉，《日本歷史》第 582 號（1996 年 11 月），頁 91－100；小澤毅：〈古代都市「藤原京」の成立〉，收於《日本古代宮都構造の研究》（東京：青木書店，2003 年 5 月），頁 201－238 都認為，此也是根據《周禮・考工記・匠人》「匠人營國，方九里，旁三門，國中九經九緯，經塗九軌，左祖右社，面朝後市，市朝一夫」而成。反之，林部均：《飛鳥の宮と藤原京　よみがえる古代王宮》（東京：吉川弘文館，2008 年 2 月）指出小澤、中村方法論的問題點，依「王宮、王都明顯地反映支配方式（王宮、王都には支配システムが端的に反映される）」而說：「天武天皇所造成的支配方式，基本上並非根據《周禮》。既然如此，豈能難說王都只根據《周禮》而成（天武がつくった支配システムは基本的には『周禮』にもとづくものではない。にもかかわらず、王都だけが『周禮』にもとづいてつくられているということは考えにくいのではないだろうか）？」（頁 224－225）此點，另參閱淺野充：〈古代宮都の成立と展開〉，歷史學研究會、日本史研究會編：《日本史講座第 2 卷・律令國家の展開》（東京：東京大學出版會，2004 年 6 月），頁 65－92。

❾ 請參考內野熊一郎：《日本漢文學研究》（東京：名著普及會，1991 年 6 月），頁 53－62。

《周官禮義疏》九卷、《周禮疏》（唐賈公彥撰）、《周禮音》一卷、《周禮圖》十五卷、《周禮圖》十卷以及《周禮圖》十卷（鄭玄、阮諶等撰），[10]與其他經書相比並不算少。

平安後期的貴族藤原賴長（1120－1156）所寫的日記《臺記》中，康治二年（1143）九月二十九日舉出他曾經讀過的書籍，有「《周禮》十二卷（抄）」的記載，[11]同時賴長說：「自今而後，十二月晦日錄一年所學」，久安二年（1146）十二月有「《周禮》十卷（二至十，首付高讀，加今度二反）」[12]，翌年也有「《周禮》二卷（十一、十二）」、「《周禮》三卷（一、二、三）」、「《周禮疏》十三卷（一至十三）」的紀錄，[13]久安四年又云「《周禮》三（四、五、六合疏）」、「《周禮疏》十九卷（十四至三十二）」。[14]可知仍有不少知識分子關注著《周禮》。

總而言之，從這些資料來看，從奈良時代到平安時代，因為知識分子在國家制度上需要《周禮》的知識，《周禮》也相當受到重視。然而，一到武士時代，隨著國家制度的變化，讀《周禮》者也迅速減少。佐野學（1892－1953）曾說：

> 在日本王朝時代讀《周禮》者頗多。根據《大寶令》，大學、國學的科目之中都有《周禮》。這是因為王朝時代的政府結構多少有模仿中國之處，讀《周禮》有實際上的意義。但是，由於日本鎌倉時代以後發展出獨自政治形式，基本上中國的《周禮》與日本政治沒有實際關係了。[15]

---

[10] 藤原佐世：《日本國見在書目錄》（臺北：新文豐出版公司，1984年），頁7－9。

[11] 藤原賴長：《臺記》，卷3曰：「今日所見，及一千三十卷，因所見之書目六，載左」記載諸書名。收於《增補史料大成》（東京：臨川書店，1965年9月），頁98。

[12] 《臺記》，卷6，《增補史料大成》，頁165。

[13] 《臺記》，卷7，《增補史料大成》，頁239。

[14] 《臺記》，卷8，《增補史料大成》，頁274。

[15] 佐野學：〈《周禮》の描く理想國〉，《殷周革命——古代中國國家生成史論——》（東京：青山書院，1951年11月），頁280－281。原文：「日本では王朝時代に『周禮』がかなり讀まれた。『大寶令』によると大學、國學ともにその科目の一つに『周禮』がある。

到了鎌倉時代，《周禮》在日本社會上喪失了「實際上的意義」，相反地，朱子學成為社會主流思想而逐漸抬頭。

在這樣的情況下，還是有重視《周禮》的人：例如日本南北朝時代的北畠親房（1293－1354）《職原鈔》主要根據《周禮》而成，企圖利用《周禮》以集權於南朝天皇。到了德川時代，林道春（名信勝、號羅山，1583－1657）親自校勘《周禮》的版本（詳後），伊藤維楨（號仁齋，1627－1705）一派也重視《周禮》。⑯再加上，新井君美（號白石，1657－1725）《折りたく柴の記》云：「從第一次接受命令講《詩經》以來，逐年又兼講《四書》及《孝經》、《儀禮》、《周禮》等書」云云，⑰可知君美曾對將軍德川家宣（1662－1712）進講《周禮》。另外，海保皐鶴（號青陵，1755－1817）《稽古談》也有多處使用《周禮》當做自己學說的根據。元祿十年（1697）刊《四部要辨》（著者未詳）云：

> 《周禮》者，漢河間獻王得之於李氏。然失〈冬官〉一篇，以〈考工記〉補之。劉歆稽收而始得著錄。《漢志》所謂「周官經六篇」也。鄭玄註之，賈公彥疏之。至於後世，柯尚選作全經而大行於世。唐太宗曰：「《周禮》，真聖作也。」首篇「惟王建國，辨方，正位，體國，經野，設官，分戰（係「分職」的誤刻），（以）為民極」，誠乎此言也。張子曰：「其間必有末世增入。如盟詛之類，必非周公之意。」朱子曰：「《周禮》一書，流出於

日本では王朝時代の政府構成は多少とも中國のそれを模倣してゐたから『周禮』の讀まれたのは實際的意義があつた。しかし日本は鎌倉時代以後に獨自の政治形式を發展させたから、根本的に中國的である『周禮』は日本の政治と實際關係のないものとなつた。」

⑯ 依據佐野學：《殷周革命——古代中國國家生成史論——》，頁 281。另外，吉川幸次郎〈周禮について〉，《展望》第 212 號（1976 年 8 月），頁 163，指出：「由於（伊藤）東涯喜歡制度學，我想他應該仔細念過《周禮》（東涯は制度の學問が好きですから、「周禮」をよく讀んだと思います）。」伊藤長胤（號東涯，1670－1736）為伊藤維楨之子，著有《制度通》，論述中國政治制度的變遷與日本政治制度的關連。

⑰ 新井白石著、羽仁五郎校訂：《折たく柴の記》（東京：岩波書店，1939 年 7 月），卷上，頁 77。原文：「はじめ某仰を奉りて、詩を講ぜしめられしより此かた、年々に四書ならびに孝經周禮儀禮等の書を兼講ぜしめられし」云云。

周公之廣大心中。」又曰：「非聖人做不得。」⑱

引用唐太宗、張載、朱熹之言，強調《周禮》的重要性。荻生雙松（號徂徠，1666－1728）《經子史要覽》也說：

《周禮》，記周代之官職。……（中略）連今世的俗禮也只看便覽，不受傳授，其事不行，況先王之禮不學無以知。然傳記古禮，要訣只剩下一半，不可悉知。只好仔細地熟讀《儀禮》、《周禮》、《禮記》等，如有文簡而難辨的部分，暫依鄭玄注，或參孔穎達疏，古禮之文雜見於《左傳》、《管子》、《孟子》、《荀子》、《論語》、《家語》等書，亦可參這些古書而領解，與禮義連用。有禮義猶如人有魂。⑲

他們都重視《周禮》。

不過，重視《周禮》者仍屬少數，故寬永九年（1632）林道春所寫〈周禮跋〉

---

⑱ 長澤規矩也編：《江戶時代支那學入門書解題集成》，第 1 集，頁 33－34。原文：「周禮ハ漢ノ河間獻王コレヲ李氏ニ得タリ。サレトモ冬官一篇ヲ失ス。補ヌヲニ考工記ヲ以テス。劉歆カンガヘヲサメテ、始テ著錄スルコトヲ得タリ。漢志ニ所謂周官ノ經六篇ト云モノナリ。鄭玄コレヲ註シ、賈公彥コレヲ疏ス。後世ニ至テ柯尚選、全經ヲツクリテ大ニ世ニ行ハル。唐太宗曰ク、周禮ハ真ノ聖作ナリ。首篇ニ惟王建國、辨方、正位、體國、經野、設官、分戰、為民極、誠ナルカナ此言ヤ。張子曰、其間必末世增入ルルモノアラン。盟詛ノ類、必周公ノ意ニアラス。朱子曰、周禮ノ一書ハ周公ノ廣大心中ヨリ流出ス。又曰、聖人ニアラズンハ做不得。」

⑲ 長澤規矩也：《江戶時代支那學入門書解題集成》，第 1 集，頁 261－264。原文：「周禮ハ周代ノ官職ヲ記ス。……（中略）今ノ世ノ俗禮サヘモ、次第書ハカリヲ見テ、傳授ノ受ケ子ハ、其事ハ行ハレス、況ヤ先王ノ禮ハ學ハスンハ知ルヘカラス、サレトモ古禮ヲ傳ヘ記ストイヘトモ、指訣カタヘタレハ、悉ク知ヘカラス、只儀禮、周禮、禮記ナトヲ熟讀シ、文ノ簡ニシテ辨シ難キハ、シハラク鄭玄カ注ニシタカヒ、或ハ孔穎達カ疏ニ考ヘ、左傳、管子、孟子、荀子、論語、家語ナトノ書ニ古禮ノ文雜見セリ、古書ニ考ヘテ領解スヘシ、禮義ト連用シ、禮義アルハ人ニ魂ノアルカ如シ。」

說：「近代讀者鮮矣」，⑳元文四年（1739）的布施維安《讀書路徑》亦云：

> 《周禮》、《儀禮》，禮之本文也；《禮記》，是補充禮之本文不足之處，並仔細說明本文，畢竟是禮之末書也。此三書並稱三禮。今只有《禮記》置於五經，不讀《周禮》、《儀禮》，甚無道理。應先讀《周禮》、《儀禮》，其後才讀《禮記》。……（中略）《周禮》相傳為周公之作，也稱為《周官》。舉出奉仕天子之諸官官名，其下說明各自職務行事、內容，為官吏者，不可不瞭解。治國、天下，無此書不行。㉑

文化六年（1806）刊重野保光點《周禮正文》附載內藤政敦〈序〉亦云：

> 然則三經之在禮，譬之鼎足之鼎，失一則不可也。自世有五經之稱，而後後初學唯知誦戴《記》，不知讀二禮。習貫為常，修業之後，徒言其理已，至如制度之數、威儀之文，則芒乎不省。㉒

可以看出當時存在著重視《禮記》，卻「不讀二禮（《儀禮》、《周禮》）」、

---

⑳ 長澤規矩也編：《和刻本經書集成・正文之部》（東京：古典研究會，1975 年 12 月），第 2 輯，頁 232。

㉑ 長澤規矩也編：《江戶時代支那學入門書解題集成》，第 1 集，頁 438－439。原文：「周禮儀禮ハ禮ノ本文ナリ、禮記ハ禮ノ本文ノタラヌ所ヲタシ、又本文ノ子細ヲ明シタルモノニテ、畢竟禮ノ末書ナリ、此三ヲ三禮ト云、今禮記ノミヲ五經ニイレテ、周禮儀禮ヲヌイテ讀ヌハ、甚不埒ナコトソ。先ツ周禮儀禮ヲヨンテ、其後ニ禮記ヲ讀ヘキコトソ。……（中略）周禮ハ、周公ノ作ト云傳ルソ、周官トモ云フ、天子ニツカヘ奉ル、諸役人ノ役ノ名ヲ舉テ、其下ニ、ツトメカタウケトリヲ、ヒツトツテノヘアラハシタルモノソ、役人タル者、ソレソレニノミコマテ叶ヌ所ニテ、國天下ヲ治ルニ、コノ書ナクテハスマヌソ。」布施維安是德島藩儒者，也是三宅重固（號尚齋，1662－1741）的弟子、崎門學者，另有《非徂徠學》等著作。

㉒ 內藤政敦：〈序〉，收於長澤規矩也編：《和刻本經書集成・正文之部》，第 2 輯，頁 459－460。

「不知讀二禮」的情況。德川時代，很少人重視《周禮》。

德川時代《周禮》和刻本也不多。依據長澤規矩也的研究，㉓《周禮》和刻本大致有三種系統：第一，周哲點本《周禮》六卷。周哲，號愚齋（生卒年不詳），林道春〈跋〉曰：「哲生者，大江參議甲州牧君之家人也」，《儀禮・跋》云：「大江參議甲州牧君之近習周哲」。「大江參議甲州牧君」可能指長州藩（現山口縣的一部）初代藩主毛利秀元（1579－1650），「周哲」就是他的家臣。㉔寬文十三年（1636）周哲〈序〉曰：

> 予見《儀禮》、《周禮》二書，苦其難讀，且憾無倭字之訓解。古或有之，而為失火所焚邪？抑遭乱賊而委于塵土邪？嘗竊聽羅山先生之點焉，意必秘而不出越，不揆檮昧点之，而思授諸童蒙者，故悉鄙情，從事于机案間，手写白文經三霜，而漸終其功。自漢、唐、宋、元以來注之者有多門，予惟從鄭康成之解，則聊存古之義也。既而顧蛣蜣轉凡之譏，謁于先生需是正之，先生使予讀其始終，被質十其一二，遂跋其卷尾。㉕

林道春〈跋〉曰：

> 余嘗塗朱墨以藏于塾，今周哲生加之訓點，苟不是來就余質正，不亦奇乎。或有起予者，或有竄定者，他日更校讎，庶乎可也。㉖

由此可知，周哲曾經苦惱《儀禮》、《周禮》的難讀，但是當時還沒有二禮日文的訓解。因此他親寫二禮的白文，再據鄭注而加以訓點，而後拜訪林道春，求教他的

㉓ 長澤規矩也：《和刻本漢籍分類目錄（增補補正版）》（東京：汲古書院，2006年3月），頁11。

㉔ 詳參拙稿：〈近一百年日本《儀禮》研究概況——1900－2010年之回顧與展望——〉，預定刊登於《中國文哲研究通訊》第21卷。

㉕ 長澤規矩也編：《和刻本經書集成（正文之部）》，第2輯，頁3。

㉖ 長澤規矩也編：《和刻本經書集成（正文之部）》，第2輯，頁232。

點本有無錯誤。道春把事先親加過點的版本提供給他參考，還加以訂正，附上跋文。二禮皆由周哲點校後，受過林道春的修改，可以說是周哲、道春的合作本。

第二，重野保光點文化六年（1809）刊《周禮正文》三卷。內藤政敦〈序〉曰：

> 我聞兼山先生之塾式，次五經以二禮，可謂善捄其弊者。而二禮之有舊讀，米鹽蟻傳，其煩可厭。頃者重野東成携其所校《周官正文》來視余，曰：「前依鄭義正讀施訓，既經師閱，今也將上櫻。……（中略）願得太夫一言，以冠卷首。」㉗

此「兼山先生」指片山世璠（號兼山，1730－1782），片山所開之塾先學五經，再學《儀禮》、《周禮》。不過內藤認為：「二禮之有舊讀，米鹽蟻傳，其煩可厭」。此「舊讀」可能是周哲點本，㉘當時人困於《儀禮》、《周禮》的繁雜，於是重野對《周禮》加以校勘、訓點。依小川貫通編《漢學者傳記及著作集覽》，重野保光（或葆光、東成，字子潤，號櫟軒，生卒年不詳）生於攝津東成（現大阪市東部），後來成為延岡（現宮崎縣）藩儒，曾以片山為師，著有《韓非子筌》、《莊子筌》、《列子解》、《老子解》、《史記考》、《戰國策考》等。依照重野所言，他根據鄭玄加以校點，經過「師閱」。然此「師」並不是片山，由卷頭有「葵岡先生閱」的字，可知當是葛山（松下）壽（號葵岡，1748－1824），他也是

㉗ 內藤政敦：〈序〉，收於長澤規矩也編：《和刻本經書集成》，第 2 輯，頁 460。關於內藤政敦未詳，不知是否為當時延岡藩主內藤氏的親屬。

㉘ 長澤規矩也《和刻本經書集成》，第 2 輯，〈解題〉說：「本集成（筆者注：《和刻本經書集成》）當初的計畫上，企圖影印一時很普及的山子點（筆者注：片山世璠點本），可是，因各方面希望收錄道春點系統本，雖然此《周禮》（筆者注：《周禮正文》）與周哲點本重複，但《周禮》是難讀之書，並且鄭注只不過是斷句而已，決定特地收入（本集成の初めの計畫では、一時弘く行はれてゐた山子點を影印しようと思つてゐたところ、道春點系統本を諸方から希望されたので、この周禮は周哲點本と重複するが、周禮は難讀の書であり、且鄭注が斷句に止まるので、特に收錄することにした）。」

片山的門人。㉙重野點本，雖根據周哲點本，然可以說是片山門下的研究成果之一。

第三，永懷堂本《周禮》四二卷，原是明金蟠、葛鼒校鄭注本，已有斷句，寬延二年（1749）皇都（京都）書肆大和屋伊兵衛、植村藤右衛門、梅村六左衛門以及江都（江戶）書肆前川六左衛門共同出版。後來的勝村治右衛門刊本、大阪文海堂刊本、群玉堂河內屋岡田茂兵衛刊本等都依據此本。

另外有鄭玄注《周官醫職：附醫疾令》嘉永七年（1854）刊本；以及長州藩（現山口縣的一部）學明倫館嘉永九年（1856）所出版的山縣禎《民政要編》。前者筆者未見，無法介紹。後者則在研究德川時代後期的社會思想上很有意義。山縣禎（號太華，1781－1866）是明倫館教授，曾針對國體與吉田矩方（號松陰，1830－1859）展開討論。山縣〈民政要編序〉云：

> 古者司徒之官，專掌教養者，其於民政也最重。而唐虞以來，此官之設亦已久矣。而能應天心而盡天工，教化之道、生養之方以至刑賞賦斂征役之法，其精詳周密，莫備於《周官・司徒》之職也。苟為民上，而欲體天心而代天工者，不可不必熟讀之而詳明其義也。

山縣強調《周官・司徒》在政治上的效果，主張官僚不可不熟讀。但「《周官》之文，自非儒生學士，則有難遽通解者」，於是：

㉙ 東條琴臺：《先哲叢談續編》，卷10，曰：「兼山雖歲不耳順而歿，門下多知名之士。陳煥章、村雞時、萩原萬世、小林珠、葛山壽、久保愛、菅熙等數人，祖述師說，始終不變，號曰山子學（兼山歲耳順ならずして沒すと雖も、門下に知名の士多し。陳煥章、村雞時、萩生萬世、小林珠、葛山壽、久保愛、菅熙等數人、師說を祖述して、始終變ぜず、號して山子學と曰ふ）。」又對於葛山加注：「字子福，號葵岡。松下氏，烏石（筆者注：葛山烏石）之男也，江戶之人也（字は子福、葵岡と號す、松下氏にして、烏石の男なり、江戶の人なり）。」今據日本國立國會圖書館近代數位資料庫（近代デジタルライブラリー：http://kindai.da.ndl.go.jp/info:ndljp/pid/778301/37）。

> 今以國字解之者，欲使凡治民政者，上自公卿大夫，下至府史胥徒，皆句解義通，讀之猶邦乘國史。而後知聖人體天之精意，而盡心於其天職也。獨於《周官》中舉司徒諸職切要民政者而解之，因名之曰《民政要編》。㉚

山縣企圖將《周禮》運用在實際民政上的意圖非常明顯。關於此點，下見隆雄〈山縣太華と《民政要編》〉㉛已有研究，可參考。

由上可知，德川時代《周禮》研究的成果並不多。進入明治、大正時代，《周禮》仍沒有日譯，相較之下，《禮記》的日譯早在一九一四年出現。㉜上山春平指出：

> 明治、大正期的註釋系列《漢籍國字解全書》、《漢文大系》、《國譯漢文大成》等都未收錄《周禮》。此應與德川時代儒學的傳統有關。㉝

南昌宏亦云：

> 在日本並不是沒讀《周禮》。但《周禮》本文是說明官職的任務，文章本身

㉚ 長澤規矩也編：《和刻本經書集成（古注之部第2）》，第6輯，頁256－257。

㉛ 下見隆雄：〈山縣太華と《民政要編》〉，《內海文化研究紀要》第20號（1991年3月），頁9－16。

㉜ 服部宇之吉《漢文大系・禮記》（東京：富山房，1913年）出版於1913年，但此並不是翻譯成完整的日文，而是保留漢文的原本形式。反之，翌年桂湖村所出版的《漢籍國字解全書・禮記國字解（上、下）》（東京：早稻田大學出版部），首先是具有訓點的漢文部分，其次為「義解」（解釋）、「字解」（字句解釋），最後是「案語」（著者的看法），採用日文來解釋其內容。詳請參拙稿：〈近一百年日本《禮記》研究概況——1900－2008年之回顧與展望——〉，《中國文哲研究通訊》第19卷第4期（2009年12月），頁53－101。

㉝ 上山春平：〈《周禮》の六官制と方明〉，《東方學報（京都）》第53號（1981年3月），頁111。原文：「明治、大正期の注釋シリーズ、『漢籍國字解全書』、『漢文大系』、『國譯漢文大成』などのどれにも『周禮』が入っていないということは、江戶時代の儒學の傳統とかかわりがあるにちがいない。」《上山春平著作集》（京都：法藏館，1995年7月），頁437－438。

缺少趣味性。這也認為是很難引起研究者關注的原因。㉞

因而至今《周禮》全譯僅有本田二郎《周禮通釋》而已。㉟一九七七年一月，擔任校閱本田譯的原田種成，在〈序〉中說：

> 關於五經，江戶時代以來有許多註釋書著作，然而三禮，尤其是《周禮》與《儀禮》，說是絕無也不為過。可能是因為此兩書極為難讀，本國儒者都敬而遠之。……（中略）《周禮》，周哲、重野保光的點本只有正文，和刻本《周禮鄭注》止於斷句，因有作為難讀的書置諸不顧之嫌，國人所作的現代翻譯至今還未出現。㊱

於是本田昭和四十六年（1971）進入大東文化大學大學院以來，一直研究《周禮》，總共花了六年的歲月，獨力完成《周禮通釋》。此書根據鄭注、賈疏，參考清儒孫詒讓《周禮正義》、林尹《周禮今註今釋》，首先附訓點於本文，接著是「書き下し文」，其次加以「語釋」，引用賈《疏》、孫《正義》而明示根據，在「通釋」翻成現代日語，最後加上鄭注的「書き下し文」。對於此書的出版，宇野

㉞ 南昌宏：〈〈日本における《周禮》研究論考〉略述〉，《中國研究集刊》第10號（1991年6月），頁85。原文：「このように、日本において『周禮』が讀まれていないわけではなかった。ただ、『周禮』本文は官職の任務を説明したものであって、文章としての面白味に欠ける。このことも、研究者の興味を引きにくい原因と思われる。」

㉟ 本田二郎：《周禮通釋（上）》（東京：秀英出版社，1977年7月）；《周禮通釋（下）》（東京：秀英出版社，1979年11月）。

㊱ 原田種成：〈序〉，本田二郎：《周禮通釋（上）》，頁1。原文：「五經に關しては江戶時代以來、多くの注釋書が著わされているが、三禮特に周禮と儀禮とは絕無と言っても過言ではない。それは、この兩書が極めて煩瑣難讀であるために、邦儒が敬遠したからに因るものであろう。……（中略）周禮については、周哲、重野保光の點本は正文のみであり、和刻本周禮鄭注は斷句に止まり、今日まで難讀の書として放置されて來た嫌いがあり、邦人による現代の翻譯は出現していなかった。」

精一〈《周禮通釋》上卷の發刊を喜ぶ〉一文說：「真不勝欣幸」，[37]池田末利〈推薦のことば〉也說：「我堅信本書對於學界的貢獻不少，所以敢薦於江湖」，[38]對於此書皆有很高的評價。本田全譯是目前日本學界唯一的成果，研究者一定要參考。

另外，《周禮疏》的部分翻譯有池田秀三〈周禮疏序譯注〉。[39]池田認為《周禮疏》就是賈公彥學問的集大成之作，其序文可以說是其精華，以往卻沒有人研究過。於是池田將〈周禮疏序〉以及〈序周禮廢興〉加以譯注。他又指出賈序的兩個特色：其一，強烈尊崇鄭學；其二，進步史觀。池田的日譯雖僅有〈周禮疏序〉與〈序周禮廢興〉，不過，由於註釋相當細緻，值得參考。而部分翻譯的成果，還有大竹健介〈周禮正義（抄）解讀〉、〈周禮正義（抄）解讀承前〉[40]與三上順〈周禮考工記匠人釋稿（1）〉、〈周禮考工記匠人釋稿（2）〉。[41]

二、《周禮》文獻學研究

三禮文獻學之中，引起最多爭議的就屬《周禮》。自古以來，不少學者關注《周禮》文獻上的問題。主要的原因是《周禮》雖被視為「周公之作」，但在先秦文獻中完全看不到其存在的痕跡，且《周禮》面世的過程也令人起疑。

---

[37] 原文：「誠に欣快にたへない。」

[38] 原文：「本書が學界に貢獻することの尠からぬことを確信しつつ、敢て江湖に薦める次第である。」

[39] 池田秀三：〈周禮疏序譯注〉，《東方學報（京都）》第 53 號（1981 年 3 月），頁 547－588。

[40] 大竹健介：〈周禮正義（抄）解讀〉，《武藏大學人文學會雜誌》第 28 卷 1 號（1996 年 9 月），頁 1－76；〈周禮正義（抄）解讀承前〉，《武藏大學人文學會雜誌》第 28 卷 2 號（1997 年 1 月），頁 11－123。很遺憾，只不過是把賈公彥《周禮注疏》以及孫詒讓《周禮正義》的一部分翻成日文（書き下し文）而已。

[41] 三上順：〈周禮考工記匠人釋稿（1）〉，《たまゆら》第 8 號（1978 年），頁 53－65；〈周禮考工記匠人釋稿（2）〉，《たまゆら》第 9 號（1979 年），頁 59－72。孫詒讓《周禮正義》為底本，加以日文（書き下し文與現代語譯）、註釋。後面附上圖版，非常方便。

文獻上，一般認為《周禮》源自被稱為《周官》的文獻。㊷《史記・封禪書》有：「《周官》曰：冬日至，祀天於南郊，迎長日之至；夏日至，祭地祇。皆用樂舞，而神乃可得而禮也。天子祭天下名山大川，五嶽視三公，四瀆視諸侯，諸侯祭其疆內名山大川。四瀆者，江、河、淮、濟也。天子曰明堂、辟雍，諸侯曰泮宮。」㊸此可能是根據今本《周禮・春官宗伯・大司樂》：「冬日至，於地上之圜，奏之，若樂六變，則天神皆降，可得而禮矣。……（中略）夏日至，於澤中之方，奏之，若樂八變則地示皆出，可得而禮矣」而來。㊹〈封禪書〉又云：「自得寶鼎，上與公卿諸生議封禪。封禪用希曠絕，莫知其儀禮，而羣儒采封禪《尚書》、《周官》、《王制》之望祀射牛事。」㊺此「望祀」也是今本《周禮・地官司徒・牧人》的文辭。㊻由這些紀錄，可知《周官》似乎從西漢武帝時代起就受到知識分子的關注。《漢書・景十三王傳》云：

> 河間獻王德……（中略）修學好古，實事求是。從民得善書，必為好寫與之，留其真，加金帛賜以招之，繇是四方道術之人不遠千里，或有先祖舊書，多奉以奏獻王者，故得書多，與漢朝等。……（中略）所得書皆古文先秦舊書，《周官》、《尚書》、《禮》、《禮記》、《孟子》、《老子》之

㊷ 〔西漢〕司馬遷《史記・周本紀》（北京：中華書局，1959 年 9 月），頁 133，曰：「（成王）既絀殷命，襲淮夷，歸在豐，作〈周官〉。」〈魯周公世家〉，頁 1522，又曰：「成王在豐，天下已安，周之官政未次序，於是周公作〈周官〉，官別其宜。」此「周官」都指《尚書・周官》，並不是今本《周禮》。此點，孔穎達曰：「此篇（《尚書・周官》）說六卿職掌，皆與《周禮》符同，則『六年，五服一朝』亦應是《周禮》之法，而《周禮》無此法也。」〔漢〕孔安國（傳）、〔唐〕孔穎達（正義）：《十三經注疏・尚書正義》（臺北：藝文印書館，1960 年），頁 271。

㊸ 《史記》，頁 1357。

㊹ 《周禮注疏》，卷 22，頁 342。另有〈春官宗伯・家宗人〉，卷 27，頁 424，曰：「以冬日至，致天神人鬼，以夏日至，致地示物鬽。」

㊺ 《史記》，頁 1397。〈武帝本紀〉，頁 473，也有同樣的一文。

㊻ 《周禮・地官司徒・牧人》云：「望祀，各以其方之色牲毛之。」（頁 195）

屬，皆經傳說記，七十子之徒所論。㊼

文中《周官》位於《尚書》之前，顯然不是《尚書》中的一篇。且既說「皆經傳說記」，可知這些古文獻不止經文，還包括傳、說、記等註釋之類。此蓋即《漢書・藝文志》所記載的「《周官經》六篇」及「《周官傳》四篇」。㊽唐陸德明《經典釋文・序錄》曰：

或曰：河間獻王開獻書之路，時有李氏上《周官》五篇，失〈事官〉一篇，乃購千金不得，取〈考工記〉以補之。㊾

《隋書・經籍志》亦云：

而漢時有李氏得《周官》。《周官》蓋周公所制官政之法，上於河間獻王，獨闕〈冬官〉一篇，獻王購以千金不得，遂取〈考工記〉以補其處，合成六篇奏之。㊿

兩者皆謂漢代李氏得《周官》，上呈河間獻王，但只有五篇，缺少〈冬官〉（〈事官〉）一篇，於是河間獻王以〈考工記〉補之。51

㊼〔東漢〕班固：《漢書》（北京：中華書局，1962 年 6 月），頁 2410。

㊽《漢書》，頁 1709。顏師古對「周官經」加注而說：「即今之《周官禮》也，亡其〈冬官〉，以〈考工記〉充之。」（頁 1710）

㊾〔唐〕陸德明（撰）、吳仕承（疏證）：《經典釋文序錄疏證》（北京：中華書局，2008 年 6 月），頁 87。

㊿〔唐〕魏徵、令狐德棻：《隋書》（北京：中華書局，1973 年 8 月），頁 925。

51 另外，賈公彥《周禮注疏・序周禮廢興》，頁 7，引《馬融傳》云：「秦孝公已下用商君之法，其政酷烈，與《周官》相反。故始皇禁挾書，特疾惡，欲絕滅之，搜求焚燒之獨悉，是以隱藏百年。孝武帝始除挾書之律，開獻書之路，既出於山巖屋壁，復入于秘府，五家之儒莫得見焉。至孝成皇帝，達才通人劉向、子歆，校理秘書，始得列序，著于錄略。然亡其〈冬官〉一篇，以〈考工記〉足之。時眾儒並出共排，以為非是，唯歆獨識。其年尚幼，務另有一派學者則認為《周禮》出於孔壁。孔穎達《禮記正義・序》云：

> 其《周禮》，〈六藝論〉云：「《周官》，壁中所得六篇。」《漢書》說：「河間獻王開獻書之路，得《周官》，有五篇，失其〈冬官〉一篇，乃購千金不得，取〈考工記〉以補其闕。」《漢書》云得五篇，〈六藝論〉云得其六篇，其文不同，未知孰是。[52]

據此，鄭玄似乎視《周官》出自孔壁。《後漢書・儒林傳》也承此說：「孔安國所獻《禮古經》五十六篇及《周官經》六篇，前世傳其書，未有名家。」[53]皆謂《周官》出於於孔氏壁中。但是，孔壁所得之書，《漢書・藝文志》只說：「武帝末，魯共王壞孔子宅，欲以廣其宮，而得《古文尚書》及《禮記》、《論語》、《孝經》凡數十篇，皆古字也。……（中略）孔安國者，孔子後也，悉得其書（筆者注：《古文尚書》），以考二十九篇，得多十六篇。」[54]〈楚元王傳〉亦說：「及魯恭王壞孔子宅，欲以為宮，而得古文於壞壁之中，逸《禮》有三十九，《書》十六篇。天漢之後，孔安國獻之，遭巫蠱倉卒之難，未及施行」，[55]與「禮」有關只提到《禮記》、逸《禮》，並沒說到《周官》或《周禮》，鄭玄之說也並沒有明確的根據。筆者認為，鄭玄構築以《周禮》為基礎的經學系統之過程中，需要《周禮》「有來歷」的起源，所以將《周禮》與孔壁得書之事加以附會。

由上可知，在《周官》傳承的過程中，河間獻王確實扮演了相當重要的角色。[56]獻王自景帝二年（公元前 155）到武帝元光五年（公元前 130）在位，《周官》

在廣覽博觀，又多銳精于《春秋》。末年，乃知其周公致太平之迹，迹具在斯。」可知馬融認為，以〈考工記〉補〈冬官〉之缺的是劉歆。

[52] 〔東漢〕鄭玄（注）、〔唐〕孔穎達（正義）：《十三經注疏・禮記正義》（臺北：藝文印書館，1960 年），頁 8，「禮記」疏中也有同文（頁 11）。

[53] 〔宋〕范曄：《後漢書》（北京：中華書局，1965 年 5 月），頁 2576。

[54] 《漢書》，頁 1706。

[55] 《漢書》，頁 1969。

[56] 《漢書・藝文志》，頁 1712，亦有：「河間獻王好儒，與毛生等，共采《周官》及諸子言樂事者，以作《樂記》。」

面世或在景、武之間，從而武帝時代起受到知識分子的關注。然《漢志》又有如下的記載：

> 六國之君，魏文侯最為好古，孝文時得其樂人竇公，獻其書，乃《周官・大宗伯》之〈大司樂〉章也。57

西漢文帝時，魏文侯的樂人竇公曾獻書，《漢志》認為此書就是今本《周禮・春官宗伯・大司樂》。雖然無法確認當時是否已收於《周官》一書中，或者是否有被稱為《周官》的書，但由《漢志》可知，在河間獻王得《周官》之前，可能已有今本《周禮》的一部分流傳。58

《周官》後改稱為《周禮》。荀悅《漢紀》有：「（劉）歆以《周官》十六篇為《周禮》，王莽時，歆奏以為《禮經》，置博士。」59《隋志》說：「至王莽時，劉歆始置博士，以行於世。河南緱氏及杜子春受業於歆，因以教授。是後馬融作《周官傳》，以授鄭玄，玄作《周官注》。」60《經典釋文・序錄》亦曰：「王莽時，劉歆為國師，始建立《周官經》，以為《周禮》。河南緱氏、杜子春受業於歆，還家以教門徒，好學之士鄭興父子等多往師之。賈景伯亦作《周禮解詁》。」61由這些記錄看來，《周官》改稱《周禮》是劉歆所為，其後《周禮》學逐漸發展起來，東漢時代有杜子春、賈逵、馬融、盧植、鄭眾、鄭玄等加以註釋。

上述是《周禮》面世以來走過來複雜的過程。那麼，日本學者如何看文獻學上的《周禮》？

---

57 《漢書》，頁1712。

58 《禮記正義・禮器》疏，頁459，說：「孝文帝時求得《周官》，不見〈冬官〉，乃使博士作〈考工記〉補之」，清儒俞正燮（1775－1840）亦依據《漢志》「孝文時得其樂人竇公，獻其書」而說：「《周官》孝文時已在秘府。」

59 〔東漢〕荀悅：《漢紀・孝成皇帝紀二》（北京：中華書局，2002年6月），頁435。「《周官》十六篇」應作「《周官》六篇」。

60 《隋書・經籍志》，頁925。

61 《經典釋文序錄疏證》，頁90－91。

㈠林泰輔的西周末期成書說

林泰輔（1854－1922）一連串的《周禮》研究，可說是近百年來最早的成果。他對《周禮》的看法，多見於〈周官考〉[62]及〈周官制作時代考〉。[63]

〈周官考〉首先討論《周官》面世的問題。他認為，《周官》在武帝時面世，經過河間獻王而上奉朝廷，否認鄭玄、《後漢書・儒林傳》的孔氏壁中說。接著，他談到《周官》之名稱。劉歆改名後，「周官」、「周禮」二名暫時並行，「周禮」作為定名是在賈公彥加疏後才普遍化。林則視「周官」為原名，始終使用「周官」。最後，論述《周官》的成書問題：關於《周官》的成書，賈公彥〈序周禮廢興〉云：「眾儒並出共排，以為非是，唯（劉）歆獨識，其年尚幼，務在廣覽博觀，又多銳精於《春秋》，末年乃知其周公致太平之迹，迹具在斯。」鄭注〈天官〉的序官云：「周公居攝而作六典之職，謂之《周禮》。」疏：「《禮記・明堂位》云：『周公攝政六年，制禮作樂，頒度量於天下。』又案《書傳》亦云：『六年制禮作樂』，所制之禮，則此《周禮》也。」可知賈公彥接受鄭玄之說，完全肯定《周禮》為周公之作，並謂劉歆已識此意。但林認為，劉歆本身也沒視《周官》為周公之親筆。此外，自古以來，懷疑《周官》者甚多，最早有漢武帝，漢末也有林孝存所著的「十難七論」，[64]不勝枚舉。於是，林整理以往學者的看法，分為七種：其一，漢何休、明季本、郝敬等視《周禮》為六國陰謀之書。其二，官職甚多，無法發薪。宋歐陽修、黃震、清萬斯大等持此說。其三，繁冗瑣屑而多貪圖利益，非聖人之作。宋范浚、劉炎、黃震、明王道等主此意。其四，孔子以及春秋時期諸大夫諸子百家引經中，並無《周禮》，而看作後世之作。清毛奇齡、顧棟高等

---

[62] 林泰輔：〈周官考〉，《史學雜誌》第 13 編 5 號（1902 年 5 月），頁 82－95。

[63] 林泰輔：〈周官制作時代考（1）〉，《東亞研究》第 3 卷 12 號（1913 年 3 月），頁 1－8；〈周官制作時代考（2）〉，《東亞研究》第 4 卷 1 號（1914 年 4 月），頁 17－23；〈周官制作時代考（3）〉，《東亞研究》第 4 卷 2 號（1914 年 5 月），頁 16－21，後收於《上代支那之研究》（東京：光風館書店，1915 年 9 月），頁 303－333。另外，《周公と其時代》（東京：大倉書店，1915 年 9 月），頁 785－826，附錄〈周官制作時代考〉一篇，詞彙稍有不同之處，但內容上與〈周官制作時代考（1）、（2）、（3）〉不異。

[64] 賈公彥：〈序周禮廢興〉，《周禮注疏》。

為代表。其五，如宋晁公武《郡齋讀書志》云：「孟子謂諸侯惡其害己，皆去其籍，則孟子時已無《周禮》矣，況經秦火乎。」[65]清儒羅璧之說近是。其六，因劉歆之偽作，否定《周官》整體存在。宋胡安國、胡宏父子、清康有為便是此種立場。其七，宋程明道曰：「《周禮》不全是周公之禮法，亦有後世隨時添入者，亦有漢儒撰入者。」[66]張橫渠、元何異孫、明金瑤亦然。清方苞《周官辨》、《周官析疑》指出某節某句是劉歆的竄改。一方面承認大體為善，但尚有後人的竄入。林對一到六逐一加以反駁，他雖贊成第七說，但主張不是漢儒所竄入，而是西周到東周之間逐漸增加的。總之，他的看法是《周官》在西周初編書，但後世又有補充修改。

林氏十年後又發表了〈周官制作時代考〉，承前文之研究而表明：「我認為《周官》非周初之作，又非春秋以後之作，自另有出現的時代。」[67]他首先舉出了非周初的理由：其一，陰陽二字的用例。林把《周官》陰陽的用法分為六種：陽表陰裏（陽光照到與遮光的地方）、陰為雨、陰為月亮、陽天陰地、陽男陰女、陰陽為有形有象的象徵。與《詩》、《書》相比，《詩》、《書》中毫無陰陽為有形有象的象徵之用法，因此林將其看作後代的竄入。其二，使用貨幣的狀況。林認為殷代以物易物與貝貨（真貝、模仿真貝的骨貝及銅貝）流通為主，而周代一方面仍靠以物易物，一方面使用貝貨，從骨貝、銅貝逐漸發展到刀布類的金屬貨幣。與此對照，《周官》以物換物與使用金屬貨幣並行，不符合周初的情況。其三，冗員甚多。《周官》的官制甚繁雜，歐陽修等已經指出過。林因此認為，這樣官制不是在開創期產生，而是太平時代的制作，故《周官》非周初之作。接著他舉出非春秋以

---

[65] 不知林泰輔依據何版本，可是，《新經周禮義》中有「孟子以為諸侯惡其害己，滅去其籍。則自孟子時已無《周禮》矣，況經秦火乎？」之文。〔宋〕晁公武（撰）、孫猛（校證）：《郡齋讀書志校證》（上海：上海古籍出版社，1990年10月），頁81。

[66] 〔清〕朱彝尊著，林慶彰、楊晉龍、蔣秋華、張廣慶編審，侯美珍、張惠淑、汪嘉玲、黃智信點校：《點校補正經義考》（臺北：中央研究院中國文哲研究所籌備處，1998年6月），卷120，頁322。關於《經義考》，今另有林慶彰、楊晉龍、蔣秋華、馮曉庭編《經義考新校》（上海：上海古籍出版社，2010年12月），筆者還未得見。

[67] 林泰輔：《周公と其時代》，頁787。原文：「余は乃ち謂へらく、周官は周初の作にあらず、又春秋以後の作にもあらず、別に自ら出現の時代ありと。」

後之作的理由：第一，關於日蝕、月蝕。《周官》日月之間未有價值的差別，但《詩・小雅・十月之交》比月蝕重視日蝕，至《春秋》完全沒說到月蝕，因而林認為《周官》最古。第二，圜土之制。此是晚上收容輕罪者的監獄，春秋戰國時代沒有此種監獄，林推測是西周時代的制度。第三，《周官》教夫婦之親，不言男女之別。然孔子屢屢提倡男女之別，所以林認為《周官》不是春秋時代所作。第四，《周官》與《管子》不一致。《管子》的論述比《周官》詳密，故《管子》當後出於《周官》，就是說《周官》著成於春秋時代的《管子》之前。第五，不壓制商業。《周官》也重視農業，可是並未排棄商業。不但如此，甚至可以看出保護商業的立場，與戰國以降的思想不同。第六，使用古體文字。如《周官》中，「暴」為「虣」；「法」為「灋」等使用古體字之例。總之，林認為《周官》並非春秋戰國或漢代之作。

那麼，《周官》成書於何時代呢？林云：

> 既然說非周初，又說非春秋以後，必定在其中間。中間是何時代呢？即西周末年厲、宣、幽的時代也。若《周官》出現於這個時代，是從周初到厲、宣、幽時代的材料而成書，在書中各處留下了數百年間思想的變遷之痕跡，理所當然。(68)

他舉出了三個理由：一，厲、宣、幽時代文化盛行；二，厲、宣、幽時代的《詩》與《周官》的官名大率一致；三，宣王時代所製造的籀文與《周官》繁瑣的性質相似。總之，林結論為《周官》根據周初以來的制度，內容上有增益，在西周末年成書。(69)

---

(68) 林泰輔：《周公と其時代》，頁 814－815。原文：「既に周初にあらず、又春秋以後にあらずとせば必ずその中間にあらざるべからず。中間とは何ぞや、即ち西周の末にて、厲宣幽の時代なり。もし周官がこの時代に於て出でたるものならば、周初より厲宣幽時代に至るまでの材料によりて作りたるものにて、その數百年間に於ける思想變遷の痕迹を各處に留むるは、固より然るべきことなり。」

(69) 請參考內野熊一郎：〈「周公と其時代」における林博士の主眼目〉，林泰輔：《周公と其

㈡津田左右吉的西漢末期成書說

其次是津田左右吉（1873－1916）：〈「周官」の研究〉。(70)在此文之前，津田已在〈儒教の禮樂說〉第八章與《左傳の思想史的研究》第一篇第一章等，表明《周官》為西漢末偽作的立場。(71)該論文是專論《周官》文獻上的位置。其內容分為六個部分：一、總說；二、古典中的六官之名稱與其職掌；三、《周官》中官府的構成與六官的職掌；四、《周官》內容上的一般性質；五、《周官》中所出現的思想；六、《周官》制作的年代。在總說的部分，津田對《周官》的看法已經很明顯：他首先留意到《史記・封禪書》等所引的「周官」這一詞，雖可說當時被稱為《周官》之書確實存在，但因所引用的詞句並未收於今本《周禮》中，從而指出《史記》所載之《周官》可能與今本完全不同。且把文獻上古書的記載和河間獻王發現古書之說結合起來的是在西漢末年，而《漢志》所載的《周政》六篇、《周法》九篇、《河間周制》十八篇三者都視為西漢末年的偽作，可見西漢末年曾有古書偽作的風潮，他主張《周官》也是其中一例。另外，津田指出《周官》已含有陰

時代》（東京：名著普及會，1988 年 9 月復刻版）卷末附錄。另外，田崎仁義〈周の官制（周官又は周禮）〉一方面認同林泰輔所說的非春秋以後成書說，但另一方面批判非周初成書說（《王道天下之研究》，京都：內外出版，1926 年 5 月，頁 623－675）。筆者認為，田崎批判林的說法沒註明根據。宇野精一與田崎不同，逐一討論林所舉出的根據而說：「概觀博士（筆者注：林泰輔）所論，非周初的證明大略妥當，另外不得不肯定以古體文字為非漢代之作的證據，其他緒論都是無稽之談（博士の所論を通觀するに、周初の作でない證は概ね妥當であり、また古體文字を以て漢代の作にあらざる證とせられたのは全く肯定さるべきであると思ふが、その他の緒論は何れも根據薄弱であると思ふ）。」《中國古典學の展開》（東京：北隆館，1949 年 6 月），頁 173；《宇野精一著作集》（東京：明治書院，1986 年 6 月），卷 2，頁 155。

(70) 津田左右吉：〈「周官」の研究〉，《滿鮮地理歷史報告》第 15 號（1937 年 1 月），頁 355－636，後收於《津田左右吉全集》（東京：岩波書店，1965 年 2 月），卷 17，頁 305－480。

(71) 津田左右吉：〈儒教の禮樂說（其七）〉，《東洋學報》第 20 卷 3 號（1933 年 3 月），頁 51－120，後收於《儒教の研究》（東京：岩波書店，1950 年 3 月），卷 1，頁 378－417 以及《津田左右吉全集》（東京：岩波書店，1965 年 1 月），卷 16，頁 378－417；《左傳の思想史的研究》（東京：東洋文庫，1935 年 9 月），頁 41，後收於《津田左右吉全集》（東京：岩波書店，1964 年 12 月），卷 15，頁 34。

陽思想、五行思想、重視四時的概念以及時令說。就他的看法而言，儒家到漢代才採納這些思想，尤其時令說在西漢末年才被儒家接受。因此津田認為《周官》當是西漢末年之作。第二章以下，他通過六官的分析，論述《周官》比《禮記・王制》晚出。津田相信《禮記・王制》在文帝時成書。假使〈王制〉以前已有《周官》，何需再制作〈王制〉？他認為，《禮記・王制》以前僅有《荀子・王制》，制度不夠完善，因而需要另撰《禮記・王制》；《周官》以前僅有《禮記・王制》，所以必須制作《周官》。《周官》比《禮記・王制》更為詳密，故時代應在其後。另外，津田認為《周官》頗有亂雜之感，正是反映了西漢末期的思想。他最後推測，《周官》可能先於《禮記》的〈燕義〉、〈昏義〉、〈射義〉、《大戴禮記・盛德》以及《逸周書》，在成帝時已經存在。[72]

㈢宇野精一的戰國齊成書說

宇野精一（1910－2008）也發表過許多與《周禮》相關的論述，例如：〈冬官未亡論に就いて〉、[73]〈王莽と周禮〉、[74]〈周禮劉歆偽作說について〉、[75]〈周禮の實施について〉、[76]〈周禮の制作年代について〉[77]等。他後來將這些論文加

---

[72] 參考宇野精一：〈書評：周官の研究（津田左右吉）〉，《漢學會雜誌》第5卷2號（1937年6月），頁147－149以及宇野精一：〈津田左右吉博士「周官の研究」〉，《中國古典學の展開》，頁198－206，後收於《宇野精一著作集》，卷2，頁177－183。

[73] 宇野精一：〈冬官未亡論に就いて〉，《漢學會雜誌》第6卷2號（1938年7月），頁198－218，後收於《中國古典學の展開》，頁295－322以及《宇野精一著作集》，卷2，頁259－282。

[74] 宇野精一：〈王莽と周禮〉，《東方學報（東京）》第11冊之1（1940年3月），頁122－129，後收於《中國古典學の展開》，頁323－334，後收於《宇野精一著作集》，卷2，頁283－292。

[75] 宇野精一：〈周禮劉歆偽作說について〉，《東亞論叢》第5輯（1941年11月），頁235－241，後收於《中國古典學の展開》，頁105－116，後收於《宇野精一著作集》，卷2，頁98－107。

[76] 宇野精一：〈周禮の實施について〉，《東方學報（東京）》第13冊之1（1942年5月），頁83－108。後改題為〈周禮の實施についての諸問題〉，收於《中國古典學の展開》，頁358－381，與《宇野精一著作集》，卷2，頁313－332。

[77] 宇野精一：〈周禮の制作年代について〉，《斯文》復刊第3號（1949年8月），頁3－7。

以修改，匯集成《中國古典學の展開》。根據〈序〉，此書是昭和十一年（1936）到十六年（1941）在東方文化學院時的研究成果，他本人就撰作的目的說：「本書所探究的問題以《周禮》的制作年代為主，並論及《周禮》對後世的影響，尤其是政治上的。」[78]宇野研究中國古典時，為何特別關注《周禮》呢？他說：

> 中國的學問，尤其經學既是人文學，同時政治學色彩也濃厚。而經書中與政治最有關的是《尚書》和《禮》。《尚書》是政治思想方面比較強的文獻，《禮》則是政治制度型態方面比較強的文獻。但是，《禮》有《周禮》、《儀禮》、《禮記》三種，併稱為《三禮》……（中略）直接描述政治制度的文獻中，《周禮》是最有代表性的。……（中略）作為政治思想的《尚書》可以說是紀錄所謂理想社會的典型，對現實政治作為文飾的價值最高，具體政治制度上根本不亞於《周禮》強烈的影響力。總之，為了研究經學或經書特色的政治性，探究《周禮》對現實社會上的影響就是最典型的研究方式。[79]

可見宇野除探究《周禮》的制作年代之外，也嘗試在《周禮》中看出經學的特色

---

[78] 宇野精一：〈序〉，《中國古典學の展開》，頁 1，以及《宇野精一著作集》，卷 2，頁 3。原文：「こゝに扱はれてゐる問題は《周禮》の製作年代の考證を中心として、この書が後世の特に政治上に與えた影響に論及したものである。」

[79] 宇野精一：〈序〉，《中國古典學の展開》，頁 2，以及《宇野精一著作集》，卷 2，頁 4。原文：「さて禹域の學問、特に經學は人間學であると同時に政治學的色彩が強い。而して經書の中でも特に政治と關係が深いのは、《尚書》と禮であらう。そして《尚書》は政治方面が強く、禮は政治の制度形態の方面が強い。但し禮には《周禮》《儀禮》《禮記》があり、三禮と併稱されるが、……（中略）直接に政治制度を記したものでは《周禮》が代表的である。……（中略）而して政治思想としての《尚書》は、いはゞ一つの理想社會の典型としての記錄であり、實際政治面に對しては文飾としての價値が最も高く、具體的政治制度としては《周禮》の強い影響力に讓らざるを得ない。してみると經學乃至經書の特色である政治性を考へるには、《周禮》の實際政治社會への影響を研究することが最も典型的なものとなってくる。」

——即政治性。

那麼，宇野如何看《周禮》的制作年代？宇野首先詳細地整理從東漢到現代的看法，認為宋代萌芽的考證論點最有助於判斷《周禮》制作年代。例如：《周禮》中的五行思想與諸制度所反映的是戰國時代的世相等。另外，針對《周禮》與其他古典之間制度上的差異，宇野贊同清儒李滋然《周禮古學攷》之說。李滋然謂：

> 《周禮》一書，多今學明文，篇中細節，即〈曲禮〉「六大五官六府六工」之條目也，而井田封建職官食貨兵刑諸大端，多與〈王制〉、《孟子》不合者，蓋舊籍原本，與《左傳》同藏秘府，西漢劉歆，校訂《周禮》，刪汰博士明條，羼入古學異說，遂使本經文例，前後不相貫融，今取全書攷之，凡與今學同者，無一不采用〈王制〉，而沿襲竄改，今古雜厠，故其鉅典宏綱，符於《禮經》者，每文該而事備，至於專門要義，多缺不詳。……（中略）余不揆擣昧，詳加深攷，究厥真羼，凡與今學各經同義者，實本周公古制，特仍之以存舊籍，共與《春秋》、〈王制〉、《孟子》不合者，錄為劉氏古學。[80]

李滋然認為，制度、官名不合今經者是古文說，亦即劉歆所竄入。另外，宇野高度評價錢穆〈周官著作年代考〉。[81]錢穆論文大致分為四個部分：㈠關於祀典；㈡關於刑法；㈢關於田制；㈣其他，指出《周禮》為戰國時代晉人所成。宇野一方面認同錢穆的戰國時代著作說，但另一方面否定晉人著作說。他透過「思想的要素」、「制度的要素」、「其他要素」三個方面展開論述。

首先是「思想的要素」。宇野首先關注的是德目。他把「中和」或「忠和」[82]

---

[80] 李滋然：〈周禮古學攷敘〉，《周禮古學攷》（臺北：臺灣大通書局，1970年），頁13－16。

[81] 錢穆：〈周官著作年代考〉，《燕京學報》第11期（1932年6月），頁2191－2300。

[82] 例如：《周禮》的〈大司徒〉有：「知仁聖義忠和」以及「以五禮，防萬民之偽，而教之中，以六樂，防萬民之情，而教之中」；〈大司樂〉云：「中和祗庸孝友」；〈大宗伯〉曰：「以天產作陰德，以中禮防之，以地產作陽德，以和樂防之」等等。

視為「大學之恆言」，「三德」[83]雖比《論語》早，但〈小宰〉中的「廉」[84]與官吏的道德很密切，此與《墨子》、《管子》有共通之處，[85]可看出春秋戰國以後的法家之影響。總之，宇野認為，《周禮》的德目中包含著較為樸素的觀念，但又混入後世的思想。接著，他討論人材錄用相關的問題。《周禮・地官・鄉大夫》以下有賓興賢能的規定，宇野認為此說頗為抽象。另外，《周禮》所提的學校名僅有「國學」（〈樂師〉）、「學」（〈大胥〉）、「州序」（〈州長〉）、「序」（〈黨正〉），與《孟子・滕文公上》「夏曰校，殷曰序，周曰庠，學則三代共之」以及《禮記・王制》「古之教者，家有塾，黨有庠，術有序，國有學」相比，《周禮》中的教育制度較為樸素。再加上，《毛詩》有「辟雍」（〈大雅・靈臺〉以及〈文王有聲〉）和「泮宮」（〈魯頌・泮水〉），《孟子》亦有「明堂」（〈梁惠王下〉），將其當做學校名，都始於《禮記・王制》。[86]《周禮》卻未將「泮宮」、「明堂」用於學校名，於是宇野的看法與津田恰恰相反，認為《周禮》當早於《禮記・王制》。其次是慈幼安富。[87]「慈幼」為增加人口的手段之一，也是春秋以後最強烈提倡的概念，與《管子》有很密切的關係。「安富」亦是春秋以後的商業活動活潑化的特點，還未至於《管子》、《晏子》商農相剋的時代。接著是統一思想。眾所周知，《周禮》中有許多統制的規定。有些人把這些思想看作統

---

[83] 《周禮・師氏》曰：「以三德教國子，一曰至德，以為道本，二曰敏德，以為行本，三曰孝德，以知逆惡，教三行，一曰孝行，以親父母，二曰友行，以尊賢良，三曰順行，以事師長。」

[84] 「廉善」、「廉能」、「廉敬」、「廉正」、「廉法」、「廉辨」等語見於《周禮・小宰》。

[85] 《墨子・明鬼》云：「是以吏治官府，不敢不蔡廉。」《管子》除了〈牧民〉的「四維」以外，另有：「故曰，君明，相信，五官肅，士廉，農愚，商工愿，則上下體，而外內別也。」（〈君臣上〉）、「聖人在前，貞廉在側。」「有道之臣，……（中略）義以與交，廉以與處，臨官則治，酒食則慈。」（〈四稱〉）、「行貨財，而得爵祿，則污辱之人在官，寄託之人，不肖而位尊，則民倍公法，而趨有勢，如此則慤愿之人失其職，而廉潔之吏失其治。」（〈明法解〉）

[86] 宇野於此依據清羅壁《識遺》，卷5。

[87] 《周禮・大司徒》云：「以保息六養萬民，一曰慈幼，二曰養老，三曰振窮，四曰恤貧，五曰寬疾，六曰安富。」

一時代的反映，宇野則根據《孟子》、《禮記．中庸》與《管子》等，[88]說統一思想更常見於群雄割據的時代。也就是說，宇野認為《周禮》的記述符合戰國時代的情勢。最後是有關復讎的記述。《周禮．調人》曰：「凡和難，父之讎，辟諸海外；兄弟之讎，辟諸千里之外；從父兄弟之讎，不同國；君之讎，眡父；師長之讎，眡兄弟；主友之讎，眡從父兄弟。」此是描述調人調停的職掌，宇野十分看重這「調人」職位本身的存在。若與《禮記》的〈曲禮上〉、[89]〈檀弓上〉、[90]《大戴禮記．曾子制言上》[91]對比，就會發現在「不同國」的層位上，〈調人〉與〈曲禮〉有共通之處。宇野也注意到《周禮》與《大戴禮記》都承認為「師長」、「主友」的復讎，因而認為《周禮》是後世的著作。而《韓非子．五蠹》有：「今兄弟被侵，必攻者，廉也。知友被辱，隨仇者，貞也。廉貞之行成，而君上之法犯矣。」可知戰國末期確有了為「知友」的復讎，宇野又據此認定《周禮》帶有法家的色彩。

關於「制度的要素」，宇野從官名以外的角度來加以探究。其一，「天王」。《周禮．春官．司服》有「凡喪，為天王斬衰，為王后齊衰，王為三公六卿錫衰，為諸侯緦衰，為大夫士疑衰，其首服皆弁絰。」但因《春秋》以外不見「天王」一詞，宇野認為「天王」一詞出現在春秋之後。其二，「三公」。《春秋公羊傳．隱公五年》有「天子三公者何？天子之相也。天子之相，則何以三？自陝而東者，周

---

[88] 《禮記．中庸》有：「今天下車同軌，書同文，行同倫」，俞樾《湖樓筆談》卷一視為秦代所著。另外，《管子．君臣上》也有：「書同名，車同軌，此至正也。」宇野說，即使把這些都視為秦代的作品，那麼，如何看待《尚書．舜典》：「協時月，正日，同律度量衡」？他認為，即使〈舜典〉有文獻上的懷疑，也不至於秦代，仍是戰國時代的著作。

[89] 《禮記．曲禮上》曰：「父之讎，弗與共戴天；兄弟之讎，不反兵；交遊之讎，不同國。」《十三經注疏．禮記正義》（臺北：藝文印書館，1960 年），頁 57。

[90] 《禮記．檀弓上》曰：「子夏問於孔子曰：『居父母之仇，如之何？』夫子曰：『寢苫枕干，不仕，弗與共天下也，遇諸市朝，不反兵而鬪。』曰：『請問，居昆弟之仇，如之何？』曰：『仕，弗與共國，銜君命而使，雖遇之不鬪。』曰：『請問，居從父昆弟之仇，如之何？』曰：『不為魁，主人能，則執兵而陪其後。』《禮記注疏》，頁 133。

[91] 《大戴禮．曾子制言上》曰：「父母之讐，不與同生；兄弟之讐，不與聚國；朋友之讐，不與聚鄉；族人之讐，不與聚鄰。」

公主之，自陝而西者，召公主之，一相處乎內。」[92]可知當時「三公」的概念並不明確。可是，《韓詩外傳》卷八、《尚書大傳・夏傳》，「三公」為「司徒、司馬、司空」，《大戴禮記・保傳》則為「太保、太傅、太師」。與這些相比，《周禮》中的「三公」並未明言，所以宇野認為《周禮》與《公羊傳》制作時代相近。其三，「史與巫」。《周禮》除了「大史」、「小史」、「內史」、「外史」、「御史」、「女史」之外，另有下級的「史」（〈宰夫〉）。宇野認為原是政府要職的「史」變成為下級官吏，必須要一段時間。春秋初期仍然堅持封建制度，「史」所有的文學教養大致限制於士大夫階級，後來隨著封建制度的崩壞，就出現《周禮》所說下層的「史」。關於「巫」，宇野大致本於狩野直喜〈支那古代の巫、巫咸に就いて〉、〈說巫補遺〉以及〈續說巫補遺〉諸篇之說。[93]狩野主要的論點是透過《左傳》與《周禮》中「巫」和「祝」的比較，推測《周禮》早於《左傳》，宇野也認同他的看法。其四，「庶人」。《周禮・序官》規定上，士下面還有府、史、胥、徒，都是屬於庶人之官。另外，〈大宗伯〉、〈巾車〉也有關於庶人的規定。宇野將其視為戰國以後庶人地位向上的反映，尤其是宇野注意《周禮》談到「工商」的部分，認為是受到齊地工商業繁盛的影響。其五，「左右之官」。中國有對偶的看法，其中之一是左右，但是古代官名似乎未有左右的觀念，《周禮》亦然。雖有「司右」、「戎右」、「齊右」、「道右」等，這「右」並不是對應於「左」。宇野認為，左右概念用在官名始於秦漢，因而《周禮》不是秦漢時代的著作。其六，「五等爵」是公、侯、伯、子、男，另有將其分為三等級的說法散見於先秦文獻。《孟子》分為公侯、伯、子男，而《周禮》分為公、侯伯、子男。宇野視二者為源自同一時代學說之差異。總之，他認為《周禮》包含著戰國時代的思想。

「其他要素」，宇野舉出「曆」與「音樂」、「邦諜」相關的問題。曆法方

---

[92] 《十三經注疏・春秋公羊傳》（臺北：藝文印書館，1960年），頁35。

[93] 皆收於狩野直喜：《支那學文藪》（東京：みすず書房，1973年4月）：〈支那上代の巫、巫咸に就いて〉，頁16－27；〈說巫補遺〉，頁28－39；〈續說巫補遺〉，頁40－52。

面，他研究「歲」、「潤」、「月吉、朔」；音樂方面，探討六律六同；[94]最後談到《周禮》中間諜的重要性，說：「《周禮》完全反映了被視為春秋末期到戰國的思想制度」。[95]

最後，宇野注意到《周禮》的六官組織。除了《周禮》以外，《管子・五行》與《大戴禮記・盛德》也備有六官組織。但是《管子・五行》的六官：「當時」、「廩者」、「土師」、「司徒」、「司馬」、「李」與《周禮》的六官毫無關係。與此相比，《大戴禮記・盛德》的六官：「冢宰」、「司徒」、「宗伯」、「司馬」、「司寇」、「司空」與《周禮》完全一致。因此，宇野認定《大戴禮記》依據《周禮》而撰寫。此外，宇野在《管子・五行》中看出自五官到六官的思想過渡。為何需要「六官」呢？假使依據五行說，「五官」就已足夠。可是《周禮》採用的卻是「六官」。他引《史記・秦始皇本紀》：「始皇推終始五德之傳，以為周得火德，秦代周，德從所不勝，方今水德之始，改年始朝賀，皆自十月朔，衣服旄旌節旗，皆上黑，數以六為紀，符法冠皆六寸，而輿六尺，六尺為步，乘六馬，……（中略）分天下以為三十六郡。」[96]由此認為，《周禮》也是本於終始五德說，而秦統一之前終始五德說非常流行。另外，依據《孟子・萬章下》北宮錡問孟子周室班爵制度之記事，可見當時有了對周制的關心，又有參考周制而建立新王朝制度的趨勢。總而言之，宇野結論為：

筆者推定，《周禮》是在周王室滅亡後，或者至少是周瀕臨滅亡而世人期望

---

[94] 宇野參考青木正兒：〈樂律溯源〉，《支那學》第3卷8號（1924年7月），頁17－41；以及瀧遼一：〈古典に現はれたる律呂の解釋について〉，《東方學報（東京）》第11冊之2（1940年7月），頁113－170。

[95] 宇野精一：《中國古典學の展開》，頁270；《宇野精一著作集》，卷2，頁237。原文：「周禮には春秋末より戰國にかけての思想制度の反映と見るべきものに滿たされてゐる」。

[96] 《史記・秦始皇本紀》，頁237－239。

新王朝的出現時，依據新王朝是水德，且尚數六的終始五德說而制作的。97

那麼，《周禮》的作者是何人？郭沫若認為是荀子弟子，98錢穆視《周禮》為晉人之作。99宇野則根據《周禮》與《管子》間密切的關係、100終始五德說始於齊，也最盛行於齊、戰國時代的齊魯之地為思想學術的淵藪等等，於是將《周禮》看作齊人之作。101

宇野《中國古典學の展開》收錄了多篇《周禮》相關的論考。除了如上所述的論考以外，還收錄東漢到現代的《周禮》成書說之展開。限於篇幅，本文無法詳加介紹，但筆者認為，這部分在經學研究史上，相當有意義，值得留意。

---

97 宇野精一：《中國古典學の展開》，頁 277－278；《宇野精一著作集》，卷 2，頁 243－244。原文：「私は周禮は周の王室が滅亡した後、或は少くとも滅亡に瀕して次の新たなる王朝の出現を期待せられてゐる時に、新王朝は水德にして六の數を尚ぶべきものとする終始五德說に本づいて制作されたものであらうと推定する。」

98 郭沫若：〈周官質疑〉，《金文叢攷》（東京：文求堂書店，1932 年 7 月），第 1 冊。

99 錢穆：〈周官著作時代考〉。

100 《周禮》與《管子》的相關研究，有小柳司氣太：〈管子と周禮〉，《東亞研究》第 4 卷 2 號（1914 年 5 月），頁 22－30，後收於《東洋思想の研究》（東京：關書院，1934 年 5 月；再版，東京：森北書店，1942 年 10 月），頁 215－226。小柳研究的重點在於《管子》如何對《周禮》加以變更，而舉出了二十五例。此外，後有櫻井芳郎：〈管子と周禮との關係について〉，《東京學藝大學紀要（第 3 部門、社會科學）》第 18 集（1966 年 11 月），頁 108－115，櫻井結論為，《周禮》與《管子》在用語上雖有共通之處，但實在毫無關係。櫻井一九六〇年前後陸續發表了〈孟子と周禮との關係について〉，《東京學藝大學研究報告（史學）》第 9 集（1958 年 3 月），頁 1－8；〈詩經と周禮との關係について〉，《東京學藝大學研究報告》第 12 集（1961 年），頁 1－8；〈書經と周禮との關係について〉，《東京學藝大學研究報告（史學）》第 13 集（1962 年），頁 1－6；〈禮記王制と周禮との關係について〉，《東京學藝大學研究報告》第 15 集第 10 分冊（1964 年 8 月），頁 1－6；〈左傳と周禮との關係について〉，《東京學藝大學研究報告（歷史學）》第 16 集（1964 年 12 月），頁 1－8，探究《周禮》與其他先秦文獻的關係。

101 宇野認為，由〈考工記〉被補充〈冬官〉的今本《周禮》，經過劉歆才成書，因而他強調不可以把今本《周禮》的成書與《周禮》制作年代，或者劉歆偽作問題混在一起討論（《宇野精一著作集》，卷 2，頁 275－276）。

㈣田中利明、大川俊隆的秦代成書說

接著介紹的是田中利明〈周禮の成立についての一考察〉。[102]他主要的觀點在序中已明顯地表達：

> 此種研究（筆者注：指錢穆、郭沫若、津田左右吉、宇野精一等的研究），都是基於《周禮》中被記錄下來的字句。既然是推定《周禮》制作年代，如此研究當然是需要的，然而我認為，大家都忘了非常重要的一點。追探羅列字句而撰作內容這麼龐大的書籍者之意圖、制作動機之研究，這是不能等閒視之的重要問題。即向《周禮》本質逼近的研究相當重要，但是，至今無人做過以其為中心的研究。[103]

田中如此重視《周禮》制作者的意圖、動機，試圖推測《周禮》成立的歷史背景。於是，他首先關注「法」，指出《周禮》中的「法」是包括「禮」與「刑」的概念，其中「禮」比「刑」占更大比重。田中又比較《周禮》的「禮」與《孟子》、《荀子》的「禮」。《孟子》的「禮」為人心中的內在德性之一，反之，《荀子》的「禮」則從外在規定人的行動。田中認為，《周禮》的「禮」較接近《荀子》。但另一方面，《荀子》「禮」、「法」並列，與此相反，《周禮》的「禮」為「法」所吸收。因此，田中認為《周禮》的「禮」一方面沿襲《荀子》，一方面則受到法家流行的影響。其次，田中注意到《周禮》有什伍之制。眾所周知，什伍之制始於秦相商鞅，其後成為秦的傳統政策，而《周禮》採納這個政策。接著田中討

---

[102] 田中利明：〈周禮の成立についての一考察〉，《東方學》第42輯（1971年8月），頁16－31。

[103] 田中利明：〈周禮の成立についての一考察〉，頁2。原文：「ところでこうした研究は、すべて周禮の中に記された字句を基にしてのものである。周禮の制作年代を推定する以上、こうした操作は當然必要とするものであるが、しかしここに一つ、大切なことが忘れられているように思える。字句を連ねてこの厖大な書物を作った者の意圖や制作の動機を追究して行く研究こそ、等閑にしてはならない重要な問題であると思えるのである。即ち周禮の本質に逼る研究が大切なのであり、今迄のところこれを中心とした研究が為されていないのである。」

論五帝的方祀。他根據《晏子春秋・內篇・諫上・十五》與錢穆的看法，[104]指出五帝方祀在秦始皇時代就得到定型。總之，他認為《周禮》在秦始皇時代或其後成書。

接下來，田中探究《周禮》制作的動機。田中指出：「大致反映出儒家傳統的理想國家之《周禮》，當然可以看作是在現實與理想之間存在很大的差距時的制作。」[105]那麼，是何時代呢？他把《周禮》與《荀子・王制》相比，指出〈王制〉甚為疏略，戰國末年還未有《周禮》般龐大官制出現的趨勢。另外，秦代儒生如淳于越雖企圖把現實改為理想，[106]但是實在難以改變秦國的現實情況，面對困難，改革的意圖就更加強烈，田中認為儒生即因此制作《周禮》。也就是說，「儒家對難得成立的統一國家抱有不滿」，[107]這些不滿、發憤導致《周禮》的制作。如上所述，田中認為《周禮》大致成書於秦始皇時代。

強調《周禮》與秦的關係，另有大川俊隆。他在〈《周禮》における齎字について〉[108]中介紹金春峰《周禮之成書及其反映的文化與時代新考》，[109]大川雖說：「我不是以齎與兩三個字的檢討而提倡《周禮》秦代成書說的」，[110]不過，他在文

[104] 《晏子春秋・內篇・諫上・十五》曰：「楚巫微見景公，曰請致五帝，以明君德，景公再拜稽首，楚巫曰請巡國郊，以觀帝位，至於牛山而不敢登，曰五帝之位，位于國南，請齋而後登之。」錢穆云：「晏子春秋是戰國晚年偽書。五帝之說，本盛於燕齊海疆之方士。他說楚巫請致五帝，便見齊人當時也不祀五帝。五帝祀直到秦始皇統一後，遂正式採用。」錢穆：〈周官著作時代考〉，頁2197。

[105] 田中利明：〈周禮の成立についての一考察〉，頁 11。原文：「儒家の傳統的な理想國家が一應の形となって現れている周禮は、當然現實との較差が幅広く開いたときに作られたものであると見ることが出來る。」

[106] 《史記・李斯列傳》曰：「臣聞之，殷周之王千餘歲，封子弟功臣自為之輔，……（中略）事不師古而能長久者，非所聞也。」

[107] 田中利明：〈周禮の成立についての一考察〉，頁 14。原文：「折角出來上った統一國家が儒家にとっては甚しく意に満たないものであった」。

[108] 大川俊隆：〈《周禮》における齎字について〉，小南一郎編：《中國古代禮制研究》（京都：朋友書店，1995 年 3 月），頁 165－194。

[109] 金春峰：《周禮之成書及其反映的文化與時代新考》（臺北：東大圖書，1993 年 11 月）。

[110] 大川俊隆：〈《周禮》における齎字について〉，頁 192。原文：「私は齎と二、三の字の

中主要就是經由分析「齎」字的發展過程，從「《周禮》中齍、齎、齊的意義，與戰國後期到秦代，尤其是在秦代前後的齎字之意的發展過程一致」，⑪得出秦代成書說的結論。其論據有四：第一，「齎」字出現於戰國後期，秦代有了「持遺」、「賠償的財用」、「財用」等意思。此與《周禮》中齎字的用例多共通。第二，漢初以後，「齎」字從「財用」引伸為「利益」、「資質」之意。不久之後，以「資」字代表「齎」字「持遺」以外的意義，而《周禮》除了故書異文之外，未用「資」字。因此，《周禮》的用法反映秦代或者戰國後期以前的意義。第三，在戰國後期到秦代，「齍」、「齎」字另有「穀物」的意思，秦代出現專示這意義的𪎈字，漢代再省略為「粢」字。《周禮》的「齎」、「齍」字都含有「穀物」的意義，此表示《周禮》的「齎」、「齍」字把秦代所生成𪎈字以前的原貌遺留下來。第四，西周後期起，「齊」與「齎」、「齍」通用，秦代也「齊」與「齎」通用，漢代以後則為「齊」與「資」通用。《周禮》中「齊」與「齎」、「齍」通用，「齍」、「齎」字又都有「穀物」之意，可知其成書應在西周後期至秦代而非漢代。從而大川最後指出，《周禮》在秦代成書的可能性。

㈤平勢隆郎的戰國燕成書說及井上了的秦漢成書說

其次是平勢隆郎〈《周禮》の構成と成書國〉。⑫東京大學東洋文化研究所編《東洋文化》第八十一號是《左傳》與《周禮》的專輯，除了石黒ひさ子、小寺敦、高津純也以及呂靜等《左傳》相關的論文外，⑬還收錄以《周禮》為主題的兩

檢討を以て、『周禮』の秦代成立說を唱えるものではない。」

⑪ 大川俊隆：〈《周禮》における齎字について〉，頁191。原文：「『周禮』における齍・齎・齊の用義は、戰國後期から秦代にかけて、特に秦代の頃の齎字の義の發展とよく符合すると云えよう。」

⑫ 平勢隆郎：〈《周禮》の構成と成書國〉，《東洋文化》第81號（2001年3月），頁181－212。

⑬ 石黒ひさ子：〈《春秋》三傳と祭祀〉，頁23－54；小寺敦：〈《左傳》の引詩に關する一考察——「賦詩斷章」の背景——〉，頁55－102；高津純也〈《左傳》に引かれる《書》の性格〉，頁103－138以及呂靜〈盟誓における載書についての一考察〉，頁139－160。執筆者皆是「史料批判研究會」的成員。「史料批判研究會」源自一九九二年成立的「左傳研究會」，是研究《左傳》的文章結構，一九九八年改稱為「史料批判研究會」，出版學術

篇論文，即是阿部幸信〈前漢末～後漢における地方官制と《周禮》〉[114]與平勢此文。[115]那麼，平勢如何看待《周禮》？

鄭玄以來，討論《周禮》與其他經書的差異，主要在於成書時代的差別，而平勢則關注於各經書正統觀的差異，此是他重要的觀點。也就是說，平勢認為各經書都充滿了辯護成書國的意圖。那麼，《周禮》的成書國在何處？他首先注意到的是〈冬官〉。平勢認為，《周禮》架構上原無〈冬官〉一篇。另外，《周禮・春官・大司樂》五聲（宮、商、角、徵、羽）之中沒提到商聲。依據夏正，商聲相當於北方。這些都是《周禮》重視北方的表徵。《管子・幼官》被認為是「玄官」，[116]《史記・封禪書》秦諸畤中缺少「黑帝」，都表示戰國時代有特別重視北方的趨勢。因此，平勢認為《周禮》編纂於戰國時代。接著，他討論了《周禮》的外族觀。《周禮・秋官》有「蠻隸」、「閩隸」、「夷隸」、「貉隸」，卻無「戎」，平勢認為這意味著《周禮》無視「戎」的存在。另有「司隸」之官，「掌帥四翟之隸」。「翟」即「狄」，由此可知《周禮》看重「狄」。也就是說，《周禮》特別重視「翟（狄）」，卻完全無視「戎」。此與《穀梁傳》視楚、吳、晉、秦為狄，而以齊為染上夷狄之習俗相似。可是，《周禮》談到貉與閩，《穀梁傳》卻沒提

雜誌《史料批判研究》。《東洋文化》第八十一號是匯集如此「史料批判研究會」成員的論文。平勢隆郎：〈序說〉，頁 2。謂：「把焦點集中於至今研究成果之中檢討時間很長，檢討內容也相當豐富的《左傳》相關研究，以及在研究史上與《左傳》很密切的《周禮》，而總括成書問世的就是這本書（そこで、これまでの研究のうち、検討時間が長く検討の厚みもました『左傳』、および研究史の上では『左傳』と切っても切れない關係にある『周禮』に焦點をしぼり、まとめて世に送り出さんとしてできあがったのが本書である）。」

[114] 阿部幸信：〈前漢末～後漢における地方官制と《周禮》〉，《東洋文化》卷 81 號（2001 年 3 月），頁 161－180。

[115] 另附上平勢隆郎：〈《周禮》の內容分類（部分）〉，《東洋文化》第 81 號（2001 年 3 月），頁 213－229，是把《周禮・天官・冢宰》的經文分為「總說」、「官名」、「員數」、「職責」、「凡例」五種。

[116] 清末何如璋說：「舊注『幼者，始也。』『始』字無義，疑『幼』本作『玄』，故注訓為始，宋刻乃誤為『幼』字耳。『官』宜作『宮』，以形近而誤。本文有玄帝之命，又『玄宮』凡兩見，〈戒篇〉『進二子於里宮』，亦譌作『官』。」黎翔鳳：《管子校注》（北京：中華書局，2004 年 6 月），頁 104。

到。因此平勢認為，《周禮》與《穀梁傳》的成書國不同，《穀梁傳》成書於中山，《周禮》則成書於燕。平勢的結論為：

> 由著眼於夷與翟（狄）等外族的對應、樂律名稱的特色所得的結果，可以認為《周禮》一書的背後有燕的正統觀支撐著。燕稱王後到滅亡的戰國中期到末期，都有考慮為成書時期的必要。⑪⑦

至於井上了〈《周禮》の構成とその外族觀〉⑪⑧一文，一方面高度評價平勢的研究態度很有挑戰性，另一方面逐一舉出論據反駁平勢的看法，仍然主張《周禮》乃秦漢成書之說。

㈥吉本道雅的戰國成書說及山田崇仁的戰國齊成書說

最後是吉本道雅〈周禮小考〉⑪⑨與山田崇仁〈《周禮》の成書時期、地域について〉。⑫⓪吉本的基本立場見於該文第四章，即：「從文獻外部考慮的方法，不得不承認有一定的界線。」⑫①他所謂的「文獻外部」指該文獻以外的資料，他始終關注文獻本身的文辭、思想。於是，吉本以避諱為線索，探討《周禮》成書的過程。他分析指出：「邦」與「國」在《周禮》中的分布可以分為三類：其一，〈天官〉；其二，〈地官〉與〈秋官〉；其三，〈春官〉和〈夏官〉。〈地官〉與〈秋官〉中，「邦」和「國」混用，〈天官〉中「邦」極多，〈春官〉、〈夏官〉則

---

⑪⑦ 平勢隆郎：〈《周禮》の構成と成書國〉，頁 208。原文：「夷や翟（狄）などの外族に對する對應や樂律名稱の特色に着目してみた結果、『周禮』という書物を背後で支えているのは、燕の正統觀ではないかと考えられた。燕が稱王して以來滅ぼされるまでの戰國中期〜末までについて成書時期を考える必要がある。」

⑪⑧ 井上了：〈《周禮》の構成とその外族觀〉，《中國研究集刊》第 30 號（2002 年 6 月），頁 43－62。

⑪⑨ 吉本道雅：〈周禮小考〉，《中國古代史論叢》（2004 年 3 月），頁 1－12。

⑫⓪ 山田崇仁：〈《周禮》の成書時期、地域について〉，《中國古代史論叢》三集（2006 年 3 月），頁 96－150。

⑫① 吉本道雅：〈周禮小考〉，頁 12。原文：「文獻の外から考える方法には一定の限界を認めざるを得ないのである。」

「國」頗多。吉本據此認為，〈地官〉、〈秋官〉是避諱「邦」以前的戰國期之文本，〈春官〉、〈夏官〉為西漢的文本，〈天官〉則是企圖恢復原貌的王莽期之文本。也就是說，他認為《周禮》在戰國時代已成書，但今本《周禮》是後來總括三種文本而成。又由於今本鄭注本與杜子春本毫無文字上的差異，他認為杜子春與今本《周禮》有很密切的關係。

山田認同吉本的看法，又利用歷史語言學的方法進一步研究。由《周禮》的爵制與《春秋》、《禮記·曲禮》、《左傳》、《孟子》相比，可以看出《周禮》最晚出，他認為《周禮》確實是公元三世紀以後秦統一以前的文獻。那麼，《周禮》成書於何地？關於此，山田憑藉 N-gram 的方式。[122]首先他討論的是《周禮》是否為層累的編纂物？因於《周禮》中詞彙的零散很少，有與《孟子》、賈誼《新書》共通的傾向，山田認為《周禮》是經過一人或者少數人之手，在短時間內成書的。接著，他研究《周禮》的成書地域。他將《周禮》與《管子》、《司馬法》、《守法守禮等十三篇》中之詞彙加以比較，認為《周禮》與齊地有很密切的關係。總之，他的結論為：《周禮》是公元前三世紀以後，秦統一以前，在齊地編纂、成書。山田並對錢穆三晉成書說、平勢戰國燕成書說以及井上秦漢成書說提出批評。

(七)小結

綜上所述，關於《周禮》成書有許多說法：一，西周末期說（林泰輔）；二，戰國齊說（宇野精一、山田崇仁）；三，戰國燕說（平勢隆郎）；四，戰國說（吉本道雅）；五，統一秦說（田中利明、大川俊隆）；六，秦漢說（井上了）；七，西漢末期說（津田左右吉）。可說諸說紛紜，未有定論。筆者認為，宇野、山田的研究較為合理。宇野的研究雖已屬於「古典」，但仍值得一讀。山田利用 N-gram 方式的研究很有特色，的確令人驚奇，作為一種突破性的方法頗有價值。然而《周禮》文獻學研究已經有眾多成果，除非有新的資料，否則很難有進展。[123]加賀榮治

---

[122] 美國的數學學者 Claude Elwood Shannon 所提倡，調查頻出文辭的方法。

[123] 森賀一惠：〈《周禮》の「壹」と「参」〉，《富山大學人文學部紀要》第 43 號（2005 年 8 月），頁 45－57 是企圖從《周禮》中的「壹」與「一」、「参」與「三」的差別而討論《周禮》成書問題，可是未得到結論，非常可惜。

曾經說過：「以成書過程來說，《周禮》雖然確實依據相當古老的、有來歷的資料（〈考工記〉等就是其中之一），但是，我們應該把現在所見一大行政組織法的官制之書的完成時期，與其所據資料的時代性分別考慮。」[124]筆者贊同加賀的看法。

此外，《周禮注疏》文獻學的相關研究有加藤虎之亮〈周禮經注疏音義校勘總說〉[125]以及《周禮經注疏音義校勘記》。[126]昭和三十二年（1957）的〈周禮經注疏音義校勘記序〉曰：

> 大正十三年（1924）春，余立《周禮》經注疏音義校勘之志，以毛晉本為據，校明重校監本。尋及李元陽本、乾隆殿本，暨聞人詮本，更校元槧十行本於內閣文庫，重言本於足利圖書館。又獲重修監本於上海，假宋槧修補十行本於文求堂竝校之。韓板注疏本與弟芳之佐校讎。……（中略）昭和五年受啟明會補助金，以河住玄君為助手，據阮刻十行本校正德本於靜嘉堂文庫，又校孫氏《正義》本。於是十二種經注疏音義合本竝一經注音義本校竣。……（中略）校讎始成實，（昭和）八年（1933）六月也，乃作其《總說》二卷，獲學位。越十五年，得浙東轉運司本，請小澤文四郎君校勘。二十三年依武內義雄君假得單疏不全本於東北大學手校。至是多年渴望之書悉校了。......（中略）二十七年秋，余退教職得閒，乃修正自執鐵筆複寫三本，三十年十月卒業。今茲丁酉六月得文部省研究成果刊行費補助金，付寫

[124] 加賀榮治：〈「禮」經典の定立をめぐって〉，《人文論究》第50號（1990年3月），頁12。原文：「成書となる上での『周禮』が、かなり古い由緒ある資料（「考工記」などは、まさにこれに該當する）に據っていることは、ほぼ間違いないとしても、今見るような一大行政組織法的官制の書としてでき上がる時期は、その所據資料の古さとは、やはり區別して考えられるべきであろう。」

[125] 加藤虎之亮：〈周禮經注疏音義校勘總說（一）〉，《東洋文化（無窮會）》第143號（1936年3月，頁1－14到〈周禮經注疏音義校勘總說（三十七）〉，《東洋文化（無窮會）》第195號（1941年4月），未完。

[126] 加藤虎之亮：《周禮經注疏音義校勘記（上）》（東京：財團法人無窮會常務理事清田清發行，1957年10月）；《周禮經注疏音義校勘記（下）》（東京：財團法人無窮會常務理事清田清發行，1958年9月）。

真凸版以就正大方。……（中略）立志以來三十有三年，始得公于世，臨序感慨久之。[127]

可見加藤用了三十二年的工夫，終於完成了《周禮經注疏音義校勘記》。他利用的版本相當豐富，主要的幾乎都已網羅，受到宇野精一的高度評價，[128]研究《周禮》者非參考不可。

三、《周禮》內容的研究

本節討論的是《周禮》內容的研究。以下分為「各官研究」、「制度研究」、「整體思想研究」以及「注疏研究」四部分加以論述。

㈠各官研究

1.〈天官〉

目前為止，〈天官〉的相關研究有四篇。首先是佐藤武敏的〈周禮に見ゆる大宰〉。[129]佐藤發現，《周禮》中的大宰雖然擔任政治上最重要的角色，但其屬官的職掌實可說被是限制於宮中。於是他對《周禮》與金文、器物、《儀禮》、《禮記》、《左傳》等先秦考古學資料、文獻中的「宰」、「大宰」、「冢宰」加以討論，認為宮內官性的屬官之職掌就是「宰」原來的職掌，到了西周末，加上其他多種職掌，名稱也細分化。那麼，為何「宰」會成為最高官職？關於此點，他參考《論語・憲問》[130]與《荀子・王制》，[131]另據《周禮》與《管子》關係密切、五帝

---

[127] 加藤虎之亮：《周禮經注疏音義校勘記（上）》，頁29。

[128] 宇野精一：〈書評：加藤虎之亮著「周禮經注疏音義校勘記」〉，《斯文》第21號（1958年），頁72，後收於《宇野精一著作集》（東京：明治書院，1989年6月），卷5，頁285－286。

[129] 佐藤武敏：〈周禮に見ゆる大宰〉，《人文研究》第3卷第7號（1952年7月），頁47－61。

[130] 《論語・憲問》云：「子張曰：『書云，高宗諒陰，三年不言，何謂也？』子曰：『何必高宗，古之人皆然，君薨，百官總己，以聽於冢宰三年。』」佐藤依據武內義雄《論語之研究》（東京：岩波書店，1939年12月）等，把〈憲問〉看作齊論。

[131] 《荀子・王制》云：「本政教，正法則兼聽而時稽之，度其功勞，論其慶賞，以時慎修，使

祭祀在齊流行，因而強調《周禮》與齊的關係。宰在齊是相當高的職位。[132]佐藤認為，《周禮》受到齊文化的影響而成。其結論與宇野精一有共通之處。

接著是本田二郎〈周禮天官に見えたる飲食物と其の官吏達〉。[133]《周禮．天官》所屬的官員中，半數以上都是飲食相關的人員。本田逐一解說「膳夫」、「庖人」、「內饔」、「外饔」、「亨人」、「甸師」、「獸人」、「漁人」、「鼈人」、「腊人」、「食醫」、「酒正」、「酒人」、「漿人」、「淩人」、「籩人」、「醢人」、「醯人」、「鹽人」、「冪人」二十種職位的職務，最後指出這些官員在古代社會擔任了祭祀——政治上非常重要的角色。此文大部分雖只是把《周禮》的經文翻譯成日文，但由於當時還沒有《周禮》全譯，非常便於當時的研究者。本田後來出版了《周禮通釋》，此文的成果也已收於《周禮通釋》中。

其次，栗原圭介〈周禮「天官」篇形成における時間論〉[134]是探究在〈天官〉形成的過程中，時間論和古代人對天的依存、期望如何關連，或者時間論如何作用。他關注於「時」的概念，指出「禮的秩序中，以天時為頂點，其下則組織地財、鬼神與人心」，[135]使〈天官〉成立的實體為時間。栗原又云：

> 使得古代的漢民族，即剛開始接觸農耕的原始人驚異；這些前論理時代的頭腦因天地自然的運行而瞠目的，就是「時」所具有偉大的意義與其所帶來正

百吏免盡，而眾庶不偷，冢宰之事也。」「政治亂則冢宰之罪也，國家失俗則辟公之過也。」佐藤根據《史記．孟子荀卿列傳》「荀卿趙人，年五十始來游學於齊……」等，強調《荀子》與齊的關係。

[132] 《管子．小匡》及《國語．齊語》「使鮑叔為宰」時，鮑叔辭退而說「若必治國家，則非臣之所能……。」因此，佐藤認為，宰於齊乃相當高的職位。

[133] 本田二郎：〈周禮天官に見えたる飲食物と其の官吏達〉，《大東文化大學漢學會誌》第 14 號（1975 年 3 月），頁 184－200。

[134] 栗原圭介：〈周禮「天官」篇形成における時間論〉，《東洋研究》第 76 號（1985 年 10 月），頁 1－34。

[135] 栗原圭介：〈周禮「天官」篇形成における時間論〉，頁 7－8。原文：「禮的秩序においては、天時を頂點にして、その下に、地財や鬼神や人心が組織せられているのである。」

確無誤的秩序。[136]

他強調時間與農耕的關係。雖然他的論文實在難讀，但是從時間論切入相當有趣，值得參考。

最後是南昌宏〈《周禮》天官の構成〉，[137]主要內容是參考鄭《注》、賈《疏》及孫詒讓《周禮正義》等，整理《周禮・天官》的爵等和王臣、官長。

2.〈地官〉

有關〈地官〉的專論也有四篇，神谷正男〈《周禮》の泉府と《管子》の輕重斂散法〉、[138]濱口富士雄〈周禮保氏五射考〉、[139]栗原圭介〈地官司徒に於ける征賦の構造と科學思想（上、下）〉。[140]

首先介紹神谷正男。如上所述，《周禮》有許多文獻學上的問題，《管子》亦然。於是神谷從思想史的觀點加以檢討，企圖釐清兩者之間的關係，再推測《周禮》與《管子》的成書年代。他首先指出泉府制度的目的為民生的安定，近於銀行般的角色，因此雖不是徹底重農抑商的政策，仍有意抑制商人的活動。接著他談到《管子・國蓄》中所見的輕重斂散法，發現與泉府有共通之處，即：「排斥以追求利益為目的的商人的商業活動，由官府的政治權力，使人民的生活安定下來」[141]之

---

[136] 栗原圭介：〈周禮「天官」篇形成における時間論〉，頁 11。原文：「そこで古代の漢民族、乃ち初めて農耕を知った原始人たちの驚きは、前論理時代の頭腦をして天地自然の動きに瞠目せしめたものは、時のもつ意味の偉大さと違うことの無い時が齎す秩序の姿であったろう。」

[137] 南昌宏：〈《周禮》天官の構成〉，《高野山大學論叢》第 35 號（2000 年 2 月），頁 65－83。

[138] 神谷正男：〈《周禮》の泉府と《管子》の輕重斂散法〉，《東京支那學報》第 9 號（1963 年 6 月），頁 43－58。

[139] 濱口富士雄：〈周禮保氏五射考〉，《池田末利博士古稀記念東洋學論集》（廣島：池田末利博士古稀記念事業會，1980 年 9 月），頁 329－344。

[140] 栗原圭介：〈地官司徒に於ける征賦の構造と科學思想（上）〉，《東洋研究》第 101 號（1991 年 12 月），頁 1－37；〈地官司徒に於ける征賦の構造と科學思想（下）〉，《東洋研究》第 108 號（1993 年 8 月），頁 43－63。

[141] 神谷正男：〈《周禮》の泉府と《管子》の輕重斂散法〉，頁 55。原文：「利益追従を目的

立法精神。兩者當然也有相異之處，神谷認為這是源自時代、政治情況而產生的差異。最後結論為《周禮・泉府》的思想與《管子》的輕重斂散法不是漢代的，並認為〈泉府〉先於《管子》，他排列先秦西漢的經濟思想為：《周禮・泉府》→《管子》的輕重斂散法→計然、范蠡的經濟政策→李悝的糶糴法→賈誼、晁錯的經濟論→桑弘羊的平準法→耿壽昌的常平倉，而批判《周禮》與《管子》成書於西漢的看法。但他雖提出上述的結論，卻沒有註明證據，不無遺憾。

接著是濱口富士雄。《周禮・地官・保氏》有「養國子以道，乃教之六藝。一曰五禮，二曰六樂，三曰五射，四曰五馭，五曰六書，六曰九數。」但是，《周禮》、先秦文獻都沒有「五射」的說明，東漢鄭眾才將其釋為「白矢、參連、剡注、襄尺、井儀」，[142]後來有了唐賈公彥說。然而濱口認為，賈說有議論之餘地，因而加以重新討論。

最後，栗原兩篇論文指出〈地官〉中的征賦被制度化的過程中，科學的思考佔有很重要的地位。他的看法是，因為古代社會的生活本於農耕發展，以土地相關的稅制為基本，因而觀察天文、均分土地、計算賦稅時，必然需要科學的知識。栗原認為，多種科學思想散見於《周禮》。

3.〈**春官**〉

在日本〈春官〉相關研究的成果較為豐富，尤其是池田末利發表了〈肆獻祼、饋食考——周禮大宗伯所見の祖神儀禮——〉、[143]〈血祭、狸沈、疈辜考——周禮大宗伯所見の地神儀禮——〉、[144]〈告祭考——周禮大祝を中心とする祈禱儀禮

とする商人の商業活動を排除して、官府の政治的權力によって、人民の生活を安定させる」。

[142] 據鄭注引鄭眾說。《廣韻・去聲・射》的解說亦有：「《周禮》有五射，白矢、參遠、剡注、讓尺、井儀。」〔宋〕陳彭年等：《新校宋本廣韻》（臺北：洪葉文化，2001 年 9 月），頁 423。

[143] 池田末利：〈肆獻祼、饋食考——周禮大宗伯所見の祖神儀禮——〉，《廣島大學文學部紀要》第 6 號（1954 年 12 月），頁 25－63，後改題為〈周禮大宗伯所見の祖神儀禮——肆獻祼、饋食考——〉，收於池田末利：《中國古代宗教史研究：制度と思想》（東京：東海大學出版社，1981 年 2 月），頁 645－681。

[144] 池田末利：〈血祭、狸沈、疈辜考——周禮大宗伯所見の地神儀禮——〉，《哲學（廣島哲

——〉、⓮〈燔柴考〉⓯等等，都是以《周禮・春官大宗伯》為中心而論儒教的宗教儀禮，他把「供犧」視為古代禮儀的根本。[147]

西岡弘〈吉夢の獻〉[148]及〈惡夢の贈〉[149]、平間三季子〈《周禮》春官司几筵考——葦席を中心として——〉、[150]鳥羽田重直〈《周禮》春官籥章考〉，[151]也論述了與《周禮・春官》相關的問題。西岡、平間、鳥羽田皆是國學院大學出身，也是受到當時在國學院大學任教的藤野岩友的影響。藤野岩友（1898－1984）是民俗學者折口信夫（1887－1953）的「五博士」之一，[152]主要著作有《巫系文學論》、

學會）》第 5 集（1955 年 3 月），頁 29－43，後改題為〈周禮大宗伯所見の地神儀禮——血祭、貍沈、疈辜考——〉，收於《中國古代宗教史研究：制度と思想》，頁 713－733。

[145] 池田末利：〈告祭考（上）——周禮大祝を中心とする祈禱儀禮——〉，《廣島大學文學部紀要》第 21 號（1962 年 2 月），頁 95－116；〈告祭考（中）——周禮大祝を中心とする祈禱儀禮——〉，《廣島大學文學部紀要》第 22 卷 1 號（1963 年 3 月），頁 81－98；〈告祭考（中）——周禮大祝を中心とする祈禱儀禮——〉，《廣島大學文學部紀要》第 23 卷 1 號（1964 年 8 月），頁 56－68。後都收於《中國古代宗教史研究：制度と思想》，頁 822－893。

[146] 池田末利：〈燔柴考〉，森三樹三郎博士頌壽記念事業會編：《森三樹三郎博士頌壽記念東洋學論集》（京都：朋友書店，1979 年 12 月），頁 79－93，後收於《中國古代宗教史研究：制度と思想》，頁 537－551。

[147] 請參考池田末利：〈肆獻祼、饋食考——周禮大宗伯所見の祖神儀禮——〉，頁 38。

[148] 西岡弘：〈吉夢の獻〉，《國學院雜誌》第 67 卷 7 號（1966 年 7 月），頁 1－15，後收於西岡弘：《中國古代の葬禮と文學》（東京：三光社，1970 年 7 月；東京：汲古書院，2002 年 5 月再版），頁 645－669。

[149] 西岡弘：〈惡夢の贈〉，《池田末利博士古稀記念東洋學論集》（廣島：池田末利博士古稀記念事業會，1980 年 9 月），頁 313－328。

[150] 平間三季子：〈《周禮》春官司几筵考——葦席を中心として——〉，《國學院雜誌》第 75 卷 2 號（1974 年 2 月），頁 24－34。

[151] 鳥羽田重直：〈《周禮》春官籥章考〉，《國學院雜誌》第 75 卷 4 號（1974 年 4 月），頁 39－50。

[152] 折口信夫有五個高弟，他自稱為「五博士」，是日本文學者的西角井正慶（1900－1970）、高崎正秀（1901－1982）、日本語學者今泉忠義（1900－1976）、考古學者大場磐雄（1899－1975）以及藤野岩友。

⑬《中國の文學と禮俗》⑭等，也是非常著名的《楚辭》研究者。他在一九七〇年代初對《周禮》很感興趣，當時在大學講解《周禮》，又發表了兩篇《周禮・春官》相關的論文——〈周禮九拜考〉⑮與〈頓首考〉。⑯所以西岡說：「這學位論文（指《中國古代の葬禮と文學》）也是繼承折口學、藤野學的。」⑰平間、鳥羽田論文也常引用藤野的研究成果。西岡注意夢與魂的關連，談到〈春官〉的占夢為鎮魂發生。⑱平間的論文檢討〈司几筵〉「凡喪事設葦席」以下，探究喪事與葦、葦席的關係，確認《周禮・春官・司几筵》的古傳承性。鳥羽田論文則以〈春官・籥章〉為主要對象，籥章的職掌、樂器籥、〈籥章〉中所見的豳詩、豳雅、豳頌加以討論，值得注意的是他導入解釋史的視點。他認為鄭玄、歐陽脩、王安石、王質、朱子、馬端臨對豳詩、豳雅、豳頌的見解背後，都存在著各自的政治立場、學派之間的抗爭，值得參考。

林巳奈夫〈《周禮》の六尊六彝と考古學遺物〉⑲是通過與考古學文物的對

---

⑬ 藤野岩友：《巫系文學論》（東京：大學書房，1951 年 9 月）。

⑭ 藤野岩友：《中國の文學と禮俗》（東京：角川書店，1976 年 12 月）。

⑮ 藤野岩友：〈周禮九拜考〉，《漢文學會會報（國學院大學漢文學會）》第 18 輯（1973 年 3 月），頁 1－16，後收於《中國の文學と禮俗》，頁 317－338。藤野所發表的兩篇論文都是〈春官・大祝〉「九拜」有關，在〈周禮九拜考〉中，參考先儒的說法而對稽首、頓首、空首、振動、吉拜、凶拜、奇拜、襃拜、肅拜加以解說。另外，「九拜」相關的研究有戶村朋敏：〈周禮九拜說——孫氏正義訓讀、摘解〉，《東洋文化研究所紀要》第 7 輯（1967 年 3 月），頁 1－24。

⑯ 藤野岩友：〈頓首考〉，《國學院大學大學院紀要》第 5 輯（1974 年 3 月），頁 23－38，後收於《中國の文學と禮俗》，頁 339－363。這篇討論九拜之一「頓首」的原貌，認為頓首起源於把額頭撞上東西而自殺之中國特有的習俗，亦因於頓首古代作為凶拜進行，他視之為殉死形式之一。

⑰ 西岡弘：〈あとがき〉，《中國古代の葬禮と文學》（再版），頁 674。原文：「この學位論文も折口學、藤野學を繼ぐものである。」

⑱ 西岡另有〈《周禮》に見える大喪〉，《國學院雜誌》第 86 卷 11 號（1985 年 11 月），頁 49－61，整理《周禮》中所見喪禮有關的記述，例如葬前（復、沐浴、飯含、重、銘、哭、奠、帷堂、斂、殯）、送葬（啟殯、棺飾、送葬）等等。

⑲ 林巳奈夫：〈《周禮》の六尊六彝と考古學遺物〉，《東方學報（京都）》第 52 冊（1980 年 3 月），頁 1－62。

比，發現〈春官・司尊彝〉中所見的六尊六彝與考古遺物不一致，判斷〈司尊彝〉成於戰國後期以後，進而說此篇應是孔申之死同時喪失孔氏的祭器之後所著成。

另外有福田福一郎：〈司中、司命について（1）、（2）〉⑯⓪兩篇，可惜筆者還未得見。

4.〈夏官〉

各官研究中，〈夏官〉的相關研究僅有小林太市郎〈方相毆疫攷〉⑯①以及栗原圭介〈周禮夏官の設立と理念形態〉⑯②而已。

《周禮・夏官・司馬・方相氏》有：「方相氏掌，蒙熊皮，黃金四目，玄衣朱裳，執戈揚盾，帥百隸，而時難，以索室毆疫，大喪先匶，及墓入壙，以戈擊四隅，毆方良。」小林從民俗學的觀點，先通過此與衞宏《漢舊儀》、張衡〈東京賦〉、馬融〈廣成頌〉中的記述，論述被方相氏毆逐的疫鬼的特性，最後談到方相氏本身的特性。就他的看法而言，方相氏在鬼物之中掌握絕對的權威，諸鬼都懷有對方相氏畏懼之念。他的結論為：方相氏原是「鬼物之中最為恐懼的存在」。

栗原論文首先談到孟夏、仲夏、季夏對天地萬物的消長、農耕頗有影響，因而指出：夏擁有的強勢、強大的性格與司馬的武力很有關係。

5.〈秋官〉

「秋官」相關論文也與〈夏官〉一樣，僅有三篇。其一是東川德治〈秋官司寇の沿革及び罪名の司寇〉。⑯③「司寇」是司法官的公稱，東川最關注的是司寇作為司法官的歷史過程，他並注意到秦代罪名也有司寇。東川認為，依《尚書・虞書》：「帝曰，皐陶蠻夷猾夏，寇賊姦宄，汝作士，五刑有服」云云，堯帝時代司

---

⑯⓪ 福田福一郎：〈司中、司命について（1）〉，《大東文化》第 18 號（1938 年 7 月），頁 53－78；〈司中、司命について（2）〉，《大東文化》第 19 號（1938 年 12 月），頁 36－56。筆者未得見。

⑯① 小林太市郎：〈方相毆疫攷〉，《支那學》第 11 卷第 4 號（1946 年 7 月），頁 1－47。

⑯② 栗原圭介：〈周禮夏官の設立と理念形態〉，《東洋研究》第 120 號（1996 年 7 月），頁 1－30。

⑯③ 東川德治：〈秋官司寇の沿革及び罪名の司寇〉，《東洋文化（東洋文化學會）》第 106 號（1933 年 4 月），頁 47－51。東川另有《王道最古之法典周禮講義錄》（名古屋：周禮講義錄發行所，1934 年）。

法官被稱為「士」，據《禮記・月令》鄭注說夏、殷代稱為「大理」。雖然夏、殷代已有「司寇」之名，但以「司寇」為法官的總稱，而組織一大法官的體系，就在周代。最後，他談到秦代的罪名司寇。自古以來，學者都認為秦代司寇被貶為刑罰之名。東川則參考沈家本《沈簃寄遺稿》之說，而認為秦代的司寇為「伺寇」。也就是說，秦把犯罪者移到邊境當做防人，讓他們「伺寇（監視寇賊的侵入）」。

〈秋官・小司寇〉曰：「以八辟麗邦灋，附刑罰，一曰議親之辟，二曰議故之辟，三曰議賢之辟，四曰議能之辟，五曰議功之辟，六曰議貴之辟，七曰議勤之辟，八曰議賓之辟。」最所顯文所撰〈八議に就いて〉[164]一文，就是討論古代中國社會為何特地需要「八議」。八者與眾庶之間為何需要差異待遇？最所認為《禮記・曲禮上》「禮不下庶人，刑不上大夫。」與八議相同，使得有位者重廉恥，尚名譽。一犯了罪就處刑，並非待功臣之道，因而《周禮》有八議的規定。

最後一篇是徐剛〈《周禮》「任人」解〉，[165]但筆者尚未及見，無法加以評述。

6.〈冬官〉及〈考工記〉

各官研究上，最引人注目的自然是〈冬官〉。鄭玄〈六藝論〉說：「《周官》，壁中所得六篇。」可是，唐賈公彥〈序周禮廢興〉引〈馬融傳〉云：

> 秦自孝公已下，用商君之法，其政酷烈，與《周官》相反。故始皇禁挾書，特疾惡，欲絕滅之搜求，焚燒之獨悉，是以隱藏百年。孝武帝始除挾書之律，開獻書之路，既出於山巖屋壁，復入于秘府，五家之儒莫得見焉。至孝成皇帝，達才通人劉向、子歆，校理秘書，始得列序，著于錄略。然亡其〈冬官〉一篇，以〈考工記〉足之。時眾儒並出共排，以為非是。唯歆獨識，其年尚幼，務在廣覽博觀，又多銳精于《春秋》。末年，乃知其周公致

---

[164] 最所顯文：〈八議に就いて〉，《漢學會雜誌》第5卷2號（1937年6月），頁122－134。

[165] 徐剛：〈《周禮》「任人」解〉，《開篇》第25號（2006年5月），頁24－27。

> 太平之迹，迹具在斯。[166]

雖不知賈公彥所引是否確為東漢馬融之語，但若信其說，〈馬融傳〉可以說是傳世文獻中最早紀錄〈冬官〉喪失而補以〈考工記〉的。然而，馬融的說法後世並沒為定論。《經典釋文・序錄》云：

> 或曰：河間獻王開獻書之路，時有李氏上《周官》五篇，失〈事官〉一篇，乃購千金不得，取〈考工記〉以補之。[167]

《隋書・經籍志》亦曰：

> 而漢時有李氏得《周官》。《周官》蓋周公所制官政之法，上於河間獻王，獨闕〈冬官〉一篇，獻王購以千金不得，遂取〈考工記〉以補其處，合成六篇奏之。[168]

三者都說：《周官》發現時只有五篇，喪失〈冬官〉，補之以〈考工記〉，馬融並未談到李氏與河間獻王，《釋文》、《隋志》卻讓他們在《周禮》傳承上佔有相當重要的位置。李氏把所得的《周官》進呈獻王，獻王取〈考工記〉補之。相反地，《釋文》、《隋志》沒提到劉歆，但在馬融說法中，劉歆則是補足〈考工記〉的關鍵人物。孔穎達《禮記正義・序》說：「《周禮》……（中略）《漢書》云得五篇，〈六藝論〉云得其六篇，其文不同，未知孰是。」可知自漢以下，已經有諸說紛紜的狀況，後世亦引起眾多議論。

宇野精一在一九三八年所發表的〈冬官未亡論に就いて〉，首先整理前人對〈冬官〉與〈考工記〉研究的成果，主要提出冬官未亡論，將其分為「〈考工記〉

---

[166] 《周禮注疏》，卷 1，頁 7。
[167] 《經典釋文序錄疏證》，頁 87。
[168] 《隋書》，頁 925。

保存派」與「〈考工記〉拒否派」。他所謂的「〈考工記〉保存派」是以〈考工記〉視為《周禮》原有的部分，宇野再將其分為兩種說法：其一，〈冬官〉錯出於五官之中，但〈考工記〉原來也是〈冬官〉的一部分，諸如宋林希逸引或說、[169]黃震、[170]元汪克寬、[171]明丘濬、[172]王圻[173]等均屬此說；另一是明李黼、[174]郝敬[175]等人之說，完全否認〈冬官〉的錯出，直接把〈考工記〉視為〈冬官〉本身。「〈考工記〉拒否派」也可分為兩派：其一，認為〈冬官〉原就不存在，宋蔡沈、[176]元吳治、[177]何異孫、[178]明陳深、[179]徐常吉、[180]焦竑[181]等持此說。其二，原來的〈冬官〉錯出於五官中，並非遺失。此「〈冬官〉錯出論」始於宋胡宏，[182]其後程泰之、[183]俞庭椿、[184]王與之、[185]車若水、[186]金叔明、[187]元丘葵、[188]吳澄、[189]方孝孺、[190]明何喬

[169] 《經義考》，卷129引。
[170] 《黃氏日抄》，卷30。
[171] 《經義考》，卷120引。
[172] 《經義考》，卷120以及卷129。
[173] 《經義考》，卷120引〈續定周禮全經集注自序〉。
[174] 《經義考》，卷129引。
[175] 請詳見郝敬《周禮完解》附上的〈讀周禮〉。宇野另外指出，全祖望〈靜遠閣周禮解序〉所引王石雁說也與郝敬一樣。
[176] 宇野說依據蔡沈《尚書周官傳》，蓋是《書經集傳》。《書經集傳．周官》「司空掌邦土居四民時地利」注有「蓋本闕〈冬官〉，漢儒以〈考工記〉當之也。」
[177] 《經義考》，卷128以及卷129引。
[178] 〔元〕何異孫：《十一經問對》，卷4及卷5。
[179] 《經義考》，卷123引。
[180] 明孫攀古《周禮釋評》引《周禮缺冬官辨》。
[181] 《經義考》，卷129引。
[182] 〔宋〕胡宏：《皇王大紀》，卷19。
[183] 〔宋〕王應麟：《困學紀聞》，卷4引。
[184] 〔宋〕俞庭椿：〈庭一作廷〉，《周禮復古編》。
[185] 〔宋〕王與之：《周禮訂義》。
[186] 《經義考》，卷125引金叔明〈周禮疑答序文〉。
[187] 《經義考》，卷125引金叔明〈周禮疑答序文〉。
[188] 〔元〕丘葵：《周禮補亡》。
[189] 〔元〕吳澄：《周禮考注》。

新、[191]舒芬、[192]陳鳳梧、[193]柯尚遷、[194]徐即登、[195]陳仁錫[196]等很多學者皆支持此說，頗有勢力。但反駁〈冬官〉錯出論的學者也不少，例如宋朱熹、[197]陳傅良、[198]明王鏊、[199]桑悅、[200]王應電、[201]鄧元錫、[202]王志長、[203]清朱彝尊、[204]《欽定周官義疏》、[205]江永[206]等等。宇野最後提出自己對〈冬官〉錯出論的見解。他首先確認〈地官〉的性質與人民政教有關，而以〈冬官〉為邦土之官。就這樣觀點來看〈大司徒〉「掌建邦之土地之圖與其人民之數，以佐王安擾邦國，以天下土地之圖，周知九州之地域廣輪之數，辨其山林川澤丘陵墳衍原隰之名物」云云，這職掌不適合邦教之官，而應為邦土之官。其他錯出論學者列舉的〈地官〉諸職，多應歸屬於〈冬官〉。宇野本人一方面承認〈冬官〉某一部分的喪失，但另一方面，贊同〈冬官〉未亡論，尤其是高度評價俞庭椿的說法。

宇野將重點置於〈冬官〉，而吉田光邦〈周禮考工記の一考察〉[207]以〈考工

[190] 〔元〕方孝孺：〈周禮考次目錄〉，收於《遜志齋集》，卷 12。

[191] 《經義考》，卷 120 引。

[192] 《經義考》，卷 127 引〈周禮定本自序〉。

[193] 《經義考》，卷 126 引〈周禮合訓自序〉。

[194] 〔明〕柯尚遷：《周禮全經釋原》。

[195] 《經義考》，卷 123 引。

[196] 《經義考》，卷 128 引〈周禮句解自序〉。

[197] 〔宋〕黎靖德：《朱子語類》，卷 86。

[198] 《朱子語類》，卷 86 以及《經義考》，卷 120 引。

[199] 《經義考》，卷 120 引。

[200] 《經義考》，卷 126 引〈周禮義釋自序〉。

[201] 〔明〕王應電：《周禮傳》附《冬官補義》。

[202] 〔明〕王志長：《周禮注疏刪翼》，卷 7 引。

[203] 《周禮注疏刪翼》，卷 27。

[204] 《經義考》，卷 129。

[205] 〔清〕高宗：〈總辯〉，《欽定周官義疏》。

[206] 〔清〕江永：〈考工記〉，《周禮疑義舉要》。

[207] 吉田光邦：〈周禮考工記の一考察〉，《東方學報（京都）》第 30 冊（1959 年 12 月），頁 167－226。《東方學報（京都）》第 30 冊另收載林巳奈夫〈周禮考工記の車制〉，頁 275－310。這篇是對〈考工記〉中馬車相關的部分逐一加以解說的，相當詳細，值得參考。林另有

記〉的問題為核心而論述。他在序論中對林泰輔、津田左右吉、錢穆、郭沫若的《周禮》成書年代考提出疑義：

> 對《周官》的研究，與其完全把它視為捏造物，或者看作周代之遺制，不如把重點放在辨別其中涉及殷周以來的各時代之事實。尤其是〈考工記〉，應該與最近遽然增加的古代物質文化遺物對比而加以討論。如此研究也可以當做釐清《周官》的成書時期以及其內容的意義之手段。[208]

吉田按照這種觀點，除傳統文獻之外，也積極活用金文等的出土資料，從「官名」、「土地、農業制度」的角度而討論《周禮》所包含內容的時代性。他認為六官制度起源於西周後期，「掌某某」、「某人」以外的官名亦源自西周以來的古制。[209]至於土地、農業制度，吉田特別注意井田制，因於井田制的土地區劃是方形，他認為這是犁未發達的時代的土地區劃，且播種方式也以歲易制為中心。吉田的結論為：《周禮》的農法在於從山西、陝西的丘陵區（濕地農法）移到華北的乾燥平原（乾燥農法）之過渡時期，即是西周到秦漢之間。如此討論《周禮》整體的時代性之後，吉田進一步從「車制」、「皮革工」、「弓矢」以及「染工」四個方

〈中國先秦時代の馬車〉，《東方學報（京都）》第29冊（1959年3月），頁155－284。

[208] 吉田光邦：〈周禮考工記の一考察〉，頁175。原文：「しかし周官はそれ全體を全くの創作物とし、または完全な周代の遺制ときめてしまうよりも、むしろそれらのうちに含まれている、殷周以來の各代にわたると推定される事實を辨別することが大切であろう。さらに特に考工記のごときは、最近とみに增加している古代の物質文化の遺物との對比において考察さるべきものであろう。そうしてそれはまた周官の成立時期、またその內容の意味を明らかにするひとつのてだてとなりうるものである。」

[209] 吉田用令彝、毛公鼎復原西周初期、末期的官制，指出初期始於二官制，末期則已有大史寮、公族寮、卿事寮、師氏、小子、虎臣的六官，又參考陝西省郿縣出土銅器銘文：「用六師，王行參有司、司徒、司馬、司空」，把毛公鼎的六官各配為春官、天官、秋官、司徒、司空、司馬。另外，他根據殷代卜辭、金文、《尚書》、《逸周書》、《竹書紀年》等探討各官的屬官，這些文獻中出現的官名都沒有「掌某某」、「某人」，《周禮》中卻相當多，因而他認為稱為「掌某某」、「某人」的官名是較為下層，或者屬於後世補入。

面來探究〈考工記〉的來由，再經由與古代遺物比較，釐清《周禮》的確傳承了古代社會的實情。[210]

接著是原田淑人〈周官考工記の性格とその製作年代とについて〉。[211]津田左右吉曾認為，《周官》在西漢末期成書，原無〈冬官〉一篇，《周禮》的作者編纂時收錄原有的〈考工記〉。原田基本上承認津田對《周官》與〈冬官〉的看法，進而討論〈考工記〉的特點和撰作年代。他注意到的是：第一，「叚氏」、「韋氏」、「裘氏」、「筐人」、「楖人」、「彫人」六工都缺少職掌的記述；第二，記載工人的順序非常亂雜。因此，他認為漢儒整理〈考工記〉時，已經有錯簡，但是漢儒不知百工的技術內容而無法重新編輯，畢竟只好直接補入《周禮》。另外，原田重視〈考工記〉中的「某氏」之「氏」，將其看作隨著戰國時代個人地位的上升後出現工人集團的首領，從而吉田把〈考工記〉的著作年代溯上到戰國末期或西漢初期，接著把〈考工記〉的記述與考古學資料對照而嘗試證明。但是，原田似乎並未參考上述吉田研究成果，吉田在論述車制之處，早就指出〈考工記〉的記述與戰國時期的考古學資料之間有一段距離，[212]原田應該多說明此點。

高田克己〈規矩考——《周禮考工記》よりの考察〉[213]是一九六九年到一九七三年之間所發表的一連串著作。他根據〈考工記〉的記述，製作車制的復原圖，再探討當時規矩的實態。

其次是申英秀〈中國古代戰車考——《周禮》考工記の戰車と秦の戰車

---

[210] 吉田另有〈中國古代の金屬技術〉，《東方學報（京都）》第 29 冊（1959 年 3 月），頁 51－110，討論〈考工記〉的攻金之功（金屬技術）。

[211] 原田淑人：〈周官考工記の性格とその製作年代とについて〉，《聖心女子大學論叢》第 30 號（1967 年 12 月），頁 15－27。

[212] 請參閱吉田光邦：〈周禮考工記の一考察〉，頁 204－206。

[213] 高田克己：〈規矩考——《周禮考工記》よりの考察（1）〉，《大手前女子大學論集》第 3 號（1969 年 11 月），頁 155－178；〈規矩考——《周禮考工記》よりの考察（2）〉，《大手前女子大學論集》第 4 號（1970 年 11 月），頁 194－222；〈規矩考——《周禮考工記》よりの考察（3）〉，《大手前女子大學論集》第 5 號（1971 年 11 月），頁 122－132；〈規矩考——《周禮考工記》よりの考察（補遺）〉，《大手前女子大學論集》第 7 號（1973 年 11 月），頁 44－58。

——〉。[214]一九七四年三月，在陝西省臨潼縣所發現的秦始皇陵兵馬俑坑中有了單轅兩輪的木質戰車。申氏首先參考著林巳奈夫、吉田光邦的研究以及《雲夢睡虎地秦墓竹簡·法律問答》等，復原《周禮·考工記》的車制，而後與秦的戰車加以相比，論述秦戰車的性能在先秦時代最優秀。

另有米澤嘉國〈周官考工記の設色之工に就て〉、[215]大久保莊太郎〈周禮考工記について〉[216]、新井宏〈《考工記》の尺度について〉[217]等。

7.小結

以上簡述各官的研究成果，可以說是相當豐富。但是，研究〈春官〉、〈冬官〉以及〈考工記〉的論文較為豐富，反之，〈天官〉、〈地官〉、〈夏官〉以及〈秋官〉相關的研究並不多。此外，可以指出以往研究的主要關心還是偏向於文獻學上（制作、成書年代）的問題。佐藤武敏採用戰國齊國著作說，神谷正男視為戰國時代的著作，林巳奈夫則為戰國後期，原田淑人看作西漢末期之作。這些文獻學上的問題當然也非常重要，不過，各官中所見政治思想的問題亦需要留意，遺憾的是這方面相關的論述不多。《周禮》各官研究雖然頗多，還有探討的空間。

㈡制度研究

1.官制研究

《周禮》是官制之書，自不待言，所以研究《周禮》官制者也不少。最早有那波利貞〈周朝官制瑣言〉，[218]將《尚書》、殷墟出土的龜甲文中所見的諸官與《周禮》的官名加以對比，結論是《周禮》的內容有部分曾根據於殷以前的諸事。

其次是田崎仁義。〈周禮及び其封建組織〉，論及九服與九畿、王畿的組織、

---

[214] 申英秀：〈中國古代戰車考——《周禮》考工記の戰車と秦の戰車——〉，《史観》第 117 冊（1987 年 9 月），頁 66－87。

[215] 米澤嘉國：〈周官考工記の設色之工に就て〉，《國華》第 47 編 9 冊（1937 年 9 月），頁碼未詳。筆者未見。

[216] 大久保莊太郎：〈周禮考工記について〉，《羽衣學園短期大學紀要》第 6 號（1969 年 12 月），頁 25－40。筆者未見。

[217] 新井宏：〈《考工記》の尺度について〉，《計量史研究》第 19 卷 1 號（1997 年 12 月），頁 1－15。筆者未見。

[218] 那波利貞：〈周朝官制瑣言〉，《支那學》第 3 卷第 2 號（1922 年 11 月），頁 76－80。

諸侯的封土、王位及王的特權、政府的官制、王與諸侯的關係，[219]〈周の官制（周官又は周禮）〉視《周禮》為周代政典，代表唐虞三代的理想，舉出十個論點而整理《周禮》的官制。[220]

上山春平〈《周禮》の六官制と方明〉[221]為了釐清《周禮》的結構和思想背景，從《周禮》六官制與《儀禮・覲禮》所見的「方明」之關係切入，即：「方明者，木也。方四尺，設六色：東方青，南方赤，西方白，北方黑，上玄，下黃。設六玉：上圭，下璧，南方璋，西方琥，北方璜，東方圭。」他利用鄭玄、朱子的解釋以及近代實證史學、考古學的成果，[222]指出「方明」六面體各面所指的方位對應《周禮》的六官，認為《周禮》六官制與〈覲禮〉的「方明」同樣以五行說為基本構成原理，為了體現「方明」所象徵的天地四方神之意志而輔助天子的政治被制定。[223]

---

[219] 田崎仁義：〈周禮及び其封建組織〉，收於《中國古代經濟思想及制度》（京都：內外出版，1924 年 11 月），頁 360－444；王學文譯：〈周禮及其封建組織〉，收於《中國古代經濟思想及制度》（臺北：臺灣商務印書館，1965 年 8 月），頁 217－276。

[220] 田崎仁義：〈周の官制（周官又は周禮）〉，收於《王道天下之研究：支那古代政治思想及制度》（京都：內外出版，1926 年 5 月），頁 623－675。

[221] 上山春平：〈《周禮》の六官制と方明〉，《東方學報（京都）》第 53 號（1981 年 3 月），頁 109－188，後收於《上山春平著作集》（京都：法藏館，1995 年 7 月），頁 435－523。

[222] 上山依據如下諸論：小川茂樹：〈五等爵制の成立——左氏諸侯爵制說考〉，《東洋史研究》第 3 卷第 1 號（1937 年 10 月），頁 1－27，後收於《貝塚茂樹著作集》（東京：中央公論社，1977 年 5 月），第 2 卷，頁 201－227；赤塚忠：〈中國古代における風の信仰と五行說〉，《二松學舍大學論集（中國文學篇）》昭和 52 年度（1977 年），頁碼未詳，後收於《赤塚忠著作集》（東京：研文社，1988 年 7 月），第 1 卷，頁 389－436；赤塚忠：〈殷王朝における「土」の祭祀〉，《中國古代の宗教と文化》（東京：角川書店，1977 年 3 月；東京：研文社，1990 年 1 月再版），頁 177－204；川原壽市：《儀禮釋攷》（京都：朋友書店，1974－1978 年），全十五冊；林巳奈夫：〈殷周銅器に現れる龍について：附論・殷周銅器における動物表現形式の二三について——〉，《東方學報（京都）》第 23 冊（1953 年 3 月），頁 181－218 以及林巳奈夫：〈中國古代の祭玉、瑞玉〉，《東方學報（京都）》第 40 冊（1969 年 3 月），頁 161－324 等。

[223] 另請參考上山春平：〈著者解題〉，《上山春平著作集》，卷 7，頁 529－530。

此外論述官制，有阿部幸信〈前漢末～後漢における地方官制と《周禮》〉、224谷井俊仁〈官制は如何に敘述されるか——《周禮》から《會典》へ〉225等。

2.施舍制度

《周禮》的施舍制度也很有特色。討論施舍制度的論文有二：平中苓次〈漢代の復除と周禮の施舍〉226與曾我部靜雄〈中國古代の施舍制度〉。227漢代有「復除」之制度，宋徐天麟曰：「按漢有復除，猶如《周官》有施舍，皆謂除其賦、役

224 阿部幸信：〈前漢末～後漢における地方官制と《周禮》〉，《東洋文化》第81號（2001年3月），頁161－179，是從特殊的觀點——印綬制度而論西漢到東漢地方官制與《周禮》的關係、成帝綏和元年（公元前8）改革的意義，很有特色。他另外發表過〈漢代における印綬賜與に關する一考察〉，《史學雜誌》第107編第10號（1998年10月），頁1－26；〈漢代の印綬、綬制に關する基礎的考察〉，《史料批判研究》第3號（1999年12月），頁1－27；〈綬制よりみた前漢末の中央、地方官制——成帝綏和元年における長相への黑綬賜與を中心に——〉，《集刊東洋學》第84號（2000年），頁37－53；〈漢代における朝位と綬制について〉，《東洋學報》第82卷第3號（2000年12月），頁1－24；〈漢代における印綬の追贈〉，《東方學》第101號（2001年1月），頁16－30；〈漢代における綬制と正統觀——綬の規格の理念的背景を中心に〉，《福岡教育大學紀要（第2分冊：社會科編）》第52號（2003年），頁1－18；〈漢代官僚機構の構造——中國古代帝國の政治的上部構造に關する試論〉，《九州大學東洋史論集》第31號（2003年4月），頁1－43；〈後漢時代の赤綬について〉，《福岡教育大學紀要（第2分冊：社會科編）》第53號（2004年），頁1－19；〈漢帝國の內臣—外臣構造形成過程に關する一試論——主に印綬制度よりみたる〉，《歷史學研究》第784號（2004年1月），頁20－36；〈前漢時代における內外觀の變遷——印綬の視點から〉，《中國史學》第18號（2008年12月），頁121－140等。

225 谷井俊仁：〈官制は如何に敘述されるか——《周禮》から《會典》へ〉，《人文論叢（三重大學）》第23號（2006年月），頁81－98。筆者未得見。

226 平中苓次：〈漢代の復除と周禮の施舍〉，《立命館文學》第138號（1956年11月），頁1－17。

227 曾我部靜雄：〈中國古代の施舍制度〉，《東北大學文學部研究年報》第12號（1961年），頁1－66。曾我部另有小篇〈律令の根源としての周禮〉，《日本上古史研究》第1卷3號（1957年3月），頁53－54；〈周禮の鄉、遂と稍、縣、都について——卷頭言にかえて〉，《集刊東洋學》第50集（1983年10月），頁1－3。

也。」[228]元馬端臨批判徐說云：「按《周官》及《禮記》所載周家復除之法，除其征役而已。至漢則并賦稅除之。」[229]平中論文注意到徐說與馬說之間的差異，一方面承認漢代的復除為免除賦、役，另一方面重新討論《周禮》中的施舍是否與復除同樣，賦、役都免。他主要依據鄭《注》、賈《疏》，對《周禮・小司徒》的「征役之施舍」，〈旅師〉的「征役」之語，以及〈鄉師〉、〈鄉大夫〉、〈閭胥〉、〈遂人〉、〈遂師〉、〈遂大夫〉等所見的「施舍」加以考察，認為漢、唐注疏都視《周禮》的「施舍」為並免力役、賦稅，徐天麟說根據漢、唐傳統的解釋，馬端臨說則立足於宋代以來的新注疏。平中之說是否正確，暫時不論，[230]筆者認為他從解釋史的觀點切入討論，很有意思。

另一篇曾我部論文，對《周禮》、[231]《春秋左氏傳》、[232]《國語》[233]等古籍中的「施舍」及其注疏與宋王應麟、[234]元馬端臨、清王鳴盛、[235]王聘珍、[236]日本藤田一正（號幽谷，1774－1826）、[237]平中苓次等對「施舍」的解釋加以逐一討論，所得結論與平中不同，他認為「施舍」只是意味著力役的免除，並非賦、役並免，並贊同藤田的說法，即將「征役」讀為「ヤク（力役）」，「施舍」或「舍」則為「ユルス（免除）」。曾我部論述非常詳細，所收集的資料也相當豐富，非常具有參考價值。

---

[228] 徐天麟：《東漢會要》卷29，〈復除〉。

[229] 馬端臨：《文獻通考》卷13，〈職役考・復除〉。

[230] 詳見於曾我部靜雄：〈中國古代の施舍制度〉，頁43－65，曾我部指出平中所使用資料的問題。

[231] 《周禮》的「施舍」見於〈小宰〉、〈小司徒〉、〈鄉師〉、〈鄉大夫〉、〈閭胥〉、〈遂人〉、〈遂師〉、〈遂大夫〉、〈土均〉。

[232] 《春秋左氏傳》的「施舍」見於〈宣公十二年〉、〈成公十八年〉、〈襄公九年〉、〈襄公三十一年〉、〈昭公十三年〉、〈昭公二十年〉、〈昭公二十五年〉。

[233] 《國語》的「施舍」，〈周語中〉有兩則，另見於〈周語下〉、〈晉語四〉、〈楚語上〉。

[234] 〔宋〕王應麟：〈周禮〉，《漢制考》，卷1。

[235] 〔清〕王鳴盛：〈辨可任〉，《周禮軍賦說》，卷3。

[236] 〔清〕王聘珍：《周禮學》，卷1。

[237] 藤田幽谷：〈均力役之術〉，《勸農或問》卷下。

3. 土地制度

較為早期的《周禮》土地制度研究有服部宇之吉〈井田私考〉[238]與田崎仁義〈周禮に表はれたる土地制度〉。[239]

服部論文分為三個部分：第一部分，從權力平等的觀點，與西方（日爾曼、俄羅斯等）民族的事例對比，首先論述宅地的型態，再討論田地的分割方法與所謂不易、一易、再易之制的關係，認為中國古代原來採用一年一易之制，由於後來耕地分為上、中、下三等，變成為三年一度重新分割的三年一易之法，並指出爰田（《左傳》）、轅田（《國語》、《漢書》）之制為共同耕地歸於私有、不進行三年一易之法的新制度。第二部分，論述分田的方針與實際，認為是以是否已達到丁年而成家為授田的基準，按照夫妻的人數分配土地。而先秦除了《孟子》之外，無人談到公田的存在，故他主張周代的井田無公田。再加上中國古代主要農作物並非稻米，服部認為井田與溝澮、溝洫（水渠）沒有任何關係。接著在第三部分，他根據《周禮》、《左傳》，主張中國古代的井田法用封溝為境界線，所以易為更改，此是中國井田法的特色，也是井田在春秋時代早就廢壞的原因。服部最後討論稅法，尤其是正賦的問題，視徹法為依收穫徵收的方法。

田崎的論文首先是從天地之意開始說起，經由「邦」、「國」文字學上的解釋，進而論及領土發生的原因與其取得方法，再討論封建的意義，確認土地所有的起源與變遷。而後對授田制的意義與對象（家、夫及餘夫）、不易與易、耕地的品質、井田制、宅地、特殊的田地以及稅制等等加以考察。由於他的論點涉及許多方面，此處無法詳述。雖然部分內容稍有錯誤，但他從經濟學的觀點而指出《周禮》土地制度政治、經濟上的意圖、各官所管的土地不同、[240]徹法源自周初的公田撤廢

---

[238] 服部宇之吉：〈井田私考〉，《漢學》第 2 編 1－3 號（出版年月未詳），頁碼未詳，後收於《支那研究》（東京：明治出版社，1916 年 12 月；東京：京文社，1926 年 5 月增訂），頁 381－419。服部另有〈周禮の荒政及び保息について〉，《斯文》第 3 編第 5 號（1921 年 10 月），頁 12－31，論述《周禮》中荒政、保息等的社會政策。

[239] 田崎仁義：〈周禮に表はれたる土地制度〉，《中國古代經濟思想及制度》，頁 445－556；王學文譯：〈周禮之土地制度〉，《中國古代經濟思想及制度》，頁 277－344。

[240] 關於井田制，田崎認為，天子直轄的畿內公邑依據〈遂人〉的規定，被稱為都鄙的公卿大夫

政策等等，十分精彩。[241]

第二次世界大戰後，鈴木隆一撰〈井田考——周禮における雙分組織の特徵としての——〉[242]一文。《孟子・滕文公上》就三代的田制云：「夏后氏五十而貢，殷人七十而助，周人百畝而徹，其實皆什一也，徹者徹也，助者藉也。」鈴木從田制與族制對應的觀點而對貢、助、徹的三種田制進行討論，認為隨著族制從四班制至氏族制變遷，田制也從助法（井田法）轉變為貢法（溝洫法）；中間所出現的田制就是徹法：田稅已成為一家的負擔，兵賦卻依舊為共同負擔。他並依據《春秋・哀公十二年・經》「用田賦」，指出春秋末年各國都改用貢法，井田法就完全消失了。

越智重明〈井田と轅田〉[243]則是以散見於《孟子》、《周禮》、《漢書》的井田制為主要資料，主張不必把「制轅田」與「壞井田」同樣看待，而指出商鞅變法的「轅田」與之前共同體所有的土地基本上性格不同，應將其視為新時代潮流下出現的家產國家之一種賞田。越智另有〈周禮の財政制度、田制、役制をめぐって〉，[244]討論《周禮》的財政制度、田制、役制，得到如下三個結果：其一，財政收入主要是收益稅與人頭稅兩種。其二，《周禮》的田制為國家田制收入以私有田為主時代，比反映氏族時代田制的《孟子》較晚，井田制也施行於特定的地域。其三，役制方面，《周禮》原則上以全國男子為力役的對象，大致可以分為軍役、徒役、力役三種。總之，他最後指出這些結論與漢代的實情一致，結論為《周禮》反映的是漢代社會。

之土地和諸侯的邦國則依據〈小司徒〉、〈匠人〉的規定。

[241] 井田制相關的研究，另有林泰輔《周公と其時代》、加藤繁《支那古田制の研究》（東京：有斐閣，1916年8月）等等。

[242] 鈴木隆一：〈井田考——周禮における雙分組織の特徵としての——〉，《日本中國學會報》第26集（1974年10月），頁14－25。

[243] 越智重明：〈井田と轅田〉，《池田末利博士古稀記念東洋學論集》（廣島：池田博士古稀記念事業會，1980年9月），頁211－224。

[244] 越智重明：〈周禮の財政制度、田制、役制をめぐって〉，《九州大學東洋史論集》第9集（1981年3月），頁1－31。

曾我部靜雄〈周禮の井田法〉㉔⑤也是論述《周禮》的井田制，但他主張《周禮》與《孟子》井田法原無差異，應是生於鄭《注》、賈《疏》的詮釋有誤。就他的看法而言，從來學者都認為六遂（郊）六鄉（甸）施行溝洫法，大夫（稍）、卿（縣）、三公王子弟的采地（都）才施行井田法。假使如此，與《孟子》的土地區分有所不同：《孟子》視國中與郊為國，甸、稍、縣、都則為野。於是，他特別深入分析井田制與力役的負擔、軍制的關係，指出《周禮》把甸為野，並且據《周禮》經文中看不到與井田法對立的溝洫法，認為原無溝洫法，溝洫法係鄭玄、賈公彥所創作。[246]他的結論是：《周禮》的井田法與《孟子》的井田法相似，在國中（六鄉）施行類似夏代貢法的無公田之井田法，而在野（甸、稍、縣、都）則施行類似殷代助法的有公田的井田法，對服部的看法有所批判。

此外，《周官・地官・稻人》相關的論文有西嶋定生〈《周禮》稻人鄭玄注の稻田管理〉[247]與齋藤英敏〈秦漢以前の水稻作と彌生、古墳時代の水田跡——《周禮》稻人條の「以列舍水」と小區劃水田の列狀構造——〉，[248]西嶋論文透過鄭《注》討論東漢時代的稻田管理，齋藤論文則發現《周禮・稻人》的「列」與日本古代小區劃水田的列狀構造一致，指出日本古代小區劃水田有可能源自中國。

4.其他

其他《周禮》制度研究，還有林泰輔〈周官に見えたる衞生制度〉、[249]會田範

---

[245] 曾我部靜雄：〈周禮の井田法〉，《社會經濟史學》第50卷4號（1984年10月），頁391－410。曾我部另有〈井田法と均田法〉，收於《中國律令史の研究》（東京：吉川弘文館，1971年12月），頁119－169，此文是主要以《孟子》為資料而論井田法。

[246] 此點，另請參考曾我部靜雄：〈周禮の鄉、遂と稍、縣、都について——卷頭言にかえて——〉，《集刊東洋學》第50號（1983年10月），頁1－3。

[247] 西嶋定生：〈《周禮》稻人鄭玄注の稻田管理〉，《中國經濟史研究》（東京：東京大學出版社，1966年3月），頁191－195。

[248] 齋藤英敏：〈秦漢以前の水稻作と彌生、古墳時代の水田跡——《周禮》稻人條の「以列舍水」と小區劃水田の列狀構造——〉，《中央大學アジア史研究（中央大學東洋史專攻創設五十周年記念アジア史論叢）》（東京：刀水書房，2002年3月），頁205－228。

[249] 林泰輔：〈周官に見えたる衞生制度〉，《東亞研究》第3卷第9號（1913年9月），頁未詳，後收於《支那上代之研究》（東京：光風館，1927年5月），頁347－354，論述《周

治〈周禮を中心として見た中國上代の訴訟制度〉、㉕⓪土橋文雄〈周禮の商業政策概說〉、㉕①宇都木章〈"社に戮す"ことについて——周禮の社の制度に關する一考察——〉等。㉕②會田論文是有關訴訟制度的論考，他指出《周禮》中〈秋官〉掌管現代的刑事訴訟，〈天官〉、〈地官〉、〈夏官〉則管其他訴訟，而對各官的職掌與組織加以說明。當時還未發現古代訴訟制度相關的出土文獻，雖然材料有限，但他的研究成果很豐碩，非常難得。宇都木論文則以《周禮》的「社」為中心，進而討論社稷作為政治工具被採納於傳統禮論中的意義、傳統性的「社」在政治制度中的變化，可參考。研究思想、思想史，應多重視上述制度方面的研究。

㈢整體思想研究

上文所述的林泰輔、㉕③津田左右吉、宇野精一等的研究確實論及《周禮》整體思想，不過仍偏向文獻學。本節擬舉出主要研究《周禮》整體思想的成果。

最具代表性的研究為重澤俊郎〈周禮の思想史的研究〉。㉕④重澤本於視《周禮》為「一篇行政法典」的立場，對官制、戶籍制度、民眾職業上的規定、教育思想、法制、祭祀逐一討論，發現其政治性、統制性、中央集權性和西漢武帝時代的

禮》所見保健、醫藥相關諸官的制度。

㉕⓪ 會田範治：〈周禮を中心として見た中國上代の訴訟制度〉，《早稻田法學》第31卷第1、2冊（1955年6月），頁1－25。

㉕① 土橋文雄：〈周禮の商業政策概說〉，《中京大學論叢》第5號（1957年7月），頁碼未詳。筆者未見。

㉕② 宇都木章：〈"社に戮す"ことについて——周禮の社の制度に關する一考察——〉，中國古代史研究會編：《中國古代史研究》第1（東京：雄山閣，1960年10月），頁161－188。

㉕③ 林泰輔有〈周官に見えたる人倫の關係〉，《東亞研究》第2卷第10號（1912年10月），頁碼未詳，後收於《支那上代之研究》（東京：光風館，1927年5月），頁335－345，論述《周禮》中父子、兄弟、君臣、夫婦等人倫關係，最後論及復讎論。

㉕④ 重澤俊郎：〈周禮の思想史的研究〉，《東洋の文化と社會》第4輯（1954年），頁42－57；〈周禮の思想史的研究（續）〉，《東洋の文化と社會》第5輯（1956年），頁31－44；〈周禮の思想史的研究（又續）〉，《東洋の文化と社會》第7輯（1958年），頁46－59；〈周禮の思想史的研究（四）〉，《中國の文化と社會》第9輯（1961年），頁1－19。

近似性，故謂：「一般古文獻都含有此前不同時代的思想，可是，構成（《周禮》）最後內容的重要成分之一，就是西漢大帝國所經驗的歷史現實。」㉕5總之，重澤這一連串著作中認為上述《周禮》的思想反映西漢武帝時代的思想趨勢。重澤後另有〈古文學および「周禮」の思想史的考察〉㉕6一文，後半大致承〈周禮の思想史的研究〉的立場，論述《周禮》所持的管理理論，前半則把重點置於古文學與《周禮》的關係，討論始於河間獻王，經由王莽、劉歆，最後至於鄭玄的古文學之系譜與《周禮》兩漢思想史上位置的變遷，值得參考。

接著介紹的是佐野學〈《周禮》の描く理想國〉。㉕7佐野也與重澤同樣，經由《周禮》的由來、性格與特徵、政治原理（德本主義與民主主義）、神政政治、人民與勞動編制、純粹奴隸、農業共產主義與公共灌溉制、對農業生產的國家統制、對工業生產與交易的國家統制、社會政策、家族與村落等等諸論點的分析，一方面因《周禮》中毫無尊崇天子、尚古的氣氛，將《周禮》視為戰國末年的成書，另一方面強調《周禮》所擁有的政治性，說：「依據道德政治的理想整理中國國家成立以來的傳說、政治傳統以及歷史制度等等，又空想性地擴大，最後將其總括成一個統一國家的結構而出色地表現出來的，就是《周禮》。」㉕8此外，這一篇論文最大的特色是指出《周禮》思想的當代性：第一，《周禮》為道德政治被理想化的形式，《周禮》所謂的大規模世界帝國積極促進道德一面。佐野認為，在現代社會中也應重倡政治以促進道德為目的的觀念。第二，《周禮》的政府中富有濃厚的宗教性，佐野注意於其宗教性背後的生命哲學與創造主義的直觀，說：「擺脫繁瑣的主

㉕5 重澤俊郎：〈周禮の思想史的研究〉，頁 57。原文：「異つた幾時代かの思想を部分的に含有することは古い文獻の常であるが、最終的內容に有力な規定を與へた重要要素の一つは、前漢大帝國の經驗した歷史的現實に求められなければならないであろう。」

㉕6 重澤俊郎：〈古文學および「周禮」の思想史的考察〉，《中國の傳統と現代》（東京：日中出版，1977 年 11 月），頁 186－247。

㉕7 佐野學：〈《周禮》の描く理想國〉，《殷周革命——古代中國國家生成史論——》，頁 275－353。

㉕8 佐野學：〈《周禮》の描く理想國〉，頁 345。原文：「中國國家成立以來の傳說や政治的傳統や歷史的制度を、道德政治の理想に依據して整理し、又空想的にも擴大して、これを一つの統一的な國家構成にまとめて立派に表現したのがこの《周禮》である。」

智主義，掌握自然與人生統合為一之生命的《周禮》直觀哲學，可以作為今日政治哲學的基礎。……（中略）這種生命哲學在政治領域的復活，對於厭倦資產階級政治的頹廢與腐敗的現代人而言，很有意義。」[259]第三，依據《周禮》中所見的領導者與被領導者之間的互相作用，他主張社會應認同前衛指導者的角色和大眾行動者的意義，重新認識兩者之間的互相作用對政治重要部分之必要。第四，佐野注意到《周禮》重視勞動在社會上的義務，反對尼采（Friedrich Wilhelm Nietzsche，1844－1900）的個人主義立場。第五，他論及《周禮》國家社會主義的構成，最後說：「《周禮》思想並非以物質性幸福之保障為人生第一義的卑陋思想，而是將生產的國家統制作為政治上主要的任務，企圖創造出洋溢生產活力之社會，極為健全。我們的任務是思考其現代的形態。」[260]佐野可以說是日本唯一論述《周禮》當代性的學者。他為何談到《周禮》的當代性？此應與他的政治活動有關。他一方面在早稻田大學任教，一方面獻身於提倡尊重天皇存在的「一國社會主義運動」，[261]可以看出與此篇讚稱《周禮》社會主義思想的立場，有很密切的關係。

金藤行雄〈《周禮》の命について〉[262]首先提出他對《周禮》的看法，認為禮

---

[259] 佐野學：〈《周禮》の描く理想國〉，頁 349。原文：「煩瑣な主知主義から離れて、自然及び人生を統一ずける一者的な生命を把握する《周禮》的直觀哲學は今日の政治哲學の基礎となりうる。……（中略）その生命哲學を政治の領域に復活することはブルジョア政治の頹廢と腐敗に疲れた現代人にとつても意味がある。」

[260] 佐野學：〈《周禮》の描く理想國〉，頁 352。原文：「それは物質的幸福の保障を人生の第一義とするような卑俗な思想でない。生產の國家的統制を政治の主要任務となし、生產的活氣に溢れた社會を作り出そうとする《周禮》の思想は極めて健全である。我々の任務はその現代的形態を考慮するにある。」

[261] 請參考立花隆：《日本共產黨の研究（上）》（東京：講談社，1978 年 3 月）；《日本共產黨の研究（上）》（東京：講談社，1978 年 9 月）；伊藤晃：《轉向と天皇制：日本共產黨主義運動の一九三〇年代》（東京：勁草書房，1995 年 10 月）；高畠通敏：〈一國社會主義者——佐野學、鍋山貞親〉，思想の科學研究會編：《轉向：共同研究（上）》（東京：平凡社，1959 年 1 月），頁 164－200，後收於栗原彬、五十嵐曉郎編：《政治の發見（高畠通敏集 2）》（東京：岩波書店，2009 年 7 月），頁碼未詳。

[262] 金藤行雄：〈《周禮》の命について〉，《待兼山論叢（哲學篇）》第 18 號（1984 年 12 月），頁 31－47。

原來在封建的、地方分權的體制下發揮作用，但《周禮》卻志在中央集權的體制。那麼，《周禮》與其他禮在禮制上是否也有異質之處？他為了回答這問題，開始討論「爵」與「命」的特質、意義。眾所周知，「爵」在禮制上擔任很重要的角色，禮制無爵就無法發揮機能。《周禮》中當然也有「爵」，但並不是分別尊卑上下絕對性的標準，另有一個基準，金藤根據〈春官・大宗伯〉「以九儀之命，貴賤之位乃正」，認為這就是「命」，《周禮》為何並用「爵」、「命」呢？金藤認為是起源於「爵」的界限，即「爵」是貢獻於某一個集團內的秩序維持，而漢代轉向中央集權的國家時，無法處理其小集團外的秩序問題，於是《周禮》導入「命」來構成天子直接掌握臣下以下全民的體制。

其次是山田勝芳所發表的三篇論文，他從經濟史學的觀點來研究中國古代「均」的理念，對先秦到北宋之「《周禮》的時代」進行討論，十分有趣。在第一篇〈中國古代における均の理念——均輸平準と《周禮》の思想史的檢討——〉[263]中，他由西漢武帝時代的均輸平準的「均」與「平」背後，發現與中國古代政治經濟思想很有關係之「均」理念，並且論述均輸平準所代表的武帝施行之財政策，經過昭帝始元六年（公元前 81）的鹽鐵會議，最後引發西漢末期「均」理念的熱潮，促使儒者撰寫《周禮》一書。也就是說，山田視《周禮》為先秦到西漢「均」理念的集大成。第二篇〈均の理念の展開——王莽から鄭玄へ——〉[264]承前論，對東漢「均」理念的展開加以討論，得到如下結論：王莽把《周禮》的地位提高到「經」，大受《周禮》的構想與「均」理念之影響。至東漢遷都到土中的洛陽後，明帝、章帝時代亦有稱讚「太平」的風潮，其後影響到王符、何休、《太平經》等。另一方面，《周禮》雖不立於學官，但因其中與政治相關連，依據「均」的態度受到高度評價，故身處於東漢亂世的鄭玄視《周禮》為周公所制定之理想的、不變的制度書，並撰寫《三禮注》。《周禮》雖為代替漢制的不變之周制，卻提供時

[263] 山田勝芳：〈中國古代における均の理念——均輸平準と《周禮》の思想史的檢討——〉，《思想》第 721 號（1984 年 7 月），頁 56－73。

[264] 山田勝芳：〈均の理念の展開——王莽から鄭玄へ——〉，《東北大學教養部紀要》第 43 集（1985 年 12 月），頁 79－98。

代變革的理念。第三篇〈均の理念の展開——「《周禮》の時代」とその終焉——〉[265]則探討從曹魏到南宋「均」理念與《周禮》的展開，提出「《周禮》的時代」這概念。他認為：

> 我所謂的「《周禮》的時代」如下：在這時代，《周禮》作為儒教經典的地位得到確立，縱使對細節有疑問，仍被視為周公所制定的理想制度之書，得到絕對的信奉，並被視為（有關）國制總體所應依據的書，不斷地受到眾人關注。而這時代也企圖盡量按照《周禮》，或者為了接近《周禮》所見，實現其中的官制、構想而幾乎成功的時代，也就是說，這時代不僅要體會《周禮》中的聖人之意，也認為井田制等聖人之迹必將施行。[266]

依據這樣觀點，山田視魏晉到宋代為「《周禮》的時代」。雖然第三篇因為篇幅所限，有論述不足之感，但並無損這一串連論稿的價值。山田就經濟思想史的觀點論《周禮》，值得多多參考利用。[267]

最後是堀池信夫〈《周禮》の一考察〉。[268]該文收於《漢魏思想史研究》，〈序論〉云：「筆者在《漢魏思想史研究》中，當然以儒教經學為中心而進行論述，但亦不限於儒教經學，還將注意思想史上更廣泛的領域。具體來看，近年關於

---

[265] 山田勝芳：〈均の理念の展開——「《周禮》の時代」とその終焉——〉，《集刊東洋學》第54集（1985年11月），頁160－179。

[266] 山田勝芳：〈均の理念の展開——「《周禮》の時代」とその終焉——〉，頁161。原文：「私が考える「《周禮》の時代」とは次のようなものである。《周禮》が儒教の經典としての地位を確立し、たとえ細部に疑問があっても、周公制定の理想的周制の書であると絕對的に信奉され、國制全般にわたって依據すべきものとして絕えず意識されていた時代、そして《周禮》の官制や構想そのものを、できることならそのままの形、或いはできるだけそれに近い形で實現しようとし、またある程度實現した時代、つまり聖人の意を汲み取るのみならず、「その迹」たる井田等を「必ずせん」とした時代ということができる。」

[267] 山田氏另有《中國のユートピアと「均の理念」》（東京：汲古書院，2001年7月）。

[268] 堀池信夫：〈《周禮》の一考察〉，《漢魏思想史研究》（東京：明治書院，1988年11月），頁145－169。

漢代思想史，從已有的經學研究，加上宗教史的研究、科學史的研究，也取得了長足的進展。……（中略）本書試圖盡量採納這些重大成果以描述漢魏思想史的面貌。」[269]可以看出堀池撰作這本書的態度。他又認為，從漢到魏的思想史，主要為宇宙思維之時代到內在思辯之時代的變化。[270]基於這種看法，他對儒教與律曆（數）思想的關連進行討論，進而論及《周禮》。他的問題始於劉向、劉歆父子為何表揚原來埋沒的《周禮》。於是，堀池發現《周禮》中強調公權之思想和以宇宙運行為基礎的結構。他認為這兩個要素就是西漢末期的儒教要求的重要理念。他接著留意到《周禮》中「數」的整合性，詳述「三公」、「六卿」、「六官」、「六典」、「六鄉」、「六遂」、「天地四方」、「八灋」、「八則」、「八柄」、「八統」、「九職」、「九賦」、「九式」、「九貢」、「九兩」、「九畿說」等的「三」、「六」、「八」、「九」都與漢代受重視的「三」的關連，並指出這與宇宙的思維很密切，認為《周禮》繼承董仲舒「官制象天」的立場，以這些宇宙觀所帶來的規律作為國家經營的組織論、運用論之基本。最後談到〈考工記〉，他認為〈考工記〉也包含「三」相關的數字，所以前人才用〈考工記〉補〈冬官〉之缺。堀池從漢代思想史的「數」進而論及《周禮》思想史上的位置，並考慮到收錄〈考工記〉的理由，相當值得參考。

此外有栗原圭介〈《周禮》に於ける基礎理念と科學思想〉、[271]叢小榕〈儒學における周禮の位置づけ〉[272]等。總之，日本有關《周禮》整體思想的研究實在不

---

[269] 堀池信夫：〈序論〉，《漢魏思想史研究》，頁 14。原文：「さて筆者は、この漢魏思想史研究を、もちろん儒教經學を中心に據えて述べるつもりであるが、さらに、それに制限されずに、思想史のより廣い領域に眼を向けたいと考えている。これを具體的にみてみるならば、近年、漢代思想史に關しては、從來の經學的研究に加えて、宗教史的研究、科學史的研究などが長足の進展をとげている。……（中略）そして本書においては、それらの重大な成果をできうるかぎり受容して、漢魏思想史の姿を描こうと考える。」

[270] 請參閱堀池信夫：〈序論〉，《漢魏思想史研究》，頁 18－21。

[271] 栗原圭介：〈《周禮》に於ける基礎理念と科學思想〉，《東洋研究》第 116 號（1995 年 8 月），頁 33－58。

[272] 叢小榕：〈儒學における周禮の位置づけ〉，《いわき明星大學人文學部紀要》第 17 號（2004 年 3 月），頁 175－182。筆者未見。

多，不過內容上堪稱相當豐富。

㈣注疏研究

眾所周知，《周禮》有鄭玄《注》及賈公彥《疏》，也是重要研究的對象。限於篇幅，無法詳細介紹。所以只舉出題名，提供讀者參考。

首先是鄭《注》相關的研究：鄭《注》研究最具代表性的是間嶋潤一，發表過不少成果。例如：〈鄭玄の周禮解釋に就いて〉273、〈鄭玄に至る「周禮」解釋の變遷について〉、274〈鄭玄の「日若稽古帝堯」解釋をめぐる問題と「周禮」國家〉、275〈鄭玄の祭天思想に就いて——「周禮」國家に於ける圜丘祀天と郊天〉、276〈鄭玄の「豳の三體」の解釋：《周禮》「春官・籥章」注と《詩》「豳風・七月」箋〉277等，相當豐富。他另有〈杜子春《周禮》解釋小考〉，278可以稱為東漢《周禮》學的專家。279此外有西嶋定生〈《周禮》稻人鄭玄注の稻田管理〉（前述）、高橋忠彥〈《三禮注》より見た鄭玄の禮思想〉、280邊土那朝邦〈鄭玄

273 間嶋潤一：〈鄭玄の周禮解釋に就いて〉，《東洋文化（無窮會）》復刊第 40 號（1976 年），頁 11－25。

274 間嶋潤一：〈鄭玄に至る「周禮」解釋の變遷について〉，《中國文化》第 38 號（1980 年），頁 15－28。

275 間嶋潤一：〈鄭玄の「日若稽古帝堯」解釋をめぐる問題と「周禮」國家〉，《中國文化》第 42 號（1984 年），頁 1－12。

276 間嶋潤一：〈鄭玄の祭天思想に就いて——「周禮」國家に於ける圜丘祀天と郊天〉，《中國文化》第 45 號（1987 年），頁 25－38。

277 間嶋潤一：〈鄭玄の「豳の三體」の解釋（上）：《周禮》「春官・籥章」注と《詩》「豳風・七月」箋〉，《香山大學國文研究》第 28 號（2003 年 9 月），頁 71－79；〈鄭玄の「豳の三體」の解釋（下）：《周禮》「春官・籥章」注と《詩》「豳風・七月」箋〉，《香山大學國文研究》第 29 號（2004 年），頁 28－37。同樣題目的曾有田中和夫：〈豳風七月の鄭箋と《周官》籥章の記述〉，《目加田誠博士古稀記念中國文學論集》（東京：龍溪書舍，1974 年 10 月），頁碼未詳。

278 間嶋潤一：〈杜子春《周禮》解釋小考〉，《香山大學國文研究》第 32 號（2007 年 9 月），頁 1－8。

279 間嶋近年又出版了《鄭玄と『周禮』——周の太平國家の構想——》（東京：明治書院，2010 年 12 月），筆者未見。

280 高橋忠彥：〈《三禮注》より見た鄭玄の禮思想〉，《日本中國學會報》第 32 集（1980 年

の《周禮》調人職注にことよせて〉、㉘兒玉憲明〈「周禮」樂律解釋史初探——鄭注の位置〉、㉘栗原圭介〈三禮鄭注に見る訓詁と科學思想〉㉘以及西川利文〈《周禮》鄭注所引の「漢制」の意味——特に官僚制を中心として——〉㉘等。

與鄭《注》相比，賈《疏》相關的研究不多。筆者目前只檢得三篇：第一是石濱純太郎〈周禮賈疏の舜典孔傳〉，㉘第二是高橋忠彥〈《儀禮疏》《周禮疏》に於ける「省文」について〉，㉘最後是外村中〈賈公彥《周禮疏》と藤原京について〉。㉘另有富田健市〈西魏、北周の制度に關する一考察——特に《周禮》との關係をめぐって——〉、㉘川本芳昭〈五胡十六國、北朝期における周禮の受容をめぐって〉，㉘兩文主要探究鄭《注》與賈《疏》之間的關係，不僅在經學史上有

10月），頁84－95。

281 邊土那朝邦：〈鄭玄の《周禮》調人職注にことよせて〉，《九州大學中國哲學論集》第10集（1984年），頁碼未詳。

282 兒玉憲明：〈「周禮」樂律解釋史初探——鄭注の位置〉，《新潟大學人文科學研究》第69號（1986年7月），頁47－73。

283 栗原圭介：〈三禮鄭注に見る訓詁と科學思想（上）〉，《大東文化大學紀要（人文科學）》第32號（1994年3月），頁119－136；〈三禮鄭注に見る訓詁と科學思想（下）〉，《大東文化大學紀要（人文科學）》第33號（1995年3月），頁195－106。

284 西川利文：〈《周禮》鄭注所引の「漢制」の意味——特に官僚制を中心として——〉，小南一郎編：《中國古代禮制研究》（京都：京都大學人文科學研究所，1995年3月），頁339－358。同一書中，另有田中麻紗巳：〈《五經異義》の周禮說について〉，頁165－194，後收於《後漢思想の研究》（東京：研文出版，2003年7月），頁28－54。

285 石濱純太郎：〈周禮賈疏の舜典孔傳〉，《支那學》第1卷第1號（1920年9月），頁27－31。

286 高橋忠彥：〈《儀禮疏》《周禮疏》に於ける「省文」について〉，《中哲文學會報》第8號（1983年6月），頁39－58。

287 外村中：〈賈公彥《周禮疏》と藤原京について〉，《古代學研究》第181號（2009年3月），頁26－33。

288 富田健市：〈西魏、北周の制度に關する一考察——特に《周禮》との關係をめぐって——〉，《史朋》第12號（1980年9月），頁碼未詳。

289 川本芳昭：〈五胡十六國、北朝期における周禮の受容をめぐって〉，《佐賀大學教養部研究紀要》第23號（1991年3月），頁1－14。

重要意義，在思想史上、文化史上也相當重要。

《周禮》傳承史上，對於王安石《周官新義》的研究亦不能忽視。最早有諸橋轍次〈王安石の新法及び新義〉、[290]〈周官新義の影響と周官の補亡〉[291]兩篇。以後有東一夫《王安石新法の研究》、[292]庄司莊一〈王安石「周官新義」の大宰について〉[293]等，近年吾妻重二也發表過〈王安石《周官新義》の考察〉。[294]

以上簡述《周禮》注疏相關的研究，可知鄭《注》、《新義》相關的研究十分豐富，相較之下，賈《疏》還有深入探究的空間。

結　語

以上筆者概略介紹近一百年日本人對《周禮》的研究。其中最重要的經學著作自推宇野精一《中國古典學の展開》。雖只是個人著作，然而包羅漢代到近代的《周禮》研究史，搜集資料相當豐富，論述內容非常清晰，可說是日本經學研究史上的代表性著作。

日本的《周禮》研究多聚焦於成書問題。日本學者對《周禮》成書時期的看法大致可以分為六種：西周末年說（林泰輔）、戰國齊說（宇野精一、佐藤武敏、山田崇仁）、戰國燕說（平勢隆郎）、戰國說（吉本道雅、神谷正男）、戰國後期以後說（林巳奈夫）、西漢末年說（津田左右吉、原田淑人、佐野學、山田勝芳）。

---

[290] 諸橋轍次：〈王安石の新法及び新義〉，《儒學の目的と宋儒：慶曆至慶元百六十年の活動》（東京：大修館書店，1929 年 10 月），後收於《諸橋轍次著作集》（東京：大修館書店，1975 年 6 月），第 1 卷，頁 319－343。

[291] 諸橋轍次：〈周官新義の影響と周官の補亡〉，《儒學の目的と宋儒：慶曆至慶元百六十年の活動》（東京：大修館書店，1929 年 10 月），後收於《諸橋轍次著作集》（東京：大修館書店，1975 年 6 月），第 1 卷，頁 344－349。

[292] 東一夫：《王安石新法の研究》（東京：風間書房，1970 年 4 月）。

[293] 庄司莊一：〈王安石「周官新義」の大宰について〉，《集刊東洋學》第 23 集（1970 年 5 月），頁 64－85。

[294] 吾妻重二：〈王安石《周官新義》の考察〉，小南一郎編：《中國古代禮制研究》（京都：京都大學人文科學研究所，1995 年 3 月），頁 515－558，後收於《宋代思想の研究》（大阪：關西大學出版部，2009 年 3 月），頁 65－119。

此外，鈴木隆一認為《周禮》反映春秋末年的土地制度，越智重明與金藤行雄都認為是受漢代社會的影響，重澤俊郎則從中看出西漢武帝時代的氣氛。討論的重點雖不在真偽問題，正如《四庫全書總目》所說的「聚訟不可縷舉」。

如此，《周禮》文獻學上的論文相當多，與此相反，思想方面還有待開發。津田指出《周禮》中有陰陽思想、五行思想和時令說等的存在，宇野認為《周禮》帶有法家的色彩、統一思想等等，重澤也指出《周禮》的政治性、統制性、中央集權性。山田從「均」思想的觀點而加以論述，堀池則以「數」為中心而進行討論。他們論述都十分可靠，不過，進而討論這些思想在當時有如何意義？後世有如何影響？我們在哲學的觀點外，若能多考慮《周禮》與社會的關係，多關注《周禮》與人的關係，這樣才能瞭解《周禮》雖曾受到激烈批判，二千年來始終居於經書之一的理由。[295]文獻學方面的研究，的確是日本《周禮》研究的一大結果，筆者認為，如何在文獻學的基礎上，進一步構築思想史或思想系統，正是未來研究者最重要的問題。

本篇談到近一百年日本《周禮》研究的成果與今後的課題。限於學力與篇幅，只能羅列諸家與《周禮》直接關聯的論述，對於其他與「禮」相關的論文及《周禮》研究史關係的論著，未及說明，當俟他日再行考察補足，尚請多多包涵原諒。

參考文獻

李慶：《日本漢學史（第一部）》（上海：上海外語教育出版社，2002年7月）。

———：《日本漢學史（第二部）》（上海：上海外語教育出版社，2004年3月）。

———：《日本漢學史（第三部）》（上海：上海外語教育出版社，2004年6月）。

山田利明：《中國學の步み——二十世紀のシノロジー》（東京：大修館書店，1999年12月）。

王鍔：《三禮研究論著提要》（蘭州：甘肅教育出版社，2001年12月）。

---

[295] 南昌宏〈〈日本における《周禮》研究論考〉略述〉，頁91，說：「《周禮》雖然是經書，卻很難說其研究十分豐富（『周禮』は經書であるにもかかわらず、これまで、その研究が十分なされていたとは言いがたい）。」而指出，賈疏、王與之《周禮訂義》等鄭玄到孫詒讓之間《周禮》學研究的必要與還有活用《管子》、王莽、劉歆、王安石等的餘地。

村山吉廣：《漢學者はいかに生きたか——近代日本と漢學》（東京：大修館書店，1999年12月）。

林慶彰主編：《日本研究經學論著目錄（1900－1992）》（臺北：中央研究院中國文哲研究所，1993年10月）。

彭林：〈禮學研究五十年〉，《中國史學》第10號（2000年12月），頁33－56。

劉兆祐編：《周禮著述考（一）》（臺北：國立編譯館，2003年10月）。

齋木哲郎：《禮學關係文獻目錄》（東京：東方書店，1985年10月）。

經　學　研　究　論　叢
第　二　十　輯　　頁425～430
臺灣學生書局　2012 年 12 月

第四屆中國經學國際學術研討會

編輯部

一、主辦單位：臺灣臺北市：臺灣大學文學院

二、會議時間：2011 年 3 月 18 日（星期五）－2011 年 3 月 19 日（星期六）

三、會議地點：臺灣臺北市：臺灣大學文學院演講廳、文學院會議室、文學院視聽教室、中文系會議室

四、論文篇數：52 篇

五、舉辦緣起：北京清華大學經學研究中心致力於經學研究推動工作，先後已辦理多次「中國經學國際學術研討會」，為進一步推動經學研究風氣，臺灣大學文學院邀集中央研究院中國文哲研究所、北京清華大學經學研究中心聯合舉辦「第四屆中國經學國際學術研討會」，藉以提昇經學研究效能、加強國際經學研究交流。

六、議　　程：

■2011 年 3 月 18 日（星期五）

◎開幕儀式：文學院演講廳

主持人：葉國良

◎主題演講：

主持人：林慶彰

01. 池田秀三：中国思想における経学の意義

02. 彭林：主題演講：朱子作《家禮》說考辨

◎第一場會議：

A.文學院演講廳

主持兼討論人：楊晉龍

01. 陳鴻森：段玉裁《說文解字讀》考辨

02. 程奇立：論漢代今、古文學派對孔子與「六經」關係的認識分歧

03. 林慶彰：民國時期的鄭玄研究

B.文學院會議室

主持兼討論人：黃沛榮

04. 何澤恆：《易傳》「參天兩地」訓義檢討

05. 蕭滿省：古《周易》研究的碩果——《古周易訂詁》研究

06. 賀廣如：王宗傳《易》學新議

C.文學院視聽教室

主持兼討論人：張高評

07. 齋木哲郎：皮日休と『春秋』——唐末春秋学の一断面

08. 夏長樸：《四庫全書總目》對宋代經學的觀察——以《春秋》學為例

09. 張曉生：陸粲《春秋胡氏傳辨疑》述評

D.中文系會議室

主持兼討論人：葉國良

10. 單承彬：平壤出土西漢《論語》竹簡校勘記

11. 勞悅強：《論語・先進》篇「屢空」辨

12. 汪少華：翟灝《四書考異》校讀記

◎第二場會議：

A.文學院演講廳

主持兼討論人：黃忠慎

13. 彭美玲：〈豳風・七月〉「女心傷悲」解——《詩經》詮釋史的個案考察

14. 楊新勛：論邢昺《論語註疏》解題對皇侃《論語義疏》解題的繼承、調整與創新

15. 陳戰峰：今本《詩本義》各卷次內在關係及意義考論

B.文學院會議室

主持兼討論人：趙生群

16. 張高評：「貴有辭」與《春秋》大義

17. 郜積意：論董、何的「三世異辭」說

18. 鄧國光：保民——《春秋穀梁傳》義理探要

C. 文學院視聽教室

主持兼討論人：呂友仁

19. 林素英：三禮地位在歷代之升降問題

20. 郭靜云：魚線與法索——楚簡《緇衣》第十四章本旨鉤沉

21. 王　鍔：清孫希旦《禮記集解》平議

D. 中文系會議室

主持兼討論人：張善文

22. 林忠軍：論毛奇齡象數易學

23. 張　勇：「偶然」的背後：試說梁任公著述《清代學術概論》的心意

24. 金培懿：援經擬古・用夏變夷・正名尊內——豬飼敬所《操觚正名》析論

◎**第三場會議：**

A. 文學院演講廳

主持兼討論人：林慶彰

25. 楊晉龍：陳奐及《詩毛氏傳疏》的評論與傳播

26. 黃忠慎：經典、道與文字——輔廣與楊簡《詩經》學之比較研究

27. 孫叡徹：「仁」字內涵的發展及其在經學上的意義

B. 文學院會議室

主持兼討論人：莊雅州

28. 虞萬里：從《夏小正》傳文體式推論其作者

29. 陳恆嵩：夏允彝與明代〈禹貢〉學

30. 蔣秋華：吳闓生《尚書大義》對出土文獻的運用

C. 文學院視聽教室

主持兼討論人：方向東（主持兼評論）

31. 徐興無：東漢古學與許慎《五經異義》

32. 李隆獻：清代學者「禮書」復仇觀的省察與詮釋
33. 張善文：文必宗經——中國經學與文學綜論之一
34. 單周堯：論古字形研究對經學研究之影響

D.中文系會議室

主持兼討論人：單承彬

35. 周淑萍：論朱熹對孟子心性論的反思與闡釋
36. 古勝隆一：徐邈《音義》中之去聲問題
37. 汪學群：呂留良《四書》思想發凡——以理氣心性為中心

■2011 年 3 月 19 日（星期六）

◎**第四場會議：**

A.文學院演講廳

主持兼討論人：鄧國光

38. 嚴壽澂：王官學、私家言與歷史大傳統——錢賓四經學觀指要
39. 蔡長林：皮錫瑞《春秋通論》的經學本位論述
40. 丁亞傑：以文治經：清末民初桐城派的「文法論」——以吳闓生定本尚書大義為討論核心

B.文學院會議室

主持兼討論人：夏長樸

41. 車行健：考古與經義的關涉——傅斯年〈大東小東說〉和史語所城子崖的發掘及其與《詩經・大東篇》的詮釋
42. 李偉泰：班固的經濟思想及其經典依據——班固依違經義之一例
43. 馮曉庭：《新、舊五代史》載錄經學史料述略

C.文學院視聽教室

主持兼討論人：王　鍔

44. 方向東：從阮刻《周禮注疏》看中華書局影印本和南昌府本的差異
45. 石立善：《毛詩正義》引鄭玄《詩譜・小大雅譜》佚文錯簡之更定
46. 程克雅：民國初年南海潘氏重印宋本《禮記正義》源流及其文獻價值析論

◎**第五場會議：**

A.文學院演講廳

主持兼討論人：彭　林

47. 呂友仁：《禮記》「禮　下庶人」舊解發覆

48. 楊天宇：杜子春注《周禮》所用「讀為」術語考辨——兼評段玉裁對「讀為」術語的界定

B.文學院視聽教室

主持兼討論人：虞萬里

49. 許子濱：《左傳》「寡君將墮幣焉」解

50. 趙生群：《左傳》疑義新證（成公下）

◎閉幕儀式：文學院演講廳

主持人：葉國良

經　學　研　究　論　叢
第　二　十　輯　　頁431～434
臺灣學生書局　2012 年 12 月

第七屆中國經學國際學術研討會

編輯部

一、主辦單位：臺灣臺北市：政治大學中國文學系、中國經學研究會

二、會議時間：2011 年 4 月 16 日（星期六）－2011 年 4 月 17 日（星期日）

三、會議地點：臺灣臺北市：政治大學百年樓三樓中國文學系會議室

四、論文篇數：27 篇

五、舉辦緣起：中國經學研究會定期舉辦「中國經學國際學術研討會」，成果豐碩，本屆研討會以「經學是以儒家經典為研究對象的學術活動，經學研究，既是傳統的學問，也是最新穎的議題，不僅承繼聖人的精神，也涵蓋目前生活的各種面向，提供生活所需精神糧食」為基本認識，以「基於傳承開新之用意，會聚海內外學人相關議題交換心得」基本立場，總計涵蓋六大主題：一、經學文獻的整理、詮釋研究。二、經學歷史脈絡之檢討與研究。三、經學與其他學術關係之研究。四、經學與其他文化關係之研究。五、國際經學成果與觀察之研究。六、經學有關的出土文獻之研究。

六、議　　程：

■2011 年 4 月 16 日（星期六）

◎開幕儀式：

主持人：董金裕、高桂惠

◎第一場會議

主持人：王文顏

01. 馮樹勳：從董仲舒的「春秋決事比」看漢代儒家知識分子開拓的法律公共討論空間（特約討論人：林啟屏）

02. 蔡妙真：微涓細注——鄴下文學與《春秋》經傳的傳播（特約討論人：張高評）

03. 曾聖益：劉毓崧之學術思想與儀徵劉氏學之發展（特約討論人：江乾益）

◎第二場會議

主持人：張高評

04. 梅道芬：荀子引《詩》的方式及其辯論學的關係（特約討論人：佐藤將之）

05. 周志煌：《天演論》之後：清末孟、荀知識系譜之轉折及其在經學史上的意義（特約討論人：張曉生）

06. 陳逢源：偽「古」仿「真」——豐坊偽《石經大學》義理脈絡考察（特約討論人：金培懿）

07. 田富美：擇是而存——黃式三《論語後案》漢、宋兼采商榷（特約討論人：王金凌）

◎第三場會議

主持人：許錟輝

08. 車行健：說經之家第一爭詬之端？——詩序公案平議（特約討論人：張寶三）

09. 陳志信：未歇的風化力量，未竭的經典意涵——論《毛詩鄭箋》《詩集傳》與《杲溪詩經補、注》的〈二南〉注釋（特約討論人：吳冠宏）

10. 藤井倫明：朱熹的四書詮釋與其人性論結構（特約討論人：陳逢源）

11. 楊晉龍：神仙佛的經學傳播：臺灣地區民國前扶鸞賦經學訊息探論（特約討論人：李豐楙）

◎第四場會議

主持人：羅宗濤

12. 丁亞傑：以文辭之義通聖人之心：吳汝綸、吳闓生父子尚書學略論（特約討論人：所蔣秋華）

13. 連清吉：吉川幸次郎《尚書正義定本》的定位（特約討論人：葉國良）

14. 鄭滋斌：《說文解字》「包」字釋義與許慎「達神恉」之說（特約討論人：許錟輝）

■2011 年 4 月 17 日（星期日）

◎第五場會議

主持人：李威熊

15. 陳伯适：論朱震易學以象釋義的卦象主張之重要內涵（特約討論人：趙中偉）
16. 賴貴三：清儒毛一豐《易用》稿本初探（特約討論人：詹海雲）
17. 林宏明：從訓詁學觀點看《周易》的譯註——以《周易譯註》為例（特約討論人：孫劍秋）

◎第六場會議

主持人：黃俊郎

18. 劉文強：論「大旆」（特約討論人：莊雅州）
19. 趙生群：《左傳》疑義新證（成公中）（特約討論人：王初慶）
20. 張曉生：郝敬《春秋非左》述評（特約討論人：陳恆嵩）
21. 馮曉庭：公羊疏引書考（特約討論人：李威熊）

◎第七場會議

主持人：陳麗桂

22. 佐藤鍊太郎：朱子與王陽明《論語》詮釋對比（特約討論人：楊祖漢）
23. 蘇費翔：何夢桂（1229－1303）的致用經學（特約討論人：蔡長林）
24. 齊婉先：王陽明詮釋經典文本方法之探討——以《四書》為例之考察（特約討論人：曾春海）

◎第八場會議

主持人：蔡信發

25. 林素英：從《大戴禮記・千乘》論孔子的治國規劃——與《周禮》《論語》相驗證（特約討論人：林平和）
26. 林碧玲：《論語》「因不失其親，亦可宗也」辨義（特約討論人：林義正）
27. 周芳敏：修身與立命——由《孟子》「身」「體」概念之析辨看主體的限

制和自由（特約討論人：陳麗桂）

◎閉幕儀式：

主持人：蔡信發

經　學　研　究　論　叢
第　二　十　輯　　頁435～438
臺灣學生書局　2012 年 12 月

新中國六十年的經學研究（1950－2010）第一次、第二次國際學術研討會

編輯部

一、主辦單位：臺灣臺北市：中央研究院中國文哲研究所經學文獻研究室

二、會議時間：第七次學術研討會：2011 年 7 月 14 日（星期四）－2011 年 7 月 15 日（星期五）
第八次學術研討會：2011 年 11 月 3 日（星期四）－2010 年 11 月 4 日（星期五）

三、會議地點：臺灣臺北市：中央研究院中國文哲研究所二樓會議室

四、論文篇數：第一次學術研討會：14 篇
第二次學術研討會：16 篇

五、舉辦緣起：中央研究院中國文哲研究所經學文獻研究室執行「民國以來經學研究計畫」第二階段「新中國時期（1950－2010）經學研究計畫」，自 2011 年 1 月 1 日起、至 2012 年 12 月 31 日止，為時共計二年，每年召開國際學術研討會二次。第一、二次為本計畫第一、二次國際研討會。

六、議　　程：

第一次國際學術研討會

■2011 年 7 月 14 日（星期四）

◎**開幕儀式：**

主持人：林慶彰

◎**第一場會議**

主持兼討論人：范麗梅

01. 史甄陶：陳子展《詩經》研究述評

02. 陳文采：李鏡池《詩經》研究論著析論

◎**第二場會議**

主持兼討論人：張文朝

03. 陳明義：程俊英《詩經注析》略論

04. 陳金木：文革期間大陸學者對《論語》的誤讀——以趙紀彬《論語新探·有教無類解》為例

◎**第三場會議**

主持兼討論人：金培懿

05. 陳進益：釋本光《周易禪觀頓悟指要》淺探

06. 李麗文：夏傳才《詩經語言藝術新編》評介

07. 楊　菁：楊伯峻注《論語》之方法及其價值

■2011 年 7 月 15 日（星期五）

主持兼討論人：張壽安

08. 程克雅：《三禮》古本與文獻校理——以《校讎廣義》為基礎的論述

09. 商　瑈：沈文倬的禮學

◎**第五場會議**

主持兼討論人：張曉生

10. 謝淑熙：王文錦《禮書通故》點校本析論

11. 劉柏宏：《人民日報》評述三《禮》實況分析——以 1949－1980 為觀察中心

第六場會議

主持兼討論人：陳廖安

12. 陳恆嵩：劉起釪對〈洪範〉成書的考辨

13. 馮曉庭：張舜徽《愛晚廬隨筆》中的經學議論

14. 簡逸光：周予同《經學史論》的春秋觀

第二次國際學術研討會

■2011 年 11 月 3 日（星期四）

◎**開幕儀式：**

主持人：林慶彰

◎**第一場會議**

主持兼討論人：陳廖安

01. 趙中偉（輔仁大學中文系）：學《易》之要，觀象而已——馬一浮易學思維探析

02. 曾聖益（輔仁大學中文系）：楊向奎與《清儒學案新編》

◎**第二場會議**

主持兼討論人：虞萬里

03. 陳　韻：洪誠之禮學

04. 顧　遷：洪誠先生禮學管窺（代宣讀人：政治大學中文系劉柏宏）

05. 張　濤：顧頡剛先生的《周禮》研究

◎**第三場會議**

主持兼討論人：陳恆嵩

06. 蘇　芃：六十年來中國大陸《左傳》研究述要

07. 潘　斌：1949 年以來中國大陸的「三禮」研究

08. 黃益倩：1949 年以來北京中華書局在經學著作出版方面所做的貢獻探討

■2011 年 11 月 4 日（星期五）

◎**第四場會議**

主持兼討論人：楊晉龍

09. 陳進益：潘雨廷《易與佛教，易與道教》研究

10. 陳金木：盍各言爾志：于丹《論語感悟》析論

◎**第五場會議**

主持兼討論人：蔣秋華

11. 陳良中：劉起釪先生《尚書》研究述評

12. 邱惠芬：唯物史觀下的《詩經》研究

13. 李　霖：讀汪紹楹〈阮氏重刻本十三經注疏考〉

◎**第六場會議**

主持兼討論人：馮曉庭

14. 宋惠如：從重建古史到重省學術史——徐仁甫（1902－1988）《左傳疏證》研究及其意義

15. 鄭任釗：六十年來中國大陸《公羊》學研究述要

16. 鄭月梅：楊伯峻《論語譯注》的特色

經　學　研　究　論　叢
第　二　十　輯　　頁439～440
臺灣學生書局　2012 年 12 月

第七屆青年經學學術研討會

編輯部

一、主辦單位：臺灣高雄市：高雄師範大學經學研究所

二、會議時間：2011 年 11 月 5 日（星期六）

三、會議地點：臺灣臺北市：高雄師範大學和平校區文學大樓小劇場

四、論文篇數：12 篇

五、舉辦緣起：高雄師範大學經學研究所自 2004 學年度起，每年舉辦青年經學學術研討會，鼓勵經學研究生參與發表論文，提供青年學者經學研究耕耘的園地，頗受各界好評。2011 年 11 月 5 日，由高雄師範大學經學研究所主辦，高雄市經典文教學會、中華經典學會協辦，於國立高雄師範大學和平校區行政大樓會議室舉辦第七屆「青年經學學術研討會」，發表論文十二篇。

六、議　　程：

■2011 年 11 月 5 日（星期六）

◎開幕儀式：

主持人：鄭卜五

致　辭：蔡培村、齊士峥

◎第一場會議

主持人：黃忠天

01. 陳姝伃：黃以周《十翼後錄》以《禮》釋《易》探析（特約討論人：黃忠天）

02. 彭之洵：從明治時代的教育政策看儒學於近代日本之影響——以《教學聖旨》及其相關論爭為中心（特約討論人：鄭卜五）

03. 盧詩青：漢代詩教之意識型態初探（特約討論人：劉明宗）

◎**第二場會議**

主持人：楊濟襄

04. 王慧靜：媵婚、轉房、嫁殤——談《藝文類聚》所言之特殊婚俗（特約討論人：楊濟襄）

05. 邱君奎：論孔孟荀刑罰觀及其是否贊成廢除死刑（特約討論人：蔡鴻江）

06. 江穰峰：當經典遇上經典——《孟子》與《火鳳燎原》之「非人也」（特約討論：劉滌凡）

◎**第三場會議**

主持人：蔡根祥

07. 王鈺婷：《尚書・呂刑》幾則疑考（特約討論人：蔡根祥）

08. 張百文：陳祥道《論語全解》探析（特約討論人：李幸長）

09. 楊佩玲：《論語》「子夏問孝」章釋義探析（特約討論人：陳政揚）

◎**第四場會議**

主持人：汪治平

10. 王聖雅：孫奇逢「大學三綱」之「內聖外王」政治思想論析（特約討論人：汪治平）

11. 鄭伊珊：「貧而樂道」與「貧而樂」探析（特約討論人：蔣忠益）

12. 張嘉芳：陳子昂感遇詩與《詩經》之對比探析（特約討論人：呂立德）

◎**閉幕儀式：**

主持人：鄭卜五

致　辭：蔡培村、齊士峥

經　學　研　究　論　叢
第　二　十　輯　　頁441～444
臺灣學生書局　2012 年 12 月

秦漢經學國際研討會

編輯部

一、主辦單位：臺灣臺北市：中央研究院中國文哲研究所經學文獻研究室

二、會議時間：2011 年 11 月 23 日（星期三）－2011 年 11 月 25 日（星期五）

三、會議地點：臺灣臺北市：中央研究院學術活動中心第一會議室

四、論文篇數：29 篇

五、舉辦緣起：中央研究院中國文哲研究所經學文獻組自一九九二年起，陸續舉辦「清代經學國際研討會」、「明代經學國際研討會」、「元代經學國際研討會」、「宋代經學國際研討會」、「隋唐五代經學國際研討會」、「魏晉南北朝經學國際研討會」，每次國際研討會皆邀請國內外學者發表十多篇至二十餘篇的論文，參加的學者和研究生，每次皆多達一、二百人。六次會議，不但對宋、元、明、清、隋唐五代、魏晉南北朝各朝代的經學研究有加深認識的作用，也鼓舞年輕的研究生投入經學的研究，而召開各朝代經學史的研究會議，也成為中國文哲研究所經學文獻組研究經學的重要工作之一。為了賡續研究議題與研究風氣的開拓工作，中國文哲研究所經學文獻組依例召集海內外專家學者，舉辦「秦漢經學國際研討會」。

六、議　　程：

■2011 年 11 月 23 日（星期三）

◎開幕儀式：

主持人：林慶彰

致　辭：鍾彩鈞

◎**第一場會議**

主持人：鍾彩鈞

01. 池田秀三：祭祀から禮へ——祀天儀禮の禮學化（特約討論人：林慶彰）

02. 常森：論漢代《詩經》著述之內外傳體（特約討論人：賀廣如）

03. 楊晉龍：東漢《詩經》的傳播與擴散探論（特約討論人：黃忠天）

◎**第二場會議**

主持人：夏長樸

04. 張寶三：「鄭玄《詩譜・小大雅譜》脫文」說考辨（特約討論人：虞萬里）

05. 林耀潾：《後漢書》稱引《詩經》研究（特約討論人：張曉生）

06. 劉立志：《毛詩序》文獻淵源析論（特約討論人：張文朝）

◎**第三場會議**

主持人：董金裕

07. 吳萬鍾：論后妃之德與康王晏起之辨（特約討論人：蔡長林）

08. 劉文強：秦始皇經學初探——帝、五帝、禪讓（特約討論人：陳逢源）

09. 林素娟：漢代經師禮學詮釋的特色及其文化課題（特約討論人：林啟屏）

■**2011 年 11 月 24 日（星期四）**

◎**第四場會議**

主持人：鄭傑文

10. 黃復山：蔡邕《月令章句》研究（特約討論人：殷善培）

11. 郜積意：殷術、三統術與今、古學之分（特約討論人：陳廖安）

◎**第五場會議**

主持人：林義正

12. 石立善：論《後漢書・鄭玄傳》「不為父母所容」（特約討論人：車行健）

13. 陳壁生：六藝根源之總會——鄭玄的《孝經注》觀（特約討論人：許華峰）

◎**第六場會議**

主持人：周大興

14. 蔣秋華：今古文問題重探（特約討論人：陳恆嵩）

15. 趙伯雄：鄭玄《尚書》注的文本問題（特約討論人：黃復山）
16. 錢宗武：唐寫本《舜典釋文》王肅注考論（特約討論人：季旭昇）

◎**第七場會議**

主持人：陳鴻森

17. 徐興無：議郎與漢代經學（特約討論人：鄭吉雄）
18. 戴梅可：孟子和荀子：關於他們的早期接受史（特約討論人：佐藤將之）
19. 許子濱：漢人《詩》興說發微（特約討論人：朱孟庭）

■**2011 年 11 月 25 日（星期五）**

◎**第八場會議**

主持人：周鳳五

20. 邱德修：論《禮記》經注對簡銘釋讀之貢獻——以〈緇衣〉為例（特約討論人：徐少華）
21. 范麗梅：顏色容貌溫以說變——馬王堆漢墓〈五行說〉的援《孟》釋經（特約討論人：黃麗娟）

◎**第九場會議**

主持人：李隆獻

22. 何志華：論荀卿禮說意在辯莊（特約討論人：林素英）
23. 陳志信：《考工記》、鄭玄《考工記注》和戴震《考工記圖》（特約討論人：孫致文）

◎**第十場會議**

主持人：洪國樑

24. 張高評：《左氏》以史傳經續探——以因果敘事為例（特約討論人：王基倫）
25. 張素卿：服虔《左傳》注的通學特點（特約討論人：陳金木）
26. 馮曉庭：龜井昭陽《左傳纘考》引述漢儒經說考（特約討論人：金培懿）

◎**第十一場會議**

主持人：蔣秋華

27. 史應勇：許慎的經義取捨——殘存《五經異義》不從古文說 27 條考（特約討論人：莊雅州）

28. 程克雅：經學文獻校釋與漢石經考辨（特約討論人：趙飛鵬）
29. 金培懿：作為事件的漢代經學——章句之刪・移書責讓重探（特約討論人：林慶彰）

◎**閉幕儀式：**

主持人：林慶彰

經 學 研 究 論 叢
第 二 十 輯　頁445～446
臺灣學生書局　2012 年 12 月

2011 經學與文化學術研討會

編輯部

一、主辦單位：臺灣臺中市：中興大學中國文學系

二、會議時間：2010 年 12 月 9 日（星期五）

三、會議地點：臺灣臺中市：中興大學綜合教學大樓十三樓 1301 國際會議廳

四、論文篇數：12 篇

五、舉辦緣起：經典為不刊之鴻教，歷久彌新之常道，蘊含豐富之文化資產，亟需以現代科學文化知識，開發意蘊、闡揚微旨，以期返本開新。基於如是認知，中興大學中國文學系特意舉辦「2011 經學與文化學術研討會」，意在探賾經學與文化的相關性與影響，期望以文會友，各獻所長，發揮學術與淑世之功能。

六、議　程：

■2011 年 12 月 9 日（星期五）

◎開幕儀式：

主持人：韓碧琴

致　辭：王明珂

◎第一場會議

主持人：楊儒賓

01. 劉錦賢：子路之學行述論（特約討論人：黃文斌）

02. 蔡翔任：魯僖公「逆祀」之緣由考辨（特約討論人：蔡妙真）

03. 陳伯适：從林栗易學看其與朱熹觀點的歧異之述評（特約討論人：劉錦賢）

04. 周玟觀：論昭明太子〈解二諦義章〉之觀看思維（特約討論人：楊儒賓）

◎第二場會議

主持人：劉榮賢

05. 林文彬：《周易・艮卦》義理衍析（特約討論人：孫劍秋）

06. 張至廷：船山儒學「耳無權」說探析（特約討論人：劉榮賢）

07. 江乾益：項安世《周易玩辭》解經研究（特約討論人：孫劍秋）

08. 侯潔之：泰州王一菴的主意思想（特約討論人：劉榮賢）

◎第三場會議

主持人：季旭昇

09. 韓碧琴：答紙禮俗研究（特約討論人：季旭昇）

10. 蔡家和：王船山對於《孟子・明堂章》的詮釋——以《讀四書大全說》為據（特約討論人：林文彬）

11. 蔡妙真：微言與解密——《春秋》經傳對阮籍〈詠懷詩〉闡解的效應（特約討論人：季旭昇）

12. 洪然升：漢末「士人」與「文人」對立的社會意義——以「鴻都門學」為論述核心（特約討論人：江乾益）

經　學　研　究　論　叢
第　二　十　輯　　頁447～500
臺灣學生書局　2012 年 12 月

出版資訊

一、本專欄收 2011 年 1 月至 2011 年 12 月國內外最新出版，有關經學和經學人物之相關專著。第十九輯應收而未收者（2010 年出版），本輯也酌量加以補收。惟舊籍重印或再版書，則不予收入。

二、各提要略依經學通論、經學史、周易、尚書、詩經、三禮、春秋與三傳、四書、孝經等之順序排列。

三、提要前之目錄項，分別依書名、著譯者、出版地、出版者、頁數（冊數）、出版年月等項排列。

四、各提要以介紹各書之內容為主，如有所評論，僅代表撰寫者之意見。

五、歡迎各界人士提供與本專欄性質相符之著作，以便推介，來書請寄 [11529] 臺北市南港區研究院路二段 128 號中央研究院中國文哲研究所 R308 經學文獻研究室。

【經學總論類】

中國經學與宋明理學研究

《中國經學與宋明理學研究》　蔡方鹿著　北京市　人民出版社　2 冊　1274 頁　2011 年 3 月

所謂的經學，是指訓解、闡述和研究儒家經典的學問。而所謂的理學，則是中國儒學發展到了宋明時期所轉折興起的具哲理思維之學術文化思潮。中國經典的詮釋發展，在宋代開始發生轉變，其解經的方法、思想內容，與漢唐以來的注疏之學有所分別，因此，此一時期的學術特色就相對於漢學而被稱為宋學。理學是宋學的一環，理學家是以儒家經典為依據，以孔孟為聖人典範，勇於跳脫漢唐舊說之束縛，重新以己意理解、闡述聖人之道，並以承接聖人之道為己任，故理學又稱為道學。也就是說，理學家在建構理學的理論系統時，並未脫離以經學為主的形式；而是把經典與所論的問題相結合，在聖賢傳授的典籍上為自己的學說找到合法的根據。

然而近代的學術研究深受西方學科分類的影響，由於宋明理學具有較高的哲理思辨性，因此研究者往往將理學從中國學術史或經學史中抽離出來，單單重視其間的哲學表現與價值；從而忽略了理學實際上深受經學影響、理學家同時也是經學家的學術事實。本書作者蔡方鹿先生，長年研究宋明理學，他就敏銳地指出：研究宋明理學不應脫離經學，應注意把經學研究與理學研究有機地結合起來。

本書的研究分為上、下兩篇，每篇若干章。上篇為「通論」，首先梳理宋代以前的經學發展、演變；再進入到宋代的經典疑辨思潮，以及疑經風潮與宋學興起的關係；復次是探討理學思想興起的思想淵源和內外因素，以及當時提出理論議題的針對性；緊接著解釋理學之形成乃是經學的哲學化，並且說明宋明理學的發展流派與程朱、陸王兩派的經學觀異同。下篇為「分論」，作者按照時代先後劃分北宋、南宋、元代、明代，探論各個時期的經學與理學；方法上是以人物為主，將各代表人物的經學著作中的理學思想作逐一的分析論述。總的來說，上篇目的在說明理學是哲學化的經學，下篇則著重在理學家的經學思想探究。

就本書的整體架構與研究方法來說，優點是提出了學術史上相當重要卻一直被忽視的議題，即：理學與經學的關係為何？並且針對理學家的經學著作做深入的分析，使其哲學思想凸顯，脈絡分明。然而，本書同樣存在尚待討論的部分，例如：理學何以突出於傳統經學而獨立被重視（《宋史》就於〈儒林傳〉之外，別立〈道學傳〉）？其在整個宋明經學中的地位與所受的爭議過程是如何的？且若要切實探討經學與理學之關係，應注意各經在宋明時期理學化的情況和現象是如何，以及《五經》與《四書》的緊張關係為何？又所謂的宋明理學傳授，其實是朱熹《伊洛淵源錄》以來追述出來的一脈，若只關注這一脈的代表人物，就容易疏漏了其他雖對理學發展有促進貢獻卻未被納入學派的人物，如此即未能跳脫習慣性的理學研究思路、角度來探討問題。諸如此類，則有待進一步的開發討論。（張琬瑩）

孔子在美國：1849年以來孔子在美國報紙上的形象變遷

《孔子在美國：1849年以來孔子在美國報紙上的形象變遷》　張濤著　北京市北京大學出版社　597頁　2011年11月

近年某流行歌曲有數句歌詞如下：「全世界都在學中國話，孔夫子的話，越來越國際化」，所謂「孔夫子的話」，當然不是兩千多年前孔子時代的話，而是現今海峽兩岸華人操持的「國語」或「普通話」，即廣義的「中國話」。在此，「孔子」代稱「中國」——文化意義上的中國。孔子之所以代指「中國」，乃因孔子是儒家的大宗師，而儒家思想又是形塑中國文化的主流力量，外國人士只要稍微了解中國文化，無不認識孔子者，對外，孔子就是中國文化的象徵符號。

本書是一部研究外國人所認識的孔子——即「域外孔子形象」的專著。著者張濤（1971－）為北京大學歷史系世界史專業博士，主要研究領域為美國社會文化和中美關係。有鑑於美國的「孔子形象」在中美文化交流史的重要意義，卻仍缺乏學術界相對應的關注，因而有本書之作。張教授以十九世紀中期至今，能夠代表美國不同地區、社會階層輿論的重要報紙，如《紐約時報》、《華盛頓郵報》、《波士頓環球報》、《洛杉磯時報》、《芝加哥論壇報》等為文獻基礎，從中篩選了約三千篇與「孔子形象」相關的文章，細緻地考察作為中國文化符號的「孔子」，在美國文化的語境中，所經歷的認同與變異，以及此一符號與美國社會和中美關係的相互融合及影響機制。

通過研究分析，著者主要獲得如下三點結論：其一，孔子作為中國文化符號的身份得到充分體現。在美國人的眼中，孔子規範著中國人民的價值觀和處事方式，是不可磨滅的文化印記。所以在解釋中國近代的落後和當代的崛起，抑或剖析華人的群體特徵和行為動機等，美國人始終都以孔子為重要的切入點。其二，孔子學說具有鮮明的跨文化實用意義。在許多文章中，可見到孔子以美國政治、社會之觀察、評論者的姿態出現，表示孔子思想有時代表美國政治、社會的理想目標，是美國人鞭策政府、激勵民眾、豐富生活的話語工具。其三，孔子及其學說通過美國人的接受之後，被賦予了與原先角色迥異的寓意。孔子不再是單純的思想家，而是中國與華人言行的代名詞和指向標，也是美國國內政治、社會的參照體系。美國人根據特定時期的需求解讀孔子，將孔子從中國的語境中抽離，使之和美國的政治、社會與外交環境保持協調。孔子經歷文化身份異化的過程，有時甚至站在與中國對立的一面。（游鎮壕）

孔子的周公：《尚書》中所見西周女王

《孔子的周公：《尚書》中所見西周女王》　吳鋼著　上海市　上海三聯書店　259頁　2011年7月

春秋時期，孔子發出「周公之才之美」、「甚矣吾衰矣」的喟嘆，與七十二弟子為周公建構一個聖人教化的形象。到了漢代，周公已化作一個政治符號，在古文學的籠罩下，認為周公乃一統治者，並崇信《周禮》為其定作。一個時代對某一形象的界定，造成了日後在相關問題上的知識混亂，這都是由二三手材料提供的虛假訊息所造成，於是歷史解釋就變成殘破且雜亂的。周公在各朝代的形象不一，就在古籍若存若亡、朝代意識形態不同的情況下，逐漸失其本真。

本書雖以周公為題，但仍以孔子作為引子，以還原周公一個可理解的歷史真相。前四章旨在破除漢人對周公的觀念，從第五章開始，作者正式切入破案的步調，借由《尚書》、以及當時能夠掌握的各式各樣的史料，對西周武王進行心理分析以判斷當初的情勢，從中了解當時周公的形象。由今文《周書》，作者發現了一個更加逼真的周公，此周公不同於漢以來學者所說。

本書最終的目的是為了找到打開孔門的鑰匙。借由理解武王的心理，以及重建原始面貌的周公，打破漢以來對武王、周公的想像藩籬。而在還原周公形象的過程中，作者發現孔子的思想有一核心價值，希望能讓人們重新評價孔子之學，改變人們的一些常識。（毛翔年）

先秦文獻與文學考論

《先秦文獻與文學考論》　伏俊璉著　上海市　上海古籍出版社　302頁　2011年10月

本書是西北師範大學文史學院伏俊璉教授有關先秦文獻與文學的論文選集，共收有論文三十篇，乃伏教授二十多年研究之作品集成。

本書討論主題多元，作者研究領域亦涉獵廣博，文章討論內容涵蓋經、史、子、集四部。而作者對於先秦之文獻與文學研究，以歷史考證與文獻研究的方式，多徵引翔實。比如〈清華簡《𨚕夜》與西周時期的「飲至」典禮〉，文中藉由清華簡佚詩，一方面補充李學勤先生〈清華簡《𨚕夜》〉的內容，另一方面更利用先秦文獻的記載，深入討論《𨚕夜》與國家慶典的關係。〈敦煌《詩經》殘卷概說〉，文中通過敦煌《詩經》寫卷的研究成果，試圖考究六朝以來，儒家經典的原有形式。〈《孝經》的作者及其成書時代〉，文中梳理歷朝各代對《孝經》作者之說法，同時從先秦、漢代初期文獻形成的角度，對歷來有關《孝經》作者之爭論提出看法。〈《周易．大象傳》：孔子及其後學的治世理想〉，文中指出《周易．大象傳》表達了孔子對統治者的品格，以及國家制度建立完善與否的重視，是孔子政治理想藍圖的體現。此外，本書有關於屈原和司馬遷的研究心得，有對《老子》、《司馬法》等先秦典籍的成書過程及相關問題的專門探討，還有從民俗學、文化人類學角度探索先秦兩漢的「看圖講誦」、某些民間故事的先秦源頭、先秦俗賦、伏羲文化、中華民族的崇虎意識等問題，皆有助於今人進一步瞭解早期中國文化的形態及其對後世的影響。

伏俊璉，現為西北師範大學文學院教授，博士生導師。長期從事敦煌文學、中國古典文獻學的教學研究工作。曾開設「古詩文選讀」、「中國古代文學」、「先秦兩漢要籍導讀」、「史漢研讀」、「漢魏六朝賦研究」、「敦煌文學文獻」、「先秦要籍導讀」、「先秦兩漢文學專題研究」等專業課程。　（蔡雅如）

魏晉儒學新論——以王肅和「王學」為討論的中心

《魏晉儒學新論——以王肅和「王學」為討論的中心》　郝虹著　北京市　中國社會科學出版社　291 頁　2011 年 3 月

就學術史的流變而言，儒學在經過兩漢的高度發展後，到了魏晉時期則出現盛極轉衰的現象。從玄學的興起，以及玄談者對儒家名教進行檢討的時風看來，儒學在魏晉時期面臨了相當大挑戰。作者郝虹多年來從事魏晉思想文化史的研究，並在《中國哲學史》、《孔子研究》、《史學月刊》等學術期刊發表相關論文數篇；在本書中，作者從文化史與思想史的視角，以及歷史學研究法，重新深入探討了魏晉儒學發展狀況這一重要的學術問題。全書內容分為兩大主軸：一是從學術發展現象探討魏晉儒學的衰落與發展，一是從魏晉儒學的特色探討當時學術對前後期的傳承與創新。

所有的學術發展都不是一朝一夕就忽然發生或突然轉變，而是有其往上往下之承接連續的軌跡。因此，作者首先著眼於兩漢儒學與魏晉儒學的比較，指出魏晉時期，雖然官方仍提倡儒家的人生價值觀，然而真正在社會上所流行的卻是以老莊虛靜為主的價值取向。其次，以政治思想的嬗演為例，討論名法思想、名教思想的形成，以及其間的爭論與融合；最終形成以儒為主，以法為輔，吸納名家的「禮法」思想，而王肅則在禮法政治思想的形成中扮演了重要的角色。復次，作者以王肅的反鄭學為例，提出魏晉玄學在學理層面，和兩漢經學相比，沒有突破和創新，但對讖緯不遺餘力地批評駁斥，確有其時代的進步和學術價值。其又以王肅和王弼兩家的學術特色相比較，說明王肅經學與王弼玄學分別代表了魏晉儒學對應時代課題的兩個思路、途徑：一是利用儒家固有資源以振興儒學，一是利用儒家以外的思想資源以豐富儒學，然而其結果卻是殊途同歸的。而王肅和王弼重振儒學雖然失敗了，但他們重建解釋系統的成果，在儒學史上則有著重要的階段意義。

書末有附錄三章，收錄與本書相關之單篇論文，有：〈王肅年譜〉、〈王肅著述的著錄、輯佚情況和考辨文字〉、〈王肅「偽書」的歷代著錄和考辨文字〉、〈王肅偽書考辨〉、〈王肅經學的歷史命運〉、〈《全後漢文》與《全三國文》所錄議禮之文〉、〈從曹氏三代人對儒學態度看魏晉儒學的衰弱〉、〈試論漢末名家思想的興起與魏晉「名教」一詞的出現——兼談與湯用彤先生名教觀點之異同〉等八篇，部分文章與本書內容重複。（張琬瑩）

性別視角下的《易》、《禮》、《詩》婦女觀研究

《性別視角下的《易》、《禮》、《詩》婦女觀研究》 焦傑著 北京市 中國社會科學出版社 273頁 2011年6月

本書繞著男陽女陰、男尊女卑和窈窕淑女三個方面，從性別視角對《易》、《禮》、《詩》三部經典中的婦女觀進行了分析和解構。在《易經》本義中，乾和

坤的取象與男女兩性無關，但由於卦爻辭編排者的性別立場，《易經》也反映出西周時代男性至上的兩性觀念。在〈彖〉、〈象〉中，乾和坤都是君子修象觀省的對象。在〈文言〉和〈繫辭〉中，乾成為君道、夫道、父道，坤成為臣道、妻道、子道，乾和坤有了高低貴賤的區別。在《禮經》中，冠禮賦予男性成年的身份，笄禮卻剝奪了女性成人的權利；婚禮是構建「合兩姓之好」的媒介，但卻是通過控制女性的身體和意識來實現的；喪服制度排斥母系親屬關係，提高父權和夫權，貶抑母權和妻權。在成書於戰國至秦漢時代的《禮記》中，陽唱陰和、男主女從、夫死不嫁、從一而終成為婚禮的主題，女性的服喪原則——三從，成為女性的道德規範。在《詩經》本義中，淑女是具有君子之德的女性形象，她們既美麗、善良，又高大健美、勤勞能幹。但是在《毛詩鄭箋》中，淑女由溫柔可愛、活潑靈動的少女一變而為賢良內斂、寬容不妒的后妃。總體而言，經文中的婦女觀比較重視女性與家族的關係，提倡婦順，而傳文中的婦女觀更重視女性與丈夫的關係，強調妻從。婦女觀由重族權到重夫權的變化與戰國秦漢以來社會結構的變化、加強控制婦女的思想及儒家王道政治思想的發展密切相關。

本書章節：序言二篇、第一章〈緒論〉、第二章〈《易經》確立的傳統性別觀念〉、第三章〈《禮經》構建的性別等級制度〉、第四章〈《詩經》中的傳統女性觀〉、第五章〈經傳婦女觀異同及原因分析〉，並收〈如何反思兩性關係與兩性差異〉、〈從中國古代女性名字的演變看社會性別文化的建構〉二附錄，最後為參考文獻及後記。

焦傑，1964 年生，遼寧海城人。陝西師範大學歷史學博士，現為陝西師範大學歷史文化學院副教授、女性研究中心副主任，主要研究方向為中國古代文化史、社會性別史。先後在《中國史研究》、《婦女研究論叢》、《陝西師範大學學報》及臺灣的《大陸雜誌》發表論文三十餘篇。曾參加國家社科基金專案「唐宋民間信仰」的工作，主持並完成西安市社會科學基金規劃項目「唐代公主與長安道觀研究暨旅遊文化的開發」的工作，目前主持教育部人文社科基金項目「唐代女性與宗教」的工作。

（廖秋滿）

郝敬思想研究

《郝敬思想研究》 董玲著 北京市 中國社會科學出版社 221頁 2011年6月

郝敬是晚明重要的學者，在經學與理學上都有其獨到的觀點：在思想上，重視以實踐、實事為主的學問，倡導天理與人欲、身心統一的關係，而強調原本無二亦無先後的理氣關係，在承繼陽明知行合一的基礎上，彰顯「先行後知」的主張，突出行的價值；在經學方面，強調以注經解經的方式，對治宋明以來浮濫空疏的理學弊病，主張通經致用，對宋明流於空談的風氣提出批判與反省。

作者有鑑於日本、臺灣對郝敬的學問均有深入的研究考察，反觀中國尚無擲地有聲的論著出現，為補現有中國哲學史、明代哲學斷代史以及宋明理學史的空白，決定採用思想考察的方式，對其文本詳細解讀，藉此歸納並評價其學術思想，並以哲學詮釋學的立場，指出郝敬回歸經典的經學思想特色。

全書內容除引言及結語外，共分五章探討，依次分別為「郝敬其人其書」、「氣與理無二」、「心統性情者也」、「知行兼體」以及「經學觀——以《詩經》為例」等章。第一章探討其生平學行，以及著述及身後評價，分析明清學者對其評價兩極的原因。第二章論述其對理氣關係的見解，以「從來不分理氣」與「以養氣為本」論述，並結合思想史的考察，得出從宋代到明末清初的理學思想，是從「理」至「心」到「氣」的變化路徑，郝敬本身理不遺事的看法，即是對宋明理氣思想的反思。在第三章分「性無不善」、「離才情無復有性」與「道本諸身」探討其心性問題，發現其繼承孟子思想的理路以及回應時代思想的論述。在第四章，主要分「知行分兩」與「下學而上達」論述，發現其格外重視道德踐履，本於實事實踐。在第五章，從其回應《詩》的相關問題與詮釋方式審視其經學思想，發現他強調回歸經書原典所承載的聖人精神，開清初學者回歸六經的先聲。

作者董玲，武漢大學哲學博士，湖北第二師範學院文學院副教授，主要從事文學理論、中國古代文論和儒家思想的研究。在本書撰作之前，發表過〈析郝敬的「先行後知」說〉、〈郝敬思想述論〉、〈郝敬的經學與理學〉等相關論文。

（蔡育儒）

黃宗羲長傳

《黃宗羲長傳》　方祖猷著　杭州市　浙江大學出版社　440 頁　2011 年 6 月

本書是黃宗羲的傳記，但又並不僅僅是傳記。書中對黃氏的生平事蹟有詳細敘述，所述皆有依據，其引用之詳、考訂之實，堪為黃氏之信史；書中對黃氏的思想有深入闡述，凡有所論，則皆以史為據，剖析詳明而不作浮泛之語，往往鞭辟入裡而得其精要。而本書之最大特色，正在於能將黃氏之生活事蹟與其思想之演變融為一體，從中非但可見黃氏之鮮活的生命道路，更可見其活潑潑的思想歷程。

《黃宗羲長傳》共七部分，主要內容為童年、青少年時期；「黨人時期」；抗清「遊俠」時期；側身儒林初期；創辦證人書院；三藩作亂，康熙右文；飾巾待盡時期。黃宗羲生於明末清初的歷史大轉折時期，從明王朝到清王朝的王朝更替，不僅限於易姓革命的範疇，而是涉及整個社會經濟結構的一場劇烈變革。面對「天崩地解」的社會形勢，當時的人們普遍產生了危機感，而對腐敗的明王朝失去了信心。怎樣才能擺脫這樣的危機，已然成為政界進行激烈黨爭的主要內容。但結果無論怎樣，都無法挽救明王朝二百七十年覆滅的命運。

方祖猷，1932 年生，浙江寧波人。長期從事中學和大學的歷史教育工作，1991 年退休前擔任寧波大學浙東學術和浙東佛學研究室負責人。著有《萬斯同年譜》（與陳訓慈合著）、《萬斯同評傳》、《萬斯同傳》、《王畿評傳》、《清初浙東學派論叢》、《天臺宗觀宗講寺志》、《諦閑法師年譜》，並與友人共同點校《續甬上耆舊詩》、《羅汝芳集》等。（廖秋滿）

黃宗羲與明末清初學術

《黃宗羲與明末清初學術》　楊祖漢、楊自平主編　桃園縣中壢市　國立中央大學出版中心　466 頁　2011 年 9 月

明末清初，是中國歷史上一個動盪的時期，民族階級的衝突與封建社會的矛盾日益加深，在此形勢之下逐漸出現了一些思想改革家。黃宗羲是明末清初重要的經學家、思想家、史學家，與顧炎武、王夫之並稱明末清初三大思想家，主要提倡「經世致用」思想，也就是學術研究與現實結合，應用於社會改革。黃宗羲學識淵博，治學以陽明心學為主，亦重史學，為浙東學派的領導人物。其著作《明夷待訪錄》與《明儒學案》在中國思想與史學的研究上有著經典的代表性與深遠的影響。

本書共十三篇文章，除了黃敏浩〈論黃宗羲對「四句教」的詮釋〉一文外，其餘十二篇皆發表於中央大學儒學研究中心所舉辦的「宋明理學學術會議 2010——黃宗羲四百週年誕辰紀念」研討會中。本書所收錄的十三篇文章依內容性質可區分成三部分，並以此排列章節。第一部分討論黃宗羲的學術思想、時代風潮與背景，從第一章黃敏浩〈論黃宗羲對「四句教」的詮釋〉到第四章曹美秀〈晚明與晚清的回歸原典運動〉，共四篇論文；第二部分涉及黃宗羲《孟子師說》與心學研究，從第五章陳榮灼〈黃宗羲之孟學解釋：從劉蕺山到王船山〉到第九章齊婉先〈試論黃宗羲《孟子師說》之文本理解及詮釋方法〉，共五篇論文；第三部分關於明末清初思想家與學術研究，從第十章鍾彩鈞〈李見羅的止修思想〉到第十三章楊自平〈錢澄之《田間易學》的治《易》立場與作法析論〉，共四篇論文。本書藉由十三篇文章來探討黃宗羲與明末清初時代的背景與意義，並展現不同的研究方法與成果，為梨洲學研究提供了重要的學術資料。

編者楊祖漢，國立中央大學中文系專任教授兼系主任，研究專長為先秦哲學、宋明理學、當代新儒學、康德哲學等。

編者楊自平，國立中央大學中文系專任副教授，研究專長為先秦儒學、宋明儒學、易學、論語、孟子、荀子、史記等。（莊喬惠）

經學、道學與經典詮釋

《經學、道學與經典詮釋》 郭曉東著 臺北市 國立臺灣大學出版中心 341 頁 2011 年 6 月

本書為東亞文明研究叢書之一，書中所收錄的六篇論文，都是從經典詮釋的視角看傳統儒學中經學與道學兩個面向的兼容性與互補性。章節結構共分宋代篇和清代篇：前三篇論文圍繞在宋代道學家對經典創造性詮釋的問題而展開，後三篇則關注清代的《春秋》學問題。

宋代篇部分，〈從「性」「氣」關係看張載、二程工夫論之異同〉探討宋代道學家將漢唐儒者關注的氣性，導入心性論所作的不同詮釋，明道主張氣稟而說本然之性，不能截然分立為二，伊川與橫渠則強調性氣之分，以後天工夫對治「氣質之性」。但明道認為工夫本身應直接以體認本體下手，不須針對「氣稟」，可說是先天的工夫。〈司馬光《中庸》詮釋的再考察：從經學史與道學史的雙重視域出發〉以道學史的視角出發，用宋代關注《中庸》詮釋的「天命之性」、「中和」與「誠」等三個問題考察司馬光的詮釋，發現司馬光一方面承接漢唐傳統，另一方面指向宋明新風氣，是承上啟下者。〈論楊龜山對《中庸》的詮釋及朱子的批評〉考察程朱間學術過渡的學術梗概，考察楊時《中庸》的學說，並進一步瞭解朱熹對其學說的繼承、反思與批判，從而考察朱熹注釋《中庸》的道學思想取向與特色。

清代篇部分，〈略論莊存與的經學思想：以莊氏《春秋》學為討論中心〉釐清其學「微言大義」並非後世今文經學狹義的用法，而不過是使經典理解「歸諸至當」，從其《春秋》雜揉三傳、出入漢宋以作為其總體的經世理想。以下兩篇〈述《公羊》以贊《論語》：《戴氏注論語》研究〉和〈正學以翼教：論《春秋繁露義證》的經學觀與政治觀〉也說明了他們學說重在切於時政的經世意義。戴望重在夷夏之辨、新王改制與太平世的展望，非劉逢祿、宋翔鳳所能侷限；蘇輿「微言」不具康有為那種神秘及神聖性，「改制」側重漢儒時務之言，他們無不關心著通經致用。

透過這些問題所作的進一步思考，作者認為「經學」與「道學」並非全然無所關涉，對於理解儒學的整體而言，必須相互補充，才能真正融合道、學、政為一體，而不失偏頗。

郭曉東，生於 1970 年，福建霞浦縣人。復旦大學國際政治系學士、哲學系碩士、博士，現為復旦大學哲學學院副教授，曾任香港中文大學中國哲學研究中心訪問學者、臺灣大學人文社會高等研究院客座副研究員。有專著《識仁與定性：工夫論視域下的程明道哲學研究》，與曾亦合著有《宋明理學》一書，並編有《經學、政治與現代中國》等。

（蔡育儒）

經學義理

《經學義理》　鄧國光著　上海市　上海古籍出版社　691 頁　2011 年 6 月

《經學義理》為作者鄧國光多年心血的結晶，作者以開闊的視野，對先秦時期經傳與諸子以及兩漢著作中「理」義的流變、魏晉南北朝文論的經學演繹、南北朝國史所承繼的經學傳統、清代經學流變等問題作了重點探討，其中探幽索隱、比勘不同文獻記載，從縱向上對中國經學義理之演變作了實事求是的考察，凸顯了中國經學演進的內在理路與發展脈絡。同時作者成功地做到了將宏觀的探討、把握與微觀上的闡發、分析二者相結合，通過對歷代經學著作、以及子學、史學與文論著作中經學意蘊的闡發、梳理，總結出各個時代經學流變的特點和精神。

收錄十七篇論文，分成三編：先秦兩漢編：觀念與原理；中古經學編：會通與體用；清代及民國編：詮釋與世變。集作者近十年的治經成果，一本研求義理的宗旨，探索春秋以來二千年經學思想的發展，研究經學在不同時代的學術生態之中的動態進路，以顯示思想的生機。實事求是，不為蔓衍之辭。會通經、史、子、集四部文獻中的義理、訓故與辭章，凡涉經世的大義，皆足以直照聖賢用心。秉持三條理路：一是通過具體的歷史考察，顯示士人與帝王之間相互爭奪經學的經世支配權；二是通讀同時代的文獻，互相對勘，方能了解經學的意義；三是當前思想史研究本末倒置，無視經學在思想領域的活力與意義，為了復原久受扭曲的思想的真貌，必須正視經學一直是中國思想靈魂的事實，正視學術對時代的關懷與文化的責任感，結以民國時期唐文治先生的《洪範》學，所以顯示義理的活力，一以貫之，皆在展示經世學術的基本特性。

鄧國光，1955 年生於香港，祖籍廣東三水。香港中文大學中文系畢業，師從蘇文擢教授治古文；香港新亞研究所碩士，師從李雲光教授、牟宗三教授、羅夢冊教授研治古學；香港大學中文系哲學博士，師從陳耀南教授研治古文論。曾任澳門大學教育學院副院長、中文學院院長，現任澳門大學中文系教授。致力於經學思想與文論研究，發表有關經學、子學與文學的專書和論文六十餘種。（廖秋滿）

漢宋之間：翁方綱學術思想研究

《漢宋之間：翁方綱學術思想研究》 劉仲華著 北京市 中國人民大學出版社 472頁 2010年12月

乾嘉之際，通儒輩出，可視為清代學術發展的鼎盛時期。清初由顧炎武等人所開啓的考據風潮，到乾嘉末期逐漸流於空疏、無用的形式。考據學家日益沉浸在考訂典籍裡的文字音韻、名物制度，鮮少涉及現實問題。社會上漸有產生批評的聲浪，擁護程朱理學的勢力也逐漸抬頭，但也有儒者認為單向偏採漢學或單向偏採宋學，都不能解決學術逐漸走向空疏破碎的流弊，進而提出了兼採漢宋的折衷說法。

翁方綱精於金石之學，對於群經、目錄、書法、詞章之學多有深研。其在〈群經附記〉裡，對於漢學考據時有批評，而面對程朱理學則多採取維護的態度，然其又反對宋明以來疑經的思想，主張以闕疑、審慎的態度來看待經典，綜合反映出其兼採漢宋的學術趨向。本書前有戴逸之序，內容主要分為十一章：第一章〈生平、交遊與著述〉、第二章〈尊奉《十翼》為治《易》之指南〉、第三章〈折中漢宋的《詩經》研究〉、第四章〈以闕疑的態度尊信《古文尚書》〉、第五章〈「纂言而不纂禮」的「三禮」研究〉、第六章〈推尊《左傳》〉、第七章〈擺脫「四書」體系的《論語》、《孟子》研究〉、第八章〈以金石證書法及其尚古質厚的書法思想〉、第九章〈根柢經學的文學理念及其詩學思想〉、第十章〈與《四庫全書》纂修結緣的目錄學成就〉、第十一章〈兼採漢宋的治經思想與治學風格〉。面對這樣一位身處乾嘉時期的文人，作者從其學術成就、思想範疇，作一全面性的觀照，並在爬梳文獻的基礎上，探討當時士大夫對於漢學、宋學所抱持的態度，以及對後世學術產生怎樣的影響。

劉仲華，1973 年 11 月生。1998 年獲蘭州大學歷史系碩士學位，2001 年獲中國人民大學博士學位。現為北京市社會科學院歷史所副研究員，主要從事清代學術文化史研究。除本書外，編著有《一本書讀懂清朝》、《北京教育史》、《清代諸子學研究》、《紀曉嵐傳奇》等書，近年在《石家莊學院學報》、《唐都學刊》、《清史研究》、《蘭州大學學報》等學術刊物上發表〈張烈尊朱斥王及其在清初學術重建中的境遇〉、〈清初學者王源的經世思想及其學術命運〉、〈清代翁方綱搜集、鑑賞金石的方法及其治學宗旨〉、〈「稱人之善，唯恐不及」：朱筠學術交游與清代乾嘉樸學風氣的形成〉等論文二十餘篇。（張雅琪）

漢晉孔氏家學與「偽書」公案

《漢晉孔氏家學與「偽書」公案》 黃懷信等著 廈門市 廈門大學出版社 388 頁 2011 年 4 月

家學，是指家族內部父子相傳或世代相承之學，也就是所謂的「累世之學」，是中國古代學術文化傳承與發展的主要方式。孔氏家學，是指孔子後裔們的家學。孔子後裔，是中國社會的特殊人群，他們以其與孔子的特殊關係，不僅世代受到統治者封賞尊崇，有較高的社會地位，而且他們本身也因孔子的原因，世代不忘傳承其祖業。因此，他們的家學，本身具有特殊的意義，而尤為重要的是，漢晉——西漢、東漢、曹魏、西晉、東晉時期的孔氏家學，與中國學術史上五大「偽書」——《古文尚書孔傳》、《古文論語孔注》、《古文孝經孔傳》、《孔子家語》、《孔叢子》，有著不可分割的關係。所以，探究漢晉孔氏家學，意義不止其本身。只有理清漢晉孔氏家學，具體了解其各代學人的學術活動及貢獻，才能進而了解五大「偽書」的來龍去脈，成為解決「偽書」作者與成書問題的必要前提。

本書基於這樣的考量，重點探討漢晉孔氏家學及其與「偽書」的關係，同時也對「偽書」本身作必要的考察，力求把解決諸「偽書」公案的問題之研究向前推進一步。全書分西漢篇、東漢篇、魏晉篇三部分，各篇主要探討內容包括：西漢孔氏家學的形成和孔子後裔世系、孔安國與孔氏家學、西漢其他孔家學者的學術活動和貢獻、東漢時期的孔氏家學、魏晉時期的孔氏家學、《孔子家語》與孔氏家學等。

黃懷信，1951 年生，陝西岐山人。1985 年獲西北大學歷史學碩士學位，師從李學勤先生。曾任西北大學教授、博士生導師。1996 至 2000 年參加「夏商周斷代工程」研究項目，2002 年受聘為曲阜師範大學孔子研究所教授、博士生導師。主要從事先秦文獻研究與整理，出版相關著作二十部，發表論文九十餘篇。

（廖秋滿）

禮治之道——漢代名教研究

《禮治之道——漢代名教研究》 張造群著 北京市 人民出版社 298 頁 2011 年 7 月

傳統儒家實現政治目標的重要途徑常由經學和禮治二途。故名教的施行，可視為儒家文化思想與價值信念得以實現的指標。名教的產生，不容忽視傳統政治、教化兩大要因。最早由先秦各家開始對於名分、教化觀念的形成，到二者相互融合，終以漢代董仲舒提出三綱五常的思想，在內建立起社會道德規範，在外注重社會制度的設置。於是逐步形成一個形式嚴整的道德體系，範圍涵蓋整體社會的政治、家庭倫常關係。由文化層面的發展，逐漸影響人們的行為規範和心理狀態，從而成為封建道德的指導原則。

本書前有李宗桂先生之代序、作者引言，正文共分六章：第一章〈漢代名教的理論基礎〉、第二章〈漢代名教的名分體系〉、第三章〈漢代名教的教化載體〉、第四章〈漢代名教之教化途徑〉、第五章〈東漢末年的名教危機與批判〉、第六章〈名教的現代觀照〉。名教從發生、發展轉而定型，又因遭遇危機而產生轉向等過程，漢代著實代表一關鍵階段。作者貫通性地研究整個西漢、東漢名教，從思想文化發展層面，系統地探討了作為文化、思想、價值體系載體的漢代名教，認為名教就是以名為教，圍繞正名定分，採取教化方式建立一個尊卑有別、貴賤有等、長幼有序的理想社會。對於作為教化載體的經學和禮制、教化途徑等分別進行了梳理和論述。加以考察東漢末所出現的名教危機，以及諸子的批判思想等，對漢代名教的整體價值和內在矛盾提出反思與全面的觀照。

張造群，1974 年生。2008 年獲得中山大學哲學系博士學位，目前任職於廣東省社會科學院當代馬克思主義研究所。作者攻讀博士前，並非中國哲學專業之研究者。由於對中國文化有豐厚的興趣，因而全力投入相關研究，主要研究方向為中國哲學、儒家文化、禮治文化等。除著有本書外，與李宗桂先生共同編有：《嶺南文化的價值》、《傳統儒學的歷史省察》二書。個人曾主編有《儒家文化與社會發展》一書。近期於《廣東省社會主義學院學報》、《學術研究》、《中華文化論壇》、《雲南社會科學》等學術刊物上發表論文十餘篇。 （張雅琪）

【周易類】

周易究原

《周易究原》 黎文敔著 臺北市 國立臺灣大學出版中心 275頁 2011年5月

臺灣大學人文社會高等研究院「東亞經典與文化」研究計劃，最近十年來致力於「東亞儒學」新領域的開拓與研究；由於研究資料的關係，過去十年來的研究工作最主要集中在中國、日本、韓國的發展。

為使「東亞儒學」的研究更為聚焦，故自 2009 年起開始出版《東亞儒學研究叢書》與《東亞儒學資料叢書》；前者以研究論著為主，後者為蒐集並出版東亞儒學的相關原典與史料；而黎文敔先生的《周易究原》，就是其中的越南儒學著作之一。

《周易究原》這本書在形式有〈易上〉和〈易下〉兩卷，而在內容上分為兩部分：第一部分為《周易》課題的研究，包括〈周易圖說〉、〈化原考論〉、〈圖書前論〉、〈易道合論〉、〈卜筮問答〉、〈天地難論〉、〈龜馬考論〉、〈易爻鎖說〉、〈解疑略論〉、〈卜筮改法〉、〈水朝新演〉等篇；第二部分為易經六十四卦的解釋。其中，第一部分是黎先生個人對《周易》的見解和思想，而第二部分則是進一步推展他的觀念。

黎文敔（1860－1934），或名黎敔，字應和，號狂士或者懶士，越南南定省春長縣人。他的家庭富裕，家族有講學的傳統，並且常行善，受到當時政府官員的看重。1900 年陪徐淡博士出使法國，歸國之後回鄉著書。雖然積極申請其著作為教科書，企圖推廣自己的名聲與學術，但未能使當時政府准許，卻給他送九品文佳爵并一塊金錢，從此他被大家稱為「九敔翁」。晚年他雖讀了天主教的書籍，但還算是一位時代交替中的儒士。黎文敔先生主要著作有《論語節要》、《大學晰義》、《中庸說約》、《附槎小說》、《醫學纘要》、《禮經主仁》等書。 （許秀貞）

周易經傳美學通論

《周易經傳美學通論》 張錫坤、姜勇、竇可陽著 北京市 三聯書店 510 頁 2011 年 8 月

占筮的《易經》與富哲理的《易傳》，在某種程度上都反映著人類理性的一面。《易經》由「言」、「意」、「象」三方面所構成，在生命的體驗中，推動語言、象數的意義尋求；在語言、象數的意義追尋裡，也豐富和創造新的生命體驗，進而達到開放、動態，且具意向性和生命性的存在。《易傳》不拘泥在《易經》本文的固定性，推演出更多樣富有生命力的解經系統，使「易道」的生命生生不息。

本書的核心立意是反對所謂的「經傳分觀」論，打破「以經觀經」、「以傳觀傳」的迷失；因而提出「經傳貫通」的見解，將易學由《易經》到《易傳》的發展，視作一個闡釋性創造的過程。整合其二者，用一種「整體」、「融通」、「全盤」的態度，來討論其中的美學觀點，走出「經傳分觀」失衡的現狀。

基於「經傳貫通」的觀點，本書試圖將先秦易學投射到三代思想史的宏觀背景中，去消解《周易》經傳間的隔膜，梳理其兩者脈絡的連續性；並萃取《周易》中美學的問題，嘗試結合、理解西周到六朝時期的文藝思潮；再借助西方哲學、美學、及人類學的相關思想，促使易學美學跳出封閉的本土性，進而走出富有現代意義的開放境界，在歷史的承傳中可大可久、歷久彌新。

作者們以「《周易》經傳關係的再理解」、「《易經》美學意蘊的定位及延展」、「《周易》與六朝美學的發展」三個大方向陳述，將本書分為〈引論：《易經》與《易傳》的關聯〉、〈《易經》美學意蘊的定位〉、〈《易傳》美學思想之精髓〉、〈《周易》「明美」考論〉、〈《周易》與中國美學的審美觀照〉、〈《周易》與中國詩學的「以悲為美」〉、〈文的淵源與《周易》之文〉、〈《易傳》與《文心雕龍》〉、〈「易道陰陽」與「氣韻」〉、〈《周易與「象思維」》〉，共計十章。

張錫坤，1945 年生。現為吉林大學文學院教授、博士生導師，並任中華美學學會理事、吉林省美學學會會長、吉林省易經學會副會長。

姜勇，1975 年生。文學博士，現任教於吉林大學文學院。

竇可陽，1976 年生。文學博士，現任教於吉林大學文學院。 （許秀貞）

宋代史事易學之義理風華

《宋代史事易學之義理風華》 劉秀蘭著 高雄市 麗文文化公司 686 頁 2011 年 10 月

《四庫總目》言《易》道廣大，無所不包、無所不容。所謂「象數」，本所以明人事之理，故《總目》亦以漢儒言象去古未遠，自焦、京禨祥以迄陳、邵之務窮造化，然後不切民用。變漢學、黜象數而言人事者，昉於王弼，論者或非其羼入老莊；下逮宋世，胡瑗、程頤乃多闡儒理；南渡李光、楊萬里輩繼軌而馳，益博采史籍以相證明，遂於程氏理、邵氏數之外，蔚然而為史事《易》學立宗。

劉秀蘭女士深究宋代史事《易》學之義理內涵及時代轉變，希冀從宋儒對史事的引證中，感同身受的在情境中還原，離析思想精華與價值取向，以穿透核心思維，直契思想原形。因而本書主要結構分成以「陰陽」貫穿議題、以「議題」彰顯義理及以「轉變」顯示脈絡三部分。

除此之外，本書也觀察到兩點值得注意的「轉變」：一是援史證《易》直接造成《易經》詮釋的「政治化」與「人物化」轉變。二是援史證《易》所建構的思維是入世的，是現實層面的關注。從《易經》、《易傳》，再到史事《易》學，其實就是一種天人回歸，即是《易經》人事本質的還原；使《易經》的宗教性轉成哲理性的思辨，將不可探知的天意轉成可以分析的吉凶探究，進而開拓推擴了中國經學及思想。

劉秀蘭，祖籍山東牟平，生於臺灣高雄。高雄師範大學國文系博士，曾任正義高中教師、立德管理學院兼任講師、高雄海洋科技大學、高雄應用科技大學兼任講師及助理教授。研究領域為周易、宋明理學、老莊、中國歷史、子平術。

（許秀貞）

以史證易——楊萬里易學哲學研究

《以史證易——楊萬里易學哲學研究》 曾華東著 北京市 人民出版社 375 頁 2011 年 5 月

宋明理學一向是學術界的熱門議題，它經過儒釋道的衝突、融合，進而展現新的風貌——新儒學；以《易經》闡發新儒學是宋代學術趨勢，故有諸多的分流，而到楊萬里更是另闢蹊徑。楊萬里的「以史證經」雖不為肇始者，但卻能貫徹「易者，聖人通變之書」，立場鮮明的揚棄佛老的「舉而捐之於空虛者」；理學家都反對佛老的「空」、「無」為本，楊萬里《易》學似可歸結於「明體達用」的理論本體，以「氣本論」融通「體」、「用」之和合。

雖然龔自珍說：「《易》也者，卜筮之史也。」但《以史證易》向我們說明，楊萬里並沒有掉進卜筮的泥沼裡；他認為《易》為六經之首，天谷之羲播之，文王芽之，周公、仲尼申拆之。他清楚的知道《易》為六經之首的地位和來源，也知道《易》與史的關連，還凸顯「天人一體」、「變通」、「天下同歸而殊途，一致而百慮」的思維及「憂患意識」經世的思維。《以史證易》明白的指出「復其元」的「元」是氣之元，而「無極」也是「無聲無臭之至」的氣，將楊萬里《易》學氣本論化零為整。

本書分為〈引言〉、〈從文學到哲學〉、〈誠齋易學的緣起〉、〈楊萬里與「史事宗」〉、〈楊萬里的「以史證易」〉、〈楊萬里以史述剛柔〉、〈楊萬里哲學的發端〉、〈楊萬里哲學的氣學性質〉、〈楊萬里哲學的「明體達用」〉、〈楊萬里哲學中的民生思想〉及〈楊萬里哲學的詩化〉等十章，再加上結語〈如何認識楊萬里《易》學哲學這份思想遺產〉，及附錄〈楊萬里生平記事與《誠齋易傳》史證匯例〉。

曾華東先生，1957 年生，江西豐城人。中國人民大學哲學博士，現任南昌大學政治學院副教授、碩士生導師，南昌大學江西省大學生思想政治教育研究中心成員，南昌大學江右哲學研究中心兼職研究員。主要從事哲學、政治學和中國傳統文化研究，在《南昌大學學報》、《江西社會科學》、《高教改革》、《周易研究》等刊物，發表過二十餘篇論文。曾從事小說、詩歌、散文創作，《河西秋耘集》為其詩文集。

（許秀貞）

周知萬物的智慧——《周易》文化百問

《周知萬物的智慧——《周易》文化百問》 王振復著 上海市 復旦大學出版社 347頁 2011年3月

《易傳》云：「知周乎萬物而道濟天下，故不過。」其微言大義，易道宏深。雖知「道可道，非常道」，千言萬語都難以訴說明白那宇宙萬物的起源，但王振復教授本著崇德求真的精神，以當代文化批評的視野，重新審視、解讀《周易》文化；藉著問答的方式，費盡思量完成《周知萬物的智慧——《周易》文化百問》，使讀者在睿智的沉思與追問中，解開這所謂的「千古之謎」，進而體悟真理、活出生命的內涵。

本書分為〈巫，就在這裡徘徊〉、〈易，從原始人文的暗夜甦醒〉、〈獨具人文魅力的卦爻符號〉、〈以命理為文化基因的「偽技藝」〉、〈巫筮文化的超越與人文智慧的解放〉及〈當代文化批評：易理的啟示〉六大標目，在每個大標目下各有相關問題，共計一百題。

王振復教授，1945 年生於上海。現任復旦大學中文系教授、文藝學（中國美學）專業博士生導師，及復旦大學文藝學、美學研究中心副主任等職，長期從事《周易》文化、中國美學、文藝理論與中國建築文化等教學及研究工作。學術著作在國內外獲獎多次，並曾赴國外講學。著有《建築美學》、《天人合一：中華審美文化之魂》、《中國文化原典》等書，論文〈甲骨文字原始人文意識考釋〉、〈前詩：易經卦爻辭的文學因素〉等數十篇。（許秀貞）

邵雍易學與新儒學思想研究

《邵雍易學與新儒學思想研究》 宋錫同著 上海市 華東師範大學出版社 286頁 2011年6月

「北宋五子」——周敦頤、邵雍、張載、程顥及程頤在宋明理學的草創階段，都作出理論上的貢獻；他們試圖改變儒學中既有的本體理論，和佛道二教抗衡，重申「一個世界」的原則，強調世界的真實性，清除虛無的不真實。

邵雍從陳摶的《先天圖》得到啟發，提出的本體理論是「太極」；太極是絕對的「一」，由它分化，化育出數、象，再由數、象生出宇宙萬物。他整合易學和曆法，建立了一個內含數理、富有邏輯，推天道明人事的宇宙運行圖式。

由於邵氏思想涉及到易學、曆法、儒學、道學等領域，所建構的體系是如此的博大精深，因而當今學界關於邵氏的易學和儒學思想研究，無論在易學象數、儒學思想皆有所偏，未能作整體觀照，實乃憾事。本書作者洞悉此弊端，因而繼承前人研究成果，以新的思維和視野重新審視邵氏的易學和儒學思想。他由透析邵雍的先天、後天圖，觀察邵氏的易學義理；再以易學之義理推解新儒理的建構，抽絲剝繭的循序深入、前後融貫，重現一個完整、富有內涵邏輯，又有創新意義的易學和儒學思想體系，也還原了一個真實、德氣粹然的新儒者形象。

宋博士將邵雍易學歸納成「突破傳統的注疏模式」、「把傳統象數易學由關注天道而落實以人事」、「開啟宋明理學中內聖外王的話題」三點，將本書分為〈緒論〉、〈邵雍生平及其著作文本考辨〉、〈邵雍學術思想的歷史背景及淵源〉、〈邵雍易數與易圖思想探究〉、〈邵雍易學旨趣與內在理路〉、〈邵雍新儒學思想研究〉、〈邵雍易學與新儒學思想的流傳及評價〉七章。

宋錫同，1973 年生，山東濰坊人。中國人民大學哲學博士，現任教於華東師範大學，研究方向為《周易》與傳統哲學、佛教哲學及儒釋道心性論比較。著有本書及〈新儒學「成己」旨趣與易學詮釋〉、〈邵雍先天易學流傳考論〉、〈王弼「得意忘象」解《易》方法辨析〉、〈宗喀巴佛教改革的啟示〉等論文。

（許秀貞）

張政烺論易叢稿

《張政烺論易叢稿》 張政烺著 李零等整理 北京市 中華書局 313 頁 2011 年 1 月

《周易》號為群經之首，歷代研究者不勝枚舉；一向致力於古文字研究的張政烺教授，他將「方中鼎」在銘文末的「奇字」和《易》卦聯繫起來，進而產生新的看法及見解；對「老而學易」的張教授來說，他覺得那時腦力已衰，不能對《易》學有所發明，只求無大過而已。這本《張政烺論易叢稿》就是張先生研究易學所有文稿所彙集而成的著作，由李零先生等人共同整理付梓。

全書分為上下兩編：上編是張先生生前已經發表過的著作，一共有六篇文章。其中〈在長沙馬王堆漢墓帛書座談會上的發言〉、〈試釋周初青銅器銘文中的易卦〉、〈帛書《六十四卦》跋〉三篇，是和馬王堆帛書《周易》經傳有關；而另外〈易辨——近幾年根據考古材料探討《周易》問題的綜述〉〈殷墟甲骨文所見的一種筮卦〉〈馬王堆帛書《周易・繫辭》校讀〉三篇，是與商周數字卦有關。下編是張先生生前未曾發表的遺稿，為《馬王堆帛書《周易》經傳校讀》一書的排印本，其目次為〈總說明〉、〈六十四卦〉、〈二三子問〉、〈繫辭〉、〈易之義〉、〈要〉、〈繆和〉、〈昭力〉。

正文後有三個重要的附錄：〈首屆中國古文字研究會學術討論會（長春，1978 年 11 月 29 日－12 月 8 日）紀要（摘錄）〉、〈外國友人的紀念文章——我和張政烺先生的五次會面、訃告：張政烺（1912－2005 年）〉、〈張政烺先生的讀書筆記、參考書和信件〉。

張政烺教授，生於 1912 年，山東榕城人。忠厚篤實、少言寡語，為人正直、待人誠信，樂於助人、功成而弗居。學識淵博、治學嚴謹，對學術執著進取，過著深居簡出的樸實生活。2005 年病逝，享年九十三歲。張教授 1936 年畢業於北京大學歷史系，同年任職於中央研究院歷史語言研究所，曾任北京大學歷史系教授、中國科學院歷史研究所研究員、中華書局副總編輯等職。自二十世紀三〇年代起，張教授在教學、整理古籍及出土文獻等領域辛勤耕耘六十年，不僅對中國古代史、考古學、古文字學、古器物學、版本目錄學等具有開拓性的研究、解決了許多疑難問題，還在出土文獻整理、二十四史點校等重大學術工作中，培養無數的人才。他為中國學術的發展貢獻卓越，影響遍及國內外，而其主要學術成就都收集在《張政烺文史論集》一書中。

李零教授，1948 年生於河北，從小在北京長大。1979 年進入中國社會科學院研究生院考古系，師從張政烺先生作殷周銅器研究，1982 年獲歷史學碩士學位，後從事考古發掘。1985 年起任教於北京大學中文系，現為北京大學中文系教授。李教授的研究方向有簡帛文獻與學術源流、中國古代文明史、中國方術研究、《孫子兵法》研究、中國古代兵法、《左傳》及海外漢學，其重要著作有《孫子古本研究》、《中國方術考》、《郭店楚簡校讀記》等書。（許秀貞）

楚竹書與漢帛書《周易》校注

《楚竹書與漢帛書《周易》校注》 丁四新著 上海市 上海古籍出版社 559頁 2011年4月

從古至今，我國已具有三千年的《周易》經學和文化史；近二十多年來，學界已將出土和傳世的《周易》文獻結合起來研究，因此，簡帛本的整理和注釋工作就顯得格外重要。

長沙馬王堆漢墓帛書《周易》、阜陽漢簡《周易》，出土於二十世紀的七〇年代。戰國楚竹書《周易》總共有五十八枝簡，一千八百零六字，1994 年初，流轉於香港古玩市場，現由上海博物館收藏。帛書《周易》有幸殘破不多，尚保存完整。

丁四新教授傾注心力、精心結撰的《楚竹書與漢帛書《周易》校注》，不但依據清人的校勘、訓詁的方法，同時還積極吸納現代古文字學和古語言學方法來完成此書。以漢唐注疏為主導，用帛書本、阜陽本、漢石經、王弼本、陸德明《釋文》、《易傳》類帛書對勘，輔以《說文》引經、阮元《校勘記》、黃焯《經典釋文彙校》、李鼎祚《周易集解》等。除參考古籍外，本書還廣泛的徵引簡帛學界及劉大鈞教授等易學界學者的新近看法。書後所附新訂《易傳》類帛書釋文，也用心參考張政烺先生新出版的釋文手稿。

丁四新教授，1969 年生，湖北黃陂人。1993 年畢業於廈門大學哲學系，1999 年獲得武漢大學哲學博士學位，師從蕭萐父、唐明邦、郭齊勇等先生。現任武漢大學哲學學院教授、博士生導師，曾赴法國、比利時、美國及港臺地區參加學術會議，或作學術演講、訪問研究。研究領域為古代中國哲學、出土簡帛和易學研究，主要著作有《郭店楚竹書老子校注》、《郭店楚墓竹簡思想研究》、《玄圃畜艾——丁四新學術論文選集》等，並參與編輯《新編中國哲學史》、《中國古典哲學名著選讀》，另有〈「性相近也，習相遠也」——王安石性命論思想研究〉、〈論孔子與郭店儒簡的天命、天道觀〉、〈《周易》德義利略論〉等論文四十餘篇。

（許秀貞）

【尚書類】

《尚書》鄭王比義發微

《《尚書》鄭王比義發微》 史應勇著 上海市 華東師範大學出版社 325頁 2011年6月

東漢末年鄭學仍盛，然經典的傳習變化，已由先秦專論之微言大義，一轉至西漢的章句之學，東漢時又衍為專重訓詁之注。王肅出身經學名家，雖為後起之秀，然曾采會同異，遍注群經。又因嫁女與晉文帝司馬昭形成聯姻，自此參與朝政，官至太常，總領五經博士，並將自己所注經籍列入學官，與鄭學並立。王肅注經時與鄭異，又撰《聖證論》以譏鄭玄，雖學術時受政治動盪所影響牽制，然鄭學弟子恪守師說，鄭王兩派於是相互攻訐，鄭王之爭乃以此為開端。由於王肅著作幾乎亡佚，鄭王之爭，只能藉由後世的著述窺見其學說之梗概。作者鉤稽眾書、輯列注文，貫通偽孔傳、《經典釋文》、《尚書正義》等書，一一梳理出殘存的鄭王之注，復援引臺灣學者李振興《王肅之經學》之說，在資料多重交錯比勘之下，一一疏證，直申鄭王之義。本書前有彭林、虞萬里二位先生之序，接以導言：《尚書》學簡史及本書研究取向、凡例後，進入《尚書》各篇專論，末有主要參考文獻及跋。本書將鄭玄與王肅對於同一部經典所產生的分歧注解，全面地以詮釋學、哲學、人類學、文學等視角，進行文獻梳理與跨學科的思考分析。

史應勇，1965 年生，內蒙古臨河人。1989 年獲陝西師範大學歷史學碩士學位，2001 年獲復旦大學歷史學博士學位，2002 至 2004 年在四川大學從事博士後研究。現任江南大學人文學院副教授、榮氏研究中心主任。著有本書與《鄭玄通學及鄭王之爭研究》，近年在《史學月刊》、《學術月刊》、《齊魯學刊》、《四川大學學報》等學術刊物上發表論文十餘篇。 （張雅琪）

【詩經類】

唐詩與《詩經》傳承關係研究

《唐詩與《詩經》傳承關係研究》　李卓藩著　香港　中華書局（香港）　262 頁　2011 年 11 月

歷來對《詩經》的研究，多側重於語言訓詁和義理說詩方面，偏離了文學研究的軌跡。本書重視《詩經》的文學元素，從文學闡述的視角去探索《詩經》及其對唐詩的正面影響，認真吸收前代人文學說詩的讀詩心得和研究成果，著重探索《詩經》對唐詩發展的文學影響及其傳承關係，給《詩經》研究帶來了新氣象，也為唐詩發展找到了真正的藝術淵源。本書的出版，具有較高的創新意義和學術價值，溝通了《詩經》與唐詩的藝術渠道，將有力地推動詩經史和唐詩學的研究。

李卓藩，生於廣東省汕頭市。香港浸會大學榮譽文學士、新亞研究所文學碩士、文學博士。曾任樂善堂轄屬中小學校長、大專院校文商科教師、九龍城區議員，現任香港樹仁大學中文系高級講師。著有《李賀詩新探》、《韓愈詩初探》、《稼軒詞探賾》、《韓孟詩派闡微》等書。（廖秋滿）

周秦時代《詩》的傳播史

《周秦時代《詩》的傳播史》　馬銀琴著　北京市　社會科學文獻出版社　267 頁　2011 年 7 月

《詩經》是中國最早的詩歌總集，原名為《詩》。《詩》為周代王官之學，至孔子傳授《詩》，著重於《詩》與禮樂政治相關的言志功用與提升修養的倫理道德意義，因而《詩》的傳播也逐漸走向儒學化、倫理政教化的發展。《詩》展現春秋以前中國詩歌的重要成就，歷經時代的轉變，在倫理化的闡釋中逐漸演變為儒家經典，成為中國文學史上經典的文化遺產。

本書前有出版前言與王小盾先生的序，內容由導言、正文、結語、主要參考書目、後記等部分組成。導言的部分先將《詩經》的傳播史與古今研究方法角度做個探討。正文的部分共有五章，每章再分節述論。第一章為周代禮樂制度下詩歌的傳授系統，共三個小節，探討瞽矇之教與國子之教兩大傳詩系統；第二章為春秋時代賦引風氣下《詩》的傳播，共二個小節，討論春秋時代《詩》傳播的方式與影響；第三章為戰國時代《詩》的流傳及特點，共三個小節，簡述戰國時代的歷史與《詩》的流傳；第四章為戰國時代儒學的地理分布及《詩》在各諸侯國的傳播，共五個小節，介紹儒學與《詩》在各諸侯國的發展與流傳；第五章為儒家詩教與儒學傳統中的《詩》，共四個小節，探討孔子、子夏、孟子與荀子的詩學思想。

著者馬銀琴，1972 年生，寧夏隆德人。揚州大學中國文化研究所古代文學博士，現為中國社會科學院文學研究所古代文學研究室副研究員，專長為先秦文學研究，著有本書及《兩周詩史》等。（莊喬惠）

《詩經》分類辨體

《《詩經》分類辨體》 韓高年著 上海市 上海古籍出版社 282 頁 2011 年 3 月

無論「四始」、「正變」、孔子刪《詩》與否等，咸為中國自古以來治《詩》通常會聚焦、關注之課題。翻開中國《詩經》學史，所記載之學者與著作，鮮有不涉及這些《詩》學上之重要問題。然就本書作者韓高年之師——趙逵夫先生看來，諸如此類者，不過是漢代經師們所「製造」的一些「偽問題」；但劉漢以降的一些經學家，卻沉浸於這些 trouble maker 之「遺毒」中，而或多或少地忽略透過《詩經》認識、探析當時之社會風俗、人文情感、思想背景等面向。韓氏此著，正是以歷史文化著眼，將整部《詩經》做分體研究，如題材、地域、詩體，又包含章法結構、句法結構、詩體功能、作者類型等。

在對農業詩歌之分析探討中，作者注意到農民重「時」之現象，人文社會之進展與自然緊密配合，莫可截然二分。荀子〈天論〉云：「養備而動時。」孟軻言：「斧斤以時入山林。」無論「動時」或「以時」，咸強調要合乎時宜。因此，「重時」即自然帶出「守序」之觀念，〈七月〉此作便展現依照時令月份，自然而然，天人融一之境界。「禮別異」之精神並非訴諸對立、激化彼此，反是經由次序之安排劃立，臻至和諧社會之目標。故由農事上之不失其序，可擴展至人文社會之德行倫常，而此亦是朱子《詩集傳》中引王氏論〈七月〉之詩旨。

關於東周宣王宴飲詩作之討論，作者以〈鹿鳴〉、〈伐木〉、〈常棣〉三詩為例，從嘉惠、寬恕至以花萼與飛鳥喻兄弟相依相助之情，咸為周宣王在歷經西周末葉凋敝喪亂，希圖藉由宴飲歌詩收拾人心，團結一體以重振周室。而在本書第六章討論「哲理倫常詩」時，作者亦廣為舉例說解，如〈六月〉、〈淇奧〉之尹吉甫、衛武公修德有為之儀範；〈小旻〉、〈小宛〉中敬慎之處世態度；傳達孝與悌之〈蓼莪〉及〈皇矣〉等。

至於在先秦文化之探討中，撰者將詩三百裡有關「玉」之詩作摘擇出來，或以攻玉、治玉以喻提升個人之德行修養，如〈淇奧〉、〈鶴鳴〉；或以玉為祭祀之用，如〈旱麓〉、〈斯干〉；或由〈大東〉一詩觀看無德者之尸位素餐、沐猴而冠，以及表達佩玉者之高貴。凡此皆是自《詩經》了解先秦之崇玉習俗與文化背景。而就「地域」方面之研究，鄭國因有其特殊之地理環境、人文背景，因而〈鄭風〉中頗多情詩作品，而其敘述、表意亦較為活潑熱烈，以體式而觀，如對話體、唱和體與「二章體」形式之迭出，俱係受其地域影響。

觀《《詩經》分類辨體》一書，不但於闡述解說時引用資料豐富，且在《詩經》與先秦文化、社會背景、人文思想之關聯上能有所掘發、梳理，洵為有興趣於「先秦文學與文化研究」者再三細讀。然其中仍有幾處疏漏，現略舉如下：何以「前言」第 5 頁之注 2 及「正文」第 126 頁之注 1 皆未標明頁碼？其二，第 120 頁之注 1 提到「後代說《詩》者也有人從其說」，此應舉例所指之「後代說《詩》者」，方更完備。其三，第 164 頁之注 1 與頁 171 之注 1 為同書，何以前略後詳？又為何在頁 164 時作「臺灣聯經出版事業公司」、頁 171 時作「臺北聯經出版事業公司」？又為何在頁 164 及頁 171 注 1 之《詩經詮釋》為「1983 年版」，但在「主要參考文獻」中，卻只見作「1984 年版」者？其四，第 178 頁中分別引有《管子》與《荀子》兩段獨立引文，何以僅有前者有注？其五，第 231 頁最後一段提到：「《樂記疏》引許慎《五經異義》，謂鄭詩二十一篇，說婦人者十之九。」然此資料之注腳內容卻是魏源之《詩古微》。照理來說，應為《禮記．樂記》才是。且此篇之疏中的確有許慎所言者，疏曰：「許君謹案：『鄭詩二十一篇，說婦人者十九矣，故鄭聲淫也。』今案：鄭詩說婦人者唯九篇，《異義》云『十九』者，誤也，無十字矣。」

（劉鎮溢）

《詩經》研究

《《詩經》研究》 劉立志著 北京市 中華書局 219頁 2011年1月

本書為《漢語言文學專題研究系列》之一，主編為駱冬青先生，因有感於漢語言文學專業的課程，其核心部分是語言、文學知識體系的建構，以經典研讀為重要內容，形成充實而又靈動的獨特能力與智慧。但是，傳統獲取知識的方式，在「電腦」天文數字的計算與傳輸速度面前，許多已經落後，網路上隨時可搜尋到大量的資訊。因此，現在在大學中，除傳承知識的功能外，更應強調的是探索知識、研究知識、創造知識，是「轉識成智」，是把「集體記憶」化作「個體」的精神活水和智慧與創造之源；是在「知識」形成的「重演」與創造中，讓人類天才的智慧化作人類的智慧與天才！是把「學問」變為動詞，把「大學」變為「大學問」的創生地。

大學課程中，最為重要的就應當是「專家」課，是「研究」課，是「專題」課，是最重要學術領域最新進展、最高境界成果的「活靈活現」的展示與交融，漢語言文學教育中，「名師出高徒」，正在於「名師」能將一切知識資源、精神資源化作研究的獨到心得見解，並且形成新的知識、新的智慧、新的境界。所以本研究系列請專家以各專題撰寫成書，希望學習不限於大學，不限於課堂，只需建於紙上。

也由於這個目標，作者本書類似授課計畫，一開始序論就談為什麼開設《詩經》這門課程、如何開設講授來展開，透過選讀《詩經》核心篇目，串講宏觀主題，使讀者瞭解「詩三百」的基本內容與藝術特色，把握《詩經》學的發展脈絡，深入認識《詩經》的性質和稱名、其文本結構與體系、其產生的歷史背景、其思想內容、藝術技巧、歷史源流以及文化影響等十五部分，書後並附有參考書目。

劉立志，南京師範大學文學博士，現職南京師範大學文獻與信息學系副教授，研究方向為先秦兩漢經學文獻、詩經，其重要著作尚有《漢代詩經學史論》、〈孔子刪詩論爭平議〉、〈先秦逸詩殘句摭釋考論〉等。 （廖秋滿）

詩經風雅頌研究論稿新編

《詩經風雅頌研究論稿新編》 張啓成、付星星著 北京市 學苑出版社 482 頁 2011 年 1 月

作者《詩經風雅頌研究論稿》一書原於 2003 年元月出版，但經過七年，隨著詩經研究的不斷發展與深化，作者認為有修訂增補的必要，因而出版新編。書中國風部分的修改，首先是增補〈再論〈周南〉與〈召南〉〉一文，因為《左傳》與《毛詩》的舊說已成明日黃花，〈二南〉創作時期的新說業已佔據上風，因此必須增補。〈國風閱讀賞析指要〉一篇，增補八千餘字，使之更完善。雅詩部分，加強了大小雅區別的論述，並增補了二篇考證文章，一篇是〈「舟人」解〉，一篇是關於〈小雅・北山〉的。頌詩部分，增補新作〈〈商頌〉逸詩七篇蠡測〉一篇，此文以地下出土文物為依據，又根據殷代的歷史文化，以雙重證據法寫出此文，應該有一定的新意。另外增補兩篇舊作，著重探討了〈商頌〉是否有重大修潤的問題。再補上兩篇分析〈魯頌〉作品的舊作，加深對《詩經》頌詩的認識。

張啟成教授這本書，是以文本研究為主的，看起來是一篇篇獨立的論文，而合起來，以〈風〉、〈雅〉、〈頌〉為序分類編排，對這三類詩中有爭論的詩篇作新的索解，全書的這一中心主題相當明確。著者既薈萃諸家有代表性的不同說解，比較論析，又就歷史背景、文獻資料、辭句訓釋來貫通詩義，提出不同於前人的識見。

張啟成，1936 年生，上海市人。1960 年由復旦大學中文系畢業，歷任黔南民族師範專科學校副校長、貴州大學中文系主任。現任貴州大學教授、古代文學碩士點領銜導師、貴州省古典文學學會名譽會長、貴州歷史文獻研究會副理事長。主要從事中國古典文學的教學和研究，自 1958 年以來，發表的論文和出版的著作字數達數百萬。著有《中國文學發展史》上下冊、《古代文學名作分析》、《現代文學名作分析》、《外國文學名作分析》（合著，由香港長河出版社於 1979 至 1980 年出版）等。

（廖秋滿）

《詩經》原意研究

《《詩經》原意研究》 〔日〕家井真著 陸越譯 南京市 江蘇人民出版社 381頁 2011年1月

《《詩經》原意研究》一書係由日人家井真撰、陸越譯。無論從中譯版書名「原意」或原文版之「原義」，皆可知曉作者撰作是書之期許與企盼。家井博士以銅器銘文、傳統國學之研究成果、近代《詩經》問題之討論以及一般《詩經》相關書籍較少觸及之日本漢學家見解等資料，希圖對《詩經》之形成、產生、語句字詞、篇章結構、文化背景等「原意」進行論述。

歷代關於「風」、「雅」、「頌」之探論，如夏之繁星。作者在「頌」為「容」之假借字此基礎上，認為頌詩乃宗教性質之歌舞詩，且其旋律極為徐緩。而「雅」為「夏」之借字，其詩篇為在周天子、諸侯的宗廟社裡由巫師舞蹈的，以模仿儀禮為中心的宗教假面歌舞劇詩。「雅」、「頌」二者之目的，咸為經由祭祀、祈禱以求庇護。至於「風」，則係「凡」之假借，「凡祭」旨在召神降福，其鵠的率同「雅」、「頌」篇什。此外，作者注意到宗廟彝器上所刻鏤之銘文，如微䜌鼎、秦公鐘等以四字句之形式為主，且銘文成語與〈雅〉、〈頌〉諸篇相較，頗為近似，可證後者之產生，乃豐富彝器銘文的文學性所致。至於〈風〉詩中之成語則與銘文無相近似之關聯性，其產生之基礎為地方城市或村落之祭祀活動，不同於〈雅〉、〈頌〉之宗廟、神社等宗教詩歌。從章節構成來看，先有一章構成之〈周頌〉，後漸發展為複數章節之〈雅〉詩，再則逐步形成帶有地方古俗之降神歌之〈國風〉諸篇。

引經據典之目的通常是「挾古自重」，或強化說服力，或增加文學性。作者既以《詩》三百篇為宗教詩，遂以詩中之「興詞」具咒語、咒謠之效力，與古代之習俗密不可分，唯宗教儀式之神聖性漸趨消衰，這些流傳下來之「興詞」遂成一般所言之「托事於物」、「興物而作」者。舉例來說，撰者將《詩經》中「魚」之意象析為豐年、盛筵及多子三種，再透過考訂「蘇」字之涵義，說明「魚」具有令禾苗「復蘇」之期待，這對以農立國者而言，極具意義，故如〈魚麗〉、〈魚藻〉等皆透過歌詠盛筵，流露魚帶來穀物豐饒之感激。另外，經由《禮記》、《儀禮》所記載之習俗與聞一多之論，「魚」與女性亦息息相關，具綿綿瓜瓞之期待，此於〈敝苟〉、〈衡門〉均能得見。

作者長於旁徵博引、資料分析尚可見於對「羔裘」、「夙夜」之分析上。「羔裘」本為祭祀時「尸」所穿之祭服、禮服，亦為吉事時所著之吉服，後詞意擴大為從事這些儀式活動之儒者所用之儒服。可見，「羔裘」與祭祀活動關連甚著。因此作者在分析〈鄭〉、〈唐〉、〈檜〉三風之〈羔裘〉時，運用中、日習俗等相關文獻，自然地將三詩與宗教性結合。又「夙夜」本為勤勉、戒慎之意，於《尚書》、《論語》、《國語》等典籍中皆然，《詩經》中之〈小雅・雨無正〉、〈大雅・烝民〉、〈魯頌・有駜〉等亦復如是。然日後二字分開使用，「夙」有別於原義，而為「早」之意，如〈氓〉、〈定之方中〉等。而透過「夙夜」詞意演變之探討，可推得《詩經》中各詩篇成立之時代先後，當以〈頌〉為先，次則〈雅〉，再為〈風〉。

此書於引用《詩經》原文後，皆有相當篇幅之字詞說解，且除各章均有「結語」外，於書末附有「各章概要」與「篇名索引」，凡此，對於讀者進行《詩經》文本之閱讀、其時文化背景之理解咸有所助益。然是書尚有可商榷處，現略舉如下：其一，「序論」頁 3 之注 4「開明書局」有標明出版地「臺北」，何以在第一章頁 7 之注 2「華正書局」卻未標「臺北」？其二，此書係以簡體字出版，何以在頁 5 之注 1 中之「誠」作正體字？其三，頁 38 文中有作「《大學・修身齊家治國平天下》」者，何以有如是「篇名」？所據何本？其四，何以頁 276 與 350 中皆作「《荀子・子道》篇」，而頁 282 則著錄為「《荀子・子道篇》」？　（劉鎮溢）

《詩經》《楚辭》補釋及其他：語法訓詁論集

《《詩經》《楚辭》補釋及其他：語法訓詁論集》　羅英風著　廣州市　花城出版社　285 頁　2011 年 5 月

本書集結作者從事高校教學以來在各級期刊上所發表的有關於語法訓詁的論文，論集之中對《詩經》、《楚辭》的語法結構和訓釋章句用力獨多，補釋之外，還有幾篇論文專談《詩》、《騷》的詞法及句法特點，還有幾篇論文分析古今漢語的某些語法現象，皆超軼成說、自出機杼。又附有一篇是在高校教學成果優秀獎評選中得到省一級優秀獎及國家級優秀獎的古漢語教學經驗，題為〈發展獨立能力，培養開拓精神〉，而開篇的〈古書訓釋中的語法限制〉則可視為全書之弁言。最後一篇是對長達百餘萬言的史學名著《世界史綱》梁思成譯文的指瑕，梁氏為中國富有盛名的博雅學者，其譯文雅馴通暢，但有時疏於英語之語法結構而有誤譯之處。本文特一一舉例指明，先列原文，次附原譯，再加上辨誤和重譯以資對照。其內容固屬語法訓詁之範疇，故亦附書編之中，於讀史者或筆譯者或有所助益和啟發。

本書目次：〈古書訓釋中的語法限制〉、〈《詩經》補釋〉、〈釋「德音」與「雖無」〉、〈《詩》「言既遂矣，至於暴矣」解〉、〈《氓》詩增解四題〉、〈《詩經》中疊音形容詞的語法功能〉、〈《楚辭》補釋〉、〈《九歌・山鬼》探勝〉、〈《楚辭》詞法句法拾穗〉、〈釋《詩經》和《楚辭》中的「爰」〉、〈「互文」與《詩》《騷》新解舉例〉、〈所字結構中的成分省略〉、〈論存現句〉、〈論「主謂短語」〉、〈主謂結構作修飾語的位置問題〉、〈漢語的缺乏型態正是中國詩歌魅力的一個成因〉、〈詩歌欣賞中的心理體驗〉、〈發展獨立能力，培養開拓精神〉、〈古典文學作品的詞彙教學〉、〈威爾斯《世界史綱》梁譯匿瑕舉隅〉。

羅英風，語法、訓詁專家。1949 年畢業於上海暨南大學中文系，新中國成立初期，曾任南京三野政治部宣傳部全軍性刊物《文藝叢刊》助理編輯。1950 年秋在上海蘇聯商學院進修俄語，1951 年受聘到長春東北商專俄語系任教。1953 年到廣東揭陽一中任教，並負責培訓全縣中學語文教師，講授語法修辭和古代文學。1978 年調入韓山師專（現韓山師範學院）任教，先後擔任英語系及中文系主任。1990 年退休，享受地專級政治生活待遇。在國家級、省級刊物及學報上發表多篇以語法、訓詁內容為主的學術論文，其中對《詩經》和《楚辭》用力較多，在訓釋中除活用音韻訓詁之外，特別突出語法的作用，提出一些全新解釋和獨特見解。

（廖秋滿）

詩經論稿・卷一

《詩經論稿・卷一》　簡良如著　新北市　Airiti Press Inc.　233頁　2011年2月

《詩經論稿》為作者計畫性出版的系列叢書，其內容為作者對《詩經》中不同主體之領受與闡發，盼能有別於《詩》學研究著作之書寫傳統，非特將個人之感悟紀錄，也希望能將這些化為文字之所思所想，注入讀者心中，對《詩經》之閱讀與研究盡一份心力。

本書為簡氏此系列叢書之首卷，分為「《詩經》學緒論」與「《詩經》之道」兩部。前者主要分為兩大項，在「《詩經》閱讀法——兼論《詩經》書寫特性」中，撰者對個體性與否、詩作重章疊唱之精確性、「不以文害辭，不以辭害志」以及《詩》六義等皆有所探討，並輔以詩歌作品進行分析。而在探討篇什結構時，除以〈周南〉說外，作者尚透過文、武、成三字之說解，如文之「周文」、武之「踵武」、成之「完成」，將此什中之各詩，析其要旨，製為一表，頗便觀覽。另外，在「《詩經》既有詮釋面向」裡，作者對傳統之《詩經》學史有一扼要之介紹，概述中以「詮釋」方向為主幹，著重說明、比較各時期之異同。至於現代《詩經》學研究之重點，由於科學技術與研究方法之進步與精深，遂有出土文獻、詮釋向度以及歷史研究等之改變及進展。又因《詩經》可謂群經中更關乎個人心志創作之典籍，遂於「詮釋向度」上出現「個體價值」及「群體倫理」之矛盾與衝突。

第二部份「《詩經》之道」，可視為全書之重點所在。作者扣緊「人」此一概念出發，分別討論與之相關之「民」之純樸、「兩性」差異、「自然」之人與萬物以及人之「生命力」等四項。其中，關於「兩性」之探討洵可稱作此部之主力。

簡氏透過對〈斯干〉一詩後半卜夢生子一段之深入分析，並輔以相關探討兩性者，如〈氓〉、〈遵大路〉、〈女曰雞鳴〉、〈溱洧〉等詩作，認為男子重視對方之「素質」，而此亦象徵自身生命實踐之鵠的與嚮往；女性則較著重對方之心意及感受、體會等面向。男性雖有建功立業之期許，與女子有別，然作者認為，此並非「尊卑」之表示，相反地，後者以其關懷、濟弱、溫柔、承載之價值取向與生命情懷，仍係社會不可或缺之角色和地位。

此書就筆者所見，似有疏漏處，現分點略述如下：首先，在第 18 頁的引文中，依據新式標點符號之用法，上下引號中如尚有引文，理應以『』表之。其次，於第 29 頁之注腳第三行，作者與書名間應以「：」表示，然此處卻作「陸文郁，《詩草木今釋》」。其三，第 100 頁中「元、明兩代《詩經》學為朱學所壟斷，一切以《詩集傳》為準。」此句敘述或顯武斷。其四，第 150 頁提到「文明多由男性所參與、樹立，女性卻始終自存於家庭、情感、生活等關係中。」此句似有矛盾，既是「多由」，便表示仍有「少部分」文明非由男性所創立，然而卻又以「始終」來說明女性之角色，那麼這些「少部分」所指為何？其五，第173頁稱「女性絕不會以男性或中性的姿態面對所愛戀之異性，反之亦然。」作者以「絕不會」如此決絕之語將一切現象全然否定，然而只要去思索或觀看，即可發現與之格格不入者俯拾即是。

《詩經論稿・卷一》一書，雖有上述之瑕疵，然其中目錄之設計安排、作者之分析探討、理論解說以及將所知所感以主題歸納方法加以介紹闡述等，對於有志於詩作賞析、文化背景之認識以及查詢相關資料上，具有一定之便利性。期待作者能矢志不懈地完成整部叢書，對於卷一中尚未論及之其他面向，加以析探，對於讀者在《詩經》研讀上有所激盪。（劉鎮溢）

詩經韻譜

《詩經韻譜》 王顯著 北京市 商務印書館 485頁 2011年1月

明末顧炎武《日知錄》、《音學五書》對《詩經》韻例的研究，到了清代如江永《詩韻舉例》、孔廣森《詩聲分例》、江有誥《詩經韻讀》等等，均是自顧氏以下對《詩經》韻例研究與古音學研究所呈現出的輝煌成果。

本書作者在前儒研究的基礎上，通觀《詩經》的全篇，透過圈畫、排比、分析各章的韻腳，將各個孤立的篇章，訂訛補缺，重新串連起來。作者希望讀者能全面了解現代各家對上古語音所作的模擬、建構，並且對上古的整個音系，以及這個音系中的具體字音有較為透徹的瞭解。

書由三個篇章組成：一是韻例說明，二是詩韻文本，三是古音輯要。「韻例說明」是作者在前人研究成果的基礎上，通過自己對《詩經》韻腳的反覆圈畫總結得來，交代韻例研究的歷史，以及用韻的規律，並分別各韻在句法中的運用。「詩韻文本」是作者根據「說明」，具體地描述各篇、章、句用韻的意義。作者將所有的詩篇一字不落錄出，提供從《詩經》標韻腳的實際習作，由讀者琢磨、判斷分析。「古音輯要」是作者將漢語語音發展的歷史分作上古、中古、近古、現代四個時期，標出《詩經》某些篇章中入韻的字，以供讀者分析。

王顯（1922－1994），字尊榮，別名伯晦，湖南省衡山縣人。1945 年畢業於湖南大學中文系，三年後在此任教。早年師從楊樹達、曾運乾二位先生，1953 年至中國社會科學院語言研究所工作，其間曾跟隨羅常培、陸志韋攻讀在職博士研究生。於社科院歷任第四組助理研究員、古代漢語研究室主任、研究員、語言所學術委員會委員，1980 年中國音韻學研究會成立，歷任學術委員會主任、副會長。畢生致力於音韻學研究，著有《異文古讀匯編》三十卷、《雅詁外表》三十卷等，以及〈《切韻》的命名和《切韻》的性質》〉、〈古韻陽部到漢代所起的變化〉等四十多篇學術論文。

（毛翔年）

詩論與賦論

《詩論與賦論》　王長華著　北京市　學苑出版社　386 頁　2011 年 10 月

本書有三類文章，收《詩經》學的研究論文十二篇、辭賦論文六篇、文化與文學史論及對當代研究的反思八篇，後兩類也與《詩經》學有所關連。作者善於從不同的學術角度選題，所研究討論的大多是前人很少研究或探討的課題。〈漢初《毛詩》「不列於學」原因再探討〉和〈漢代河間儒學與《毛詩》〉二文，從漢代政治背景和《毛詩》的政教內容起論，將《毛詩》從不列入學官到獨尊一家的歷史因果，作了詳盡、合理的論述。〈從《詩經》看先秦理性精神的發展和演變〉、〈《毛詩》美刺和唐代諫諍精神〉二文，分別從哲學、歷史學角度來探討《詩經》的內涵及其功用，論題新穎，論述深入。〈《魯頌》產生時代新考〉、〈《詩》學著述唐代亡佚考論〉是兩篇考證性論文，引據豐富的資料進行考釋，立論可信。其他幾篇《詩經》學論文和第二、三類文章也大都如此，材料翔實，言之有據。最後四篇文章，作者申述了對當前古代文學研究的反思，認為古代文學研究正進入一個轉型期。

本書目次如下：〈春秋時代的歌《詩》〉、〈《魯頌》產生時代新考〉、〈《詩經》講述：農獵情懷〉、〈從《詩經》看先秦理性精神的發展和演變〉、〈「《角枕》婦」解〉、〈《毛詩》與漢代文化精神〉、〈漢初《毛詩》「不列於學」原因再探討〉、〈漢代河間儒學與《毛詩》〉、〈《詩緯》與《齊詩》關係考論〉、〈孔穎達《詩》學觀論略〉、〈《詩》學著述唐代亡佚考論〉、〈《毛詩》

美刺與唐代諫諍精神〉、〈漢《郊祀歌》與漢武帝時期的郊祀禮樂〉、〈說「隱」〉、〈從《天問》看稷下學對屈原思想的影響〉、〈論宋玉大小言賦在賦體發展史上的意義〉、〈漢代賦、頌二體辨析——兼談文體辨析的方法和意義〉、〈從《漢志・詩賦略》賦體類分看班固的「賦」觀念〉、〈漢賦文體形成新論〉、〈論原始儒學對中國文化傳統的奠基〉、〈《史記》傳記非史筆描寫及其文學效應〉、〈中國古代文體的價值序列及其影響〉、〈文學的歷史變遷與文學史研究的接榫——以先秦兩漢文學為例〉、〈也談二十世紀古代文學研究的困惑與反思〉、〈對中國古代文學研究中若干問題的反思〉、〈中國古代文學研究與當下關懷〉、〈先秦兩漢文學思想概述〉、後記。

王長華，1956 年生，河北威縣人。華東師範大學歷史學博士，現任河北師範大學教授、中國古代文學專業博士研究生導師，兼任中國詩經學會會長、中國古代文學理論學會副會長、中國文藝理論學會理事、中國屈原學會常務理事、河北省文學學會會長、河北省社會科學界聯合會副主席。主要研究方向為中國古代文學、先秦兩漢文學研究，著有《春秋戰國士人與政治》、《孔子答客問》、《詩論與子論》、《風雅體詩選》、《中國歷史的 B 面》、編有《河北文學通史》等。

（廖秋滿）

學術探求與春秋大義：魏源《詩古微》研究

《學術探求與春秋大義：魏源《詩古微》研究》 曹志敏著 北京市 社會科學文獻出版社 337 頁 2011 年 6 月

在今文三家詩研究復盛的學術大潮中，魏源所著《詩古微》是清代《詩經》學史上闡發三家詩微言大義的一部重要著作。本書以魏源《詩古微》為研究對象，將之置於晚清社會、政治發展的大背景之下，深入探討其學術價值、政治功用和思想意義。作者尤其注重分析《詩古微》經學論述背後所蘊含的深層思想動機，對魏源《詩古微》在《詩經》研究方面的學術探求成就及其所蘊含的《春秋》「微言大義」等政治變革思想，進行了系統的考察，以期改變魏源經學思想研究不足的現狀，在清代經學史、詩經學史上給魏源《詩古微》以準確的定位。

本書目次：〈序言〉、第一章〈導言〉、第二章〈《詩古微》對《詩經》學術問題的探求〉、第三章〈《詩古微》對《詩經》世次的考辨〉、第四章〈《詩古微》對《春秋》大義的闡揚〉、結語〈魏源《詩古微》的總體特色〉、文獻資料與參考書目、後記。

曹志敏，1971 年生，河北灤縣人。北京師範大學中國近代史專業博士，首都師範大學博士後研究，先後師從龔書鐸教授、魏光奇教授，現任天津師範大學歷史文化學院講師。主要研究方向為中國近現代思想文化史及清代社會史，已發表學術論文數十篇。（廖秋滿）

韓詩外傳研究：漢代經學與文學關係透視

《韓詩外傳研究：漢代經學與文學關係透視》 于淑娟著 上海市 上海古籍出版社 380 頁 2011 年 10 月

以中國經學之發展而言，漢代無疑是其中之重點，如經學典籍之承傳、五經博士之確立以及今、古文之爭等，對於經學研究者來說，這些咸為不可忽視之課題。相較於上述議題，漢代講經形態之研究就顯得薄弱許多了。講經形態之研究雖未能若其他經學問題受到相當重視，卻不表示此方面不具探究價值。相反地，經由對講經形態之潛心研探，可觀察、分析出當時之文化背景、思想特色、文本之書寫方式及其承傳與新變，對於經學研究頗有助益。本書作者正是從此思考出發，擇取《韓詩外傳》為主幹，探索、分析與之相關之典籍文本、思想文化。撰者首先透過山東漢墓之「講經圖」畫像石、成都市郊出土之「傳經講學」畫像磚、《禮記》中有師生問答之現象、《荀》書有弟子對荀子課堂講授之真實記錄等文獻，以及《韓詩外傳》本身之行文結構，認為是書有問答與口語講經兩種形式。進而開展出對相關文本、思想關聯性之分析探討。

從《左傳》之記載可知，《詩》於其時甚為流行，為朝聘交往之必需。後雖沒落，然《韓詩外傳》賡紹《左傳》「以事喻義」之優良傳統，對於《詩》之傳播及其中政教、禮樂、修養等思想之推廣，具一定之意義。然不同於《左傳》中無論良窳善惡皆可賦《詩》，《韓詩外傳》僅有「正面形象」者能引《詩》，這番苦心設置，洵有高度教化意義。

關於《荀子》中引《詩》與《韓詩外傳》之關係，作者于淑娟不但製成兩者所錄相同詩句之統計表，並深入分析，認為後者雖對前者有一定程度之承繼，然非墨守成規，會考慮主觀所需及客觀情境有所因應。如語句改變、義理替換、踵事增華等，或為口語表達而致，或以渲染效果而為。此外如《韓詩外傳》卷九第七章中刪去「父子同麀」等語，亦是因本身係口語表達，異於《晏子春秋》、《禮記》、《新序》等文本形態而然。

要之，《韓詩外傳》作為一講經著作，其內容勢必與儒家義理環環相扣，重視道德學養；而於文本形態上或因而生動有味，或因受限於「講義」的口語形式而簡略。

于氏此書，以《韓詩外傳》為中樞，深入探討而文字流暢，對於了解《韓詩外傳》內容、史傳文學之特色與傳承、儒家思想文化之發展等皆具功效，甚值細讀。然其間仍有應再商榷處，現略舉如下：其一，第 32 頁之注 1「《漢書》」未標明卷數，為何頁 33 注 1 之「《詩本義》」卻有記？其二，第 32 頁中所引之《史記》有加注，何以在頁 35 之《史記・孟子荀卿列傳》未加注？其三，第 73 頁提到「自然無為之道」、「貴柔守雌之說」，此處儻能補充道家相關之學說語句，或應更佳。其四，第 137 頁倒數兩行引到皮錫瑞《經學歷史》之語未加注，何以在頁 138 引用此書時便有註腳？其五，第 211 頁第二段有「據統計，《荀子》引詩八十三次」云云，此「據統計」應有註腳說明。其六，何以第 211 頁中注 3 未載明出版地與出版社，至其後之頁 218 注 1 方注明？其七，第 242 頁中提到杜預、劉知幾、章學誠、劉熙載等對《左傳》之讚賞，似應加注補充。（劉鎮溢）

【三禮類】

《禮記・樂記》研究論稿

《《禮記・樂記》研究論稿》 王禕著 上海市 上海人民出版社 400頁 2011年7月

《禮記・樂記》是西周以來「禮樂教化」成熟的作品，其中的論述，匯集了先秦文藝美學的理論，堪稱中國古典文藝理論的奠基之作。作者採考證與義理、學問與思想兼顧融合的方法，對《禮記・樂記》展開全面的研究。因此，全書分為上下兩篇：上篇主要進行文獻、文本的相關研究，並梳理了〈樂記〉的研究史；下篇關注〈樂記〉的文化、文論以及哲學等問題，結合出土文獻作為佐證材料，欲使〈樂記〉得到更全面的考察，彰顯其中的價值。

全書除緒論及結語之外，上下篇各三章，共分為六章探討：

第一章考釋〈樂記〉文獻，運用儒家體用學統對章節、篇次的歸屬作裁定，並說明〈樂記〉存在不同篇次的歷史因素。另外，考辨〈樂記〉的作者及成書的爭議，從古籍辨偽角度作考察，並探討其佚文及佚文產生的原因。

第二章則重在論述與先秦典籍關係，分別從其用《詩》與《易傳》理論體系的關係作探討，並考察與其部分文字雷同的《荀子・樂論》及《史記・樂書》。

第三章對歷代〈樂記〉的研究作梳理，以皮錫瑞對經學分期的劃分，分為經學極盛至統一時代的〈樂記〉學、經學變古時代的〈樂記〉研究、經學積衰時代的〈樂記〉學，以及經學復盛時代的〈樂記〉研究，分別說明各期研究的特點。

第四章則在探析〈樂記〉與史前文化的淵源。首先，從甲骨卜辭考察巫卜原始思維在〈樂記〉中的遺痕以及這種思維對後世學術的影響。其次，考釋〈樂記〉中的傳說，並補證「鄭衛之音與桑間濮上之音」的疑義。最後，探討〈樂記〉中「理」的根源與內涵。

第五章通過「樂」字涵義的考索、古代文藝地域觀念、「遺珠遺味」的說法，以及「文質論」等問題，探討〈樂記〉的審美觀照及流變。

第六章，首先探討〈樂記〉「以類相動」、「比類成行」的邏輯體系，其次剖析〈樂記〉和、合、同、中的理論基礎，最後探討〈樂記〉的體用結構內涵。

王禕，生於 1978 年，現任職於天津大學中文系。先後在《Culture China》、《臺灣大學哲學評論》、《孔子研究》等期刊發表關於先秦兩漢文學、文獻、中國禮樂文明、儒家文化研究等二十餘篇論文。（蔡育儒）

禮制文明與神話編碼：《禮記》的文化闡釋

《禮制文明與神話編碼：《禮記》的文化闡釋》　唐啓翠著　廣州市　南方日報出版社　318 頁　2010 年 8 月

本書為葉舒憲先生主編的「神話歷史叢書」之一，編者長期致力於中國神話學與人類學研究，以跨領域地整合各學科知識為出發點，力求在新視域觀照下，能夠解讀中國文化與神話歷史的原型。

作者在其博士論文的基礎上，修改而成此書，從神話學以及人類學的研究方法，重新審視《禮記》對禮制文明探源的意義，探索其中原生語境、儀式敘事的思維模式及敘事功能。

除導論與結語外，全書共分六章：分別探討「『再生』神話：冠禮儀式象徵探源」、「神聖空間：『廟』的象徵分析」、「聖俗之間：《禮記‧明堂位》空間敘事」、「天下認知：《禮記》『五方之民』敘事研究」、「終而復始：《禮記‧月令》的神話時空觀」和「儀式療救：《禮記》災異記憶與儀式功能」。

從甲骨文、金文等漢字象形特徵與出土文物考察、儀式的敘事功能與異文化的參照考察，作者發現「冠禮」原始意義即在模仿萬物復甦的慶春儀式，空間的轉換與三加儀式，象徵著從具有祖先認同的文化意義上獲得再生。進而考察冠禮進行的場所「廟」的空間、布局及隆殺規制，重新體認漢字構形中潛隱的神話編碼，而明堂位序則彰顯人間模擬宇宙秩序的微縮景觀，縱向的宇宙三大領界及水平的五方四合，體現這個文化空間。明堂班序中天子居天下高位，而諸侯環之，戎夷蠻狄環於外，反映著一統天下的政治訴求與華夷之別的矛盾心態。「月令」圖式表現終而復始，以初為常的神聖時間觀及其隱藏權力話語。從儀式表演、意義闡釋與王權秩序，以及神權訴求的雜糅中，表現《禮記》複合敘事模式及社會整合功能。

唐啟翠，生於 1975 年，現任職於海南大學人文傳播學院，主要從事文學、人類學、海南地方歷史與文化研究。另著有《明清《實錄》中的海南》與《此生如痕：丘濬傳》等，並在《民族文學研究》、《社會科學戰線》、《海南大學學報》等刊物發表學術論文二十餘篇。（蔡育儒）

《禮記》語言學與文化學闡釋

《《禮記》語言學與文化學闡釋》 楊雅麗著 北京市 人民出版社 291 頁 2011 年 6 月

《禮記》是春秋戰國至西漢初年儒家禮學資料的匯集，與《周禮》、《儀禮》合稱為三禮，但更重視獨特性和創造性，主要闡發禮制蘊含的文化精神。作者從歷史文化的視域下，研究《禮記》的文本語言，並在考索語言現象的同時，也注意到這些語詞出現的社會歷史因素，企圖彰顯其中透顯的文化訊息。

本書的內容分為兩部分，其一是以當代學術研究視野為基礎，剖析以《禮記》為主的禮學問題，乃至傳統文化中深具現代社會借鑑意義的理論問題；其二是設置若干與禮學相關的專題，並對其中的關鍵詞進行文化語境的深入研究。

在章節的安排上，共分為十章：第一章討論「《禮記》學術思想的時代精神」，探討《禮記》成書的原因，乃起於儒家反思「禮崩樂壞」的時代，所進行重建政治秩序的理想，並進一步闡述禮學承載的時代文化精神以及憂患意識，通過以仁為中心的禮儀實踐及理解完成禮樂文化的構建。第二章通過《禮記》中「稱」字的考察，瞭解禮學追求的道德精神與禮學之精義。第三章則討論「孔子鬼神觀念在禮學中的兩難境地」，通過儒學的人文性與現實性說明孔子無神論的傾向，並針對西周至春秋鬼神觀念的巨變，討論孔子懷疑鬼神的時代背景與因維護周禮而不鮮明地反對鬼神。第四章〈「繪事後素」考辨——兼析「禮後乎」〉，放在經學、禮學及儒家文質之辨的視野下討論。第五章〈「月令」語義溯源——《禮記・月令》解讀〉，則從程式性話語組合以及與《禮記》的關係梳理〈月令〉語義中的政治指向，繼而從語義的轉變探討〈月令〉的氣候和物候。第六章則解讀《禮記・樂記》，論述儒家樂論的倫理政治型特徵，在樂具合和人心以及通倫理的功能，察樂可以知政。第七章通過《禮記》引經與稽古的修辭考察看其崇古的意識。第八章從祭禮、「洗」的稱謂以及其他用詞現象，考察《禮記》用詞細緻有別，從而論其中歷史文化的因素。第九章通過調查《禮記》十四組名詞、廿七組動詞、七組形容詞的同義詞，以及三種其他同義詞，考察上古漢語同義詞現象。最後一章，透過調查分析《禮記》的同義複合詞，論述《禮記》在先秦漢語詞彙系統中的重要地位與漢語詞彙史研究的意義。

楊雅麗，生於 1956 年，畢業於陝西師範大學中文系，現任長江師範學院教授。曾參與陝西師範大學辭書編纂研究所《十三經辭典・禮記卷》的編寫，另有專著《禮記研究》及四十餘篇與禮學相關的論文。（蔡育儒）

楊復再脩儀禮經傳通解續卷祭禮

《楊復再脩儀禮經傳通解續卷祭禮》 〔宋〕楊復撰 林慶彰校訂 葉純芳、橋本秀美編輯 臺北市 中央研究院中國文哲研究所 3冊 86+1075頁 2011年9月

想要研究朱熹（1130－1200）學派的禮學思想，《儀禮經傳通解》是很重要的文獻資料。但此書在朱熹生前並未完成，而由弟子黃榦（1152－1221）續撰《喪禮》、《祭禮》以足之。然黃榦《祭禮》僅成草稿，「有門類而未分卷數，先後無辨」，楊復將之整理為十三卷，最初於宋嘉定十六年（1223）由張虙在南康刊行，這就是目前通行本《儀禮經傳通解續》的〈祭禮〉部分。但楊復在整理過程中，發現內容有不少矛盾牴牾之處，因此興起了重新修訂的想法；於是又花費多年的時間，在紹定四年（1231）完成了另一部《祭禮》，凡十四卷。

楊復《祭禮》曾在宋、元時為衛湜《禮記集說》、馬端臨《文獻通考》等著作所採錄，且頗獲學者好評；可惜後來逐漸失傳，見者甚稀，乃至於如《四庫全書總目》等都將之與黃榦的《祭禮》稿本混為一談。清末著名藏書家陸心源（1834－1894）得此書舊刊本後，亦曾一度混淆不明，最終才恍然大悟二者截然不同。但陸氏皕宋樓藏書後歸日本靜嘉堂，楊復《祭禮》在中國於是近乎絕跡，這個真相也隨之隱晦不顯。

本書為二位編者親赴靜嘉堂文庫，花費三個月的時間，閱覽微卷抄寫全書，又經兩年點校整理，最終所呈現的成果。正文前附有〈導言〉及〈儀禮經傳通解喪、祭禮編刊年表〉，對於黃榦、楊復承繼朱熹遺願「編成禮書」的過程，兩部《祭禮》的流傳情形與混淆始末，靜嘉堂所藏楊復《祭禮》的版本概況與內容、價值，以及本書的整理經過等，都有相當詳盡的說明。本書出版的目的，一方面是提供學界研究材料，期望在經學、史學、文獻學等領域能有新的斬獲。另一方面，靜嘉堂所藏目前被認定為「海內外孤本」，但並非完本；而編者根據《舊京書影》、《宋元書式》判斷，這部《祭禮》在中國應該尚存其他版本，希望藉由本書引起公、私藏書者的注意，最終能夠發現新的傳本，以復全書舊觀。

編者葉純芳（1969－），臺灣臺北人。東吳大學中國文學研究所博士，曾師從許錟輝（1934－）、林慶彰（1948－）諸先生，攻讀文字學、經學史。現為北京大學歷史系講師，主要研究方向為經學（三禮）、文獻學。著有《孫詒讓名原研究》、《孫詒讓周禮學研究》等。

編者橋本秀美（1966－），日本福島縣人，中文名「喬秀岩」，另有筆名「陳沂」、「陳秀琳」等。北京大學古典文獻專業博士，現為北京大學歷史系教授，主要研究方向為經學（三禮）、文獻學。著有《義疏學衰亡史論》（日文），合譯有《校勘学講義：中国古典文献の読み方》（倪其心原著）、《訓詁学講義：中国古語の読み方》（洪誠原著）。

（游鎮壕）

儀禮沃盥禮器研究

《儀禮沃盥禮器研究》 姬秀珠著 臺北市 里仁書局 610頁 2011年4月

《儀禮》記載著完整的沃盥禮節，從盥禮設洗、沃盥儀式，到種種相關器具的使用，都有詳細的規範，均說明著冠昏、燕飲、食禮、喪禮、祭禮等飲食文化都以恭敬、潔淨為尚。全書共分為上、中、下三編，上編為儀節篇，中編為考字篇，下編為器物篇。

在儀節篇中，作者首先透過《儀禮》盥禮儀節的考察，發現各禮在實施盥禮儀式的共同目的，均在「以潔示敬」；而通過使用槃匜、盥器、盥禮場合的考察，也可見各禮間的差異性與盥禮常見的槃匜組合。其次，通過考察出土盥禮用器，將先秦禮儀、典章制度、禮器名物與出土文獻相印證，以出土器物補充傳世文獻的不足。《儀禮》的沃盥器只見「槃匜」的組合，但進一步分析出土禮器的時代、地點及器物組合後，發現實際組合的模式，在西周時期是以「盤盉」為主，到春秋戰國時期才以「盤匜」為主，戰國間有「提梁盉」同出。

在考字篇中，分別從甲骨文、金文、《說文》加以考察盥、盤、盉、匜等字，包含字形演變、相關文獻記載和使用稱謂等，可知禮器使用的材質與用途。再通過清朝文字學家和當代學者的意見，得出字義較完滿的解釋。

在器物篇中，分別考察了傳世收藏以及近年出土的青銅禮盤、禮盉、禮匜的著錄、大小、器型、花紋、銘文、組合、典藏、時代和出土等詳細資料，於目次列出傳世收藏各器的名稱，便於讀者查閱。

從殷商只用「盤」澡手，到周人使用「盤盉」或「槃匜」的組合進行沃盥，可以發現西周禮制制度完備，清潔守禮，不再僅限於個人。整套盥禮需要相禮、行禮的人才得以進行。由相關字形的演變與青銅器的形制發展，可以獲知文明的進化軌跡與古人的生活史。本書結合《儀禮》制度與出土盥器，對周代盥禮的制度和器用有詳盡的考察與論述。

姬秀珠，高雄師範大學國文系博士，現為空軍官校通識中心教授，長期致力於《儀禮》以及考古器物學的研究。先後著有〈《儀禮》壹獻之禮〉、〈「儀禮」歌「詩」樂「詩」研究〉、〈「儀禮」禮鼎考〉等相關論文，以及《明初大儒方孝孺研究》、《儀禮飲食禮器研究》等書。 （蔡育儒）

《大戴禮記》詮釋史考論

《《大戴禮記》詮釋史考論》 孫顯軍著 北京市 社會科學文獻出版社 347 頁 2011 年 4 月

儒家經典流傳久遠，歷朝各家解經、注疏者眾，從《五經》的樹立，到《十三經》的形成，隨著後人的價值判斷，經傳存亡的命運往往受此影響。《大戴禮記》歷來在經典的地位較為薄弱，但因有助於考證禮制、可引用為治世之道，故其所受重視的程度，並不在某些經傳之下。

本書共分六章：一、《大戴禮記》成書考，二、魏晉南北朝：《大戴禮記》漸受冷落，三、隋唐：《大戴禮記》研究趨於沉寂，四、宋代：《大戴禮記》研究漸受重視，五、元明：《大戴禮記》研究持續發展，六、清代：《大戴禮記》研究的高峰。作者將《大戴禮記》歷來傳習的過程，梳理出魏晉南北朝、隋唐、宋、元明、清五個階段。由魏晉對《大戴禮記》的研究逐漸式微，到宋、元、明三朝之復興與鞏固，終以清朝為研究之大盛，描繪出歷來對《大戴禮記》傳習的歷史脈絡。此外也對歷代經師相關著述加以評析，建立出歷來經師的知識序列或知識譜系，用以剖析《大戴禮記》對他們的學術、思想的形成和發展具有怎樣的效用。作者仔細梳理文獻，吸取今人成果，力排學術門戶之見，試圖將《大戴禮記》整體傳習與流變，放置到學術大環境中，呈現出《大戴禮記》在各時代裡所形成的學術樣貌。

孫顯軍，1967 年生，江蘇泰興人。揚州大學文學博士，主要從事中國教育史、文化史和編輯學研究，現任《揚州大學學報（高教研究版）》常務副主編、編輯室主任。除本書外，編著有《傳統教育論稿》、《中國教育著作選讀》，參與編撰有《江蘇教育史》、《南京教育史》等書籍。近期發表有〈關於高校學報評估的幾點思考〉、〈論清代的《大戴禮記》研習——兼談傳統經典與科舉〉、與馮斌共同發表〈關於學術期刊「面對面」審稿模式的設想〉等論文二十餘篇。 （張雅琪）

【春秋類】

《春秋》與「漢道」：兩漢政治與政治文化研究

《《春秋》與「漢道」：兩漢政治與政治文化研究》 陳蘇鎮著 北京市 中華書局 618頁 2011年9月

中國古代政治和政治文化有兩種基本精神，即「仁」的精神與「禮」的精神，二者相互依存，不可分離。「仁」是「禮」的內容，「禮」是「仁」的形式。但二者發展趨向又不盡相同。「禮」趨向於具體化、規範化、法典化，「仁」則接近抽象化、心性化。由此所形成的緊張關係，使得中國古代政治、政治文化，始終在兩條路線之間擺盪前行。在圍繞「撥亂反正」之「道」進行的探索與實踐中，「法治」與「德教」的對立，「以德化民」與「以禮為治」的對立，都是二者關係的具體表現。理論上，「仁」與「禮」是並重的。但在實踐中，「仁」的精神似乎因為更富彈性和創造力而略佔優勢。儒家最終戰勝法家成為獨尊的意識形態，「以德化民」說最終戰勝「以禮為治」說而積澱下來，都證明了這一點。

本書是作者研究兩漢政治與政治文化的成果之一，內容詳細描述與分析在儒家士大夫的推動之下，以春秋學為主的經學，如何訴諸「大一統」帝國的創制立法，以及影響漢帝國的歷史演進，從而成就「漢道」，為中國古代政治文化建立典範。本書的前身，是作者 2000 年所完成之博士論文《《春秋》學對漢代政治變遷的影響》，2001 年曾以《漢代政治與《春秋》學》為題，由中國廣播電視出版社出版。2003 年教育部與國務院學位委員會評為全國優秀博士學位論文，2004 年獲得教育部全國優秀博士學位論文作者專項資金資助，持續進行該項研究，本書即該專案的成果之一。

陳蘇鎮教授，1955年10月生。1978年考入北京大學歷史學系，先後獲學士、碩士、博士學位，現任北京大學歷史學系教授。多年從事中國古代史教學和科研工作，主要研究領域為秦漢魏晉南北朝史、政治制度史、政治文化史。著有本書及《漢代政治與《春秋》學》，編著有《恢宏與古樸——秦漢魏晉南北朝的物質文明》、《中國古代政治文化研究》，另在《歷史研究》、《中國史研究》、《文史》等海內外學術刊物發表論文三十餘篇。 （蔡雅如）

《左傳》省略句考察及其語用學分析

《《左傳》省略句考察及其語用學分析》 李旭、田啓濤、羅舒著 成都市 四川大學出版社 167頁 2011年4月

新中國時期，呂叔湘、朱德熙、王力等學者都曾對「省略句」下定義，即在上古漢語裡，某些結構可以認為是省略，如主語及賓語，但以大原則來看，省略的部分應該是可以補出來的。一個句子應該具備的成分或是詞語因某種原因省去了的時候，就可以稱為省略。目前語法學界判斷省略句的方法，大多先了解全句之意，經判定後再說省略了什麼，但往往忽略其推斷過程，或者判斷的過程沒有一個明確、完善的標準。

本書自《左傳》的〈昭公〉、〈定公〉、〈哀公〉當中挑出了一千二百九十四條語料，進行省略句的研究，從中判定與句讀有直接的關係。作者根據李林、李成蹊、孫明等學者的說法將省略句分類：一般的省略是指在一定語言環境裡的承上省或蒙下省兩種，特殊的省略是指省略的是句子的主要成分和次要成分。作者並用語用學（pragmatics）的知識，從語用省略的角度對語料進行分析、歸類、總結，對各種省略句發掘出意義與還原語境，亦即研究《左傳》中的省略句在特定情景中的特定話語，如何通過語境來理解和使用。

作者認為，省略句的研究較少，卻往往在不自覺當中就使用了，可謂俯拾皆是；作者借由歸納，於是判斷省略句的過程形態就清楚、明確了，並列舉出其共同標準的規律，劃分《左傳》的省略類型，有「對話主體之間的轉換」、「對話中人稱的省略」、「對話中的主謂省略」；或者透過語境來推理省略，有「背景語境的省略」、「上下文語境的省略」。雖然作者稱該書對省略句的問題開發尚未深廣，只是論述了其中的一小部分，且篇幅較小；但筆者認為以西方語言學中的語用學理論來分析中國古籍中省略句的使用及方法，並列舉出各種類型，是本書研究團隊的最大貢獻。（毛翔年）

《左傳》賦詩研究

《《左傳》賦詩研究》　毛振華著　上海市　上海古籍出版社　302頁　2011年5月

春秋時期，「賦詩」是重要的社會活動，涵蓋宗教、政治、社交等面向，在古代中國形成特殊的文化體系。作者毛振華先生以《左傳》作為基底，觀察春秋時期，各國在不同文化背景之下，其賦詩所顯現的文化特色。

本書首先在第一章回顧歷代對於《左傳》賦詩之研究成果，並且提出分析與看法，作者指出前人的研究尚有待補足之處，即系統性的全面論述。第二、三章為「春秋時期的政治文化形勢」、「《左傳》用詩情況分析」，向讀者說明春秋時期「賦詩」現象所形成的歷史背景與基本定位。第四、五、六章則是本書的主體，由「『賦詩言志』辨」、「春秋賦詩習俗的淵源與流變」、「《左傳》各國賦詩討論」等議題，逐步論述春秋時期各國的賦詩情形。其中，相較於前人研究，多集中於魯、晉、楚等重點國家討論，作者於本書之第六章，則又擴大討論的國家範圍，將鄭、秦、衛、宋等國家納入，通過對各國賦詩情況的量化分析，揭示各國賦詩的異同。第七章「賦詩、引詩與春秋解《詩》之學」，分析《左傳》中形成了規模性的解《詩》、闡《詩》、訓《詩》之學的體系，而這類的體系，又多為《毛詩》所吸收。第八章「『賦詩言志』的影響」，則是延續歷史的脈絡，延伸討論戰國時期的賦詩之學。

本書的研究主軸，著重於考察春秋時期《左傳》所記載的各國賦詩情形，試圖將地域文化與賦詩之學相連結，同時以歷史宏觀的角度，探討春秋時期文化、政治的互動下，所應運而生的《詩》學風尚。此外，作者通過對各國賦詩情況的量化分析，揭示各國賦詩的異同，以及戰國政治形勢中，賦詩的嬗變歷程。

毛振華，1978年12月生，河南沈丘人。2005年6月畢業於鄭州大學中文系，獲文學碩士學位。2008 年 6 月畢業於浙江大學中文系，獲文學博士學位。現為浙江外國語學院中文系教師。發表有〈《左傳》魯人賦詩考論〉、〈春秋楚人用《詩》考論〉等論文二十餘篇。本書原為其碩士學位論文，經改寫後正式出版，曾獲「河南省優秀碩士學位論文」之榮譽。（蔡雅如）

【四書類】

論語歧解輯錄

《論語歧解輯録》　高尚榘主編　北京市　中華書局　2冊　1038頁　2011年6月

《論語》自漢代立為學官，受到政府重視，各朝學者均有不同的解釋，如趙岐、何晏。自此以下，如梁武帝《義疏》等古書，皆若存若亡。南宋淳熙年間將《孟子》、〈中庸〉、〈大學〉合為四書，元代延祐年間更作為科舉的定本，於是元、明以來解《論語》者，皆自四書分出，多不出此框架。

本書編者將漢代至當代有關《論語》諸章解釋的分歧匯諸一處，等於是建立了一個豐富的《論語》歧解資料庫。有別於歷代乃至現代的各種《論語》「集解」、「集釋」類的著作，此書只收各家有分歧的解釋，如「學而時習之」的「學」，歷代便各有不同解釋，編者將其匯集起來，按時代先後條理編次，便於徵引。若干條資料下，編者有「案語」以定其是非；或認為解釋不夠明確者，亦補充一些有力的證據輔佐之。

學術研究，本在開發問題或者提出新的看法。將陌生轉為熟悉，或與原來的熟悉拉開距離變為陌生，或打破原有常識的框架，賦予新的生命。筆者認為該書有其資料、學術研究價值，除了提供資料以外，開啟了更多「論語學」在研究上的各種問題，以及另一種經典詮釋的面向。

高尚榘，曾用名高尚舉，1953 年生。現任曲阜師範大學文學院教授、古典文獻學教研室主任、研究生導師，主要從事古典文獻學的教學和研究工作，著有：《高校中文專業文獻檢索》、《古典文獻學》、《文史工具書使用法》、《秦觀詞注釋》等，與人合撰有：《易錯字詞語辨正》、《中國古今書名釋義詞典》、《漢語知識詞典》、《三向號碼詞典》等，主編有：《文獻學專題史》、《山東文獻學家》等，另有〈《周易》、《中庸》思想管窺〉、〈《周易》「元亨利貞」歧解辨

正〉〉等論文。 （毛翔年）

《論語》的公理化詮釋

《《論語》的公理化詮釋》 甘筱青等著 南昌市 江西人民出版社 261頁 2011年9月

當代學術研究為產生不同觀點，多倡導「跨領域」合作。然而，中國傳統經學、哲學之研究方法，多循章句、訓詁二種模式，但今日為地球村的時代，傳統的研究方法不見得能成為來自全球、或不同文化領域之學者所共同瞭解、討論的方式。為此，本書作者便開始思索中西方文化比較的問題，包括儒家思想的原意和本質、黑格爾等西方哲學家對孔子及其思想的理解與評判、利用數學公理化方法對孔子思想進行詮解的必要性和可能性、中國文化如何在西方社會的話語體系中進入主流並突顯作用等，由此思考「孔子思想的公理化結構」一題，以公理化方法對《論語》展開了詮釋。

然而，「《論語》的公理化詮釋」，在進入該研究主題之前，讀者必須知道兩個基礎，即「公理化系統」的基本元素「假設」、「定義」、「公理」與「命題」以及命題之間的邏輯關係。作者結合數學家歐基理德之幾何學、牛頓《數學原理》、斯賓諾莎《倫理學》與愛因斯坦的相對論，運用公理化方法闡述理論的歷史脈絡，指出事物的矛盾變化處於相對「穩定的度」，亦是處於「中庸狀態」之時，闡釋「中庸」的精神實質，及探討孔子思想中的核心價值。作者指出，該研究方法，既不同於沿用中國傳統經學的方法，對《論語》作新的疏證和詮釋；也不同於運用現代學術方法，去重新發現孔子思想的意義與價值。而是試圖用公理、定義、命題等幾何公理的方法，從《論語》的論述中提煉出符合《論語》原意的定義和判斷。是在研究方法與詮釋中，找出創新之路。

甘筱青，男，1956 年 5 月生，江西樟樹人。第三世界科學院院士，法國普瓦提埃大學傑出校友，丹麥、柬埔寨皇家研究院榮譽院士，現任九江學院黨委副書記、院長、鄱陽湖生態經濟研究中心主任。曾在《科學通報》、《數學研究與評論》、《數量經濟與技術經濟》、《管理科學》、《管理學報》、《國際論壇》等期刊發表論文六十餘篇。 （蔡雅如）

論語鈎沉

《論語鈎沉》 董楚平著 北京市 中華書局 496頁 2011年10月

本書名為「鈎沉」，即欲探索深奧的道理或佚失的內容。作者指出，中國大陸隨著一波國學熱的興起，大眾的目光又再度聚焦在儒家的經典。然而，眾人對《論語》的認識，不外乎是：以孔子與弟子及再傳弟子言行為主的資料匯編、儒家重要的經典之一、蘊含許多儒家的重要思想等等。本書就是要打破一般人熟悉的印象，賦予《論語》不同的詮釋。

作者將《論語》全書二十篇、四百九十二章，均作完整的註解與詮釋，其中頗有新意。例如，作者指出《論語》「侍坐」章雖有生動的故事情節，但其體例卻與全書的語錄體例迥然不同，本章應非孔子之生活實錄，而是藝術虛構。如果以生活實錄的標準來衡量，它在情節上有不少硬傷，在思想觀點上與儒家積極入世的精神不符。再者，在《論語・憲問》中，隱士稱孔子是「知其不可而為之者」。作者指出，朱熹等經師大多認為這是對孔子入世精神的諷刺，而現當代學者卻多數認為隱士的話是讚頌之語。作者以為，這其實是認識的倒退，是西學東漸引發的援道入儒之風所造成的認知，使得現當代人對《論語》的幾位隱士都普遍感興趣，也對「侍坐」章中的曾皙多有好評。作者亦對歷來對《論語》之詮釋多有評斷，特別是北京大學中文系李零先生之說法，作者多有引用。此外，作者欲通過此書之付梓，達到刺激中國傳統文化最缺的部分，即「發疑多問」的精神。

董楚平，原名董昭壽，1934 年 5 月生，浙江玉環縣人。曾擔任國際越文化研究中心常務副主任、中國百越民族史研究會副會長，現職為浙江省社會科學院研究員。著有本書及《農民戰爭與平均主義》、《楚辭譯注》、《吳越文化新探》、《吳越徐舒金文集釋》、《防風氏的歷史與神話》、《吳越文化志》等，並在《中國社會科學》、《歷史研究》、《文學評論》、《中國語文》、《民族研究》、《考古》等刊物發表論文百餘篇。 （蔡雅如）

《論語》與《周易》的奧秘

《《論語》與《周易》的奧秘》 鄧詩來著 濟南市 齊魯書社 305頁 2011年12月

孔子為儒家的創始人，更是世人尊崇備至的聖者。他不僅是思想家、教育家，還是華夏上古文化之集大成者。當時已被譽為「天縱之聖」、「天之木鐸」，並且被後世尊為孔聖人、至聖、至聖先師、萬世師表。而孔子及儒家思想對中國、日本、韓國、越南等國文化影響至深，形成所謂的「東亞儒家文化圈」。

《論語》是一本以記錄孔子和其弟子及再傳弟子言行為主的匯編，是儒家重要的經典之一。其內容涉及政治、教育、文學、哲學以及立身處世的道理等多方面，是研究孔子及儒家思想的主要資料。

《易經》是中國最古老的文獻之一，它不但被尊為「五經」之首，亦為上古三大奇書之一。《易經》以一套符號系統來描述狀態的變易，表現了中國古典文化的哲學和宇宙觀。雖然它只是一本占卜的書，但卻影響中國的哲學、宗教、醫學、文學、音樂、藝術，甚至軍事和武術。

如上文所述，不難發現三者對中國傳統文化的影響深鉅，經過數千年的時代巨輪洗禮，在經典的理解與分析有莫衷一是的差異，如何在其中找到真實意義，必須要有扎實的工夫。在鄧詩來先生的用心參照比對解讀下，明白指出《周易》是中國人的文化基因，《論語》根據《周易》編撰，是《周易》的純正傳承。將二者融會貫通，《周易》提供正確解讀《論語》的清晰思路，而《論語》的現實例證，對《周易》的理解有莫大的助益。

本書是在鄧詩來先生嘔心瀝血下完成的，它試圖揭示《論語》與《周易》內在的關聯性，其中引用許多儒家經典和歷史文獻進行梳理，對《論語》雜然紛陳的註解，提出令人耳目一新的看法，在傳統學術中闢出新的蹊徑。

本書以六十四卦為序，置《論語》篇目於前，目次大致如下：學而篇——自強不息乾卦第一、為政篇——厚德載物坤卦第二、堯曰篇——經綸天下屯卦第三、吾與篇——文明啟蒙蒙卦第四、陽貨篇——等待時機需卦第五、鄉愿篇——防微杜漸訟卦第六、哀公篇——容民畜眾師卦第七、八佾篇——相親相輔比卦第八、夏禮篇

——積善文德小畜卦第九、子貢篇——彬彬有禮履卦第十等。（許秀貞）

論孟心詮

《論孟心詮》 駱建人著 臺北市 萬卷樓圖書公司 206頁 2011年7月

本書集結駱建人先生已發表的先秦儒家思想的論著，所討論的內容以《論語》和《孟子》二書為主，亦兼及《荀子》一書。駱先生生前曾以「論孟心詮」為名，自編文集篇目一份。收入本書的文章共十三篇，前十二篇均出自這份篇目，而第十三篇〈孔、孟、荀「欲望論」本義發微〉則為本書編者所輯得而補入。

收入本書的文章，原來都曾在國內的學術性刊物上發表。編輯時均以原刊物所刊載者為底本，並校改了一些印刷錯誤和筆誤。在標點符號方面也加以調整，使之能符合現代編輯排版的規範。文章中所徵引的文獻、論著，大多根據原出處查核校改，在排列的形式上也作了一些技術性的處理。

本書收錄文章有：〈《孟子・告子篇》「乃若其情」句索解〉、〈在「四書今註今譯問題」座談會上的發言〉、〈《孟子・梁惠王篇》「世臣」一詞本義辨疑〉、〈《論語・子罕篇》「未見其止也」「止」字臆解〉、〈《論語・為政篇・季康子問使民敬忠以勸章》「勸」字商榷〉、〈孟子大仁義即大功利說〉、〈孔孟「義命分立說」之見理與「義命不二說」之見道層次〉、〈儒家思想概說〉、〈儒家成仁取義的思想在美育上的功能〉、〈孟子性善說〉、〈孟、荀性善、惡之異同〉、〈孟子義理之天之認知與人性本善論之建立〉、〈孔、孟、荀「欲望論」本義發微〉。

駱建人，別號稼軒，民國十五年生，安徽無為人。曾任新莊中學、省立臺中二中、省立臺南師範訓導主任，臺北市立商專講師、副教授，臺北市立師範專科學校和臺北市立師範學院語文教育學系教授、訓導長、學務長，東吳大學哲學系兼任教授。民國八十年自臺北市立師範學院退休，八十一年擔任考試院各級考試典試委員、地方法院榮譽調解委員會調解人。九十三年三月逝世，享年八十歲。著有《文中子研究》、《徐幹中論研究》和《孟子學說體系探賾》等專書，以及多篇學術論文。

（廖秋滿）

孟子譯評

《孟子譯評》 劉兆偉著 北京市 中華書局 514 頁 2011 年 5 月

《孟子》一書是孟子與其門人公孫丑、萬章等人論述個人修養、價值觀及如何治國興邦思想的著作，全書凡三萬四千餘字，分為十四篇、二百六十章。

本書中《孟子》原文以中華書局 1980 年影印清代阮元校刻的《十三經注疏・孟子注疏》為底本，參以上海中華書局據學海堂經解本校刊的《四部備要・孟子正義》與嶽麓書社 1985 年版的《四書集注》的《孟子》原文。

本書是作者多年研究《孟子》的思想成果。梳理古今研究《孟子》的主要成果，且精選了漢魏唐宋以至明清、當代研究《孟子》的主要觀點，力圖展現自己的見解。本書以促進中國傳統經典教育推廣活動的深入開展為宗旨，希望能使普通讀者開卷有益，對專研人員也有一定的參考價值。

本書的結構是，每章原文後，有今譯、選評和名家點評。名家點評部分，由於漢魏諸家材料稀缺，彌足珍貴，儘量選納。唐、宋以下不乏有成就的研究者，本書難於囊括，只能擇要選錄。

劉兆偉，1942 年生，遼寧省鐵嶺縣人。現為瀋陽師範大學教授、遼寧省孔子學會副會長、馬來西亞儒學研究會學術顧問，著有本書及《《論語》通要》、《儒家教育施政考》、《屈騷異說》，編有《中國傳統文化大略》、《中國教育史簡明教程》、《中國教育管理史略》等，另發表學術論文近百篇。 （廖秋滿）

【孝經類】

孝經集注述疏：附《讀書堂答問》

《孝經集注述疏：附《讀書堂答問》》 〔清〕簡朝亮撰 周春健校注 上海市 華東師範大學出版社 217 頁 2011 年 7 月

本書為《清人經解叢編》系列之一，鑑於上世紀八十年代初，中華書局推出「十三經清人注疏」整理規劃，見目二十餘種，刊行十餘種，嘉惠學林，功莫大焉。惜乎這一計畫尚未完成，且未囊括的十三經清人注疏不在少數，令人惋惜。

《清人經解叢編》系列秉持繼承前輩心志，繼往開來，繼續整理十三經清人注疏。

《孝經集注述疏》一卷，為晚清順德名儒簡朝亮（1852－1933，字季紀，號竹居）所著。該書是簡氏繼《尚書集注述疏》三十五卷、《論語集注補正述疏》十卷後，撰成的又一部經學著作。《孝經集注述疏》從體例上講，是蒐集前代《孝經》舊注，然後對其進行疏解，並提出已見。所附《讀書堂答問》一卷，是簡氏平日講學語錄，由弟子記載而成，在內容上與《述疏》正文雖偶有重複，但相得益彰，可堪補足。《孝經集注述疏》及《答問》，篇幅不大，卻同樣很好的體現了簡氏治學的特點：其一，漢宋兼採，訓詁義理並重。其二，以是否「叶於經」作為衡量注說當否的唯一標準，不懼權威。其三，傾向今文《孝經》，批判古文《孝經》。

本書校注者以民國《讀書堂叢刊》本（收入《四庫未收書輯刊》六輯三冊）為底本。整理方式為施加現代標點，於難解字詞、人名地名、章典制度等，作簡明注釋。正文用小四號字，注釋文字用小五號字。原文雙行小字部分，亦用小五號字，外加括號，以與校注者文字區別。個別較長注文，採用注腳形式，以方便閱讀。

校注者周春健，1973 年生，山東陽信人。自 1992 至 2004 年，分別就讀於濱州師專、山東師範大學、湖北大學、華中師範大學，歷獲文學學士、文獻學碩士、歷史學博士學位。曾任教於湖北大學古籍所，現任中山大學哲學系、古典學中心副教授。碩士階段，主要從事先秦文獻典籍的學習與研究，學位論文《左傳引詩考析》曾獲「湖北大學優秀碩士論文」。畢業留校後，主要從事中國古代學術史籍的整理與研究，以第二署名完成著作三部：《中國學術史著作提要》、《中國學術史著作序跋輯錄》、《中國學術史研究》。博士學位論文《元代四書學研究》曾獲 2008 年「湖北省優秀博士學位論文」，2009 年又獲「全國優秀博士論文提名論文」。目前主要從事經學文獻的整理與研究，迄今在《中國哲學史》、《孔孟學報》、《朱子學刊》、《歷史文獻研究》等期刊發表論文四十餘篇，出版學術著作四部，編著十餘種。（廖秋滿）

經　學　研　究　論　叢
第　二　十　輯　　頁501～510
臺灣學生書局　2012 年 12 月

2011 年度經學專門期刊目次

一、本專欄收錄 2011 年 1 月－2012 年 12 月國內外最新出版之重要經學專門期刊目次，以供研究者檢索查閱。

二、本專欄分別依期刊名、卷期、主編者、出版地及機構、頁數（冊數）、出版年月、目次等項排列。

三、歡迎各界人士提供與本專欄性質相符之著作，以便推介，來書請寄〔11529〕臺北市南港區研究院路二段 128 號中央研究院中國文哲研究所 R308 經學文獻研究室。

經學研究論叢　第十九輯

林慶彰主編　臺北市：臺灣學生書局　452 頁　2011 年 11 月

【目　次】

中國經學　第八輯

彭林主編　桂林市：廣西師範大學出版社　234 頁　2011 年 6 月

【目　次】

儒家典籍與思想研究　第三輯

北京大學《儒藏》編纂與研究中心編　北京市：北京大學出版社　451 頁　2011 年 4 月

【目　次】

詩經研究叢刊　第 19 輯

中國詩經學會、河北師範大學編　北京市：學苑出版社　462 頁　2011 年 9 月

【目　次】

詩經研究叢刊 第20輯

中國詩經學會、河北師範大學編 北京市：學苑出版社 467頁 2011年9月

【目 次】

詩經研究叢刊　第 21 輯

中國詩經學會、河北師範大學編　北京市：學苑出版社　380 頁　2011 年 9 月

【目　次】

《經學研究論叢》撰稿格式

本《論叢》為方便編輯作業，謹訂下列撰稿格式：

一、各章節使用符號，依一、(一)、1.、(1)……等順序表示；文中舉例的數字標號統一用 (1)、(2)、(3)……。

二、所有引文均須核對無誤。各章節若有徵引外文時，請翻譯成流暢達意之中文，於註腳中附上所引篇章之外文原名，並得視需要將所徵引之原文置於註腳中。

三、請用新式標號，惟書名號改用《 》，篇名號改用〈 〉。在行文中，書名和篇名連用時，省略篇名號，如《莊子・天下篇》。若為英文，書名請用斜體，篇名請用 " "。日文翻譯成中文，行文時亦請一併改用中文新式標號。

四、獨立引文，每行低三格；若需特別引用之外文，也依中文方式處理。

五、注釋號碼請用阿拉伯數字隨文標示。

六、注釋之體例，請依下列格式：

(一)引用專書：

1. 王夢鷗：《禮記校證》（臺北市：藝文印書館，1976 年），頁 102。
2. 孫康宜著，李奭學譯：《陳子龍柳如是詩詞情緣》，增訂本（西安市：陝西師範大學出版社，1998 年），頁 21－30。
3. Mark Edward Lewis, *Writing and Authority in Early China* (Albany: State University of New York Press, 1999), pp. 5-10.
4. René Wellek and Austin Warren, *Theory of Literature*, 3rd ed. (New York: Harcourt, 1962), p. 289.
5. 西村天囚：〈宋學傳來者〉，《日本宋學史》（東京都：梁江堂書店，1909 年），上編（三），頁 22。
6. 荒木見悟：〈明清思想史の諸相〉，《中國思想史の諸相》（福岡市：中國書店，1989 年），第二篇，頁 205。

(二)引用論文：

1. 期刊論文：

(1) 王叔岷：〈論校詩之難〉，《臺大中文學報》第 3 期（1979 年 12 月），頁 1－5。

(2) 林慶彰：〈民國初年的反詩序運動〉，《貴州文史叢刊》1997 年第 5 期，頁 1－12。

(3) Joshua A. Fogel, "'Shanghai-Japan': The Japanese Residents' Association of Shanghai," *Journal of Asian Studies* 59.4 (Nov. 2000): 927-950.

(4) 子安宣邦：〈朱子「神鬼論」の言說的構成——儒家的言說の比較研究序論〉，《思想》792 號（東京都：岩波書店，1990 年），頁 133。

2. 論文集論文：

(1) 余英時：〈清代思想史的一個新解釋〉，《歷史與思想》（臺北市：聯經出版事業公司，1976 年），頁 121－156。

(2) John C. Y. Wang, "Early Chinese Narrative: The *Tso-chuan* as Example," in *Chinese Narrative: Critical and Theoretical Essays*, ed. Andrew H. Plaks (Princeton: Princeton University Press, 1977), pp. 3-20.

(3) 伊藤漱平：〈日本における『紅樓夢』の流行——幕末から現代までの書誌的素描〉，收入古田敬一編：《中國文學の比較文學的研究》（東京都：汲古書院，1986 年），頁 474－475。

3. 學位論文：

(1) 吳宏一：《清代詩學研究》（臺北市：臺灣大學中文研究所博士論文，1973 年），頁 20。

(2) Hwang Ming-chorng, "*Ming-tang*: Cosmology, Political Order and Monument in Early China" (Ph.D. diss., Harvard University, 1996), p. 20.

(3) 藤井省三：《魯迅文學の形成と日中露三國の近代化》（東京都：東京大學中國文學研究所博士論文，1991 年），頁 62。

(三)引用古籍：

1. 原書只有卷數，無篇章名，註明全書之版本項，例如：

(1)〔宋〕司馬光：《資治通鑑》（〔南宋〕鄂州覆〔北宋〕刊龍爪本，約西元12世紀），卷2，頁2上。

(2)〔明〕郝敬：《尚書辨解》（臺北：藝文印書館，1969年《百部叢書集成》影印《湖北叢書》本），卷3，頁2上。

(3)〔清〕曹雪芹：《紅樓夢》第一回，見俞平伯校訂，王惜時參校：《紅樓夢八十回校本》（北京市：人民文學出版社，1958年），頁1－5。

(4)那波魯堂：《學問源流》（大阪市：崇高堂，寬政十一年〔1733〕刊本），頁22上。

2. 原書有篇章名者，應註明篇章名及全書之版本項，例如：

(1)〔宋〕蘇軾：〈祭張子野文〉，《蘇軾文集》（北京市：中華書局，1986年），卷63，頁1943。

(2)〔梁〕劉勰：〈神思〉，見周振甫著：《文心雕龍今譯》（北京市：中華書局，1998年），頁248。

(3)王業浩：〈鴛鴦塚序〉，見〔明〕孟稱舜撰，〔明〕陳洪綬評點：《節義鴛鴦塚嬌紅記》，收入林侑蒔主編：《全明傳奇》（臺北市：天一出版社影印，出版年不詳），王序頁3a。

3. 原書有後人作註者，例如：

(1)〔魏〕王弼著，樓宇烈校釋：《老子周易王弼注校釋》（臺北市：華正書局，1983年），上編，頁45。

(2)〔唐〕李白著，瞿蛻園、朱金城校注：〈贈孟浩然〉，《李白集校注》（上）（上海市：上海古籍出版社，1998年），卷9，頁593。

4. 西方古籍請依西方慣例。

(四)引用報紙：

1. 余國藩著，李奭學譯：〈先知・君父・纏足——狄百瑞著《儒家的問題》商榷〉，《中國時報》第39版（人間副刊），1993年5月20－21日。

2. Michael A. Lev, "Nativity Signals Deep Roots for Christianity in China," *Chicago Tribune* [Chicago] 18 March 2001, Sec. 1, p. 4.

3. 藤井省三：〈ノーベル文學賞に中國系の高行健氏：言語盜んで逃亡する極北の作家〉，《朝日新聞》第3版，2000年10月13日。

(五)再次徵引：

1. 再次徵引時可隨文注或用下列簡便方式處理，如：

註 1 王叔岷：〈論校詩之難〉，《臺大中文學報》第 3 期（1979 年 12 月），頁 1。

註 2 同註 1。

註 3 同註 1，頁 3。

2. 如果再次徵引的註不接續，可用下列方式表示：

註 9 王叔岷：〈論校詩之難〉，頁 5。

3. 若為外文，如：

註 1 Patrick Hanan, “The Nature of Ling Meng-ch’u’s Fiction,” in *Chinese Narrative: Critical and Theoretical Essays*, ed. Andrew H. Plaks (Princeton: Princeton University Press, 1977), p. 89.

註 2 Hanan, pp. 90-110.

註 3 Patrick Hanan, “The Missionary Novels of Nineteenth-Century China,” *Harvard Journal of Asiatic Studies* 60.2 (Dec. 2000): 413-443.

註 4 Hanan, “The Nature of Ling Meng-ch’u’s Fiction,” pp. 91-92.

註 5 那波魯堂：《學問源流》（大阪：崇高堂，寬政十一年〔1733〕刊本），頁 22 上。

註 6 同前註，頁 28 上。

(六)注釋中有引文時，請註明所引註文之出版項。

(七)注解名詞，則標註於該名詞之後；注解整句，則標註於句末標點符號之前；惟獨立引文時放在標點後。

七、徵引書目：

文末所附徵引書目依作者姓氏排序，中文在前，外文在後；中文依筆畫多寡，日文依漢字筆畫，若無漢字則依日文字母順序排列，西文依字母順序排列。若作者不詳，則以書名或篇名之首字代替。若一作者，其作品在兩種以上，則據出版時間為序。如：

王叔岷：〈論校詩之難〉，《臺大中文學報》第 3 期，1979 年 12 月，頁 1－5。

王汎森：〈明末清初的一種道德嚴格主義〉，收入郝延平、魏秀梅編：《近世中國之傳統與蛻變——劉廣京院士七十五歲祝壽論文集》，臺北市：中央研究院近代史研究所，1998 年。

尤侗：《西堂雜俎三集》，《尤太史西堂全集》，收入《四部禁燬書叢刊．集部》第 129 冊，北京市：北京出版社，2000 年。

余英時：《歷史與思想》，臺北市：聯經出版事業公司，1976 年。

———：《宋明理學與政治文化》，臺北市：允晨文化實業公司，2004 年。

《清平山堂話本》，收入《古本小說集成》，上海市：上海古籍出版社，1993 年。

西村天囚：《日本宋學史》，東京都：梁江堂書店，1909 年。

伊藤漱平：〈日本における『紅樓夢』の流行——幕末から現代までの書誌的素描〉，收入古田敬一編：《中國文學の比較文學的研究》，東京都：汲古書院，1986 年。

Sommer, Matthew. *Sex, Law, and Society in Late Imperial China*. Stanford, CA: Stanford University Press, 2000.

Zeitlin, Judith. "Shared Dreams: The Story of the Three Wives' Commentary on *The Peony Pavilion*." *Harvard Journal of Asiatic Studies* 54.1(1994): 127-179.

八、其他體例：

(一)年代標示：文章中若有年代，儘量使用國字，其後以括號附註西元年代，西元年則用阿拉伯數字。

1. 司馬遷（145－86 B.C.）
2. 馬援（14B.C.－49 A.D.）
3. 道光辛丑年（1841）
4. 黃宗羲（梨洲，1610－1695）
5. 徐渭（明武宗正德十六年〔1521〕—明神宗萬曆十一年〔1593〕）

(二)若文章中多次徵引同一本書之材料，為清耳目，可不必作註，而於引文下改用括號註明卷數、篇章名或章節等。

九、徵引資料來自網頁者，需加註網址。

十、英文稿件請依 *Harvard Journal of Asiatic Studies* 之最新格式處理。

十一、投稿注意事項：

(一)文稿檔案一律請附：篇名、作者姓名（含學校職級），以利作業。

(二)來稿請另紙註明中文姓名、服務機構、職稱、通訊地址、電話（含行動電話）或傳真號碼、電子信箱，以便聯繫。

(三)請務必附上 WORD 文字電子檔案，若未附者，恕無法刊登；如有特殊造字，請另附 PDF 檔。

(四)為提昇「本論叢」正確度及學術性，爾後「二校稿」一律由作者自校，並請務必依上揭撰稿格式撰稿，若投稿人無法配合，來稿恕無法刊登。

十二、投稿方式：

(一)逕交或寄送：

[11529] 臺北市南港區研究院路二段 128 號
中央研究院中國文哲研究所經學研究室。

(二)或以電子郵件寄送至以下位址：

cltwst@gmail.com

請在「主旨」中註明「經學研究論叢投稿稿件」。

國家圖書館出版品預行編目資料

經學研究論叢·第二十輯

林慶彰主編.— 初版.—臺北市：臺灣學生，2013.01
面；公分

ISBN 978-957-15-1581-6 (平裝)

1. 經學 2. 文集

090.7 102001035

經學研究論叢·第二十輯（全一冊）

主編者：林慶彰
執行編輯：馮曉庭
出版者：臺灣學生書局有限公司
發行人：楊雲龍
發行所：臺灣學生書局有限公司
臺北市和平東路一段七十五巷十一號
郵政劃撥帳號：00024668
電話：(02)23928185
傳真：(02)23928105
E-mail：student.book@msa.hinet.net
http：//www.studentbook.com.tw
本書局登記證字號：行政院新聞局局版北市業字第玖捌壹號
印刷所：長欣印刷企業社
新北市中和區永和路三六三巷四二號
電話：(02)22268853

定價：新臺幣七〇〇元

西元二〇一三年一月初版

09022

ISBN 978-957-15-1581-6 (平裝)